JN059053

中部大学-ローマクラブ日本叢書 1

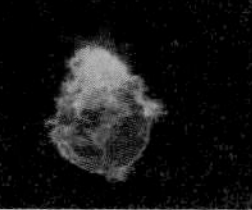

ポストコロナ時代をどう拓くのか?

科学・文化・思想の「入亜脱欧」的シフトに向けて

飯吉厚夫／野中ともよ／林 良嗣
編著

明石書店

目　次

【第2篇】
ローマクラブ日本創設記念国際シンポジウム
22世紀のためのわが家、ただ一つの地球のトリセツ

あいさつ

1969年にバックミンスター・フラーが地球民は動物も植物も運命共同体の中に生きている、という『宇宙船地球号』を発表しました。その前年の1968年に誕生したローマクラブが、最初のレポート『成長の限界（*The Limits to Growth*）』で人類の無制限の成長に警鐘を鳴らし、それまで成長はよいことだと思って邁進してきた世界の常識を一変させました。

2019年、そのローマクラブが日本支部を創設するにあたり、当時、同クラブ本部執行役員の野中ともよさん（本学客員教授）と日本支部長の林良嗣さん（本学卓越教授）から、支部を中部大学に設置したいとの申し入れを受けました。大変驚きましたが、折しも中部大学はその前年の2018年に、創立80周年を迎えたこともあり、お受けすることにしました。

早速、2019年にはローマクラブ日本支部創設記念シンポジウム「22世紀のためのわが家、ただ一つの地球のトリセツ」を開催し、気候危機の真相と、脱炭素に貢献する高温超電導直流送電、デジタルアース、スマート交通の技術と政策などが提案されました。

2020年には中部大学創立80周年記念国際シンポジウム「私たちは、ポスト・コロナ時代をどう拓くのか？」を開催することとなりました。シンポジウムでは、エルンスト・フォン・ワイツゼッカー名誉会長、サンドリーン・ディクソン・デクレーヴ会長を含むローマクラブ正会員（100名）と名誉会員のうち、合わせて8名が登壇しました。ローマクラブとしても年次総会以外にはあり得ないリッチなメンバーを迎え、世界に誇る研究者との討論を得て、大変触発される機会となりました。

20世紀西欧型経済成長至上主義がなぜ経済、政治、気候、感染症の危機を地球社会にもたらしたのか？　それを立て直し、ポスト・コロナ時代を拓く「いのち」を軸とした新たな「地球価値」とは？　さらに「地球人」とは？　そして、日本の文化と科学技術、アジア的価値はどう貢献できるのか？　を問いました。本書はそれらをまとめた報告書です。

中部大学は、現在では7学部6研究科、その他各研究所・センターを置き、シンポジウムの登壇者をはじめ各年代の優れた研究者が世界レベルで活動しております。2016年には新たな学術の創発を目指し学内外に開かれた高度な研究の場として、「創発学術院」を発足させました。2020年12月にはローマクラブ日本に加えて、国際連合地域開発センター（UNCRD）、（一社）中部SDGs推進センター、中部ESD拠点（国連大学認定RCE）の4団体が結集して中部圏SDGs広域プラットフォームが組織されました。本学に本部が設置され、地球規模課題に関する研究・教育・社会連携システムが整いました。今後は、日本文化と科学技術を融合させるイノベーションを先導する仕掛けをつくって、地球社会に貢献していきたいと思います。

本学の中部高等学術研究所持続発展・スマートシティ国際研究センター内に設置されたローマクラブ日本により、2つのシンポジウムが開催され、中部大学が80周年を期して21世紀に向かうべき羅針盤をつくっていただきました。とりわけ、80周年記念シンポジウムはリアルタイムで世界配信され、ローマクラブ会員を中心に国内外で約300名にご視聴いただき、中部大学にとって重要な国際発信となりました。また、日英2チャンネルのYouTube[1)] でも配信されております。ご登壇いただいたローマクラブのワイツゼッカー名誉会長、デクレーヴ会長をはじめとする世界をリードする方々が披瀝された慧眼に感銘を受けたこと、野中さんのエスプリに富んだ司会進行と林さんと一緒にすばらしいシンポジウムを企画いただいたことに対し、心より感謝を申し上げます。

学校法人中部大学理事長・総長

飯吉厚夫

1）YouTube中部大学創立80周年記念国際シンポジウム「私たちは、ポスト・コロナ時代をどう拓くのか？」（日本語：https://youtu.be/Of_01UVBfVM、英語：https://youtu.be/bILi_96gDkI）

まえがき

中部大学創立80周年記念フォーラム開催への感謝を込めて

80周年。と言えば、ほぼほぼ戦後日本の歩みである。

焼け野原から、奇跡の高度経済成長を遂げ、公害に立ち向かい、世界に冠たる技術、輸出貿易立国として君臨。世界第2位の債権国で、世界一の長寿国。と思っている間に、オイルショック、東西冷戦終焉、中国台頭、えっ？ GDPで負けた？　こちらはすでに少子化。で、東日本大震災。天災に人災に技術災。原発神話瓦解。そして「負の30年」と称される平成時代が閉じて、COVID-19の出現、コロナ禍時代に突入した。

彼が今、この日本を生きていたら、何を始めるだろう

遡ること80余年。この学園を創立したのは三浦幸平氏。

彼は尋常高等小学校を終え、銀行の見習いとして就職したが、突然結核に罹患したことで、大きく人生が変わる。いえ、自身で変えた、と表現すべきかもしれない。療養の後に、親戚を頼りに、北朝鮮へ。メキシコへの船旅にも挑戦する。自分の目で世界を見たい、自転車で走りたい。多感な16歳は、そこから教育の重要性に目覚め、19歳で代用教員になり、教育界への道を目指したことが、今日の中部大学へとつながっていく。

さて、1960年代に創設され、70年代に『成長の限界』というレポートを世界に発表し、先進国がこのまま経済成長を驀進すれば地球の資源は枯渇してしまう、と警鐘を鳴らしたローマクラブというシンクタンクがある。以来、正会員は全世界で100名という人数の中で、日本人は3名（日本支部創設時）。元東京大学総長の小宮山宏先生と、名古屋大学名誉教授で当中部大学の林良嗣先生と、どういうわけかの、私。たまたま同時期に選任されたこともあり、林先生

とは毎年ヨーロッパで開催される年次総会等に参加する中で意気投合。社会的絶対値ではともかく（笑）、相対的に見れば、私が一番若い！　で、林先生は2番目に若いのだから！　これを合言葉にして、とにかく、あの大来佐武郎先生の日本人としての功績もあってのローマクラブなのだから、日本支部も、もう一度しっかりと創り直しましょう、と立ち上がった。己の目で世界を見たい。自分の足で、自転車で、世界を歩きたい。そんな、創立者と同じように熱い志をもった若者を一人でも多く、ここ日本から、世界へとつなぎたい。そんな想いが、本書の誕生にもつながることになった。

新ローマクラブ日本支部誕生

「不言実行」を旨とする三浦幸平先生に、今尋ねることは、もうできない。でも、その建学の精神を受け継ぎ、さらに「創発学術院」の創設を始め、時代の先を見据え、新たなアカデミアを拓く「知のマエストロ」がいらした。物理学者でありながら、その知は深く広く、縦横無尽。核の専門家で、宇宙の素粒子から極小極微のウイルスはもちろん、領域は、その境界を知らず。そう、当中部大学を率いる、飯吉厚夫理事長・総長である。

即断即決してくださった。「いいですね。必要です。多様な国、多様な人間たちが、共に未来に向けて力を合わせようとするプラットフォームとしてのローマクラブ。ウエルカムです。過激にやってくださいね」。

こうして、2019年、新たな「ローマクラブ日本支部」が、中部大学で産声を上げたのである。やや大げさな表現であることは重々承知である。ヒトは、産声を上げれば、親はなくても育っていく。だが、わがクラブは、まず、登録する本拠地と看板掛けが許された、新生児。これからの一つひとつ、一歩一歩の「実行」こそが、有言、不言を問わず試されていく。だから頑張りましょう！　これが、新しい合言葉になった。生まれた途端に「成長の限界」では、笑い話にもならないからね！　という言葉も加わった。

詳細は、本文中にもふれてはいるが、ほんの少し、私たちとクラブについてもふれておきたい。

2018年10月：ローマクラブ50周年記念フォーラム開催

2018年10月。ローマクラブは、50周年を祝うフォーラムを開催した。現在も本部はスイスのヴィンタートゥールという小さな街にあるが、設立当時の本拠地で集まろうと、イタリアのローマで開催された総会である。前年に執行部に選ばれていた私は、新しい時代に向けての改革をするためには、女性のリーダーが必要だと考えていた。各国からの、想いを同じくする仲間と計画を進めていった。

同時期に、林先生は、「ノミネーションズコミッティー」という、メンバーシップを審査する委員会メンバーとして、新たな「国籍的、専門領域的、ジェンダー等の多様性確保」のためのチェックマトリックスづくりを一手に引き受け完成させていった。詳細は割愛するが、結果、選挙によって、南アフリカ共和国とベルギー出身の2人による、初の女性共同会長が誕生した。

ややもすれば気の合う仲間が集う「シガークラブ」的で、コケージアンの年配男性陣が中心の「ジェントルマンズ・クラブ」的傾向があったクラブである。実際のところ「ローマクラブよ、お前もか」というのが、入会後の第一印象だった。変えていかないと、終わる。それではもったいないな、という想いが、元からいた（少数ではあったけれども）女性会員たち、そして、新規にメンバーとして加わってきた男性正会員たちと共有できたからこその、改革だったと思う。

「変革に必要なのは、よそ者、ばか者、若者（含：精神年齢！）」とは、言い得て妙、としみじみ己を省みた年でもある。

2019年8月7日：国際シンポジウム「22世紀のためのわが家、ただ一つの地球のトリセツ」開催

ローマクラブ日本支部開設には、記念のシンポジウムを開催しよう！　林良嗣日本支部長の決意が、すべての始まりだった。とにかく、抜群の企画力。さ

すが元「世界交通学会の会長」である 。そのスピード感あふれるフットワークのよさ。そして、やはりここでも、大きな愛とご理解で見守ってくださる飯吉理事長のサポートをいただいた。そのサポートなしでは、シンポジウムの実現はなかった。ここにあらためて、感謝を申し上げたい。

ためにするシンポジウムをしている暇はない。

なぜ、中部大学にローマクラブがあるのか？ なぜ、これまでの知恵や学びを結び、新たな時代を拓くつながりを、今、つくらねばならないと考えるのか？ などなど。そうしたことを、聴衆の一人ひとりが自分ゴトとして捉え、行動を変えていかないかぎり、地球環境改善は間に合わない！ という危機感が、林先生と私の大きな動機エネルギーにはあった。

もう地球は破滅への道をたどり、ポイント・オブ・ノーリターン（元には戻れないところ）を過ぎてしまったのだ、と声高にする人々もいる。でも、こうした恐怖煽り（ホラーストーリーによる気づき）は、その後も、継続性のない、ろくでもないエネルギーしか生まない。

一方で、温暖化などウソっぱち。都市伝説さ、と嗤（わら）う人々もいる。

ヒトは、信じたいものを信じ、信じたくないものやコトには耳を傾けない傾向がある生き物だ、と聞いたことがある。数々のエビデンスや現象が目の前にあっても、信じない！ と信じている人は、信じない。だから、ややこしい。だから、とりあえず、ハイ、と微笑んで（放置して）おく。自らの発見、自らの納得に勝る学びはない、と思っているから。

だから、教条的でなく、身近な言葉で、でも、本物の持つ事実の熱いエネルギーをダイレクトにお伝えしよう！ これを、基軸にした。だからタイトルも、当時流行っていた「妻のトリセツ」を借りて、「地球のトリセツ」とした。

豊かに光る「高等学術・領域・先端研究」等の研究拠点群

中部大学には、ユニークな学部や大学院がある、というのは存じていたつもりである。が、正直に告白するのをお許しいただければ、驚いた。産官学連携プロジェクトはもちろん、たとえば先端研究センターの中には、「ミュオン

（電子の200倍の質量を持つ素粒子）」「超電導・持続可能エネルギー」の実証から「ペプチド」の研究まで。また、領域研究所内では「AI数理データセンター」から「食」や「認知症」の研究も。地球を俯瞰する視座を、実際のさまざまなテクノロジーとシステムでする「デジタルアース」。ここでのNASAや気象庁との協働は、気象を超えて、災害への安全保障までをも捉え、まさにアカデミアの拡張現場を見る気がした。

80年前に「産業日本を支える技術者を育て、世に送り出したい」と、「名古屋第一工学校」を創設した三浦幸平氏の想いは、エンジニアリングを超えて、大きく時代の未来を拓く「あてになる人間」創りの学び舎へ花開いていることを、肌で感じた日々である。

「有言実行」でもつないでいこう

幸いなことに、ローマクラブのサンドリーン・ディクソン・デクレーヴ共同会長が、別の国際会議への出席のため訪日するという情報が入った。ぜひ、こちらにも！　と。通常は一番困難な日程調整が、自ら整っていく、という幸運。実にラッキー！　である。しかも、卑近な例で恐縮だが、貧乏所帯に欧州からの交通費負担なし、というのは、うれしい以外の何物でもない。運に恵まれることにも大きく感謝しつつ、彼女を招聘して、世界のローマクラブも新時代に向けてスタートを切ったことをシェアし、基調講演をしてもらうことが決まった。

加えて、これからは、ここ中部大学の「知の豊かさ」と「チャレンジする心意気」を、まさに、知の「創発学術院」的アプローチで編み込みながら進めていこう。そんないくつかの基本方針も、決めた。

こうして、ローマクラブ日本支部誕生産声としての、初の、国際シンポジウム「22世紀のためのわが家、ただ一つの地球のトリセツ」が、実現の運びとなった。

サンドリーン・ディクソン・デクレーヴ女史の基調講演に続いて、本学の、福井弘道先生、本島修先生、林良嗣先生、末席に野中も加えていただいたのだ

が、お三方のすばらしいこれまでの足跡について、ぜひ巻末のプロフィールを見ていただきたい。本学の、まさに知の創発である。それぞれのプレゼンに続いて、サンドリーン、石原修学長（当時）も加わってのパネルディスカッションをして、閉会した。

時系列的には、こちらが先に開催されたものであるが、本書では、後半に掲載させていただいた。野中の「ガイア軸」の話などもあり、ぜひ！ コロナ禍にあって、まずは、読者の皆さんと、これから何をどう変えていくべきか？ 何は変えてはいけないのか？ などについて、シェアさせていただきたく、2020年10月14日のシンポジウム「私たちは、ポスト・コロナ時代をどう拓くのか？」から始めたい。

COVID-19の出現——パンデミックから何を学ぶべきか？

現在のところ、やや沈静化したとはいえ、世界を見回せば、この感染症をどのように捉え、何を学びにしなければならないのか、まだまだ課題は山盛りである。匂いもなければ、カタチも見えず。気配の音など立てることなく、微小極微でエアロゾル。自由気ままに移動したり、着地して接触待ちもする。初期の何もわからないころには、感染すれば、即死。これは、感染による血栓がもとでの、脳卒中や心筋梗塞が死因であることがのちにわかるのだが、道端でバタバタとヒトが倒れ死んでいくイタリアの街角の映像に、世界中が慄(おのの)いた。

今となっては、ワクチンも治療薬もでき、効果も副反応も明らかになる過程で、非常事態は解かれつつある。でも、感染者の数が減り、医療体制が整えば、また、元どおりの生活に戻れる！　よかった！　でよいのだろうか。

「死」の可視化が鏡になった

よいはずがない。たとえば、異常気象について考えてみればよくわかる。1992年のリオ、97年の京都議定書を持ち出すまでもなく、世界中で警鐘を鳴らし続けてきたが、温暖化は止むことなく、気温はこの30年以上にわたり上昇し、大気汚染も続いた。

ところが、突然のCOVID-19。目にも見えないウイルスの出現に、「Stay Home!」の号令。ヨーロッパでは、人間が移動や活動を止めると、1週間もたたずにヴェニスの海にイルカが戻り、大気汚染は止まった。

ローマクラブしかり。世界中の環境活動を主とする機関も、さまざまな団体も国も個人も、気候変動への警鐘を鳴らし続けてきたが、数十年かけても成し得なかったことを、コロナはさらりとやってのけ、私たち人類に逆に警鐘を鳴らした。「あなた方の振る舞いこそが、異常気象の原因そのものなのだ」と。そして「このままだと、この先には多くの絶滅していった動植物と同じように、あなた方人類の『いのち』の危険が待っているのだよ」とも。

うすうす気づき始めていたことではあったが、「立ち止まれ！」とCOVID-19に指摘され、「世界同時多発覚醒」と呼んでも決して大げさではない時間が流れた。多くの人々が、理解した。どんなに大金持ちでも、財閥トップでも、感染するし、大統領でも、皇太子でも、かかれば、死ぬかもしれない、という事実。この、当たり前の、事実に気がついた。

この世で、一番大事なもの。守らなければならないもの。失くしたら、もう、いくらお金を積んでも、買えないもの。そう、それは「いのち」であること。生きていられること。お金は道具でしかなく、人生の目的になどしてはならないモノ。何にも代えがたい価値は「いのち」である、という事実。ようやく、恐怖の鏡の中に映る、愚かなこれまでの己の姿が見えたのだと思う。

三浦幸平メモリアルホールから世界を結んで語ろう

こうした社会背景を受け、今こそ、さらに世界にも広がりつながれるプラットフォームづくりが急務ではないか、と考えた。で、今回は、中部大学主催で、ローマクラブと中日新聞社の共催というかたちで、国際シンポジウムを開催した。

豪華な16名のスピーカーによるそれぞれのプレゼンテーションと、ラウンドテーブル。Zoomで、アジア、ヨーロッパ、アメリカをつなぎ、国内からも参加を可能にした。ローマクラブのメンバーにも数多く参加してもらいながら、野中のコーディネーションで進めよう、という林支部長のアイデアで設計。聴衆も、参加登録さえすれば、世界のどこからでも参画できるかたちにした。詳細は本文に譲るが、簡単に、問題意識の整理だけ共有させてほしい。

昨今では「人新世」という表現も一般的になってきた。先ほどの、異常気象の話題でも振り返ったが、ともかく、20世紀の第二次世界大戦以降の人類の営みは（先進国の人々を中心に）、これまで地球という惑星が自然に持っていた物質量をはるかに超える物質を、この地球の上につくり出してしまった、というのである。ひたすら経済合理性、効率性、利潤を求め、自然を破壊しても、成長、拡大こそが善、とばかりに爆進してきた結果である。それこそが、豊かで幸せな未来創りの価値である、と信じ込んでいた。加えて近年では、金融至上主義と評されるゲーム感覚の金融システムまでが横行し始め、貧富の差は、ますます拡大しつつある。

アジア発の文化や科学技術こそが新たな地球価値を創造

戦後の高度経済成長驀進時代に、日本人はバナナだ、という表現を聞いたことがある。外は黄色い肌だが、中身は一生懸命シロっぽさを強調している、というイミらしい。ヒドイ表現ではあるが、確かに、経済も政治も教育も。すべての社会の制度設計も。ファッション、音楽、食も、スポーツ、日常生活も。

すべからく、お手本であり、追いつきたいベクトルの先はアメリカであり、西欧文明だった。

一面森に覆われていたヨーロッパ大陸では、暗くて深い森と対峙して、まず、その暗い森（ブラックフォーレスト）を切り開き、光を入れ耕す（cultivate）ことを、文化（culture）文明的と評してきた。

さて一方、私たち日本人は、森と対峙すると、怖いのだけれど、それを畏敬の念に変え、そっと森に入れてもらい、樹々に、大きな岩に、手を合わせて祈ってしまう。どうぞ、私たちをお守りください、と。そこを鎮守の杜にして、鳥居を立てて、そこで盆踊りを踊ってしまうのだ。そんな「自然観」を尾てい骨に持つ。自分もしっかり含まれているのである。生きているのではなしに、その自然の懐の中で生かされている存在でしかない、という感覚。「八百万」の神を其処此処に見るのだ。

創造主としての宇宙を創った神が頂点に一人いて、その下に神に似せたカタチの人間。その人間を生かすために周りに「環境」という名の自然がある。これが、キリスト教的一神教文化である。

八百万の神々があちこちにいて、自分たちは、その中で生かされている、と考えるアジアの多神教的自然観とは、大きく異なるのである。

加えて、まず自己主張できる「個」の確立が先、という西欧型の思考と、同調し「協調を重んじる個」「譲り合える個」であるほうが「個」の価値は高い、と考えるアジア的思考は、大きく違う。この2点を鑑みるだけでも、これからの新しい未来を拓くのに、とりわけ、自然環境問題に対処していくうえでは、私たち、アジアの力や知恵が、いかに重要になってくるかがおわかりいただけると思う。四字熟語で言えば「脱亜入欧」ならぬ「入亜脱欧」とでも表現できようか。ローマクラブ日本の重要なミッションに、この「日本力の再構築」と「アジア的価値軸の発信」を置くことを決めた。

「いのち」を価値の軸にする方法論はあるのか？

経済至上主義の20世紀には、とりわけ日本の経済界では「ナイーヴ」と評され、ビジネスの世界では「シロウト」と括られてきた、「いのち」を大切にする価値軸。これを、どうやって社会に、政治に、経済活動に浸透させていくのか。

「ポスト・コロナの時代」とは、何か。何をどうシフトしなければならないのか。

単に医療体制の拡充や、働く場所や時間の改良をすればよいのか。さまざまに異なる各専門領域からトップスピーカーの先生方のご参加をいただき、3時間近くにわたったシンポジウム。

もっと時間があれば、もっと深く議論ができるのに……という、多少の欲求不満含みではあるけれども、すばらしい問題提起や、その整理、具体的解決へのアイデアなどがあふれた。中部大学には、いかに優れて幅広く、豊かな教授陣がそろっているかを確認するシンポジウムにもなった。あらためて感動する。実は、開催数日前に、ひょっとしたらノーベル賞受賞になるやもしれない……という教授がいらして、そのために設えた記者会見のセットアップをそのまま使わせていただいたことを、最後にご報告しておきたい。

さあ、どうぞ、当日の白熱をご堪能ください。できるだけその場の空気が伝わるような編集に努めたつもりではあるので。

本書の出版も含め、皆様から頂戴した、温かいサポートとご縁のすべてに感謝を申し上げながら……

ローマクラブ執行役員
中部大学客員教授
NPO法人 ガイア・イニシアティブ代表
野中ともよ

【第１篇】

学校法人中部大学創立80周年記念
国際シンポジウム

私たちは、ポスト・コロナ時代をどう拓くのか？

～アジア発の文化と科学技術は「いのち」中心の
新たな地球価値パラダイムを創造できるか～

“How Can Asian Culture, Science and Technology Create
a Life-Centered World in the Post COVID-19 Era? ”

主催：学校法人中部大学

共催：ローマクラブ日本、中日新聞社

後援：アジア開発銀行研究所、国際連合地域開発センター、
日本工学アカデミー、日本環境共生学会、
国連大学サステイナビリティ高等研究所、
中部ESD拠点協議会（RCE Chubu）、
中部圏SDGs広域プラットフォーム

開催日：2020年10月14日（水）

開　会

竹島喜芳

竹島　中部大学中部高等学術研究所の竹島喜芳と申します。これより学校法人中部大学創立80周年記念国際シンポジウム「私たちは、ポスト・コロナ時代をどう拓くのか？」を開催いたします。

このシンポジウムでは、中部大学客員教授、ジャーナリスト、NHKメインキャスター、三洋電機会長などの経歴をお持ちの野中ともよ先生に進行をお願いしております。野中先生は現在、NPO法人ガイア・イニシアティブ代表理事、またローマクラブフルメンバーとして「いのち」を中心軸に地球環境問題解決に関するさまざまな活動をされております。

それでは、野中先生、どうぞよろしくお願いします。

［オープニング鼎談］

Post COVID-19パンデミックにおける中部大学80周年とローマクラブ日本

野中ともよ／飯吉厚夫／林 良嗣

野中ともよ

野中　かしこまりました。バトンを受け取りました。野中です。どうぞよろしくお願いいたします。

まずもって、今日のこのシンポジウムが開催されるまでに、さまざまにご尽力いただいたすべての皆様方に心からの感謝を申し上げます。ありがとうございました。そして、今日も一日よろしくお願いいたします。

コロナ禍の中、日程は変更に次ぐ変更、延期に次ぐ延期。あるいはテーマも、もうちょっとこうしようああしようと、実にさまざまな課題がありました。でも、そんなときも、弱音を吐いてはいけない、いいことなのだから！やれば、必ず前に進む。進めば、きっと未来のためになる！「災い転じて福となす」という先人の言葉を持ち出すまでもなく、どんな困難にあっても、一歩ずつ努力を続ければ必ず道は開けてくるのだから、と、あるときは、やや鈍感力、と呼んだほうがいいかもしれない楽観力を含めて、エネルギーを総動員させながら今日まで、まいりました。

そんな中、いつも応援してくださったのが飯吉厚夫理事長です。本当にありがとうございます。そしてもうお一方、林良嗣先生。「生みの父」。林先生なくして、今日のシンポジウムは生まれませんでした。本日のプログラムは、まず、私を含めて、この3人の鼎談で幕を開けたいと思います。

このシンポジウムのためにおどろおどろしいパンフレットをつくりました。人間は言葉で思考を進めます。ですから、「地球温暖化」と言うと、「温暖」な

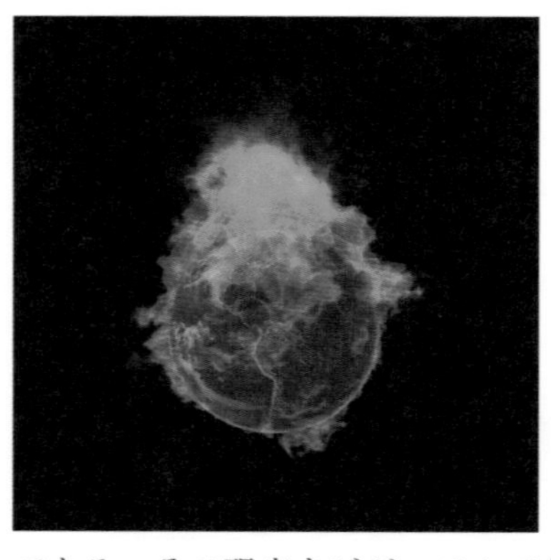

ら「寒々しい」よりよほどヨクなーい？というイメージが湧いてしまいがちです。でも、左の写真をご覧ください。実は、このイラストは、ローマクラブが世界の40人近い教授たちの知恵の結集として発表した『*Come On!*』という最新レポートの日本語版をつくるにあたって、表紙にさせていただいた絵です。温暖化などと言っている場合ではない。気候変動は緊急異常事態である。その現実をビジュアルでもあらわさなければ、と考えたからです。

「ポスト・コロナ」といたしましたが、「ウイズ・コロナ」でも「アフター・コロナ」でも。最終的にはとにかく、今のままではいけない、ただこれのみ。ここからよりよい未来を拓くために、私たちは日々の生活をどう変えていかなければいけないのか。これは学会の問題でも、産業界だけの問題でもありません。一人ひとりの地球人の問題なのだ、と考えます。

今日の会は中部大学の創立80周年記念大会でもあります。80年前にこの学府が開かれて以来、中部大学は未来に向けて、実にさまざまなチャレンジをなさってきています。大学という組織全体のミッションでもあると思うのですが、理事長、そのあたりからちょっと口火を切っていただけますか。

「中部大学＋ローマクラブ」のミッション

飯吉　皆さん、今日は中部大学へお越しいただき、まことにありがとうございます。Zoomで世界中から参加していただいている方々にも、大変感謝いたしております。

学校法人中部大学は1938年に名古屋の中心地で発足いたしました。2年前から80周年の事業を継続してきておりますが、その一環として今回、野中先生と林先生のご尽力でローマクラブと学校法人中部大学のコラボによる国際シンポジウムの開催という大変光栄な機会を持つことができました。ご両人に大変

感謝しております。伝統あるローマクラブの仕事に中部大学が協力させていただけることを、あらためてとてもうれしく光栄に思っております。ありがとうございます。

野中　こちらこそありがとうございます。

林先生、ローマクラブ日本支部長として今日のこのシンポジウムも中心になって進めていただいたのですが、中部大学精神を一言で言うと、どう表現できますでしょうか。

林　この大学のモットーでもあります「不言実行」でしょうね。今の世の中、言うことも言わなければいけないのですが、それより何より実行が伴っていることが大事です。私どももぜひそうしたいものです。

昨年もローマクラブ日本は、共同会長の一人であるサンドリーン・ディクソン・デクレーヴさんを招いてここで創設記念となる第1回シンポジウムを開催いたしましたが、中部大学に開催を快くご了承いただいたのは大変ありがたいことでした。ローマクラブ日本は満1歳になったばかりですから、80周年と1周年では全然違うのですが、かまわず中部大学の持つポテンシャルとコラボして、中部大学とローマクラブだけのためというより世界全体のために、私たちの生み出す価値をどうシェアしていただけるかという態度で、何事も実行していこうと思っております。

野中　今日一番気をつけなければいけないのは時間管理。これは野中の責任なので、厳しく臨ませていただきます（笑）。

林先生、ローマクラブって何？ という方はほとんどいらっしゃらないとは思いますが、聞いてくださっている世界中の方々の中に1人か2人はいらっしゃるのかもしれません（笑）。さらに、日本で、なぜ、今なのか。そのあたりの歴史を30秒ほどで端的に解説いただけますか。

林 ローマクラブというのは、1968年に、当時オリベッティというタイプライター会社の副会長であったアウレリオ・ペッチェイという企業人が、幾何級数的に増えていく人口に対して、このままでは食糧がままならなくなるだろうと言ったことから始まっています。その提言を世に示した『成長の限界（*The Limits to Growth*）』が出て以来50年がたち、このたび『*Come On!*』で総括がなされています。これについては、のちほど前会長のエルンスト・フォン・ワイツゼッカーさんからも詳しくお話しいただけると思います。

では日本支部がこれから何をするのかということですが、これまで西欧を中心にやってきたことは認めつつ、それだけではやれなくなってきた現実を踏まえて、日本の持つ価値、あるいは日本人が自然と混然一体となって生きてきた、その非常に大きな蓄積をシェアしていくということをミッションとして考えています。

野中 「SD（Sustainable Development）」という言葉は国連から始まったような印象がありますが、実はその立ち上がりにはローマクラブのメンバーであった大来佐武郎（おおきたさぶろう）さんの貢献がとても大きいのですね。皆さんも少し調べていただいたらすぐおわかりになると思いますが、そういう方がいてくださって、そのとき日本政府も大変援助をして国連が動き出しています。これはちょっと日本人として注目したい点です。

さて、支部開設にあたってご相談させていただいた折に、飯吉理事長が「野中さん、林さん、すばらしい。それは日本からでなければ発信できないことだ。私は平和への思いも大変強いからぜひ頑張りましょう」とおっしゃっていただいて、それはそれは、とても心強かった。先生は終戦のとき9歳でいらしたということですが、そういったお話とともにローマクラブに寄せる思いなどをお聞かせいただけますか。

日本にしかできない発信をここから

飯吉　これは東大の総長をしておられた南原繁先生がよく言っておられたことですが、日本が敗戦から立ち直るには、必ず歴史的な大きな流れに沿ったことをしないといけない、大きな流れに逆行するようなことをしたら国は滅びると。まさにそのとおりだと思うのですね。これを今の時代で考えるとしたら、日本は何を基準にしたらいいのか。国民全体で何を大きな流れと捉えて生活していけばいいのか。やはりそれは恒久平和だろうと私は思うのです。日本は残念ながら原爆の被害を受け、その悲惨さを知っている世界で唯一の国です。ですから、どうしても核兵器を廃絶し、核戦争を防がないといけない。日本人が一番貢献できるはずですから、国をあげてそういう動きをすべきと思っています。

飯吉厚夫

ちょっと細かい話になりますが、今世界に存在している核兵器の量は、ある試算によると2300メガトンほどなのですね。広島に落ちた原爆が15キロトンです。

野中　桁が違いますね。

飯吉　それがどれほど大きいものかということです。15キロトンで15〜20万人の死傷者が出ましたから、今世界が持っている核兵器ですべての人類を3度も全滅させることになります。世界がそれほど無駄な核兵器を抱えている。日本はそこをしっかり説得できる国のはずですから、世界に向けて国をあげて発信していければと思います。とくに大学は、そのへんをしっかりと学生たちに教育し、社会にもPRしていかなければいけません。中部大学がその一助となり、貢献できればうれしいなと思っています。

野中　すばらしい。先生の専門領域は核融合ですので、それをどう文明的に使

林 良嗣

うのかを考えて青春時代をお過ごしになったことが今のお話につながっているのかと思います。国連の核兵器禁止条約も、先日（2020年10月13日）ツバルがサインしたので、あと3カ国で50カ国になり、やっと発効されるというのに、日本は入っていませんよね。これも私たちの課題です。

飯吉 まったくそのとおりだと思います。

野中 同時に、核兵器のボタンを押さなかったとしても、地球は今「いのち」の営みがギリギリのところまで来ています。林先生、われわれのミッションを支部長としてどのようにお考えですか。

林 災害一つをとっても、最近ではレジリエンスが大事といわれるようになってきています。確かに西ヨーロッパなどでも水害は起こり、ものすごい豪雨が降ることもあるのですが、それは1年に1回か2回のことです。でも、日本などは本当に災害大国で、水害も津波も地震もあり、それをずっと何万年も体験してきているわけです。そんな中でどう暮らしてきたのか。日本はレジリエンスそのものを体現しているわけです。そういうものをきちっと伝えていくというローマクラブ日本の役割は非常に大きいと思います。

中部大学にはデジタルアースのシステムがあり、被災地と中継しながらとか、今どこに雲が来ているのかとか、大変ダイナミックに情報を扱えますから、そういうものもクロスオーバーしたところで貢献していけたらいいなと思っています。

野中 第二次世界大戦が終わった後、君は物理、君は化学、君は文学、君は政治、君は経済と専門を分け、たくさんの専門家をつくる要素還元論的な学問体系が一つのベクトルであったと思うのですが、理事長は4年前、ここにスパークする新しい学問領域を創発するための研究所をおつくりになりましたよね。パンフレットなどでそのすばらしい最新の研究成果を拝見したのですが、先ほどおっしゃった新しい意味での恒久平和に寄与するような方向で、要素還元論

的でなく全体のための、まだ誰も試みたことのないチャレンジをしていらっしゃるような気がしたのですが。

飯吉　創発学術院のお話をしていただいて大変うれしく思います。「創発」というのは、簡単に言いますと、1足す1で2以上のものを生み出すことです。要素の中から新しい現象などを見つけようとするのですが、今の大学は、要素還元的にしっかりいろいろな専門分野に分かれてはいるものの、総合大学になっていないのですね。本来なら総合大学でなければいけないのですが、学部の壁、学科の壁がしっかりあって、それを融合したり総合したりすることに欠けていると思います。ですから、第一歩として創発学術院をつくり、いわゆる学問の間の壁を取り払っていくにはどうしたらいいかということを今おこなっております。

幸いにも京都大学の前総長である山極壽一先生との合意のもと、京都大学に高等研究院、中部大学に創発学術院をカウンターパートとしてつくることができましたので、この4年間、共同研究や共同作業をして、何とか総合大学の芽をつくれないだろうかと考えてきております。

野中　林先生、ローマクラブもそこに入れていただいていると思っていいんでしょうか。

林　ぜひ入れていただきたいですね。

野中　理事長、いかがでしょうか。よろしいですか。

飯吉　もちろんです。賛同していただける方はどんどん入っていただいて。

野中　ありがとうございます。

今日の会も新しいチャレンジの一つですが、皆さん、プログラムのメニューをご覧ください。それこそ今年ノーベル賞の発表があるやと思われた先生も含めて、それぞれの専門領域から本当にすばらしいスピーカーの方々にご参加いただいていますので、きっと互いの領域との新たな出会いでスパークが生まれることと思います。そのうち何人かは、朝早いけど仕方がないから起きてあげようと言ってくださって、Zoomでつながっていただいています。スピーカーの皆さん、一言いただけますか。

チャンドラン・ネールさん、いらっしゃいますか。

ネール こんにちは。日本が懐かしいです。そちらへ行ければよかったのですが。

野中 ありがとうございます。またのちほどお願いいたします。

ヴェルナー・ローテンガッターさん、おられますか。

ローテンガッター 聞こえますか。おはようございます。ドイツは早朝です。今日のディスカッションを楽しみにしております。本日は、ご招待いただき、まことにありがとうございます。

野中 早朝からご参加いただき、本当にありがとうございます。

こういった皆様方にのちほどお話しいただくことになっております。

［基調講演］

Come On!　目覚めよ！ 私だけの経済から 人と地球のいのちのバランスへ

エルンスト・フォン・ワイツゼッカー

野中　さて、エルンストさん、準備はよろしいですか。

エルンストさんが中心になってまとめられた『*Come On!*』は、ドイツ語で出版され、英語はもちろん、各国語でも翻訳されています。私たちもローマクラブ日本の作業の第一段階として、ぎりぎり昨年（2019年）のうちに日本語訳（林良嗣・野中ともよ監修）を出版することができました[1)]。その表紙が先ほどご紹介した、メラメラと燃えている地球です。

では、まず前共同会長でいらっしゃったエルンストさんから、この『*Come On!*』を軸に、ポスト・コロナ時代に向けてのお話をいただきます。会員を歴史的にずっと全世界で100人に抑えてきたローマクラブですが、エルンストさん、あなたのリーダーシップによるこのレポートは未来に向けて何を訴えかけているのですか。

ワイツゼッカー　私たちは、皆さんの大学でもされているように、新しい科学についての話をしております。本日は中部大学にお招きいただき大変光栄に思っています。ここから生まれるローマクラブと中部大学の間での相乗効果を期待しています。

野中　では、エルンストさん、よろしくお願いいたします。

ワイツゼッカー　中部大学創立80周年記念国際シンポジウムにお集まりの友人の皆様、本日私はローマクラブが出版した『*Come On!*』という本（スライド1）を軸に話をいたします。この本は幸い日本語にも訳されています。

先ほどのお話にもありましたが、ローマクラブはヨーロッパで生まれました。当時、西ヨーロッパはまだ主要なビッグプレーヤーでした。イタリア人のアウレリオ・ペッチェイが創設の父であり、彼の友人のスコットランド出身の

（スライド１）

（スライド２）

アレキサンダー・キングが後継となりました（スライド2）。

成長の限界

のちに彼らはとても有名なレポート『成長の限界』（スライド3）を出版し、これがメガヒットとなりました。たしか300万部が読まれたと思います。

『成長の限界』執筆チーム
著作はミリオンセラーに

THE LIMITS TO GROWTH

THE CLUB OF ROME

左から：ヨルゲン・ランダース、ジェイ・W・フォレスター、ドネラ・メドウズ、デニス・メドウズ、ウィリアム・ベーレンス　出典：raunerlibrary.blogspot.com

（スライド3）

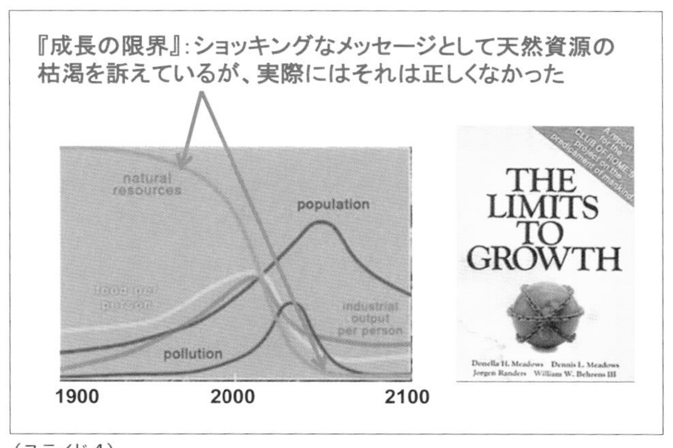

（スライド4）

この『成長の限界』の中には、とくにショッキングなメッセージが一つ含まれていました。天然資源の枯渇についてです。スライド4の図では緑の線であらわされています。

しかし、これは間違っていました。もう一つ悲観的過ぎた間違いがありまして、それは工業生産が自動的に公害を悪化させるという想定です。これも、もはやそのようにはなっていません（スライド5）。たとえば、日本は水俣病や他の公害を経験した後、工業をクリーンにしてきています。

『成長の限界』における2つの悲観的な間違い

『成長の限界』：天然資源の枯渇を中心に据えていた

工業生産と公害には永久的に強い相関関係があると仮定していた

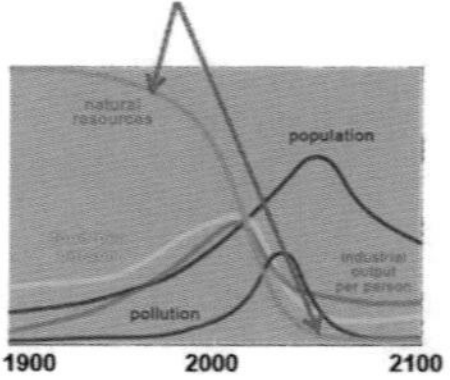

Photograph by Peter Essick

実際には資源は枯渇しなかった

汚染管理ができてくると相関関係はなくなった

（スライド５）

1972年には取り上げられもしなかったが、現代においてはとても重要なテーマ

- 気候
- SDGs17の項目を含めた持続可能性
- 人新世（Anthropocene）
- グローバル化
- 中国の台頭
- デジタル化
- 抑えの効かない金融市場の力

アンダース・ワイクマンと私は、ローマクラブの新しいレポートを編纂すべきであると考え、そこで林良嗣教授を含めた38名の方に参加いただいた

（スライド６）

さらに言えば、『成長の限界』の中では取り上げられていないトピックも多くありました（スライド6）。一つは気候です。また、持続可能性もそうです。人新世（Anthropocene）、グローバル化、中国の台頭――これは日本にとってとても重要なトピックですね。デジタル化もそうですし、抑えの効かない金融市場の力というテーマも取り上げられていませんでした。1972年当時の金融市場は、言ってみれば経済のしもべでした。今のように支配者ではなかったわけで、支配者になったのは1990年代以降のことです。

そこで、2012年にローマクラブの新しい共同会長に就任したアンダース・ワイクマンと私は、新しく大きなレポートを発行しようと考えました。私のよき友人である林良嗣先生も含めた38名の方に参加いただき、その結果として『*Come On!*』がまとまりました。

「エンプティワールド」と「フルワールド」

この中では、地球のキャパシティに対して世界人口が十分に小さかった過去の「エンプティワールド（空っぽの世界）」と、人間があふれ返っている現在の「フルワールド（いっぱいの世界）」の違いを重要な課題として取り上げました（スライド7）。

エンプティワールドには成長へのあこがれがありました。これはよく理解できることかと思います。それから、身体的な本能、世界の言語、欧州の啓蒙、人口成長、その他さまざまなことがありました。これらすべてがエンプティワールドから生まれ、フルワールドへと変わっていく中で修正が必要となりました。とくに成長へのあこがれが修正を必要としています。つまり、エンプティワールドから生まれた概念のうちのいくつかは、明らかに時代遅れになっ

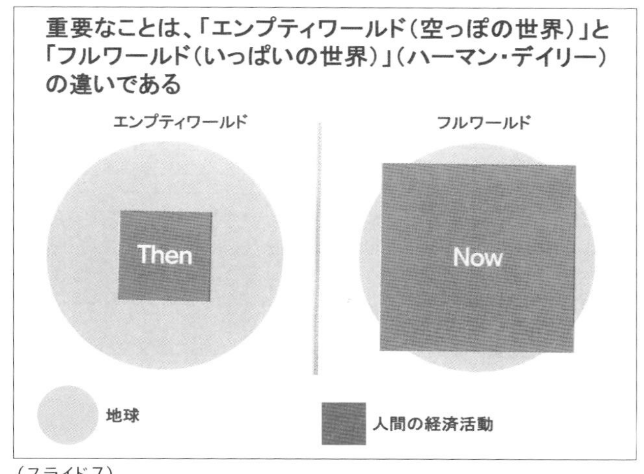

（スライド7）

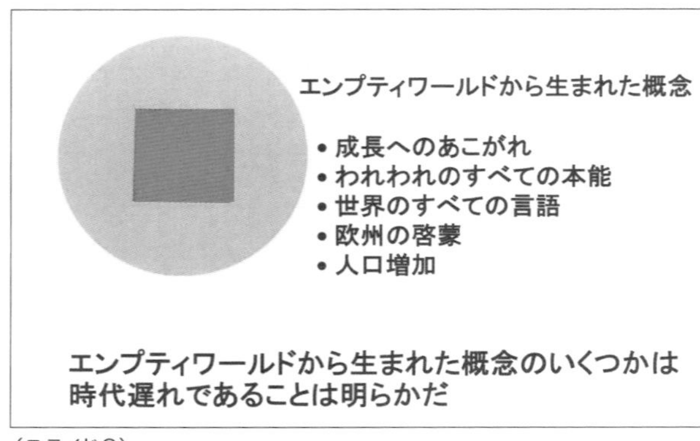

（スライド8）

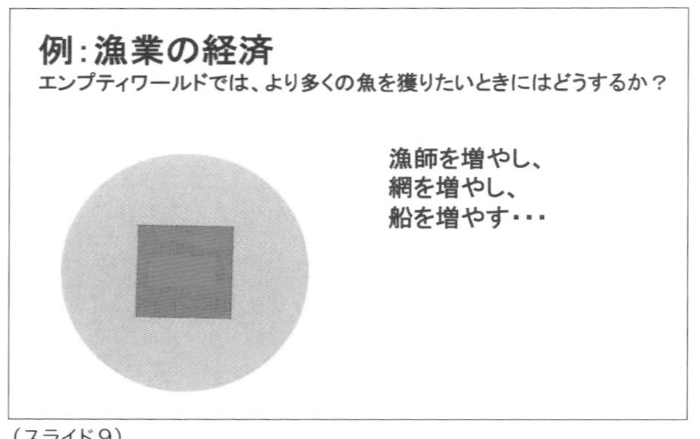

（スライド9）

ているということです（スライド8）。

このエンプティワールドとフルワールドの違いというのは世界銀行の元チーフエコノミストのハーマン・デイリー氏により提唱された考え方ですが、一つ漁業の例をあげてみましょう（スライド9）。もしエンプティワールドに住んでいたら、魚をもっと獲りたいときにはどうするでしょうか。漁師を増やし、網を増やし、船を増やすというすごくシンプルな手段をとると思います。

では、フルワールドに住んでいたら何をするでしょう（スライド10）。海洋保護区を設定し、漁業権を設定して許可制にし、養殖を始めたり、卵を守るためにメスの魚を守ったりと、漁獲量を増やすためにまったく違った戦略が必要

フルワールドでは、より多くの魚を獲りたいときにはどうするか？

海洋保護区を設定する
（漁獲量を大幅に制限する）
養殖を始める
卵のためにメスの魚を守る

エンプティワールドとは
まったく逆の対処法となる！

（スライド10）

性質の異なる3章からなる『*Come On!*』

1. おいおい！　今日のトレンドが持続可能だと思っているのかよ！
2. おいおい！　時代遅れのエンプティワールドの哲学に固執するなよ！
3. さあ！　持続可能な世界のわくわくする旅に一緒に出ようよ！

（スライド11）

になると思います。つまり、エンプティワールドとフルワールドではまったく逆の対処法になるわけです。

『*Come On!*』は、かなり性質の違った3章から成り立っています（スライド11）。英語の「Come on!」という言葉には2つの意味があります。一つ目は「おいおい、バカを言うなよ！」という意味であり、もう一つは「さあ、一緒にやろうよ！」と呼びかける意味です。この本の第1章は「おいおい、今日のトレンドが持続可能だと思っているのかよ！」という章です。第2章は「おいおい、時代遅れのエンプティワールドの哲学に固執するなよ！」という章です。第3章は「さあ、持続可能な世界のわくわくする旅に一緒に出ようよ！」と呼びかける、実務的な政治に関連した章になっています。

おいおい、今日のトレンドは持続可能か？

それでは、一つ目の章、現在のトレンドからお話をしていきましょう。

今、フルワールドの中核では人口の増加が起こっています（スライド12）。これが多くの問題を生んでいるのです。日本は人口安定化の偉大なパイオニアでありますから、アフリカは人口増加に関して日本から学ぶべきだと思います。

国連の人口基金の活動からスライド13のグラフを発見しました。軸の左側から右側へ、世界のさまざまな地域での人口増加率が、下から上へ、それぞれの地域の過去25年間の経済の成功度合いが示されています。ご覧いただきますと、左上に東アジアがあります。東アジアは勝者であり、この地域の国々は人口の安定化に成功しているということです。そして、大負けしている地域が右下のサハラ以南のアフリカです。この地域の国々では人口が激増するとともに、経済的には悲惨な状況にあります。この事実を世界中の政治家はしっかり認識すべきです。

今のフルワールドは「人新世」と呼ばれます。スライド14の赤い図は人間

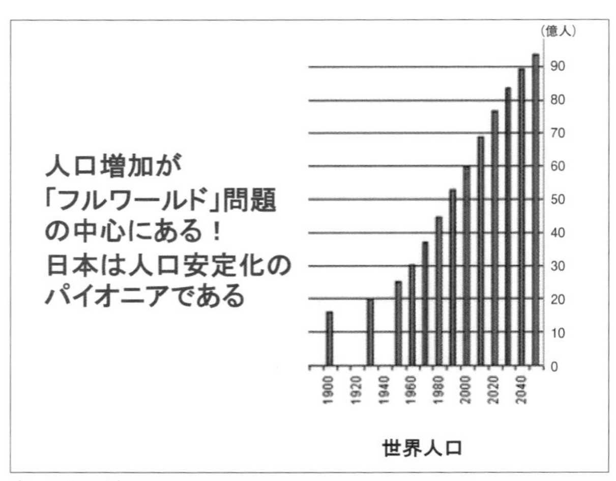

（スライド12）

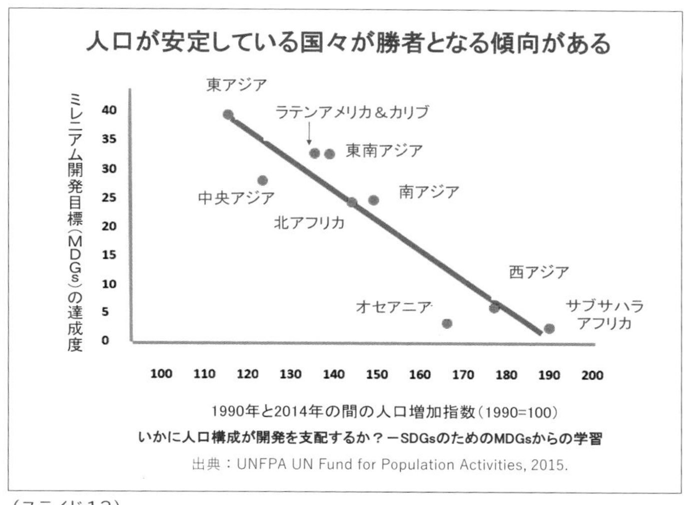

（スライド13）

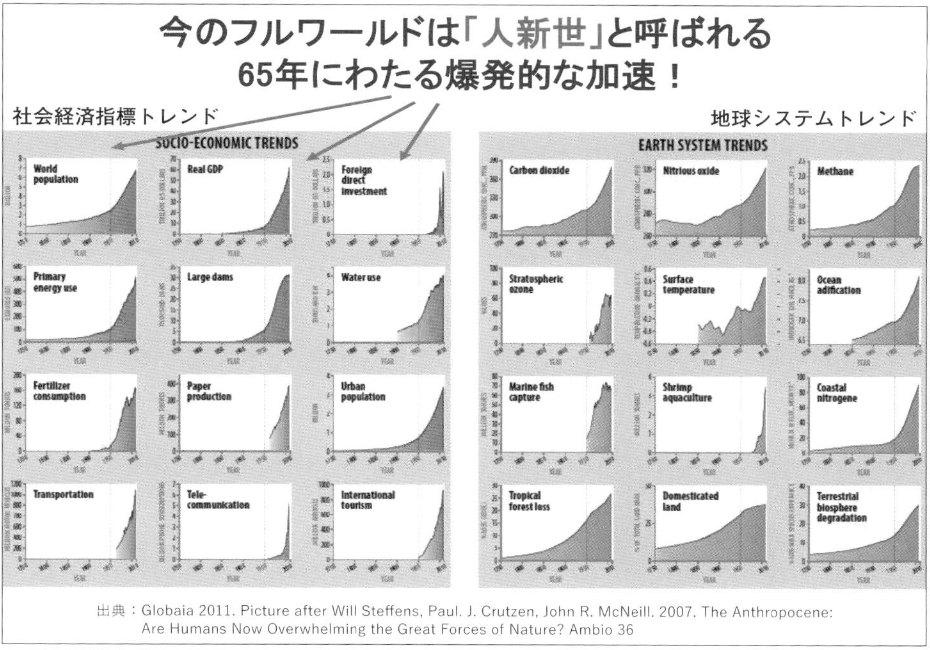

今のフルワールドは「人新世」と呼ばれる
65年にわたる爆発的な加速！

社会経済指標トレンド　　地球システムトレンド

SOCIO-ECONOMIC TRENDS

World population / Real GDP / Foreign direct investment / Primary energy use / Large dams / Water use / Fertilizer consumption / Paper production / Urban population / Transportation / Tele-communication / International tourism

EARTH SYSTEM TRENDS

Carbon dioxide / Nitrious oxide / Methane / Stratospheric ozone / Surface temperature / Ocean adification / Marine fish capture / Shrimp aquaculture / Coastal nitrogene / Tropical forest loss / Domesticated land / Terrestrial biosphere degradation

出典：Globaia 2011. Picture after Will Steffens, Paul. J. Crutzen, John R. McNeill. 2007. The Anthropocene: Are Humans Now Overwhelming the Great Forces of Nature? Ambio 36

（スライド14）

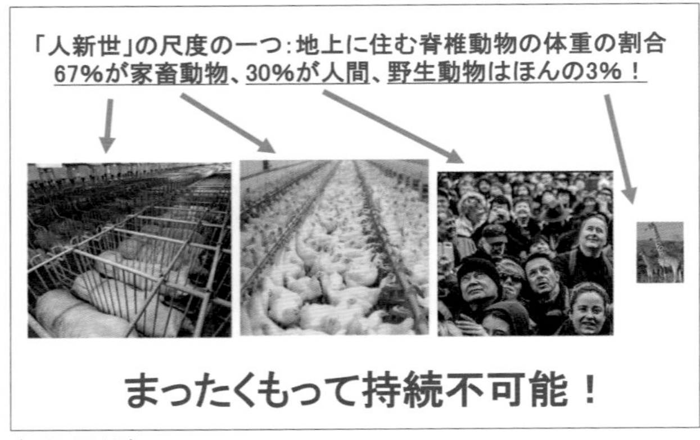

（スライド15）

（スライド16）

の経済活動をあらわしていますが、65年にわたって爆発的な加速を続け、指数関数的な増加をたどっています。そして、右側の緑の図は、それに対して自然の中でどういった変化が見られたかを示しています。この図は、地球社会の状況がより悪化していることを意味します。CO_2の排出というテーマを考えればわかるかと思います。

とくに人新世の中で恥ずべきことと私が思っていることの一つが、地上に住む脊椎動物の体重の割合です（スライド15）。計算してみますと、全地球上に住む脊椎動物の総体重のうち、67%がわれわれが食べている動物、つまり家畜動物であり、30%がわれわれ人間自身なのです。野生動物はほんの3%しか残っていません。これはスキャンダルではないでしょうか。まったく持続可能

（スライド17）

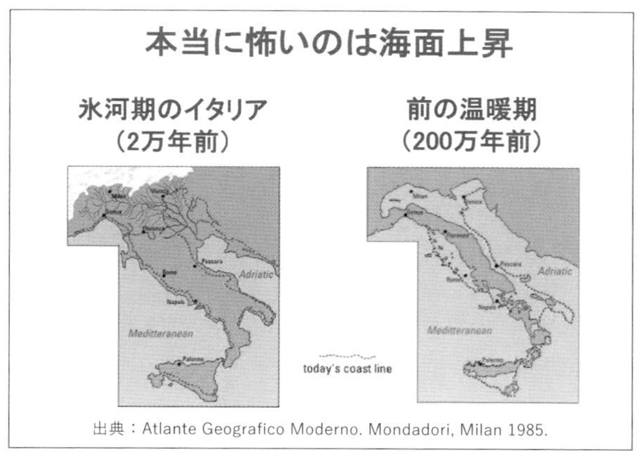

（スライド18）

ではありません。

われわれの本はタイトルを変えて「人新世のためのポリシー」としてもいいのかもしれません（スライド16)。

今現在、恐ろしい持続不可能な気候事象がどんどん増加しています（スライド17)。詳細は申し上げませんが、本当に怖いのが海面上昇です。

氷河期のイタリアは今より面積がかなり大きかったのですが、前の温暖期のころは面積が今と比べて半分ぐらいでした（スライド18)。

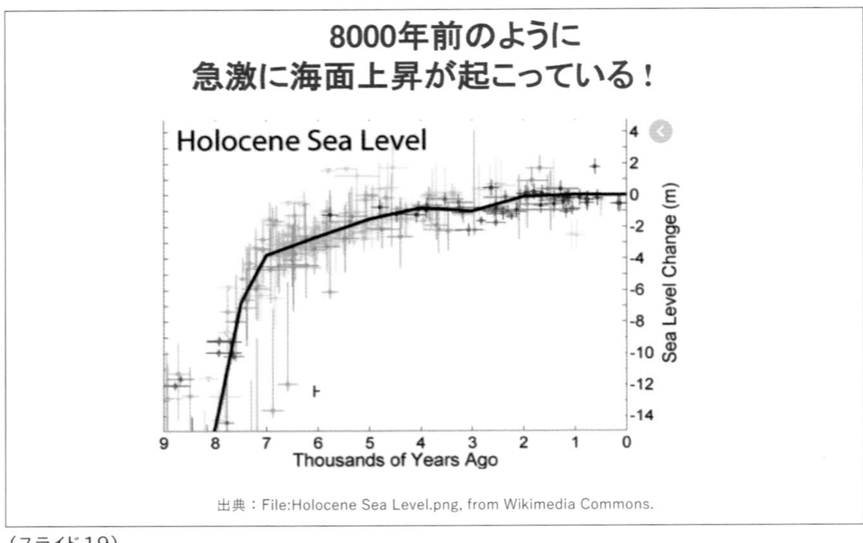

（スライド19）

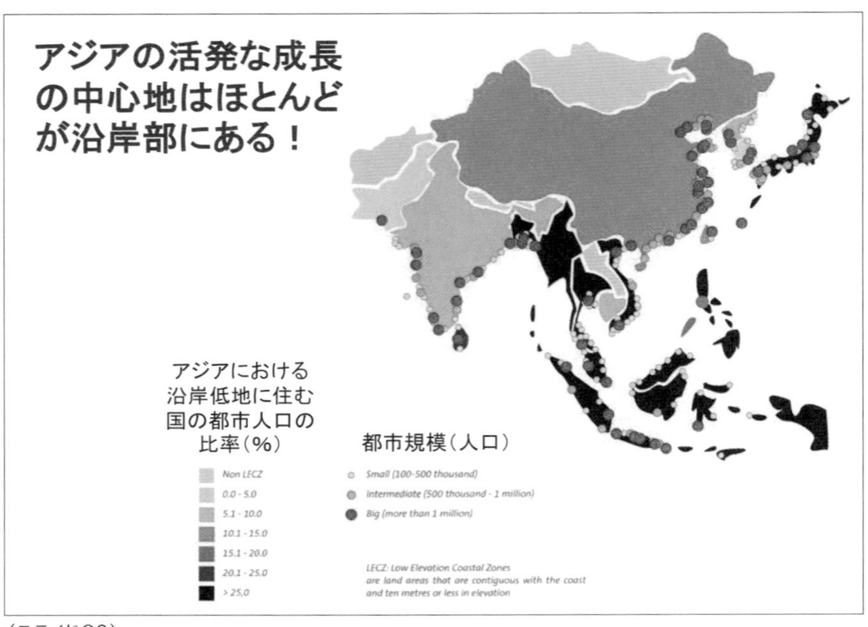

（スライド20）

そして、海面上昇はかなり急速に起こる可能性があります。スライド19をご覧いただくと、8000年前に、ほぼ垂直に海面が上昇していることがわかります。

日本も含めてアジアで活発な成長の中心地となっている場所はほとんど沿岸部にありますから、われわれがどんなに大きな課題に直面しているのかがわかると思います（スライド20）。

時代遅れの考え方はもうやめよう！

さて、2つ目の章に移りたいと思います。

私たちが非常に勇気づけられ、うれしく思ったのは、ローマ法王から全司教に対して送付された回勅「ラウダート・シ」です（スライド21）。この回勅の中でフランシスコ法王は、現在の経済様式における残酷な競争、重ねられる加速、増え続ける消費、そして欲などによってもたらされた、人類共通の家、つまり地球に迫る巨大な危機をあげています。

われわれローマクラブは、現代経済史を見た結果、現代経済学の20人ほどのヒーローたちのうち3人の正当な主張を含む説が、間違った解釈をされ、現在では破壊的成長に乱用されていることを発見しました。その3人というのは、アダム・スミス、デイヴィッド・リカード、チャールズ・ダーウィンです（ス

ローマ法王からの大きな激励
2015年の回勅「ラウダート・シ」

この回勅では、現在の経済様式に起因する人類共通の家（地球）に迫る巨大な危機を名指しであげている

（スライド21）

現代経済学のヒーローたちは間違った解釈をされ、破壊的「成長」に乱用されている

アダム・スミス

出典：Blogs.telegraph.co.uk

デイヴィッド・リカード

出典：david-rick.blogspot.com

チャールズ・ダーウィン

出典：falmouthartgallery.com

（スライド22）

ライド22）。

アダム・スミスは、彼の主張する市場の見えざる手の及ぶ範囲に関して、法とモラルの及ぶ地理的範囲に等しいことを前提に考えていました（スライド23）。つまり、マーケットは明らかに法的な枠組みの中に存在しているという考え方です。しかし現在、マーケットはグローバル化していますが、法はほとんど国家単位のままであり、マーケットが国家を脅迫し、政策を変えるよう迫っています。それによって資本のリターン、投資のリターンが最大化されるよう脅迫しているのです。これが現代資本主義であり、アダム・スミスが提唱していたものとはまったく違うのです。

そして、デイヴィッド・リカードの主張では、資本は国境を越えて移動しませんでした（スライド24）。資本は国の中にあり、物や商人が動いていました。それによって比較優位性が生まれるという説で彼は有名になったわけですが、現在を見てみると、資本はミリ秒単位で世界を駆け回っています。そして実際に世界の実体経済を奴隷化しています。きっとリカードは、これを見たらとても怒ることでしょう。

次にチャールズ・ダーウィンです（スライド25）。私はかつて生物学の教授だったので、彼についてはちょっと知っています。彼にとって競争とは基本的

出典：Blogs.telegraph.co.uk

アダム・スミスは市場の「見えざる手」の及ぶ範囲に関して、法とモラルの及ぶ地理的範囲に等しいことを前提に考えた！

しかし現在、マーケットはグローバル化しているのに対して、法はほとんど国家単位のままである！

（スライド23）

デイヴィッド・リカードの主張では、資本は国境を越えては移動せず、物や商人が動く
それによって「比較優位性」が生まれる

出典：david-rick.blogspot.com

しかし現在では、資本はミリ秒単位で世界を駆け回り、実際に世界の実体経済を奴隷化している。リカードはこれを見たらとても怒ることだろう

（スライド24）

出典：falmouthartgallery.com

チャールズ・ダーウィンは、競争とは基本的に局所的なものであって、地理的境界が*進化を促す*と考えた

実際に彼はそれをガラパゴス諸島で確認している

（スライド25）

に局所的な出来事であって、地理的な境界があることは、彼にいわせれば、進化の助けになるとのことでした。

実際に彼はそれをガラパゴス諸島で確認しています。スライド26をご覧ください。ここにいろいろな鳥がおりますが、元はすべて同じ鳥で、そこから枝分かれしています。南米大陸の他の鳥との競争がない中で独自の進化を遂げたのです。たとえば、右上のほうに道具を使うキツツキフィンチがいます。このフィンチはサボテンのとげを折ってくちばしとして使うことを学びましたが、もし南米のようにキツツキがいたら、もともとキツツキは長いくちばしを持っていますから、決してフィンチがこれを学習することはなかったでしょう。

エコノミストは常に競争を最大化しようとしますが、ダーウィンによればそれは間違いです。ほとんどの場合、アングロサクソンの思想は還元主義的です（スライド27）。もちろん物事の細分化は非常にうまいのですが、それで生命や未来、あるいは複雑系を語ることはできません。今日の世界を理解するため、私たちは生命や未来、あるいは複雑系を考えなければいけないのですが、今の還元主義では、たとえばネズミを殺して解剖することはできたとしても、生態系については何も知ることができないのです。

こういった思想の危機に対応するため、私たちには新しい啓蒙が必要です（スライド28）。これを「Enlightenment 2.0」と呼んでもいいのかもしれませ

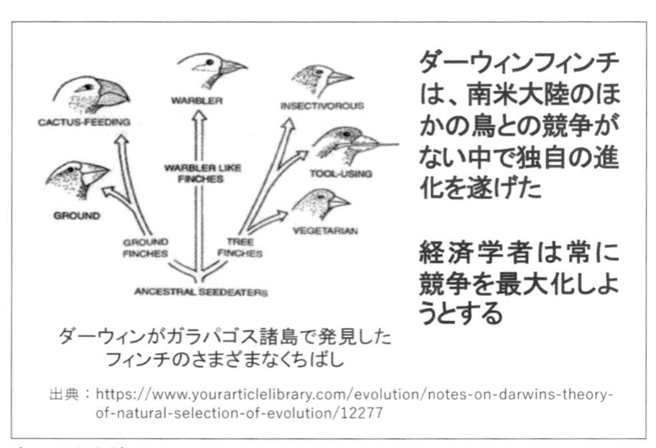

（スライド26）

アングロサクソンの思想は、ほとんどの場合、還元主義的である。 物事の細分化は得意であるが、生命、未来あるいは複雑系を語ることはできない。ネズミを解剖しても生態系については何も知ることはできないのだ

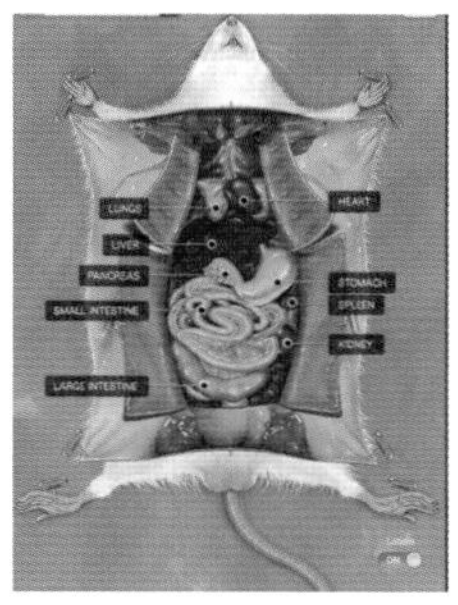

出典：Common Sense Education. Rat Dissection Review for Teachers. Human Biology Lab 2: rat Dissection. Quizlet.com.

（スライド27）

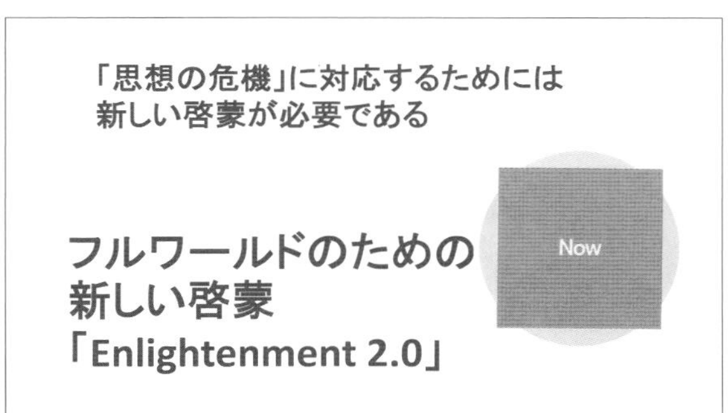

（スライド28）

ん。フルワールドのための新しい啓蒙です。

細かいことは申しませんが、スライド29はかつての啓蒙の時代のヒーローです。トマス・ホッブズ、アダム・スミス、ハーバート・スペンサーの3人をここにあげていますが、英語圏において啓蒙は身勝手と結びついています。この中で一番ましなのはアダム・スミスです。彼の場合、市場の周りに法の枠組みをはめたからです。一番ひどいのはハーバート・スペンサーで、彼は国家が社会正義の市場に干渉してはならないと言っています。なぜなら、競争力の低

英語圏において、
啓蒙は利己主義および「社会進化論」と結びついている

トマス・ホッブズ
1588-1679
人間は利己的動物であるから「リヴァイアサン（独裁制）」によってコントロールする必要がある

アダム・スミス
1723-1790
幸運なことに、利己主義は「見えざる手」を通じて社会的富を生み出すことができる

ハーバート・スペンサー
1820-1903
国家は社会正義に干渉してはならない。進化は国家を不要にする

（スライド29）

バランスは新たな啓蒙において
重要な概念となりうる

例として：
- 人間と自然の間でのバランス
- 心と脳の関係におけるバランス
- 短期的、長期的なバランス
- 公と私（国家と市場）におけるバランス
- 宗教と国家の間のバランス
- 女性性、男性性のバランス
- 平等と業績評価のバランス
- スピードと安定性（イノベーションと信頼性）のバランス

（スライド30）

いすべての貧しい人々が殺され、進化が国家を不要にするだろうからというのです。社会進化論というのは残忍で愚かな思想です。

これからの新たな啓蒙においては、バランスというのがとても重要な概念になってまいります（スライド30）。まず、人間と自然の間でのバランスです。先ほど私は脊椎動物の体重の話をしましたが、これなどはバランスがとれておりません。まったくバランスを欠いています。そして、心と脳の関係にもバランスが必要です。人類の科学技術や経済はすべて脳の産物です。それはすばらしいことではありますが、同時に私たちは心の部分も考えなければならないのです。たとえば、心がこもった政治的なシステムといったものです。そして、短期と長期の視点。たとえば、もしお腹がすいたら、私は今すぐ食べたいのであって、30年後に食べたいわけではありません。しかし、気候のことを考えるならば、長期的な視点を持たなければなりません。

公と私の関係もそうです。アダム・スミスの話をしましたが、国家と市場の関係にはバランスが必要です。市場が国家を独裁してはいけません。それから、宗教と国家の関係もそうです。IS（イスラミック・ステート）は正しい考え方とは言えないでしょう。しかし同時に、国家が宗教を禁じるというのも愚かなことです。そして、女性性と男性性のバランスも重要です。さらに、平等と業績評価はどちらも必要です。スピードと安定性も、どちらも絶対に必要です。ですから、バランスをとるということがカギになってきます。アジアはこれが得意ですが、アメリカは不得意です。バランスということが新たな啓蒙の中核になる必要があります。

ここで一つ、イノベーションと信頼性のバランスの例をあげてみましょう（スライド31）。もし常に最も速いものが勝つということであれば、それは文

イノベーションと信頼性のバランス：
もし速いものが常に勝つというのなら、それは文明にとって災いである！

出典：Australian Institute for Business

（スライド31）

出典：The Yin and Yang dance. indioindian.com

（スライド32）

明にとって災いだと私は思います。時には伝統にのっとって時間をかけて献身するような人が勝者になるべきです。常に一番速い人が勝者になってはいけないと思うのです。

西洋の考え方は独断主義に陥りがちですが、アジアの考え方はバランスを大切にします（スライド32）。それはすばらしいことだと思います。

さあ！　持続可能な世界のわくわくする旅に一緒に出ようよ！

そこで、第3章へ移っていきます。さあ、みんなで一緒にこのわくわくするサステイナブルな世界の旅を始めましょうという章です。本の半分を費やしていますが、ここは実践的なポリティクスの章になっています。

ちょっとインドを見てみますと、私の前にローマクラブの共同会長をしておりましたアショク・コースラさんがディベロップメント・オルタナティブズ（DA）という組織をつくっています（スライド33）。インドの農村で30年ほどかけて300万人の持続可能な雇用をつくり上げたのです。それぞれの地域における機会を追求し、それだけのすばらしい成果をあげました。

私の友人のギュンター・パウリさんは「ブルー・エコノミー」という言葉を

アショク・コースラ氏による組織
「ディベロップメント・オルタナティブズ」(DA)

Providing Eco-Solutions for the Poor
for over 30 years.
Development Alternatives (India)

30年以上かけて、インドの農村に約300万の
持続可能な雇用をつくり上げた

（スライド33）

循環経済の一つの例として、砂や塵や廃プラスチックからつくる「ストーンペーパー」がある

STONE PAPER

中国ではすでに
いくつかの
ストーンペーパー工場
が稼働している

（スライド34）

つくり出しました。エネルギーや物質をカスケード（段階）利用し、循環経済をつくろうというわけです。その例の一つとしてストーンペーパーがあります（スライド34）。塵や砂や廃プラスチックを使って紙をつくることができるのです。すでにいくつかの工場が中国で稼働しています。

持続可能な農業も、世界中でとても重要です（スライド35）。ハンス・ヘレンさんもローマクラブの会員ですが、現在のケニアの環境大臣であるジュディ・ワクングさんと一緒に『*Agriculture at a Crossroads*』というレポートを出しています。すばらしい本です。

再生可能エネルギーもとても重要です（スライド36）。私はドイツにおいて固定価格買取制度（Feed-in Tariff）の法律ができたときに国会議員をしており

（スライド35）

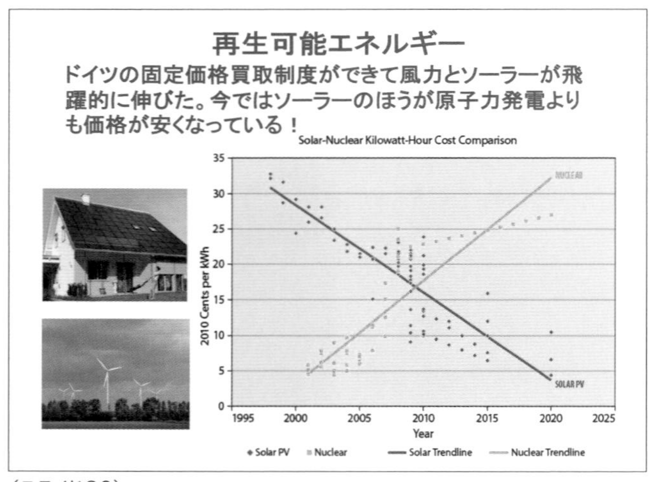

（スライド36）

ましたが、このおかげで風力とソーラーが飛躍的に伸びました。現在、キロワットアワーで見ますと、もはやソーラーのほうが原発よりも安くなっているのです。すごいことではないでしょうか。

効率はどんどん高めていくことができます（スライド37）。著書『*Factor Five*』[2)]も日本語に訳されております。 われわれはこの本の中で、4つの主要

（スライド37）

広範囲にわたる2つの政策提案

1. **気候に関する予算アプローチ**
2. **エネルギー効率の向上とエネルギー価格の「ピンポン」**

（スライド38）

な経済の部門において生産性あるいは効率を5倍上げられることを確認しています。

この章で私たちは2つの広範囲にわたる政策提案をしています（スライド38）。一つは気候に関する予算アプローチ、もう一つはエネルギー効率の向上とエネルギー価格のピンポンです。

一つ目の予算アプローチについては、すべての国の人々に同じ量の1人当たりCO_2排出予算枠、炭素予算を与えます。スライド39の図をご覧ください。先進国は、このままでは2024年ごろに予算を使い果たすことになります。でも、途上国から予算を売ってもらうことができるのですね。グリーンで示した部分です。そうすると、途上国は自分たちの予算を売ることによって富の移転を受けることができます。そのようにして気候中立（Climate neutral）の状況に持っていくことができるということであります。

スライド40をご覧ください。ピユシュ・ゴヤル氏はインドの商工大臣で、

「予算アプローチ」:
先進国はほぼ炭素予算（排出枠）を使い果たしているものの（赤い破線）、途上国から予算を売ってもらう（緑の線）ことで、新たな予算枠を確保する（赤い実線）

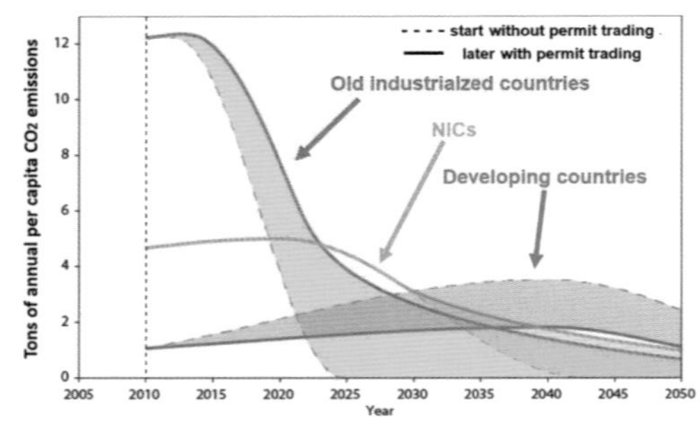

（スライド39）

出典：www.piyushgoyal.in

もしこの予算アプローチができれば、インドの商工相、ピユシュ・ゴヤルは、北（先進国）にそれぞれ排出枠を売ることで、現在推進している石炭火力発電から、これからは再生可能エネルギーとエネルギー効率向上に、すぐに方向転換をすることだろう！

これは、南は、北の積極的な脱炭素の取り組みに参加することで豊かになれることを意味する

（スライド40）

現在は石炭、石油、ガスなどの化石燃料の発電を推進していますが、もしこの予算アプローチができれば、すぐ方向を変え、これからはエネルギー効率と再エネだと言うことでしょう。そうすると、南は北の脱炭素の取り組みに参加することで豊かになれるわけです。

もう一つのピンポンの案は、また違った話です（スライド41）。エネルギーと資源の価格を、実証された効率向上の平均値と同じパーセンテージでゆっくり上げていくのです。効率が上がったときに、エネルギーの価格も同じパーセンテージで上げていくという考え方です。このピンポンの考え方は実際に産業

「ピンポン」のアイデア

エネルギーと資源の価格を、実証された効率向上の平均値と同じパーセンテージでゆっくり上げていく

この考え方は、
産業革命時代に起きたことと類似している

出典：https://www.tlkgames.com/products/3/3drt-pingpong/screenshots/large/3drt-pingpong_1.jpg

（スライド41）

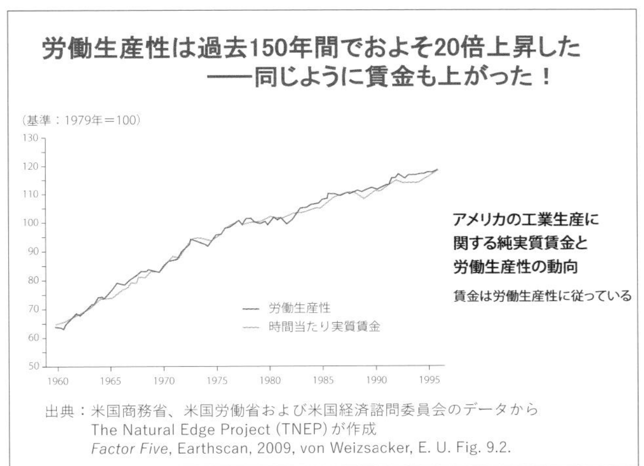

（スライド42）

革命時代に起きたことと類似しています。

当時はエネルギー効率ではなく、労働生産性の上昇が起こったことによって賃金が上がりました（スライド42）。それによってさらに労働生産性が上がり、利益が増えました。このピンポンがずっと続いたことにより、労働生産性が20倍にまで上がったわけです。これが富の土台となりました。

今回提唱した新しい資源のピンポンがおこなわれれば、資源の生産性の平均

今回提唱した新しい「資源のピンポン」がおこなわれれば、資源の生産性の平均値は40年で5倍に、100年で10倍に増える可能性がある

そうすれば、経済と生態系の間でのコンフリクトを終結することができる

（スライド43）

新たな啓蒙はまだ初期段階にあるが、ゴールの一つはすでに見えている

金融市場に国家を支配させてはいけない！

（スライド44）

ヨーロッパとアジアが力を合わせ、時代遅れの思想による英米の支配から脱却しなければならない！

Thank you !

（スライド45）

値は40年で5倍に、100年で10倍に増えるでしょう（スライド43）。そうすれば、経済と生態系の間での背反を終結することができます。

新しい啓蒙はまだ始まったばかりですが、一つのゴールはもう見えています（スライド44）。それは、金融市場に国家を支配させてはいけないということです。

ヨーロッパとアジアが力を合わせ、時代遅れの思想による英米の支配から脱却しなければいけません（スライド45）。

私の発表は以上です。ご清聴ありがとうございました。

野中　エルンストさん、ありがとうございました。またのちほど討議に加わってください。

38人の学者さんたちのレポートを20分強で説明してくださいました。林先生、この『*Come On!*』ですが、中部大学経由で買うと安くなったりしませんか（笑）。一家に1冊あってもいい本だと私は思います。

1）邦訳：エルンスト・フォン・ワイツゼッカー、アンダース・ワイクマン編著、林良嗣、野中ともよ監訳『Come On！　目を覚まそう！――環境危機を迎えた「人新世」をどう生きるか？』（明石書店、2019年）

2）邦訳：エルンスト・フォン・ワイツゼッカー他著、林良嗣監修、吉村皓一他訳『ファクター5――エネルギー効率の5倍向上をめざすイノベーションと経済的方策』（明石書店、2014年）

［ラウンドテーブル］
ポスト・コロナ時代を拓くカギは日本とアジアにあり

野中ともよ／飯尾 歩

野中 さて、ここからラウンドテーブル形式で進行させていただきます。今日はジャーナリズムの世界からも駆けつけてくださいました。飯尾歩さんです。エルンストさんが4年前に名古屋大学で名誉博士号を受けられたときのシンポジウムがおこなわれたのですが、そこでは飯尾さんがコーディネーターをしてくださったんですよね。今日はありがとうございます。
飯尾 この場にも来させていただきまして、ありがとうございます。
野中 久しぶりのエルンストさんの話はいかがでしたか。
飯尾 やはりぶれない方ですよね。気候危機の進展について、当時は「気候変動」と言われ、まだ「危機」と認識されるところまで行っておらず、われわれもそこに参画しなければいけないという危機感がまだまだ薄かったのですが、あのときワイツゼッカーさんがおっしゃっておられたことにやっと時代が即してきたように思います。

当時ワイツゼッカーさんはリデザインやリマニュファクチャリングを強調されていたのですが、今のコロナ禍でこれが本当に必要になってきています。いよいよ現実のものになってきました。イギリスのグリーンエコノミーなどもそうですが、暮らし、産業、すべてのリデザインに関して、もう始めている方もいらっしゃいますよね。環境問題の世界では「自分事として考えよ」ということがよく言われますが、本当に自分事として考えざるをえない状況をコロナ禍がつくったような気がしています。
野中 そうですね。コロナウイルスは、目にも見えないし、匂いもしないし、どこにいるかもわかりません。ひょっとしたらここにもいるかもしれないし、誰がかかってもおかしくないような状態で今地球を行ったり来たりしているわけですよね。

飯尾　目に見えないものということでは、CO_2もそうですけれども。

野中　はい。でも、CO_2では死なない。だから自分事にはならなかった。

飯尾　そう、でも、それがもう近くに迫ってきたというか、五感として肌感覚で感じるところまで来ていると思います。気候危機の進展もそうですが、今われわれは行動を起こさなければいけない。もうそういうモチベーションのボトムにまで下がってきているのではないかという気がします。

飯尾 歩（左）、野中ともよ

野中　16歳だったグレタさんがいくら言っても、政治も経済界の大人たちも「お嬢ちゃん、学校へ行ったほうがいいよ」と、トランプさんなどは鼻であしらっていました。でも、目にも見えず、匂いもしないCOVID-19の登場で、一気に「ステイホーム」。全部フリーズがかかった。飛行機も飛ばないし、出るな、歩くな、家に居ろと。まじまじと、家の中で旦那と顔を合わせて見たら、まあ、こんな顔をしていたのかと驚いた、などという逸話まで。実際、家庭内の関係性まであらためて考えざるをえなくなったという人々が、世界中にいる状況です。

飯尾　そうですよね。「ステイ」というのは非常に暗示的だと思います。われわれはずっと走り続けてきました。ローマクラブが『成長の限界』を提示してもなお、全速力で前へ走り続けることが社会の発展だと考えてきました。しかし、それはサステイナブルではなかった。「ステイ」してじっくり考えるという概念自体も、われわれの身に迫ってきているのではないかという気がしますね。コロナが教えていることは大きいと思います。

野中　向き合わなければならないことはわかっていても、会社でも、大学でも、家でも、とにかく「忙しいからそんな時間はない」と済ませてきたさまざまな事柄たちに、ドカーンと向き合い、さらに考える時間をもらいましたね。

飯尾　もらっても、もてあましてしまうのですけどね。ワイツゼッカーさんは当時、この世界を変える新しい物語が必要と言っていたのですが、まさに今がそれぞれ新しい物語を紡ぐ契機であると思いますし、まさしく「Come on!」だと思います。

野中　「Come on!」には、「やめてよ！　冗談はよしてよ！」という意味もあれば、「そんな昔にしがみつかないでよ！」という意味もあれば、「一緒に前へ進んで始めようよ！」という意味もあるわけですが、この3つ目の意味をエルンストさんも強調していらっしゃいましたね。

飯尾　もう一つ、日本の技と知恵を参考にしなさいということを、今日もそのようなことを言われましたが、当時もおっしゃっていました。そういう意味では、ローマクラブを中心とするアカデミズムの方々もそうですが、日本の技と知恵で世界を変える新しい物語を紡いでいこうというわけですね。アフターコロナの世界をつくる新しい物語の扉の1ページ目を今日開くようなつもりで、わくわく楽しみながら皆さんのお話を聞きたいと、新聞記者の端くれとして、私は思っているところです。

野中　何となく他人事にも聞こえますが（笑）。今日の話を聞いて、今の日本の状況を変えていくために初めの一歩として何をしたらいいのか、飯尾さんにも最後にうかがいますからね。自分事、そしてジャーナリストとして中日新聞紙上で書いてくださるといいのですが。メディアの役割は大きいですから。

飯尾　今日は書くことがいっぱいありますよ。書くことが私にできることだと思います。

野中　よろしくお願いします。心強いお言葉！ありがとうございます。

　では、各先生方のプレゼンテーションをスタートしたいと思います。

民族性でまったく異なるアプローチ

山本 尚

野中 まず、アカデミアのトップバッターを山本先生にお願いしたいと思います。実は先生のおかげで今日のこの舞台装置を、私たちは無料で使用させていただくことができました。あらためて山本先生、ありがとうございます。というのも、先生のノーベル賞受賞の発表があったら記者会見を開くためのお支度会場でした。来年はここで発表をぜひうかがいたいと思います。

山本 ありがとうございます。そうありたいものですね。

野中 ローマクラブをあげて応援させていただきます（笑）。

山本先生からは、化学がご専門でいらっしゃるにもかかわらず、「民族性と科学技術」というタイトルをいただいています。先ほど飯尾さんのお話にもありましたけれども、高度経済成長期の牽引力は日本の優れたものづくり力や技術力でした。では、このコロナ後の時代を拓いていくために、私たちは何をどう捉え直して進んでいかなければいけないのか。そういうお話がうかがえるものと思っております。お一人たかだか5分しかないのが申しわけないのですが、どうぞ口火を切っていただければと思います。よろしくお願いいたします。

山本 私は、環境問題やSDGsの問題点の解決にあたって、基本的には科学技術の進歩が非常に大きな役割を果たすと思っています。しかし、旧来の科学技術のやり方では不足しており、破壊的なイノベーションが必要であると思います。

破壊的イノベーションと言いましても、それぞれ解決しなければならない問題があるわけですね。たとえば、課題追求型である必要があります。課題はちゃんとあるので、その課題をどのように解決するのかを中心に考えていきましょうということになります。そうしますと、20～30年後の将来の社会を見

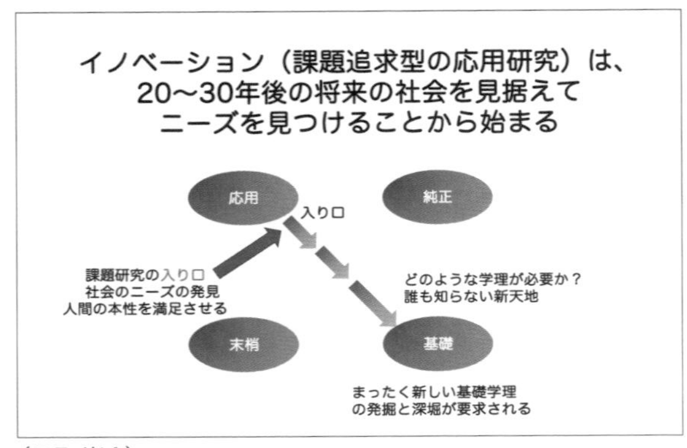

（スライド1）

据えてニーズを見つけることが前提です。

ここに非常に簡単な4象限の図を示しました（スライド1）。大学でおこなわれている研究はこういった4象限で説明できるのですが、今私どもに必要なのは応用です。応用によって何をつくることができるのか、どんなイノベーションを出すことができるのか。研究はその応用から非常に重要な基礎へのブリッジをつくっていく必要があります。基礎は今まで知られていない学理です。今まで発見されていない学理が基礎です。その際に、入り口として課題があります。課題は、非常に単純な言葉で、また非常に平易な表現で示すことが必要です。学術用語のまったくない目標をここで表現することが必要なのです。その課題に従って、どのように問題を解決するか、学問をずっと深く深く掘り下げていきますと、いろいろなことがわかってまいります。ここで新しい学問ができるのです。ここでできた新しい学問こそ基礎の学問で、この基礎の学問がすべてのベースになると私は思っています。

論理的でない日本人

では、ちょっと私どもの民族性を考えてみたいと思います（スライド2）。日本人は非常に内向的で感覚的です。また、フィーリングを大切にする民族です。これは、世界約200カ国のうちたった一つ、日本の人に課せられた民族性

（スライド2）

と言われています。そして、非常に明瞭なのは、論理的な人がほとんどいないということであります。これは残念なことですが、私の周りの人に「あなたの友達の中で論理的な人を教えてください」と言うと、たいてい返事に詰まってしまうのですね。ほとんどいない。

でも、この論理性がないフィーリングだけの日本人が、たくさんノーベル賞を取っております。少なくとも私が会って話をしたノーベル賞受賞者たちは、論理的ではありませんでした。ほとんどフィーリングで生きています。センスだけで生きている人たちなのです。フィーリングで生きることで新しい学問をつくり上げてきたということです。

フィーリングというのは車のエンジンのようなもので、論理性というのはよりどころを示す地図のようなものです。地図を見ないと迷い込んでしまうわけですが、日本は非常に内向的な集団主義の国家で、決して個人主義の国家ではないので、無理に個人主義の国家に仕上げようとすると大変な間違いが起こるということを次にお話ししたいと思います。

自然征服vs自然親和のアプローチ

日本型の科学技術は、決して自然を支配しようとするものではありませんでした（スライド3）。私どもは、できれば自然と寄り添う科学技術をと考えて開発してきたのではないかと思います。ところが、西洋型の科学技術は、どち

自然を征服する西洋の科学技術と
自然と寄り添う日本の科学技術

キリスト教の地の支配の話で神は人に「生きものすべてを支配せよ」と命じている

日本では八百万の神がいるという。すべてのものに神がいるという考え方である。そして、西郷隆盛は幾度となく「天を敬することこそ人生だ」と言っている

自然と寄り添うことで、発展するわが国の科学技術は、今後のSDGsに、最も適切なスタンスであり、わが国が世界を先導する必要性は非常に大きい

（スライド３）

形から入る　論語の素読

江戸時代の寺子屋では、論語の素読から始まる

まったく意味のわからない文章をすべて暗記する

無理に説明をしない

無理に答えを要求しない手法は、内向的な民族にあった勉強の仕方

ソロバンでの計算は考えてはいない

考えた瞬間に計算はできなくなる

答えは出るのであって、出すのではない

意識的思考を排除することで、真理に到達できることがある

（スライド４）

らかと言えば征服するかたちなのですね。キリスト教の地の支配の話でも、神は人に生き物すべてを支配せよと命じています。これは旧約聖書の最初のほうに出てくる言葉ですが、怖い言葉です。日本はそうではなくて、八百万（やおよろず）の神がいるのです。すべてのものには神がおり、その中でどう寄り添って生きていくかというのが日本の科学技術です。

おもしろいことに、第二次世界大戦で敗戦国になった日本もドイツも、これはどちらも内向的な民族なのですね。勝った国であるアメリカ、中国、フランス、スペイン等は、すべて外向的な民族です。外向的な民族に内向的な民族がやられたというのが第二次世界大戦でした。

それから、私ども日本古来の文化には「形から入る」ということもあります（スライド4）。江戸時代の寺子屋では『論語』の素読から始めていました。何もわからないのに丸暗記するのですね。それから、たぶんここにおられる何人

かの方はソロバンを学ばれていることでしょう。ソロバンによる計算というのは「答えが出る」のです。「答えを出す」のではありません。そこが日本式の学問の一つの姿であって、この「形から入る」という姿を今後十分生かしていきたいと私は思っているわけです。日本人なら誰でもできるはずです。

今日は日本の話ばかりしてしまい申しわけありませんでしたが、一つのものの考え方を発表させていただきました。もしそれ以上の情報が必要でしたら、最近私の書いた著書『日本人は論理的でなくていい』（産経新聞出版、2020年）、『日本の問題は文系にある』（産経新聞出版、2022年）を参照ください。

野中　ありがとうございます。山本先生、「唯一、論理的ではない民族」というのは事実なのですか？

山本　はい。研究結果として出ています。

野中　まあ、勇気が出てきます。私も自分の周りを思い浮かべるとまったく論理的でない人ばかり浮かびます（笑）。でも確かにいい仕事をしている人ばかりです。先生、またのちほど詳しく議論させていただきたいと思います。

地球が美しく持続し、豊かな人が自己実現できるプラチナ社会

小宮山 宏

野中　続きまして、小宮山先生からのプレゼンテーションをシェアしたいと思います。高度経済成長では2番目の債権国になった日本ですが、その日本社会が現在直面している課題、年寄りばかりだし、子供は少なくなっているし、といったことをチャンスにしようと、この10年ほど「プラチナ社会」という単語で提唱なさっています。では、小宮山先生、お願いします。

コロナを奇貨として未来へ向かおう

小宮山　日本は高齢社会の問題、エネルギーの問題などを先進的に抱える課題先進国です。今私たちは、こうした課題といわば苦闘しております。しかし、日本の課題の解決は、私たちにとって必要であるのはもちろんのこと、課題先進国ですから、世界の課題解決に貢献することになります。

私たちは一体何を目指すべきなのか。人類が目指すべきビジョンは、地球が美しく持続し、豊かで、すべての人の自己実現を可能にする社会だと思います。私はそれを「プラチナ社会」と定義して、その実現のために微力を尽くして活動しています。

COVID-19、コロナ禍は「プラチナ社会」の実現を早めよ、というシグナルであるように私には思えます。つまり、コロナで価値観が変わったと言われておりますが、「アフターコロナ社会」というのは「プラチナ社会」なのだと私は思うのです。

たとえば、賢く反応した小さな国や地域が、コロナ対策に成功しています。ヨーロッパのルクセンブルクやアイスランド。とくにルクセンブルクなどは、隣国であるベルギーとフランスでは大変な死者が出た中にあって、感染はしているものの死亡者は非常に少ない。アイスランドも非常に成功しております。また、アジアではシンガポール、中東ではカタールやオマーンやUAEなど、それぞれ感染が少ないわけではないのですが、死亡者を非常に少なく抑えているという点で成功しているわけです。

日本の中でも、たとえば和歌山県などは独自の取り組みで成功しています。つまり、小さな規模でそれぞれの地域の感染状況や医療体制に応じた適切な対応をすることによって、コロナに対応できたということなのですね。私はよく「自律分散協調系」と申すのですが、このことは自律分散協調系を実現すれば、民主主義とコロナの対応を両立できたことを示しています。日本はこれまで中央集権で非常に成功を収めてきましたが、今後は自律分散協調社会に移行すべきなのだと思います。「プラチナ社会」は自律分散協調系を前提とする社会です。

次に、今度のコロナ禍によって、在宅勤務や大幅な副業の自由化、オンラインの会議、オンラインの医療など、これまで進まなかったことが大きく前進しました。ラッシュアワーといったものがまさに不条理だということも明確になったわけです。これらの主力はオンラインですけれども、社会の本質は人間同士の交流ですから、もちろんリアルな交流はかけがえのないものです。教育などはまさにそうですね。しかし、生活する場所や働き方の自由度といったものは大幅に増しました。もっと言うと、生き方の自由度が増したわけです。私たちは、私たち自身がコロナ前に考えていたよりもはるかに自由です。自由に自己実現を目指すことが可能なのです。

コロナ禍は、1年か、あるいはもう少しかかるのかもしれませんが、遠からず収まります。しかし、温暖化に代表される地球の課題はますますひどくなっているのを実感します。日本の美しい四季、春夏秋冬が壊れてしまうのではないかといった不安にさえ駆られます。台風の巨大化にも大きな恐怖を感じます。コロナは一過性ですが、地球の持続は人類にとって永続的な課題です。

結論として私は、地球が美しく持続し、豊かで、すべての人の自己実現を可能にする社会、すなわち「プラチナ社会」がアフターコロナで目指すべき社会だと確信します。

野中　小宮山先生、ありがとうございます。日本は中央集権で経済効率性・合理性が非常にうまくいったので高度経済成長を驀進したものの、逆に課題がたくさん出てきている。でも、これを自律分散協調にシフトするよう置きかえれば、新たな可能性ばかりが広がる。そういう心強いメッセージとして私は受け取りました。

なぜ世界の技術規範は劣化していくのか

八重樫武久

野中　さあ続いて、高度経済成長の道はとりもなおさず、公害大国への道となり、でもそれを環境技術へと昇華させ……と、日本経済を牽引してきた自動車産業界。何と言っても世界交通学会の前会長であられた林先生にお話をうかがいたいのですが、ごめんなさい、身内には時間がないのでスキップさせていただき（笑）、世界の自動車産業界のトップと言って差し支えないでしょう、トヨタ自動車におられた八重樫さんに次をお願いします。ご紹介パートを、林先生にお願いしたいと思います。

林　八重樫さんは、皆さんご存じのプリウスのハイブリッドエンジンの開発主幹を務められた方です。その触媒反応をどうしたらいいか、ずっと悶々と考えた末につくり上げられました。そこでは大成功を収め、すでにリタイヤされてしばらくたつのですが、昨今の自動車メーカーを含めた検査不正など、倫理に関わる問題が大きくなっていることに対して非常に心を痛めておられ、それを一体どう考えたらいいのか、その原因は何なのかということを考えていらっしゃいます。では、八重樫さん、お願いいたします。

環境・安全コンプライアンス不祥事の原因

八重樫　ポスト・コロナ議論の参考に、自動車会社経営にとって何をおいても最優先のはずの環境・安全コンプライアンス関連で多発した不祥事の原因と再発防止について考えてみたいと思います。

この半世紀、自動車は大気汚染、交通事故などネガティブ因子の克服にチャレンジし、発展してきました。それを牽引したのがデジタルをツールとするシステムズ・アプローチで、これはシステムイノベーションと言ってもいいで

（スライド1）

しょう。一方、このシステムイノベーションとデジタルの加速に、現場から経営陣、さらに行政まで、人が追いつかなくなったことが不祥事の背景にあると感じています。

私とシステムズ・アプローチとの出会いは、1973年10月に開催されたローマクラブ東京シンポジウムの公式記録集『新しい世界像を求めて』でした（スライド1）。その概説に「現代社会の諸問題へのシステムズ・アプローチ」「問題複合体への挑戦」との記述があり、人口爆発、環境問題から資源問題まで、交互作用が強い問題複合体社会モデルの計算機スタディに刺激を受けました。

私は当時マスキープロジェクトの一員として触媒システムを担当していました。その後、秋葉原で買ったマイコンチップを使い、プログラム容量6キロバイトのエンジンコンピューターを試作しプロト車を走らせてから、コンピューターチップ数16個、ギガバイトに迫るプログラム容量のハイブリッドまで、システム開発の最前線で過ごしました。さらに、自動車環境規制のルールメーキング、試験法、試験システム、開発ツールに加えて、ロビー活動から大気汚染モデル研究まで携わり、私なりに車の複合課題に対してシステムズ・アプローチの先頭で取り組んできたと自負しています。

（スライド2）

問題複合体への挑戦で日本勢はリードしてきた

コロナの巣ごもり期間中に『成長の限界』から『Come On!　目を覚まそう！』まで、ローマクラブ発行の本を再読しました（スライド2)。46年前の問題複合体の中身は現在もほとんど変わりなく、人口爆発、資源問題に加え、地球温暖化や持続可能な成長の議論まで、今のSDGs項目とラップしていることに驚かされます。しかし、依然として都市の大気汚染は改善に向かわず、ロンドン、パリの汚染はクリーンでなかったクリーンディーゼルも一因です。

開発現場を離れてから公称燃費不祥事の調査、再発防止活動に関わり、われわれのチャレンジが自己満足に終わっていたのではと落胆しました。現場から経営陣、さらには行政まで、法規制の背景にある環境や交通事故の実態はむろん、規制の中身やコンプライアンス要件の理解不足もさることながら、問題複合体への挑戦で日本勢がリードしてきたことすら伝わっていないことに愕然としました。背景には、デジタル化の加速に伴う膨大な情報と数値データの海におぼれ、人とその社会の課題解決が企業活動の常識であることを忘れたことにあったと思います。これは自動車産業だけではありません。

デジタルによるシステムイノベーションのスピードは驚くべきものがあります。しかし、デジタルも人のため。人が使うツールと捉えると、それほど恐れることはありません。最近トヨタの豊田章男社長が折にふれて話をされる「自分以外のYouの幸せのための視点」を共有できる、技術・技能を持つ人材を育成し、その人たちによるSDGsへのシステムズ・アプローチにより乗り切ってほしいと願っています。

林　ありがとうございました。八重樫さんは、車をどうしても売らなければいけないという中でのマスキー法への対応から始まって、大気汚染にどう対応するのか等々、非常に環境汚染に対する貢献をされたわけですね。

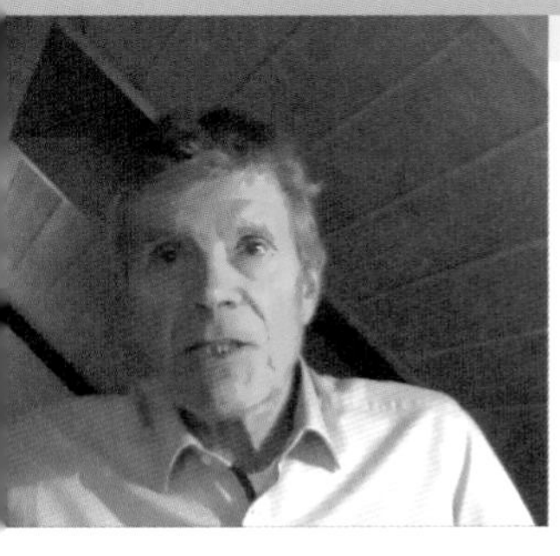

コロナ後のモビリティ、ロジスティクス

ヴェルナー・ローテンガッター

林　続いて、2001～2007年に世界交通学会の会長を務められたヴェルナー・ローテンガッター先生にお願いしたいと思います。

交通については、大気・環境問題、CO_2や温暖化の問題がまだ解決していないところに、コロナの問題が入ってきております。ここでは、公共輸送機関、つまり電車やバス、また飛行機が加害者になったと同時に、今度は自分たちが大打撃を受け、経営ができなくなるということも起こりました。そういった点も含めてローテンガッター先生からお話をいただきたいと思います。よろしくお願いします。

ローテンガッター　皆さん、こんにちは。ヴェルナー・ローテンガッターです。私からは、コロナが輸送、運輸、モビリティ、ロジスティクスにどのような影響を与えたかというお話をいたします。

モビリティはときめき感を求める

輸送というのは通常、人や物をA地点からB地点へ移動させる活動と言われます。しかし、これはモビリティの一面にすぎません。モビリティにはエモーショナルなときめき感も求められます。そのことをよくあらわしているのがこちらの写真です（スライド1）。

自動車の進化を示していますが、左側が1888年に初めて運転された自動車で、右側が今日のスポーツカーです。ここからわかりますように、車というのは、距離を克服するという合理性のみが追求されるものではないわけです。合理性と幸福感のミックスが求められます。この点がコロナ後のモビリティやロ

（スライド1）

ジスティクスを考えるうえで非常に重要なヒントになると私は思っております。

コロナを恐れた交通手段選択の行動変化

コロナは2つの点で輸送セクターに関係しています。一つ目はウイルスを積極的にまき散らす役目をしてしまったこと、2つ目はロックダウンの影響で最もひどい打撃を受けた業界であることです。

スライド2はコロナによって受けた影響を示していますが、ご覧のように、航空と、電車やバスのような公共交通機関は50％以上落ち込んでいます。一方、自動車での移動は比較的減っていません。逆に恩恵を受けたのが、宅配サービスと短距離移動のための自転車であります。

最も重要なのは、コロナによって市民の選択が変わってきていることです（スライド3）。ドイツのDLR研究所の調査によりますと、自転車、自家用車を好む人が増えています。一方で、公共交通機関、長距離の鉄道輸送、あるいは航空機での移動に対しては不安を覚える人が増えています。ですから、コロナ後の未来を考えるときには、こういった現時点における人々のフィーリングも考慮すべきと思います。

交通におけるCOVID-19の影響

ECON

- 航空輸送：2020年春にはほぼ完全にシャットダウン。ルフトハンザ：EU域内 −67%、大西洋横断 −95%
- 公共交通機関（電車、バス）：50%以上の落ち込み
- 自動車：一時的に通勤需要は減少するもののレジャー面は回復
- 恩恵を受けた2分野：宅配サービスと人の短距離移動のための自転車

（スライド２）

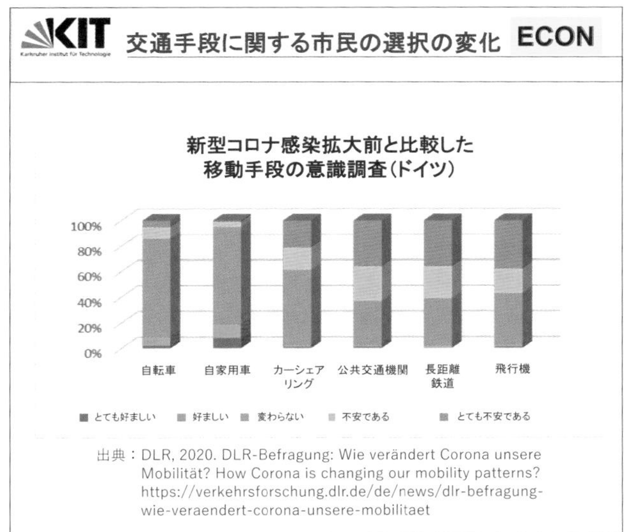

（スライド３）

狂乱の20年代か、思慮深い20年代か？

そこには2つの正反対のシナリオがあります。

一つは「狂乱の20年代（Roaring 20ies）」のシナリオです（スライド4）。これは100年前の史実をもとにしておりますが、1920年代にスペイン風邪が大流行し、5億人の方が感染し、1700万人以上の方が亡くなり、さらに第一次世界大戦で経済も荒廃したのにすぐ回復したので、社会は一気に楽観主義に包まれました。これが「狂乱の20年代」あるいは「黄金の20年代」と呼ばれ、そのときの様子を左側に出しています。右側は2020年の狂乱騒ぎです。これはオーストリアのスキーリゾートでロックダウンが緩和されたときのバカ騒ぎです。しかし、思慮分別のない楽観主義は、またすぐに破綻を引き起こすのですね。実際、この黄金の1920年代の最後の年、1929年には株式の大暴落が起きました。

これに対するシナリオとして、もう一つ何があるのでしょうか。それは「思慮深い20年代（Thoughtful 20ies）」であります（スライド5）。すなわち、

（スライド4）

KIT
Karlsruher Institut für Technologie

ECON

市民の選択：
「思慮深い20年代」というシナリオ

- 在宅勤務を増やす?
- ビデオ会議を増やす?
- 休暇のとり方を変える?
- 部品の生産拠点を分散させる?
- 頻繁に輸送を行うのではなく、ある程度在庫を抱える物流体系にする？
- 先進国から開発途上国へ輸送されている農産物に補助金を与えることが、途上国の地元農産物にダメージを与え、また、余分な輸送を強いていないか？

（スライド5）

人々が行動を改め、産業界も産業のプロセスを改めることを前提にしたシナリオです。輸送セクターにおいても、生活の質や生産性を下げずに資源の消費を下げる方法がたくさんあります。そのリストをここに出しておりますが、今日は細かいことは申し上げません。

サステイナブルなモビリティは人類に幸福をもたらす

2つだけお話をしますと、一つ目は、ビデオ会議などによるコミュニケーションです（スライド6）。これはもうすでに活発に使われ始めています。

2つ目は、より環境に優しい移動手段を使うことです。コペンハーゲンの例を見ますと、市の中心部においては、もはや自転車のシェアが50％を超えています（スライド7）。右側の写真は、車の高速道路ではなくて、自転車用の高速レーンです。

欧州委員会ではグリーンディール・イニシアティブを発効しています。これは持続可能な発展を目指すものですが、その中には輸送分野においても野心的な計画が含まれています。われわれが考えなければいけないのは、市民の公共交通機関への信頼を取り戻すことです。そして、ローマクラブのようなNGO

KIT
Karlsruher Institut für Technologie
ビデオコミュニケーション
ECON

（スライド6）

KIT
Karlsruher Institut für Technologie
EUの自転車都市
コペンハーゲンの例
ECON
コペンハーゲンにおける自転車シェアの割合
市の中心部/都市全体：50%/35%
自転車用の高速レーン
に対する投資
写真出典：https://www.video.communication.pictures

（スライド7）

に課された役目は、サステイナブルなモビリティは人類により幸福をもたらすということを、まだわかってもらえていない多くの人に説得していただくことであろうと思っています。

野中　ありがとうございました。本当に「ピンチこそチャンス」で、市民の感覚を公共交通への信頼にどのように新しく乗せ直していくかということなのでしょうね。

林先生も世界交通学会の会長をされ、今もタイでQOL（Quality of Life）を価値の目盛りにしたプロジェクトをしていらっしゃるとのことですから、今のプレゼンテーションをお聞きになって思うところも多いことでしょうが、時間がなくて詳しくうかがえないことをお許しください（笑）。

今「Thoughtful 20ies」という言葉をちょうだいしましたが、「もういいよね。コロナはおしまいだよね」と私たちが狂乱した途端に、もっととんでもないことが起きるのですね。

今日のシンポジウムは、これからは要素還元論的アプローチではなく、少し落ち着いてよりよい未来をみんなで考えていこうよと、そういう知の発露があることをお伝えすることをメインテーマとしております。実際に集うことも大事ですが、集わなくても、こうして世界中とつながれます。会えない、実際に握手できなーい、などなど。フラストレーションを抱えていらっしゃる方がいるかもしれません。後半の部分ではディスカッションもさせていただきたいと思います。

「アジアの世紀」ではなく「世界の世紀」をアジアから

チャンドラン・ネール

野中　それでは、ラウンドテーブルの後半に移りたいと思います。

チャンドラン・ネールさんは私たちと同じローマクラブの会員で、これからローマクラブをどう変えなければいけないのか、現在執行部としてリーダーシップをとってくださっている方です。

チャンドランさん、いらっしゃいますか。

ネール　ここにおりますよ。聞こえますか。

野中　はーい。チャンドランさんは、世界中を飛びまわっている方なのですが、今は香港ですか。

ネール　そうです。香港のオフィスにいます。

野中　もうファイトの準備はできていますか。

ネール　平和をつくる準備はいつでもできていますよ。

野中　では、チャンドランさんのプレゼンテーションを始めていただきたいと思います。

「個」よりも「集団」を重んじる日本の出番

ネール　皆さん、こんにちは。「GIFT」の創設者であり代表のチャンドラン・ネールと申します。本日は、この重要なカンファレンスで発言の機会をいただき、光栄に思っています。今私は香港を拠点に活動していますが、どのようにアジア発の文化と科学技術がポスト・コロナ時代の「いのち」中心の新たな地球価値パラダイムを創造できるのか、3〜4分いただきましたので、いくつか私のほうから提言したいと思います。

まず初めに、私たちは今、ポスト西洋世界の始まりに立っているということを意識すべきときだと思います。これは政治的にも経済的にも、さらに言えば、世界中でどのように社会を構築するかにおいても、です。このマインドセットの転換が、世界中で、とくにアジア太平洋地域で非常に重要です。今こそ人類史の針路を再定義する機会です。

21世紀は、人類史の中でもとくにユニークな世紀となるでしょう。なぜそう言えるのか。多くの第一線の先生方はおわかりでしょうが、簡単に申し上げますと、この世紀には初めて世界人口が100億人ほどでピークを迎えます。そして、気候変動がどんどん進んだことによって、これまでの数百万年で初めて、人類史は針路を変更することになります。技術の発展によって人間の行動様式も変わりますし、人間が自然とどう共生するのか、その方法も変わります。経済モデルも、資源は限られていますから、資本主義は危機に直面します。

こういったさまざまなことがありますので、やはり今こそ人類史の過去500年を拒むときであると私は考えています。これまでは支配の世紀でした。西洋の友人の名誉を傷つけるつもりはありませんが、西洋に支配されてきた過去の歴史があったと思います。アジアは支配の対象でした。そうした状況にあって、われわれの考え方は、西洋史や西洋の知識・洞察のレンズを通して形づくられてきました。このプロセスの中でわれわれの多くは、固有の知識や文化、洞察を格下げする傾向があったと思います。それらを軽視し、何世紀にもわたって積み上げられてきた偉大な叡智を見失ってしまったということです。

この考え方を変えるのは難しいことでしょう。大きな抵抗にも遭うでしょう。なぜなら、今の世界は西洋的な考え方を中心に回っているからです。それはガバナンスや経済の考え方もそうですが、価値体系もそうです。アジアに住むわれわれの多くは、西洋的な考え方に従属しています。科学技術を含むすべての領域においてです。これは非常に重要なディスカッションのテーマなので、ぜひ日本や他のアジアの国々が主導して率直な意見交換ができるようにしてほしいと思います。

本質的に理解しなければいけないのは、現在の世界の多くの考え方は、前提として収益化を中心に据えているということです。何かができるからといって、すべてやるべきというわけではないと思うのです。アジア文化の視点からどう未来を見るのかを考えてほしいと思います。必要なのは「アジアの世紀」ではなく「世界の世紀」です。

こうした中で日本は特別な役割を果たせると私は思います。日本は独自の文化と伝統を持っています。世界中でもよく知られる文化と伝統ですが、同時に、多くの国では少し奇妙と受け取られているかもしれません。ただ、私は日本の強みこそアジア太平洋地域の他の多くの国でも採用可能と考えているのです。ですから、日本は今、再び自己主張すべきと思っています。科学技術だけでなく、価値体系をつくる上でも果たせる役割があると思います。

最後に申し上げたいのは、日本式のやり方がポスト・コロナの世界によく適しているということです。日本人がすること、考えることには、あらゆるものに集団的な幸福という考え方が統合されています。これは世界の他の地域、とくに西洋とは大きく違う考え方です。日本式のやり方が協力的な社会をつくることに役立つと思います。

最後の最後に申し上げたいのですが、21世紀はとてもユニークな世紀です。ポスト・コロナには再覚醒、再変化があるでしょう。ポスト西洋式の世界ができるでしょう。学び直し、発明し直し、西洋意識から離れる機会が訪れるでしょう。そして、最も重要なことですが、ぜひ私の意見を皆さんにぶつけたいので、少し考えてみてください。この世紀の残りはデジタルではなくバイオロジカルであるべきと私は思っているのです。未来はバイオロジカルであり、デジタルではないと思います。

以上です。ありがとうございました。

野中　このキャンパス会場に集っている、限られてはいますが、観客の皆様の中からも拍手が出ました。チャンドランさん、美しいプレゼンテーションを大変ありがとうございました。のちほどまた議論を深めたいと思います。

我々はどこから来たのか
我々は何者か
我々はどこへ行くのか

黒田玲子

野中　昨今、未来のことを語る際には、「AI（人工知能）の時代になったら、どうなるのか」など、テクノロジーに支配されることへの不安な言葉が躍りがちですが、チャンドランさんは「未来はバイオロジカルであり、デジタルではない」という言葉で話を締めくくってくれました。バイオロジカルとなれば黒田玲子先生の出番です。プレゼンテーションをお願いいたします。

黒田　ありがとうございます。本日の講演に、著名な言葉を拝借して「Where do we come from? What are we? Where are we going?」というタイトルをつけました（スライド1）。ポイントは2つです。一つ目に、今のプラネタリーエマージェンシーを解決するためにはイノベーションが必要である。2つ目に、ではどのようにそれを達成するのかと言うと、科学技術と同時にローカルな、伝統的な、時には土着の文化も考えなければいけないということです。

> **我々はどこから来たのか　我々は何者か**
> **我々はどこへ行くのか**
>
> **コロナ後の社会に対して、科学は「いのち」を軸に転換し、SDGsを地球価値へと導けるか**
>
> 地球が直面する緊急課題を
> 　イノベーション　Point I
> 　地域、伝統文化　Point II
> で解決しよう

（スライド１）

我々はどこから来たのか　我々は何者か　我々はどこへ行くのか

Paul Gauguin, *Where do we come from? What are we? Where are we going?*, 1897-98, oil on canvas, 139.1 x 374.6 cm (Museum of Fine Arts, Boston)

ゴーギャンがこの絵を描いた1897年からずいぶん時がたちました。あらためてこの問いを考えてみましょう

・科学技術の急速な進歩
　それらの社会への急速な展開
・地球の危機に直面

（スライド2）

ポール・ゴーギャンのこのタイトルの有名な絵（スライド2）が描かれたのは1897年ですが、その時代と今の私たちの時代とでは非常に多くのことが異なってきています。まず、科学技術が非常に進歩しました。私たちの生活の中に応用され、深く浸透してきています。一方で私たちは、プラネタリーエマージェンシーに直面しているということです。

我々はどこから来たのか、我々は何者か　空間軸

では、科学技術は何をしたのでしょうか。「Where do we come from?」というのがだいぶわかってきたのではないかと私は思います（スライド3）。局部銀河群があり、天の川銀河系があり、太陽系があり、地球があり、その中に世界があって、日本の中部大学があり、今そこでシンポジウムが開かれています。そして、そこに世界のいろいろなところからウェブを通して参加してくれています。これはもちろんテクノロジーのおかげですが、私たちが銀河系の中の本当に小さな小さな存在であることも教えてくれています。また、目に見えない生き物も含めた生き物のコミュニティを考えていくこと、さらに、それを取り囲む生命のないCO_2や水やミネラルといったものも含めて循環している

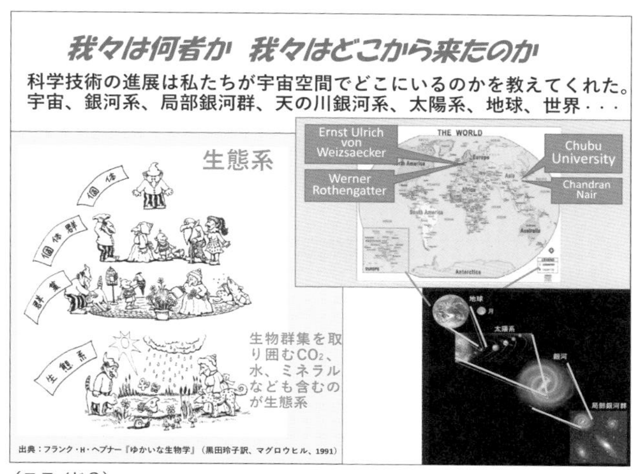

（スライド3）

のがエコシステム（生態系）であり、生態系を考えていくことが大切であることも教えてくれました。

我々はどこから来たのか、我々は何者か　時間軸

そして、この地球上に最初の生き物が誕生したときを元旦とし、今が大晦日だとすると、産業革命というのはもう除夜の鐘が鳴っているころなのですね（スライド4）。長い歴史の中で育まれてきた地球という生態系をそんな短い時間で破壊していいのかということに気がつかされます。また、進化ということを考えてみると、分子レベルで調べれば調べるほど、逆に、生命とは何とすばらしいのだろう、このようなものができてきたのは奇跡なのではないかと考えるようになります。

SDGsとイノベーション（Point I）

ポール・ゴーギャンの時代から科学技術が大きく進展してきましたが、同時に、自然災害も増えています（スライド5）。ただ、火山噴火や地震の頻度は

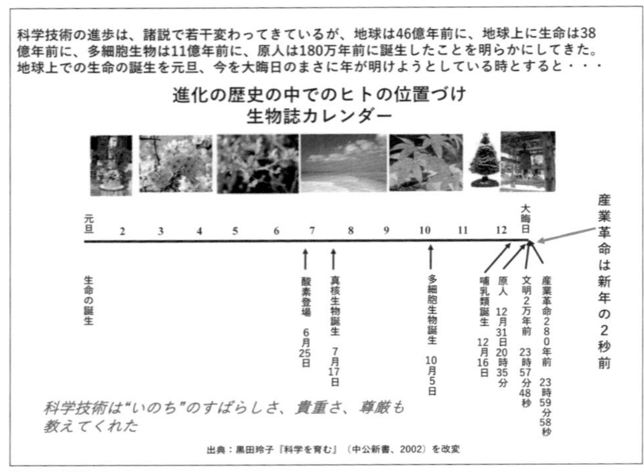

（スライド4）

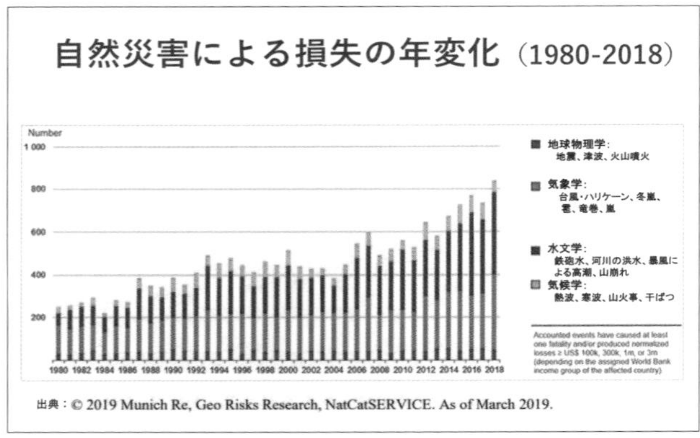

（スライド5）

増えていないのですね。それ以外が増えているのであって、これは実は人間活動によるものなのではないかということがわかってきました。

また、COVID-19パンデミックが起き、私たちは今、いろいろな規模で経済活動を落としています。それを１年間に換算するとちょうど8%のCO_2削減に相当し、1.5度というターゲットにやっと到達するということですから、上昇を1.5度までに抑えることがいかに大変かがよくわかります（スライド6）。こんなことは続けていられないからと経済活動を再開しているわけですが、毎

Point I　**COVID-19禍と気候変動**

COVID-19パンデミックの結果、世界の二酸化炭素排出量は年ベースに換算すると8%減少したことに相当する。これほどダメージを与えて経済活動を縮小しているのに、1.5°C温暖化制限に必要な年削減量に相当。毎年、この状態を続けていられないことがCOVID-19パンデミックで明らかになった

気候変動に対応するには、イノベーションが必要である

ICEF statement from the steering committee (8 Oct. 2020).

（スライド6）

Point II

Sustainable Development Goals

SDGs
政府、産業界、アカデミア、NPO（ローマクラブ等）、市民、老若男女・国籍を問わずすべての参画が必要

表題の3つの質問をあらためて問い直してみよう。
我々はどこから来たのか　我々は何者か　我々はどこへ行くのか

地域・伝統的な文化に基づく、西洋社会で支配的なものとは異なった自然の観方が必要
　ケルト文化、日本の縄文文化
　リグ・ヴェーダ
　マハトマ・ガンジーの7つの社会的罪　等

（スライド7）

年、今の制限を続けても1.5度にしかならないのですね。だからイノベーションが必要であるというのはまったくそのとおりです。ただ、それをどのように達成するかが問題なのではないかと思います。

SDGsについては皆さんご存じでしょうからあえて詳しく申しませんが、インターナショナルに取り組まなければいけないし、17のゴールすべてに取り

組まなければ、地球環境問題は解決できないだろうと考えます（スライド7)。とすると、長い道のりを経てきていろいろなことがわかってきておりますので、違う考え方をしたらいいのではないか。そこで、3つあげてみたいと思います。

東洋にも西洋にも通じる自然との向き合い方（Point II）

時間がないので簡単に申しますが、一つは、樹にも「いのち」があり神霊が宿ると考えるような、自然を尊び、自然とともに生きる日本の伝統的な考え方です（スライド8)。これは別に日本だけでなく、ケルト文化にも、森とその創造物ということで、非常に共感を持てる部分があります。エンヤの歌を聞いてみてください。すごくよくわかります。

それから、『リグ・ヴェーダ』です（スライド9)。これを英語訳で読んだとき、私はハッとしました。「Do not harm the environment; do not harm the water and the flora; earth is my mother」とありました。こんなすごい言葉が紀元前12世紀（一部は紀元前18世紀起源）に書かれているのですね。

それから、マハトマ・ガンジーの言葉です。「7つの社会的罪（Seven Social Sins)」の中に「人間性なき科学（Science without Humanity)」「道徳なき商

日本の縄文文化とケルト文化

日本の伝統的文化：自然を敬い、自然とともに生きる

ケルト文化

Respect for the world where nature and humans are united. Empathize with the forest and the creatures of the forest, interact with the creatures, and sympathize with the people of the forest who enter the other world from the forest.

エンヤ（Enya Patricia Brennan）の音楽

（スライド8）

***The Rig Veda* リグ・ヴェーダ**
"Whatever I dig from thee, O Earth, may that have quick recovery again. O purifier, may we not injure thy vitals or thy heart."

"Do not harm the environment; do not harm the water and the flora; earth is my mother, I am her son; may the waters remain fresh, do not harm the waters... Tranquility be to the atmosphere, to the earth, to the waters, to the crops and vegetation."

Mahatma Gandhi's seven social sins 7つの社会的罪
Wealth without Work,「労働なき富」
Pleasure without Conscience,「良心なき快楽」
Science without Humanity,「人間性なき科学」
Knowledge without Character,「人格なき学識」
Politics without Principle,「理念なき政治」
Commerce without Morality,「道徳なき商業」
Worship without Sacrifice,「献身なき信仰」

（スライド９）

業（Commerce without Morality）」とあります。これから私たちがイノベーションを使いながら地球環境問題を考えていくとき、こういう言葉が必要なのではないかということです。

まとめ、我々はどこへ行くのか

まとめます（スライド10）。この有名な「Where do we come from? What are we? Where are we going?」という言葉を、今の時代にもう一度考え直してみませんか。「いのち」を中心に、現在の西洋社会で支配的なものとは異なった文化の考え方も重要なのではないかと考えます。そして、若者のパワーにも期待しております。どうもありがとうございました。

野中　玲子先生、ありがとうございました。私は玲子先生と総合科学技術会議（現：総合科学技術・イノベーション会議）や中央教育審議会など霞が関の政府の審議会でもずっとご一緒させていただいたのですが、常にすばらしい知見をシェアしてくださいます。今日はこんなに短い割り当てられた時間でパンチの効いたプレゼンテーションにまとめていただいたことに心から感謝いたしま

（スライド10）

す。

しかも、先ほどのチャンドランさんはインドの血筋を引く方ですけれども、よりよき22世紀に渡っていく橋を架けるにはAIでなくバイオ、「いのち」に軸を置くべきであり、そのコンテクストから言うと日本にはすばらしい可能性があると言ってくださった。図らずも、玲子先生は、紀元前に編纂されたインド、ヒンドゥー教のヴェーダ聖典群の一つである『リグ・ヴェーダ』に言及してくださいました。クロスするカルチャーの共鳴ですね。玲子先生は学生時代からヴェーダに心酔していらしたんですか。

黒田　私はSDGsがつくられたとき、国連事務総長（潘基文（パンギムン））のアドバイザリーボードメンバーもしておりまして、Indigenous culture（土着の文化）というワーキンググループにも入っていましたので、自分でいろいろなことを調べていたのですね。そのときこれを知りまして、紀元前からこんなことを言っていたのかとすごく胸を打たれたので、ぜひみんなでシェアしたいと考えたのです。ですから、今回のために調べたのではなくて、実は前からです。マハトマ・ガンジーの言葉も、どこかでの講義の準備をしているときに見つけました。若いころからではなく、もう少し大人になってから、ですね（笑）。

野中　了解しました。ありがとうございます。

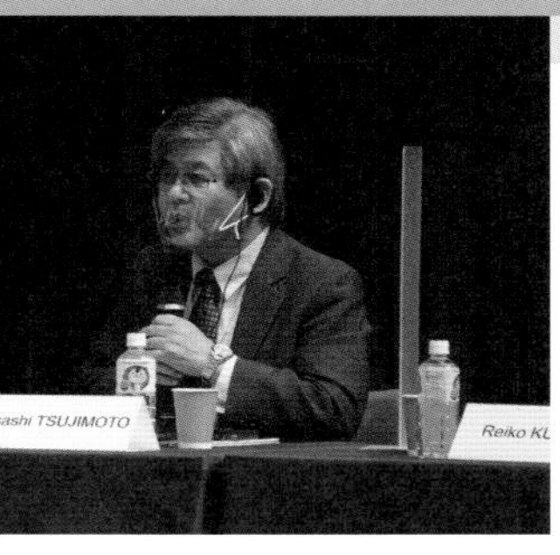

江戸から見た自然と人間

辻本雅史

野中　今日は、「アジア発の文化と科学技術は『いのち』を中心に据えた、新たな地球価値パラダイムを創造できるか」、このことを大きなテーマとして掲げています。

常に、未来を考えるときには、まず温故知新が必要ですね。現在に至るまでの過去は、一体何に基づいていたのか。それをちょっと振り返ってみる必要があるのかな、と。

20世紀は、山本先生とチャンドランさんがまとめてくださったように、外向的なカルチャーを持つ西洋の人々が勝利し、内向的なカルチャーを持つ国の人々が負けてきました。誤解を恐れず言ってしまえば、気候変動のみならず、食糧、医療、教育といったさまざまな分野における20世紀の問題は、ひょっとすると文化的にも一軸の西洋式に過ぎたからではないか。こういったことが、それぞれのご発表から少しずつ滲み出てきたような気がいたします。

そこで、アジアの中でもとりわけ日本にパースペクティブ、物事の考え方や価値軸の焦点を絞ってみますと、自主性よりも協調性に優れることのほうが評価される。質問があっても、まず右を見て左を見て「場」の様子を感じ取ることが大事……個人が立つことよりも、集団的な考え方を優先するほうが評価される、などなど。先ほどの「自然（じねん）観」を含めて、「和」という日本的な文化には、新しいパラダイム創りに際して、大いなる可能性があるのではないか。ということになってまいりますと、ここは辻本先生しかいらっしゃいません。先生は「江戸」の大家でいらっしゃいます。それでは、バトンをお渡しいたしますので、どうぞお願いいたします。

辻本　なかなか責任重大な任務を与えられた気がします。

野中　はい。そのとおり。よろしくお願いいたします。

気の思想——人と自然

辻本 余計プレッシャーがかかりましたね。山本先生は内向きの発想が日本の特徴だとおっしゃいました。チャンドランさんには、まさに「日本の時代」だとおっしゃっていただきました。いずれも大きなエールをいただいているのですが、それに、私がどう応えられるのかは、いささか心もとない気がしています。私もパワーポイントを用意いたしましたが、どうも今日の議論の文脈には乗りにくいので、ちょっと予定を変更いたします。

私は今回、貝原益軒（かいばらえきけん）を取り上げようと思ってきました。私の専門とする江戸時代、17世紀から19世紀半ばまでの江戸時代が、今の日本社会の形をつくりました。その中で、益軒は民衆たちの普通のものの考え方を文字で語った人、つまり日本人なら当たり前だと思うことを言葉にして表現した人だと、私は理解しております。したがって益軒の言葉を使って江戸時代のある種の標準的な思想が説明できると考えております。ただ、ここではテーマを思いきり絞って、江戸時代の人は、自然と人間の関係をどう捉えてきたのかということをお話しいたします。人間が自然とどう関わり合うのかというとき、その間に入るのは人間の身体であります。ですから、「身体」をキーワードとして、人間と自然の関わり方について、シンプルに説明してみたいと思います。

日本に限ることではありませんが、東アジアの中では「気」という言葉で表現されるものがあります（スライド1）。宇宙空間にはすべて気が充満しています。気は、目には見えず、匂いもせず、形もない。けれども、気が充満し、常に運動している。その気が運動して「いのち」を生み出します。つまり気は、エネルギーを持ち、生命の根源になっているのです。この気の働きによってすべての「いのち」が生み出されること、これが重要です。気が充満するこの宇宙空間のことを中国の言葉では「天地自然」と総称しますが、これをもう少し今風に言い直しますと「大自然」と言って差し支えなかろうかと、私は思っております。

この「気」の働きによって人間の「いのち」だけではなく、他のあらゆる

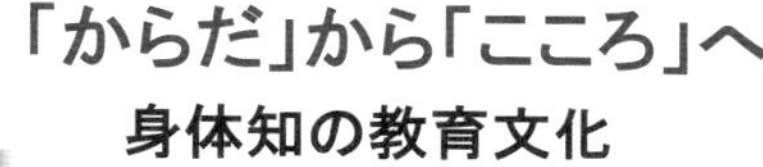

身体知の教育文化

＊自分の心ー判断基準にならない：心の不安定性
＊身体は確かな方法＝習慣化⇒心の形成＝人間形成

◇「気」の思想（東アジアの基底）：気の運動⇒生命生成⇒心は気のはたらき、気による生生⇒心は身体活動＝身心一体

◇「身につける」：「知る」とは異次元
＊習慣化＝身体化＝生まれつきと同じ：自在に使える
＊身（非ボディ）＝「実」（中身）＝精神的なものも含む（心身一元）

◇「礼」（身体技法）の教育文化⇒「しつけ」の文化（cf. 茶道）
＊礼＝身体技法の基準は「天地」（宇宙的自然）
＊幼児期から礼を教える⇒礼の習得で心が安定し道徳的人間形成

（スライド１）

「いのち」あるものが生まれております。ですから、鳥獣虫魚も草も木も、みな気の塊ということになります。したがって、私たちには、人間も含むすべての「いのち」は、根源的に一つにつながっているのだという感覚があります。すべての「いのち」は気の塊であり、そして、私たちは「気の海」の中に浮かんでいるのです。

「気の海」に浮かんでいるということは、私たちの身体は外の「気」と常につながっている。まず、呼吸でつながり、また食べ物でつながっております。私の身体にも気が流れておりますが、「いのち」あるものを「摂る」（食べる）ということ自体、気を自らの内に取り込んでいるのです。呼吸は外気との間で気の交換をしています。呼吸が止まったら死に、食べられなくなったら死にます。こうした気の概念によって「いのち」は捉えられているのです。

こうした中で、人間はどういう位置にあるのでしょうか。人間の気は他の「いのち」あるものの気に比べて、「質」いわばクオリティが高いという感覚があります。私たちの身体は気の塊なのですが、人は心を持っております。気の働きで生きていることが説明されているのですから、身体だけでなく、実は心も気の働きによるものだと考えられています。「気の質」がよい、高いから、人間は言葉を使い、豊かな心を持ち、ものを考えることができるというわけです。

身体化について

ここからは人間の話になります。貝原益軒が言うには、子どもは生まれたときから、周りの真似つまり模倣をし、それをひたすら繰り返すことによって身につけて、成長する。「身につく」とは、「身体化」されることです。身体に取り込まれ身についたとき、それを自由に使うことができるようになるのです。

これを「素読」を例にして、具体的に申し上げます（スライド2）。「素読」というのは、中国の古典などを声に出して暗誦することです。江戸時代には、子どものときにたとえば『論語』を素読しました。『論語』は聖人孔子の言葉です。それをそらで言えるようになるまで素読する。完全に暗誦されると、『論語』一冊が身体のうちに取り込まれたことになります。それを、私は「テキストの身体化」と呼んでいるのですが、身体化されれば、自分の言葉になります。だから、孔子の言葉を使って、自己表現ができるようになります。言葉は、他の人とつながる手段ですから、その言葉で人とつながっていけるわけです。

素読：テキストの身体化

＊7歳前後で経書（四書五経・中国古代漢籍）を声で読む＝丸暗記
＊学問の基礎：四書52,800字、100字/日⇒528日（1年半）
※中国古代言語：意味理解不能⇒なぜ？
＊模倣と習熟⇒響き・抑揚・リズムで身体化（孔子の言葉を埋め込む）
＊身体化＝自己と一体化（わがものとする）
⇒自在に（孔子の言葉＝思想の言葉で考える）
⇒漢文で考える
＊儒学の用語・概念で考える「習慣」（江戸の知の教養言語）
■知的言語/思考言語⇒思考の型＝儒学思想

（スライド2）

自然の側から人間を見る

ところで、こうした気の思想のもとでは、人間の価値の基準はどうなるのか。つまり人間を見るとき何を基準にするのかというと、人間の側を中心にして世界を見るのではなくて、自然の側から人間を見ます（スライド3）。視点の置き方が人間中心でなく自然中心なのですね。そのときの究極の価値は、「天地自然」なのです。自然の持つ普遍的な秩序に価値の基準を置き、そこに向かって自分を合わせていくわけです。自己主張するのではなくて、自分を天地に合わせていく、自然の世界の摂理に合わせていくということになります。だから山本先生の言われる「内向き」の性格を持つことになるわけです。

大自然の世界に自己を変えて合わせていくそのプロセスの中で、気の塊としての私たちの身体が、まさに自然と人間がつながっていくいわば「インターフェースになる」と私は考えております。ですから、身体を健康にして、身体の形、外見を整えること。これを儒教では「礼」という言葉で表現するのですが、自然の形・秩序をモデルにして人間の理想的な形をイメージしていくわけです。したがって、「礼」でもって人間の身体の形を整える。そうすると、人間の気の働きもよくなりますから、身体が健康になるし、さらに気に基づく人

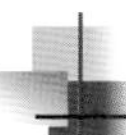

人間の身体と自然

- 身体：気（大自然・生命生成の根源）の生成の結果
- 自己主体（心）：気のはたらき
- 人間（自己）は気の海（大自然）に包摂される
- 人間行動の基準：天地自然の道（大自然）
- 自己の根拠：自己の心の内にはない⇒大自然
  ⇒最終目標・天地との一体化
- 身体：自然と一体化のインターフェース：最も身近な自然

（スライド3）

の心もよくなり、成長していくのです。おおむね江戸日本では、自然と人との関わり方は、そのような考えで成り立っている。これはまた、「養生」の思想でもあります。

まさにコロナパンデミックの時代、あるいはポスト・コロナの時代こそ、人間中心でなく、自然の側から人間を見ていき、自然を価値の基準にして、これからの世界を考えていくことが必要であると思っております。

以上です。

野中　今のお話を、スピリチュアル系な「気」のハナシとくくって聞く耳が、近代化、都市化された人々には多くあるような気がいたします。でも、明治時代に「Nature」の訳語とされた「自然（しぜん）」という同じ言葉を、江戸時代にわれわれは「じねん」と読み、自分のことと理解していたのですね。それから、「あなたはあなたが食べたものでつくられている（You are what you eat.）」というのも、学問的な栄養学の要素からも確かにそうですが、その食べ物がどこから来たのかと言うと、木や草花などの植物が私たちに実りを与え、魚が身を呈して授けてくれているわけです。私自身の話で恐縮ですが、明治生まれの祖母と暮らしていたとき、食事の前に手を合わせて「いただきます」と言うのは、魚の、トマトの、ご飯の、キャベツの「いのち」をいただくことへの感謝だと、「Thank you for giving me your lives.」ということなのだと毎度毎度言われていたので、私のような古い人間にはすごく理解できるお話でした。江戸の時代には、これが学習の場としての、寺子屋や町中での子育ての場においても、当たり前の考え方であったと理解してよろしいですか。

辻本　まったくそうだと思います。われわれは「自然（しぜん）」という言葉を使いますが、「じねん」というのは、意図せずして「おのずからそうである」という意味も含んでいます。

野中　通訳の方、ここからは「Jinen」とそのまま使ってくだされればと思います。「Nature」とは違うので。

辻本　意図しないままそういうかたちになっており、それが生活の中に根づいていた。生活自体が「じねん」になっていた。そう理解してよろしいかと私は思います。

野中　明治になって西洋が入ってきて、そんな土着的な考え方ではだめだ、もう西洋的にならないといけない、とばかりに頭のちょんまげのみならず、心のちょんまげまでもバサリと落とし、そこで断絶してしまったものがかなり多くあったという認識でよろしいですか。

辻本　人間は真似をしながらそれを身体化し、それを自分のもの、本当のものにしていくと申しましたが、真似をする対象・モデルが、ヨーロッパの自然科学や物質的なものになってしまったのですね。でも日本語には、外国語に翻訳するのが難しい言葉が数多くあります。なかでも自然に対する感性を表現する日本語が多い。そうした自然につながる感性はそんなに簡単に消えず、いわば文化的なDNAのようなかたちで日本人の中に残っているのではないかと思っています。つまり、自然に対する関わり方とそれに伴う感性は、それほど簡単には消えないのですね。だからそこにまだ希望がある。私はそう信じています。

野中　大いなる「元気」、まさに元からあるいのちのエネルギーをいただいたように思います。

パネルディスカッション

野中ともよ／山本 尚／辻本雅史／黒田玲子／チャンドラン・ネール／八重樫武久／林 良嗣／ヴェルナー・ローテンガッター／エルンスト・フォン・ワイツゼッカー／飯尾 歩／中西久枝／松浦晃一郎／茅 陽一

野中　人間の進化を考えますと、順風満帆のときよりも困難や危機に遭ったときこそ、DNA的に本来備わったものが発露され適応してきたように思います。私たちは、閉塞感漂う今こそ、「いのち」の本懐的要素の、社会への発露のチャンスであると捉え、このローマクラブ日本を立ち上げるにあたっても、日本からでないと発信できないものを発信していこうと考えています。それが今日のシンポジウムの通奏低音にもなっているのですが、ここからは時間いっぱいまで――といってもあまり時間はありませんけれども、ディスカッションベースで進めていきたいと思います。

山本先生、お待たせしました。一番バッターをお願いしたので、お話ししてくださったことを覚えていらっしゃいますか（笑）。ずいぶん昔のような気もしてまいりますが、今のお話をうかがって、まさにビンゴではありませんか。

「入亜」するアジアの特徴とは？

山本　おっしゃるとおりで、私がお話ししたことをいろんなかたちで表現していただいたような気がしています。

少しつけ加えますと、私は内向的と外向的という言い方をしましたが、外向的な民族がたくさんあるのに対して、内向的な民族もほぼ同じぐらいあるのですね。たとえば、イスラエルもそうですし、スイスもドイツもフィンランドもそうです。非常に日本人とよく似ています。私は基本的には、内向的なものと外向的なものが合体することで本当の人類の幸せが来るのではないかという気がしています。内向的なものだけでも外向的なものだけでもだめなのです。

確かに日本人は内向的です。集団社会が好きです。ですから、日本人は集団社会的なものの考え方にもう一度戻る必要があります。これはちょっとある意味では嫌な言い方かもしれませんが、戦前に戻ろうというようなことになるのかもしれません。そのいいところをとることによって日本は今後非常に大きく発展するのではないか、また、世界の一つのモデルになるのではないかと勝手に希望しているところです。

山本 尚

辻本　戻るのは、「戦前」ではなくて「江戸」にまで戻っていただきたいですね（笑）。

山本　そのとおりですね。先生が言われたように、形から入る、たとえば寺子屋でわけがわからなくてもとにかくずっと同じ言葉を読み続けるというのは、実はすばらしいことなのですね。先ほど少しソロバンの例を出しましたが、弓術も同じで、あれは「的に当てる」のではなくて「的に当たる」のです。そういう感覚がないと絶対に弓術は上達しないのだそうで、これもまたすごい文化なのではないかと思っています。

野中　ありがとうございます。私は大学時代にアーチェリー（洋弓）をしていましたので、先生のおっしゃることがとてもよくわかります。洋弓は当てようと狙いを定めないとだめですが、和弓は、おっしゃったように、意図的に的に当てようと思ったら心が乱れてだめなのですね。そして、人間は「生きている」のではなくて「生かされている」。英語で言うと「We are living.」「We are alive.」で同じなのですが、「We are not living creatures. We are creatures which are allowed to live.」と言うと、これはまったく視座を転向することになります。水、空気、土壌、太陽……八百万（やおよろず）の神々のご加護、お許しがあってこそ、生きていくことができる、と考えるわけですから、これは、大いなる相違ですね。

玲子先生、今の議論をバイオロジーの世界からどのようにご覧になりますか。

黒田玲子

黒田　進化の歴史の中で、ずっとDNAを調べていくと、われわれはチンパンジーと98％もDNAのシークエンスが似ているという話があります。でも全然違いますよね。何が一番違うのかと言うと、私たちは文化を持っているわけです。蟻もコミュニティは持っていますが、文化や哲学を持っているのは人類だけです。これが今言われたお話と非常に通ずるのではないかと思いました。「いのち」には、物質的なものとして見ていてはもうひとつ説明できないところがある。バイオロジーを扱っていても、それをひしひしと感じます。今のお話は人類が人類たることの証であって、全然違和感ありません。本当にそうだと思ってしまいます。

野中　ありがとうございます。

チャンドランさん、いらっしゃいますか。どうぞお話しください。

ネール　言いたいことはたくさんあるのですが、皆さんのように真剣な仕事をしている立派な人間ではないので、ちょっとだけ短く申し上げたいと思います。

私の表現としてデジタルとバイオロジカルという話をしましたが、今はデジタル技術の中毒になっているような状況だと思います。ここで私はちょっと大胆な提言をしたいと思います。自然への尊敬や古典のお話などがありましたが、ある一定の時期には今までの著作を読むと安心できた部分もあったのかと思います。ただ、現在の世界とは関連性のないものもあると思うのです。私たちが住んでいる世界とはかけ離れています。エルンストさんもおっしゃいましたが、今私たちはフルワールドに住んでいるのです。つまり、日本やインドの人々は自然に対する尊敬を持っていたのですが、エンプティワールドではそうだったということなのですね。エンプティワールドには一定のルールと権利と自由に対する尊敬がありました。

集団への尊敬が今も生きる日本

ネール　日本がモデルになる可能性があると言ったとき私が思っていたのは、法制化するまでもなくみんなが自分のすべき行動様式を理解できるところです。日本はおそらく世界でもごくまれな社会の一つで、フルワールドになる前はほとんどの社会がそうだったのでしょうが、集合的な理解度が深いのだと思います。

フルワールドに移行してくると、そこで人新世になって、エルンストさんがおっしゃったようなことがたくさん起きています。現在は人口80億人という現実があり、インドでは基本的な生活を送るのも困難な状況です。これは昔の本を読んで解決できるようなものではなく、やはり政治、経済に頼らなければいけません。昔の手法に戻るだけではできないことですが、今できるという希望が持てるのは、このカンファレンスでアジアの文化について話しているからです。そういった文化がどういった価値を内在しているのか、そして、それをどうやって経済や政治に適用することができるのかを考えなければいけないと思います。

もっと長く話したいのですが、基本的に言いたいことは、私たちは今フルワールドにおり、とくにアジアは2050年に60億人が暮らすことになると言われている中で、そこでの自由の権利はどうなるのかということです。私たちには車を持つ自由があるでしょうか。自動車業界の人たちは尊敬しておりますが、車を持つ権利は人権ではないわけです。伝統的な自然に対する尊敬の話などもあると思いますが、そういうことを考えますと、自由の権利ではないものもあるのですね。私たちはその権利を持っておりません。

最も自由な世界とされるアメリカなどを見てみても、自由に対する完全なる誤解があります。個人中心に考えておりますから、集団への尊敬がないわけです。そして、すべてを経済のレンズを通して見ており、民主主義が他のどの政治的な形態より優れていると考えます。中国の話をしたがる人はいませんが少し申しますと、先週中国のゴールデンウィーク（国慶節）があり、6億人の中国人が旅行をしました。どのように旅行したのでしょうか。中国にはそのシステムがあるのですね。集合的な規律に力があって、私たちは気に入らないかもしれませんが、その成果を集合的に所有するやり方、ルールがあるのです。

私が考えますに、日本はユニークです。警察官が要りません。規制当局もなく、強制されなくても自分が社会とどういった集合的な契約をしているのか理解しています。私は日本へ行ったことのない方に、もし日本へ行ったら新幹線に乗ってトイレを見るよう言うのですね。日本人はちゃんと社会との契約を理解しているからああなのだ、誰かに統治されなくてもちゃんとできるのだということをよく言います。だからこそ日本式のやり方が重要なのです。だからほかの人たちは日本のやり方を学ばなければいけないと言っているのです。でも、日本人が自分たちのユニークな文化や価値を上手に伝えられる大使ではないということも私は理解しています。

それから、私は技術的なバックグラウンドを持っておりますので、それに対しても少し言いたいのですが、人間の生活の中で科学技術が一番必要なのはヘルスケアだと思います。また、気候変動に対するイノベーションも必要です。ただ、たくさんの金融機関が要るのではなくて、社会的なイノベーションが要るわけです。自分の権利や自由を再定義すること。アジア人が北米やヨーロッパのように全員車を所有することはできません。人間の消費を規制しないと気候問題を乗り越えることはできませんから、技術的なイノベーションだけでは現実的な解決はできないと思います。

ちょっとこのへんでやめたほうがいいですかね（笑）。

野中　ありがとうございます。チャンドラン、あなたの話がふだん止まらないことはよくわかっているので（笑）、止めてくださってありがとう。

ネール　もう少し時間があればよかったのですが。

野中　ごめんなさい、次回はもっとたくさん時間を取りますから、懲りずに参加してくださいね。たくさんのポイントをご指摘いただきました。とても深い議論で、彼の言うことに一つひとつふれていきますと3時間以上かかると思いますから、チャンドランさん、ごめんなさい。今日はちょっと全部にはふれずに進めますね。

今出してくださったとてもいいポイントの一つは、日本人は強制力がなくてもできるという点です。たとえば先ほどの山本先生の「戦前の日本に戻るといいね」という箇所だけが中日新聞に書かれたらとんでもないことになるのでしょうが、それぐらい私たち日本人の一人ひとりの中には、言われなくても感じ取る同調圧力というものがある。あるいは、政治に関しても、国のトップでありながら、公然と公文書を書きかえる役人を重用するなどの犯罪的行動をしても、「僕は病気なので辞める」と言った途端に「お気の毒」とばかりに支持率がアップしてしまうような、とてもセンチメンタルなところ、浪花節的感覚も持ち合わせている。

これは法律に対しても言えるのですね。日本は2割司法の国と言われます。社会の制度設計も秩序も、法律が規制しているのは2割であって、あとは人間の力関係で社会は動いていく、という意味です。右を見て左を見て、人事を見て忖度するというようなことが当たり前になっています。チャンドランさんはほめてくれましたが、法制がなくても集団的に、自分たちはこうしなければいけないのだなということで行動します。裁判に持ち込む、と言うと、その人を村の人たちは村八分にするわけです。法律のテーブルに上げることすらちょっと躊躇するような感覚がある。こういうセンチメントというのは、島国で逃げ出せないから、折り合いの中で、長(おさ)が言うことは聞かないと、皆がサバイブできないから、というところから出てきたことなのでしょうか。

「論理」より「道理」が通る社会

山本　皆さん方も「道理(どうり)」という言葉をよくご存じと思うのですが、日本ではずっとそれが法律だったのです。鎌倉時代に定まり、「道理」以外の法律ができたのは明治維新以降でして、それまでは「道理」だけで裁判をおこなっていました。

野中　お白洲に引っ張り出してきて。

山本　そうそう。裁判官の考え一つで死刑にもなれば解放もされました。この「道理」というのは何かと言うと、鎌倉時代から始まった日本の集団社会の決まりです。その中で生きてきたのですね。私どもはコロナのときも自粛を守ったのですが、なぜ守ったのかと言うと、それが「道理」だったからです。

野中 どうりで（笑）。

山本 「道理」という言葉はすごくおもしろいのですね。それがいつの間にか消えてしまった。それでよかったのかどうかはわかりませんが、消えたことは事実だと思います。

野中 先ほどご紹介くださった先生の近著『日本人は論理的でなくていい』というタイトル。どうりで、よーく理解できます（笑）。ここで展開されているお話も大変すばらしくて、今地球で同時多発的に起きているコロナ禍についても、どう対処するのか、その対処の先に何を考え、自分事としてどう行動していくのか、たくさんヒントが隠されていると思います。必読の書！です。

それでは、トヨタを支えてくださった八重樫さん。存じ上げませんでした。秋葉原でうろついていらした八重樫さんがいなかったらプリウスができていなかったというのはかなり衝撃的な告白でした。その視座から議論をお聞きになっていて、コメントをいただけますか。

八重樫 この議論にはなかなか入っていけないので、私からは2つのことを申し上げたいと思います。

まず私は、今議論されているウエスタンとオリエンタルという話ではなくて、やはり人間はそれぞれですから、人に戻ろうということが一つのポイントだと思っています。最後に申し上げた「私以外のYouの幸せのために」という豊田章男社長のスピーチにも関わるのですが、この「You」というのは「ステークホルダー」ではないのですね。血の通ったそれぞれの人間という意味です。

八重樫武久

それとともにもう一つ、私もへそ曲がりの一人ですから、ただ全員でワンチームとかいう話でなく、人材、つまり技術・スキルを持った、とんがった人間を育てようよと。デジタルやAI

中心ではなくて、人間の感性や技術を育て、それで乗り切っていきたいというメッセージを今回は申し上げておきます。

野中　ありがとうございます。林先生、いかがですか。

林　本当にすばらしいと思います。こういう言葉は、車が空気を汚さないための元の技術を開発された八重樫さんだからこそ出てくるのではないかと思いました。

林 良嗣

先ほどチャンドランさんからも、卑近な例として、車を保有する権利があるのか、人権の続きでいいのかという話がありました。社会全体の中で、個人で車に乗り、それだけの空間を占める権利があるのか。ですから、うまい経済システムをつくることによって空間を使うことへの代償をきちっと払う仕組みをつくっていく必要があると私は思っています。

ヴェルナーさんにもぜひ聞いてみましょう。意見があるのではないかと思いますが、いかがですか。

ローテンガッター　発言の機会をありがとうございます。自然とのよりよい調和を取り戻すことは、一つの国だけの問題でなく、国際的な問題だと私は思います。そういう意味では、すべての国の文化を尊重しなければいけませんし、単にどこかの国の体験を輸出するよりも、マルチカルチャーのアプローチのほうが成功すると思います。

「欧（西欧）」「亜（アジア）」を超えた若者意識へ

ローテンガッター　では、どのようにしたらいいのでしょうか。頭で考えることも非常に有効です。アカデミアで長く使われてきた『成長の限界』も、ワイツゼッカーさんからの新しいメッセージもいいと思います。ただ、私の一番の疑問は、それを私たちはどう社会に展開していけるのかということなのです。

ヴェルナー・ローテンガッター

たとえば、今のアメリカの社会を考えますと、まだ40％の人たちが気候変動を信じていません。トランプ氏の言うことが正しいと思っています。こういう人たちをどう説得し、ライフスタイルや行動を変えさせるのか。これが一番大きな問題だと思います。

ヨーロッパにおきましては、今まで言われてきませんでしたが、若い人たちの大きな動きがあります。彼らはフライデーズ・フォー・フューチャーといった環境運動に取り組んでいます。こういった若い人たちの動きがグリーンディールのきっかけにもなりました。グリーンディールができたのは彼らの活躍のおかげなのです。それを具体的な計画に落とし、今こそ実行しなければいけません。将来や20年後ではなく、今しなければいけないのです。われわれはそういう若い人たちをサポートしなければいけないと思います。社会運動を通してよりよい未来をつくっていきたいということです。

過去を振り返るだけではいけません。われわれはいいことも悪いことも経験し、そこから学んできましたので、これからは将来を考えていく。そして、もっと若い人たちを信用したらいいのではないかと思います。

ネール　すみません、よろしいですか。

野中　もちろんです。どうぞ。

ネール　私もおっしゃるとおりとは思いますが、若い人たちを万国共通の集団と捉えるべきではないとも思います。世界の多くの人たちが西洋には住んでいないのであって、基本的なニーズが満たされていない人がほとんどなのです。ですから、そういったチャレンジャーたちを語るときには、場所によってまったく異なる話になってまいります。

教育を受けた中流階級のアメリカやヨーロッパの若い方々がこういった課題について話し合っているのは、やはりまだまだ表面的なのかなと思います。グローバルなエリートシステムの受益者であり、山の頂上にいるからです。それ以外の国に目を向けてみますと、まだ生きるための基本的な人権さえ持っていない若者がたくさんいます。ですから、まったく違う議論になるのです。彼らのニーズは日本の若者が求めているものとは違います。多くの若者が水、衛生、住宅、基本的なエネルギー、食糧といったことを考えているのです。ヨーロッパで世界各国の若者のことを語る若い方々がいたとしても、彼らはエリートであり、少数派です。世界の見方も異なるでしょう。もちろんそうする権利はありますが、だからと言って世界の大部分を代表しているとは言えないのです。

チャンドラン・ネール

この点について私が言いたいのは、エルンストさんもおっしゃっていたとおり、ここまで人口が増えた現実世界では、多くの人たちが「持っていない」ということです。この例を一つ言って終わりにしたいと思います。ポスト・コロナの時代においても、もちろん衛生は大事です。ただ、現実から考えますと、世界の80％の人々は私どもが安全な水と呼んでいるものへのアクセスを持っていません。ヨーロッパに住む人と同じではないのです。ですから、彼らにとっての基本的な権利というのはまったく違う観点になります。基本的な衛生、水の提供というのは、国によっては非常に大きなタスクになります。たとえば、インドでは廃水の80％が処理されておりません。だからこそインフラ投資は政治・経済であると言っているのであって、個人の自由の権利とはまったく異なってくるわけです。

世界のことを見るとき、権利を持っている人の観点から見てしまいがちですが、ぜひこういったことを考えていただければと思います。

野中　チャンドランさん、すばらしいポイントをあげていただき、ありがとうございました。チャンドランさんはローマクラブの中国支部の立ち上げにもとても力を注ぎ、アジアパシフィックのリーダーシップが必要ということを常に言っておられます。ローマクラブはメンバーの多くが白人で、長く西洋文化の

野中ともよ

象牙の塔のアカデミアのサークルだったのですが、もっと世界の人々の縮図として機能し、少数派であった側、実は人口で言うと多数派でもある貧困のアジアの人々の意見にも耳を傾けるべきということを軸にして動いてくれています。

林先生ともお話をしているのですが、私たちは西洋文化に戦いを挑んでいるわけでも何でもないのですね。そのおかげさまで今の発展があると思っています。ただし、そのおかげさまで公害もあり、気候の変動もある。そこを涼やかに整え、きちんと認識したら、ここから何か新しいアルゴリズムの初めの一歩が踏み出せるのではないか。私たちローマクラブ日本は若干楽観的にそう信じ、これから活動していきたいと思っているのです。

では、ちょうど時間になりましたので、コメンテーターの方々をご紹介したいと思います。スピーカーとしてではなく、最後にコメントを言うだけでよいとおっしゃってくださって、私たちはすっかり甘えてしまっておりますが、中西先生、松浦先生、ちょっとこちらに参加していただけますか。恐れ入ります。このメンバーで最後のコーナーを進めていきたいと思います。

エルンストさん、お待たせしました。今までローマクラブの改革を引っ張り、中心になって未来を考えようとしてくださっているエルンストさんから、ぜひコメントをお願いします。時間が限られていてごめんなさい。

ワイツゼッカー　先ほどチャンドランさんが正しいことをおっしゃいました。今は、エンプティワールドとフルワールドの違いだけでなく、リッチワールドとプアワールドの違い、つまり貧富の差がある世界なのですね。アメリカの問題の一端は、人間のアイデンティティをお金で測ったことにありました。これは変更する必要があります。私たちヨーロッパもそうです。先ほど言われたことに、私は非常に感心しておりました。

そして、ローテンガッターさんがおっしゃったように、今の若い世代は、こ

ういったお金中心の世界に嫌気がさしているわけです。これは、アメリカ的と言うより、よりヨーロッパ的と言えると思います。たとえば私のいるドイツも、大西洋はウラル山脈よりずいぶん大きいわけで、私たちは皆さんが思っているよりアジアに近いのですね。私はコロナ禍前に飛行機で飛んだとき、ヨーロッパとアジアが集まって、チャンドランさんが言っていたようなグローバルな視点から全員のための正義を探さなければいけないと思いました。

「自然（じねん）」の懐で己を真っ白にする

野中　ありがとうございます。

最後の第四コーナーをもう半分ほど走ってまいりまして、今16時33分になりました。そこで、コメンテーターの方々からコメントいただく前に、今までの議論をお聞きになって、では初めの一歩として、コロナに出会った私たちは今、次の新しい未来をつくるために、よりよい22世紀に向けて橋を架けるために何を始めればいいのか、そのヒントを一言ずついただきたいと思います。では、玲子先生から。

黒田　考えている人は考えていると思うのですが、若者と一緒にディスカッションしていくことが一番重要なのではないかと私は思います。

野中　大体どれぐらいの年齢層の若者ですか。

黒田　中学校、高校ぐらいからですかね。その前までは親の影響が強いと思う

辻本雅史

ので。次のジェネレーションをつくっていく人たちが新しいものの考え方をシェアし、世界をリードしていくことが今後にとって一番重要ではないかと思います。

野中　私たちに課せられた使命ですね。

黒田　そうですね。

野中　ありがとうございます。辻本先生、お願いします。

辻本　しっかりとどまり、人類とは何かを原点に立ってもう一度考え直すこと。そのためには、虚空で考えることはできませんから、歴史と文化を十分に踏まえて、人間とは何かをあらためて考える。子供たちや孫たちに対して私たちはどういうかたちで責任を果たせるのかということを考え直す機会になったと思います。

野中　ありがとうございます。先ほどランチを食べた後、ホールではなくて外でやろう、自然（じねん）の懐が先生だとおっしゃっていましたが、あれも加えてよろしいですか。

辻本　もちろんです。賛成です。

野中　ありがとうございます。では、山本先生。

山本　いろいろなお話をお聞きし、いろいろなことを考えました。このようなすばらしい会に参加させていただいたことに、まずお礼を申し上げます。

いわゆる「持っていない」人たちにどういうかたちで貢献できるのかと考えますと、私は科学者ですから、やはりイノベーションが必要なのではないかと思います。ただし、今までのイノベーションではもうだめなのですね。まったく違うイノベーションを私どもは絶対に開発する必要があります。

野中　今までのイノベーションは、ドルベースでいかに儲けるかということで、生産性を上げ、利益を株主に還元してきましたが、そうでないイノベーションということですね。

山本　そうです。株主の会社ではなくて、従業員の会社にしなければいけないはずです。そういうことを心にとめながらイノベーションを考えようとするとき、日本的なものの考え方が発明や発見につながります。だからこそ、私はそこが重要だと思っているのです。

黒田　論理的でなく、フィーリングと直感で。

山本　そうです。

黒田　やはりこれも自然の中のほうがいいですか。

山本　いつも思うのですが、実験でも何でも、何か新しい結果が出るときには、自分を真っ白にできるかどうかがポイントになるのですね。自分を真っ白にしてしまうと自然が見えてきます。自我でやっていると自然が見えません。自分の言葉で説明しようと思うと全然だめです。

野中　俺が発見するのだ、俺が考えつくのだと言っていてはいけないのですね。

山本　それでは絶対にだめです。透明にならなければいけません。透明になることは難しいのですが、なってしまいさえすればいろいろな発明や発見ができます。

野中　だからロジカルでなくていいと。

山本　そういうことです。また、ロジカルではだめだということです。

野中　ありがとうございました。では、飯尾さん。

飯尾　今日は、初めの一歩ということですが、今日始まる新しい物語を、何が何でも早いうちに完結させなければなりません。そのためにできることを、私たちは誰しも持っているのですね。野中さんが最初に言われたように、たとえばジャーナリストといえども、中立性、公共性を気取っているだけではだめで、もっともっと地球の危機的現状に具体的に踏み込んでいかなければいけない。それでもって失われたバランスを取り戻す役割を果たさなければい

飯尾 歩

けない。

　私個人としても、脊椎動物の体重の割合のお話を聞きましたので、自分自身の「いのち」の持続可能性を守るためにも、少し体重を減らしてみようと思っておりました（笑）。

野中　ありがとうございます。次にお会いするときにちゃんとチェックさせていただきます（笑）。中日新聞と東京新聞は、数多くのメディアの中で忖度の度合いが少ない。これはうれしいジャーナリズムですので、頑張ってください。応援しています。

飯尾　ありがとうございます。

野中　それでは、時間が迫ってきてしまいましたので、いよいよコメンテーターの方々からコメントをいただきたいと思います。レディーファーストで中西先生からお願いできますか。

コロナ禍が壊した異文化の壁

中西　ありがとうございます。本日のさまざまなプレゼンテーションは非常に示唆深く、発想の転換を迫るようなお話から温故知新的なお話まで非常に多様でしたので、私からはそれぞれについてコメントするということでなく、私が今まで歩いてきました中東イスラーム世界の人々とのふれ合いから学んだことを少し紹介しながらコメントとさせていただきたいと思います。時間がありませんので、簡単に2点だけお話しします。

　一つは、今日ワイツゼッカーさんがお話しになりました還元主義についてです。還元主義というのは要素ごとに一つひとつを分解して分析するということになるのかと思います。他方、イスラーム世界は、どちらかというと物事をトータルに考え、微分でなく積分してバランスをとるところがあるのではないかと考えています。

　それがどういうところにあらわれているかと言いますと、たとえば市場です。「しじょう」と言わずに、私はあえて「いちば」と言いたいのですが、ここでは人と人とのつながりや社会的な関係を重んじておりまして、売り買いす

郵便はがき

料金受取人払郵便

神田局
承認

6430

差出有効期間
2022年12月
31日まで

切手を貼らずに
お出し下さい。

101-8796

537

【受　取　人】

東京都千代田区外神田6-9-5

株式会社 **明石書店** 読者通信係 行

お買い上げ、ありがとうございました。
今後の出版物の参考といたしたく、ご記入、ご投函いただければ幸いに存じます。

ふりがな お 名 前	年齢	性別

ご 住 所　〒　　　-

TEL　（　　　）　FAX　（　　　）

メールアドレス	ご職業（または学校名）

＊図書目録のご希望	＊ジャンル別などのご案内（不定期）のご希望
□ある □ない	□ある：ジャンル（　　　） □ない

書籍のタイトル

◆本書を何でお知りになりましたか？
□新聞・雑誌の広告…掲載紙誌名［　　　　　　　　　　　　　　　］
□書評・紹介記事……掲載紙誌名［　　　　　　　　　　　　　　　］
□店頭で　□知人のすすめ　□弊社からの案内　□弊社ホームページ
□ネット書店［　　　　　　　　］　□その他［　　　　　　　　］

◆本書についてのご意見・ご感想

■定　価	□安い（満足）	□ほどほど	□高い（不満）
■カバーデザイン	□良い	□ふつう	□悪い・ふさわしくない
■内　容	□良い	□ふつう	□期待はずれ

■その他お気づきの点、ご質問、ご感想など、ご自由にお書き下さい。

◆本書をお買い上げの書店
［　　　　市・区・町・村　　　　書店　　　　店］

◆今後どのような書籍をお望みですか？
今関心をお持ちのテーマ・人・ジャンル、また翻訳希望の本など、何でもお書き下さい。

◆ご購読紙　(1)朝日　(2)読売　(3)毎日　(4)日経　(5)その他［　　　　新聞］
◆定期ご購読の雑誌［　　　　　　　　　　　　］

ご協力ありがとうございました。
ご意見などを弊社ホームページなどでご紹介させていただくことがあります。　□諾　□否

◆ご 注 文 書◆　このハガキで弊社刊行物をご注文いただけます。
□ご指定の書店でお受取り……下欄に書店名と所在地域、わかれば電話番号をご記入下さい。
□代金引換郵便にてお受取り…送料+手数料として500円かかります（表記ご住所宛のみ）。

書名	冊
書名	冊

ご指定の書店・支店名	書店の所在地域 都・道　府・県　　市・区　町・村
	書店の電話番号　（　　　）

るのは、物とお金だけではなく、情報や互いの共感が取り交わされていて、値段が必ずしも決まっていないのです。物には値段がありそうでないのです。たとえば、失業した人、難民や移民が物を買いに行くと通常の4分の1から5分の1の値段になりますが、お金持ちの人が買いに行くと途端に値段が上がります。これは一見騙されたような感覚を持つ日本人もいるようですが、ある意味では非常にバランスがとれているのです。採算という観点ではなく、どこかで最終的にはうまくバランスがとれて商売が成り立っていきます。しかも、そうした取引では、完全に自分たちだけでルールを決めるのではなくて、同業者同士が集まり、お互いに客を融通したり物を融通したりと、共存して仕事を展開していくのが見られます。これは今日の小宮山先生のお話にありました自律分散協調型の一つの例なのではないかと思います。

中西久枝

もう一つ、微分ではなくて積分というところが男性と女性の権利の問題にもあらわれていると思います。西洋的な観点からいきますと、すべての権利が棒グラフで一緒にならないと男女同権ではないという発想をするのかと思います。しかし、イスラームにおける人権はそうではなくて、一つひとつの権利にはでこぼこがあるかもしれないが、人間の一生で捉えると最終的にはどこかでバランスがとれているという発想です。ですから、女性の遺産相続権が男性の半分であっても、結婚している間、あるいは離婚後も、それ以外のところで生活が保障されている。どこかで男性と女性の資産は大して変わらないということになるのではないかと思います。

最後に、コロナ禍があったがゆえにすばらしいことが起こった事例を一つお話しして、終わりたいと思います。コロナによってイギリスのイスラーム教徒の間で火葬か土葬かということが非常に問題になりました。イスラームの発想では、地獄に落ちるというイメージがありますので、火葬はタブーなのですね。公衆衛生上、「いのち」を守るということを考えていくと火葬したほうがいいわけですが、イスラーム教徒にとっては自分たちの価値観、世界観にも関わる問題です。ですから、自分の身内が亡くなったときに家族の同意なく病院から勝手に火葬にされては困るという申し立てをしまして、早くも今年の3月23日にどのような葬り方をするかという法律が改正されました。これは、コロナ禍があったからこそ、共通の敵を前にして、異なる価値観や世界観を持った人同士がお互いに認め合って暮らしていけるようになった大切な事例ではないかと思います。

簡単ですが、以上を私のコメントとさせていただきます。

野中 ありがとうございました。中西先生と言えばイスラームですが、一般的な日本人にはあまり情報がなく、特殊なイメージを持ってしまいがちですので、あらためてもう少しゆっくりお話をうかがいたいところです。チャンドランさんも富める者とそうでない者を一緒くたに考えても解はないと言われましたが、今のお話からも、コロナ禍を機にあらためて、火葬が当たり前の私たちと当たり前でないあなたたちということが見えてきました。八重樫さんがおっしゃってくださった「あなたのために」ということをどれだけ社会が認めていけるのか。そういう制度設計にも大変ヒントになるお話をいただいたと思います。

それでは、松浦先生、お待たせいたしました。よろしくお願いいたします。

「支配」の西欧から「寄り添う」日本の自然観（じねんかん）へ

松浦 今日皆様方のお話をうかがって、私が日ごろから持っている問題意識と非常に一致していましたので、同感するところが多くありました。

第一に、ワイツゼッカーさんが『*Come On!*』という新しいローマクラブの報告書の概要を紹介するにあたって、最初に人口増加にふれられました。私も、今地球が抱えている一番の問題はそこにあると思っています。ヒトという一つの種がこれだけ地球を支配し、微生物は唯一しっかりコントロール下に置かれていないものの、他の多くの生物をコントロール下に置いております。これは地球の歴史で初めてのことかと思います。2100年には100億人を超えてピークアウトするだろうと言われておりますが、ぜひそうなってほしいものだと思います。

私はユネスコという文化・教育を担当する国際機関のトップを1999年から10年間務めたのですが、正確に申しますと、ちょうど2000年に国連人口基金が将来人口の見通しを発表したときには、2100年で92億人とされておりました。ところが、最近では2050年で92億人になり、そこから107～108億人にまでなると言われています。いずれにしましても一番の問題はそこです。

松浦晃一郎

73億人で本シンポジウムのポスター写真のように地球が燃えるのであれば(14・22頁参照)、100億人を超えたときどうなるのかというのが一番心配です。ですから、これ以上燃えないようにするためにはどうしたらいいのか、今日もたくさんいい意見が出ましたので、そういうものも踏まえつつ、まさに100億人を超える人口を支える地球との共存を考えていかなければいけないと思います。

2番目に申し上げたいのは、日本の科学技術は自然に寄り添い共生するのに対して、西洋の科学技術は自然を支配するという山本先生の非常に適切なご指摘についてです。これは科学技術だけでなく、文化全体に当てはまることだと私は思います。私が文化を担当するユネスコにおりましたとき一番心がけたのは多様性という点でして、各国あるいは各民族が持っている多様な文化をしっかり保全していくことに非常に力を入れました。こういう時代にあって、文化の多様性をしっかり守っていく中で、最後にワイツゼッカーさんが言われましたけれども、アジア的なシステムと西洋的なシステムのいいところを互いに合体させていく。これには私も大賛成です。

3番目に、今回のコロナ対応で成功した小国の例がいくつか出ましたが、それらはすべてロックダウンしているわけですね。外国人の入国を禁止し、外

茅 陽一

国への訪問を禁止しました。しかし、今日の世界がこれだけしっかりしたかたちで繁栄しているのは、国際交流をしっかり進めたからなのです。とはいえ、その結果コロナが世界的に広がったわけですから、反省しなければいけない点はあるのかと思います。

私が最後に申し上げたいのは、国際交流は引き続き進めながら、コロナのような感染症対策をしっかりおこなっていくべきということです。今それぞれの国で感染症対策と経済の両立ということを言っていますが、国際的なレベルでは、感染症対策と国際交流の進展をどのように両立させるのかという、これが私どものこれからしっかり考えていかなければいけないテーマなのだろうと思っています。

時間ですので、これで終わらせていただきます。

野中 ありがとうございました。今日はZoomで茅陽一先生にもつながっていただいていますが、茅先生、聞こえますでしょうか。コメントをお願いいたします。

茅 簡単にコメントいたします。私は第一次のローマクラブのメンバーで、その後は名誉会員として参加しているのですが、今日の議論を聞きますと、やはり時代の変化を感じます。第一次の時代は、『成長の限界』という報告にあるように、成長をゼロにするという議論だったのですが、今現在はゼロエミッションなのですね。そういった意味では第一次の時代よりもう一段進んでいるので、これを克服するには大変な技術が必要です。そういう時代であることを強く認識してわれわれはいろいろなことをおこなっておりますので、そういった議論もしていただきたいと思いました。

これで終わらせていただきます。

野中 ありがとうございました。次回のフォーラムの折にはぜひここへおいでいただければと思います。

閉会の辞

石原 修

野中　初めの一歩に関して本当はもう1ラウンド皆さんからうかがいたいところですが、やめないといけない時間になってしまいました。よって、まとめも何もしないまま、一番の締めを学長にお願いすることになります。学長、すみません。一番重いコメントになりますが、どうぞ閉会の辞をお願いいたします。

石原　本日は中部大学創立80周年ということで国際シンポジウムを開催いたしましたが、皆さんに来ていただいているこの場所は「三浦幸平メモリアルホール」と申しまして、創立者の三浦幸平先生の名を冠しております。三浦幸平先生は、中部大学発で世界に発信したい、世界に羽ばたく「あてになる人間」を輩出したいと願ってこの大学をつくられましたので、今日はそれに応えるかたちでいい記念のシンポジウムになったことを大変喜んでおります。皆さん、本当にありがとうございました。

石原 修

　これにて閉会のあいさつとさせていただきます。どうもありがとうございました。

野中　ありがとうございました。

　私のつたない進行で大変申しわけなかったのですが、皆様方から短くても光るエッジの効いたすばらしいコメントを頂戴できましたことに、あらためて心の底から感謝申し上げます。

お聞きいただいている皆様も、ありがとうございました。これが初めの一歩です。これからローマクラブ日本として中部大学からどんどん発信していきますので、よろしくお願いします。

竹島　これをもちまして学校法人中部大学創立80周年記念国際シンポジウムを終わります。今日の議論の様子は後日YouTubeにて公開予定です（巻頭「あいさつ」の注記を参照）。80周年のホームページに後日掲載いたしますので、そちらをご参照ください。長時間どうもありがとうございました。

【第２篇】

ローマクラブ日本創設記念
国際シンポジウム

22世紀のためのわが家、ただ一つの地球のトリセツ

“Operation Manual of our home, one planet EARTH, for the 22nd Century”

主催：ローマクラブ日本

共同主催：中部大学、同・中部高等学術研究所、
同・持続発展・スマートシティ国際研究センター、
JICA/JST地球規模課題対応国際科学技術協力プログラム
(SATREPS)「Thailand4.0を実現するスマート交通戦略」

共催：日本工学アカデミー中部支部

開催日：2019年８月７日（水）

開会あいさつ

飯吉厚夫／林 良嗣

福井 それでは、定刻になりましたので、ただ今より国際シンポジウム「22世紀のためのわが家、ただ一つの地球のトリセツ」を開催したいと思います。

本日は、大変お暑い中、たくさんの方にご参集いただきまして、ありがとうございます。私は、この会の主催をしている中部高等学術研究所所長の福井弘道と申します。今日は午後いっぱい、ぜひこの国際シンポジウムを楽しんでいただければと思います。

それでは最初に、開会のあいさつを学校法人中部大学理事長・総長の飯吉厚夫先生からお願いします。

飯吉 ローマクラブ共同会長のサンドリーン・ディクソン・デクレーヴ女史、ローマクラブ会員執行役員の野中ともよ先生、パネリストの皆様、本日の国際シンポジウムにあたり、日本で一番暑い日にようこそお越しいただきました。どうもありがとうございます。さぞかし本シンポジウムも熱が入るものと期待しています。中部大学を代表して一言ごあいさつをさせていただきます。

ディクソン・デクレーヴ女史には、気候危機に関する欧州を中心とした地域での啓発活動のため、きわめてご多忙の中、本日中部大学にお越しいただきました。まことにありがとうございます。

また、このたびご報告したいことがあります。ローマクラブの日本支部を中部大学内に設立するということになりました。林良嗣教授が支部長となり、中部高等学術研究所持続発展・スマートシティ国際研究センターの中に事務局を置きます。私はこれをうれしく思っておりまして、まずは心より歓迎いたしたいと思います。

今日のシンポジウムのテーマは「22世紀のためのわが家、ただ一つの地球のトリセツ（Operation Manual of our home, one planet EARTH, for the

飯吉厚夫

22nd Century)」です。この言葉をどこかで聞かれた方もいらっしゃると思うのですが、1969年にバックミンスター・フラーが出版した『*Operating Manual for Spaceship Earth*』という本があります。日本でも『宇宙船地球号操縦マニュアル』という訳書が文庫本で出ていますので、読んでおられない方は、ぜひ今日の帰り道にお買いになってお読みください。この宇宙船地球号の操縦マニュアルの現代版というか、22世紀版というものを、今回のシンポジウムのテーマとすることにいたしました。

さて、学校法人中部大学は2018年に創立80周年を迎えました。これまで、分子性触媒、直流超伝導送電、交通、デジタルアースなどの分野で、世界の研究の中心を形成するとともに、ユネスコESD国際地域拠点としてもユニークな地域活動をおこなっております。このような蓄積の上に、2016年には、京都大学との連携により新しい学術を創発するための組織として「創発学術院」というものを創設いたしました。さらに、先ほどご報告しましたように、ローマクラブの日本支部が学内に設置されることになりまして、学問分野を超えた地球規模問題の熟議の場と、日本から世界へ発信するゲートウェイが整ったと言ってもよいかと思います。大変うれしく思っております。

本日のシンポジウムでは、私たちが22世紀に向かうため、宇宙船地球号に思いをいたし、地球社会の持続的発展と個々人のクオリティ・オブ・ライフ（QOL）を高めるために必要な学術の融合と、その取扱説明書の作成のヒントを得られれば、大変うれしく思うところであります。

まず、基調講演にはディクソン・デクレーヴ・ローマクラブ会長をお迎えしております。昨年、ローマクラブの新会長に就任され、どのようなかじ取りをされているのか、そして、欧州で起きている気候変化から気候危機への意識転換の大きなうねりと、ローマクラブが先頭を切って活動されている各国政府への政策転換の働きかけなどのホットな内容を語っていただきたいと思っております。

また、ローマクラブ会員の野中ともよ先生は、皆様ご承知のように、NHKなどのメインキャスター、三洋電機の会長などとして国民に知られた存在であり、その後、NPO法人ガイア・イニシアティブの代表として、地球エコシステムの維持にご尽力しておられます。ここでは日本力をどう生かすべきかを語っていただきたいと思います。

気候危機に対応する政策転換には、あらゆる技術と政策のイノベーションが要求されると思いますが、私ども中部大学でもいくつかの分野で、世界に誇れる技術と政策の研究を進めております。本日はその中から、本島修理事にはエネルギー送電ロスをなくして再生可能エネルギーの供給に大きく貢献する直流送電について、それから福井弘道教授には気候変化の現在から将来までをデジタルに表現するデジタルアースの技術について、そして林良嗣教授には高齢社会でも万人の幸福を支え、かつ低炭素な持続的モビリティの政策立案手法について、この3つのテーマでご議論いただきたいと思っております。

その後のパネルディスカッションは、野中ともよ先生のコーディネートによりおこない、さらに、パネリストには物理学者でもある石原修学長にも入っていただくことになっております。

Last but not least、最後になりましたが、温暖化の他に忘れてはならないのは、われわれの地球に迫っているもう一つの危機です。それは核兵器による人類絶滅の危機です。昨日の8月6日は広島で平和記念式典がおこなわれております。残念ながら今回のシンポジウムでは時間的な余裕もありませんので温暖化のみを取り上げましたけれども、引き続いて私どもは、この2番目のテーマを掲げ、また次回のシンポジウムを開催することをここでお約束させていただきたいと思います。

それでは皆様、最後まで耳を傾けていただきますようにお願いをいたします。

福井　飯吉理事長、どうもありがとうございました。

引き続いて、このほど設立されましたローマクラブ日本支部長である林良嗣先生からごあいさつをいただきます。

林　皆様、お越しいただきまして、どうもありがとうございます。

林 良嗣

ローマクラブについて、のちほど会長からお話があると思いますけれども、若干の紹介をしておきます。

1968年にローマで設立されたため「ローマクラブ」という名前がついています。当時の研究者には先進国の人しかおらず、先進国における人口増加しか知らない中で、いわゆる発展途上国というものが出現し、その成長によって人口が幾何級数的な上昇のカーブを描くことを発見してしまったことから始まった組織です。一方で食料や資源は、どんなに頑張って新しいものを見つけても、幾何級数的には上がらないのですね。たとえば魚でも、人口が倍になったからといって、太平洋と大西洋を倍にできるのか。これは簡単につくれないわけです。そうすると、森林を切り倒して開墾し、農作物をとるしかない。こういうことがありまして、シミュレーションもしながら、2030年ごろには危機が来るという警告をローマクラブ第1号レポート『成長の限界（*The Limits to Growth*）』として1972年に発表いたしました。現実には、まさに今日お話しいただくわけですが、日本にも欧州にもすでに極端な気候の変化と災害がもたらされており、この危機がもっと早く来ていると認識されます。

日本からは初期のメンバーとして大来佐武郎（おおきたさぶろう）さんと日本電気の小林宏治さんのお二人が参画されており、とりわけ大来さんは非常に重要な役割を果たされました。ローマクラブは、分析をしたうえでここが危ないと警告はできるのだけれども、各国に対する拘束力がない。それをするためには、やはり拘束力を持たせるような仕掛けが必要なのではないかということで、大来さんが国連に対して「環境と開発に関する委員会（World Commission on Environment and Development）」を設置すべきであるという提案をしたのです。ただし、そういったことはどこかの国の政府を通じてでないとできないので、日本国政府が提案をしております。

この委員会がのちに、当時の委員長の名前をとり、ブルントラント委員会と呼ばれるものとなりました。1980年代初期にブルントラント委員会ができたのですが、そのレポート『われら共有の未来（*Our Common Future*）』の中で「Sustainable Development」という概念が出てきております。私たちが誇りに思うべきは、この概念の元を提案したのは日本人であったという点です。これは非常に重要で、私たちの世代もそれに倣って進める必要があると思っております。

そして、ローマクラブは、昨年2018年に50周年を迎えております。そのとき会長の交代がありまして、それまではずっと男性だったのですが、共同会長が2人とも女性になりました。今日のサンドリーン先生と、マンペラ・ランペレという黒人女性で、南アフリカ共和国でネルソン・マンデラと一緒に黒人の人権獲得運動を戦った闘士であります。この2人が今、新しい会長になっておりまして、ローマクラブ自身も変革の時期にあります。この変革の時期に日本支部があらためて設立されたのは、非常に意義のあることと思います。今日もいろいろなディスカッションがなされると思いますが、日本でこそできることをよく考え、活動したいと思っております。

日本のフルメンバーは小宮山宏さん、野中ともよさんと私の3人で、名誉会員としては、元ユネスコ事務局長で本学の学事顧問でもあります松浦晃一郎さんと、IPCC（気候変動に関する政府間パネル）日本代表の茅陽一さんがおられます。実は去年まで元国連難民高等弁務官の緒方貞子さんも名誉会員だったのですが、高齢であるからということで、去年自ら辞退されています。

今日のテーマは、先ほど飯吉理事長からお話がありましたように、「22世紀のための地球のトリセツ」です。「トリセツ」と言いますと、昨今『妻のトリセツ』という本が有名になりましたので、ちょっと奇をてらった感がありますが、地球のトリセツについて議論をしてまいります。オリベッティの副会長をし、実は元地下組織メンバーで、ファシスト政権を倒すために活動していたアウレリオ・ペッチェイがローマクラブの創設を提唱した時期と、バックミンスター・フラーが宇宙船地球号という概念とそのトリセツが大事だと提唱した時期が非常に近いということで、今日はその2つをあわせて議論できたらと思っております。

［基調講演］

危機からの創発 時間がない！　もう動こう！

サンドリーン・ディクソン・デクレーヴ

林　では、早速ですが、最初のキーノートスピーカーのサンドリーン先生にご登壇いただきます。

サンドリーン先生は、そのキャリアにおいて、GLOBEという組織の若き職員として働かれていました。これは世界中の議員連盟のような組織ですが、「地球憲章（Earth Charter）」を制定するにあたり、ご自身もいろいろと感銘を受け、これを一生の仕事にしようと考えて活動を続けてきておられます。たとえば、イギリスのチャールズ皇太子のアドバイザーなど、種々のアドバイザーもされている方です。

それでは基調講演に移っていただきたいと思います。よろしくお願いします。

「地球のいのち」システムが消滅の危機に

ディクソン・デクレーヴ　まずは、今回このようなシンポジウムにお招きくださいましたことに対し、林先生、理事長様、学長様に対して心より御礼申し上げたいと思います。非常に暑い日にこの地に来ることができましたのも、まさにわれわれの今抱えている深刻な問題を反映しているかのようです。野中先生、林先生は、私が10月にローマで会長職に就任したときのことを覚えていらっしゃるでしょうか。その日もとても暑く、まったくエアコンがない非常に暑い状態でしたが、その場でも私は、非常に暑くとも、まだこの暑さは序の口にすぎないということを申し上げました。

私たちは、今、薄氷の上を歩き、そこで火遊びをしているようなリスクの中にいる、と表現できるかもしれません。たとえば、原子力というチョイスがあるという意見もありますが、これとて、今日の地球の状況のうえでは、完全に

（スライド1）

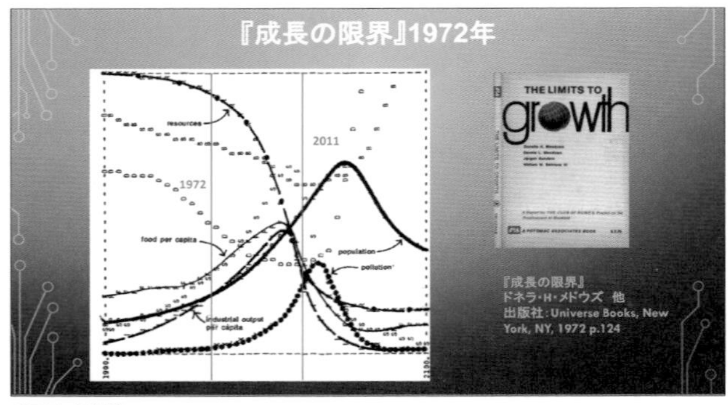

（スライド2）

リスクをとっているとは言えません。

まず、少し歴史に立ち返ってみたいと思います。アインシュタインが原爆の発明を後悔したとき、私たちは平和についてもまたさまざまな議論をおこないました。1968年にローマクラブが立ち上がったときにも、平和についていろいろな議論をいたしました。そして、永遠に資源があるわけではないこの地球上で、人間がどのように生活し、どのような責任を果たしていくのかという議論にも結びついたわけであります。

スライド1にありますのは私どもが出した書籍です。『成長の限界（*The Limits to Growth*）』（スライド2）が50年前に発行されて以降、今までいろいろなものが出版されてきた中で、人口増加と資源利用の関係をひもとくような書籍の数はそれほど多いわけではありませんから、この本はそのうちの非常に貴重な一冊であると私どもは考えております。

『成長の限界』ではエンプティワールドの時代ということを言っております。すなわち、まだ人口がそれほど多くない時代、まだ人口の伸びる余地があった時代ということですが、そのころは、資源を利用するにあたっても、あまり影響を与えないレベルであれば許容されました。しかし、今はもうすでにエンプティワールドではなくなっております。人口はもう十分に増えて、地球が人であふれ返るフルワールドの時代に私たちは生きております。そして、これからまだ人口はどんどん増えていくわけです。ですから、その中で私たちは、気候変動だけでなく、地球惑星限界（Planetary Boundary）ですとか、地球生命システム（Ecosystem）ですとか、生物多様性ですとか、そういったものに対してもできるだけ影響を与えないようなかたちで生きていかなければならないのです。

では、こういったものに対して、私たちはどのようにしたらインパクトを最小限にしていけるのでしょうか。いろいろなインパクトがあると考えられますが、明日からではなく、今日始めなければいけません。それについて、私は今日、皆様とお話を展開していきたいと考えています。

ここでまず私が申し上げたいのは、システムの脆弱性の問題です（スライド3）。

私と林先生は昨年アイスランドに行ったのですが、そのとき私どもが目撃したのは非常に多くの観光客でした。1年間におそらく30万人以上、つまりアイスランドの人口とほぼ同じ数の観光客がこの地域を訪れています。問題は氷床の融解です。観光客は写真を撮るばかり。日本人も中国人もアメリカ人もたくさんいましたが、彼らが氷床に足を一歩踏み入れ、写真をたくさん撮ることによって環境を破壊してしまうのですね。ツーリズムそのものが原因をなしているところもある。今アイスランドにとっては、これが非常に大きな問題となっています。

現時点で、私たちが9月にIPCCから受け取ったレポートによれば、+1.5度の地球温暖化にとどめることは非常に困難であろうとされています。われわれ

（スライド3）

はすでに自然災害の中にいるわけです。また、今年（2019年）の2月には、自然破壊の脅威によって昆虫の数が急減しているという記事が出ました。そして、2018年秋に出されたLiving Planet Reportでは、地球生命システムが消滅しようとしていると言われております。3つの大きなレポートがわれわれの地球惑星限界のリアルな変化を示しているわけです。

お金の目盛りであらわすと明解

問題は、われわれの目前にすでにコストがあらわれていることです（スライド4）。システムの脆弱性による経済的・金融的なコストとして、2017年の自然災害によるものが3060億ドルになっております。これは2016年の2倍であり、2018年にはさらにこれがまた2倍になるとのことですので、2019年の計算においてはおそらく6000億ドルに到達するであろうと思われます。また、それだけでなく、人的なコスト、すなわち人間に対しても、これについてはまだその数字をはじき出せておりませんが、確かに被害が及んでおります。これは人為的な被害であります。すなわち、人間が自然のシステムにダメージを与え、それが自分自身に返ってくるというかたちになっているのです。これが今われわれが目撃しているシステムの脆弱性という大きな問題です。

次に、スライド5に書いてありますさまざまな代償はすべて、何もしないこ

（スライド4）

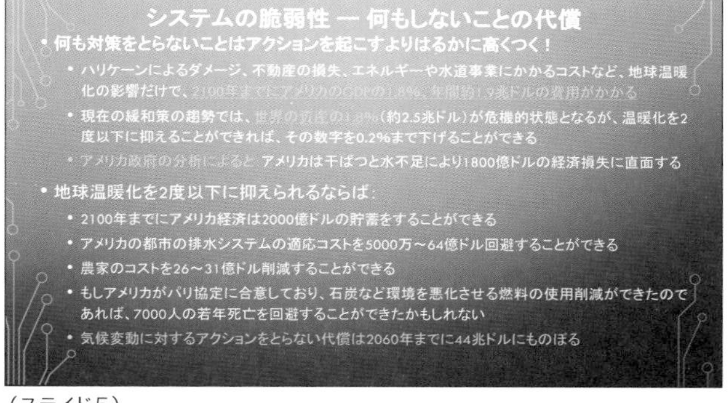

（スライド5）

とによる代償であると考えられます。すなわち、アクションをとるより、とらないほうが代償が高いということです。アメリカがおこなった試算に基づく数字を見てまいりますと、2100年には地球温暖化の影響だけでアメリカのGDPの1.8%、年1.9兆ドルのレベルにまでなっています。また、現在の緩和策のレベルでは世界の資産の1.8%が危機的状態になり、これは2.5兆ドルにあたるとのことです。ただし、この1.8%という数字は、もし温暖化を2度以下に抑えられれば、0.2%まで下げることができるわけであります。アメリカ政府の分析によりますと、干ばつと水不足により1800億ドルの経済ロスが出るということもあげられています。

もし温暖化を2度以内に抑えることができたら一体どのような効果があるの

かと言いますと、2100年までにアメリカ経済は2000億ドルの貯蓄をすることができます。また、都市の排水システムだけをとっても、適応コストを5000万〜64億ドル回避することができます。そして、農家のコストが26〜31億ドル削減できます。結局のところアメリカのトランプ政権はパリ協定を結ばなかったので達成できないわけですけれども、もしパリ協定に合意し、石炭など環境を悪化させる燃料の使用削減ができるのであれば、7000人の若年死亡を回避することもできたかもしれません。こういった気候変動に対するアクションをとらない代償が、2060年までに44兆ドルもの数字になるというわけです。

さて皆さん、われわれはコストを知りました。その意味するところも知りました。科学もあります。行動すべきということも知っています。では何が問題なのかを次の2つのスライドでお示ししてまいります。

まず、私たちはシステムの脆弱性の問題を抱えているのですが、私たちのリーダーは法や秩序を忘れてしまったかのような人たちばかりです（スライド6）。大統領の中には、政治的なメッセージをツイートをもって送るような人もいます。また、ここにお示しした壁の写真（中央上）は、メキシコではありません。ハンガリーの写真です。ハンガリーにおります独裁者がアフリカから来る難民に対して入り口をふさぐためにつくった壁なのです。しかも、その難民というのは、気候変動難民と言われる人たちです。プーチン大統領とトランプ大統領は、かつては敵同士でしたが、今は敵のふりをした友達であります。彼

（スライド6）

らは陰に隠れて手をつなぎ合っているのです。左上はブレグジット（イギリスのEU離脱）に賛成票を投じた人たちです。彼らはブレグジットは正しいと賛成票を投じておきながら、実際にそれが達成されてしまったら、自分たちの資産をイギリスから逃避させています。なぜかと言うと、もう経済が立ち行かないことがわかっているからです。それで彼らは自分の資産だけイギリスの国土から外に出したのです。

皆さん、私たちは気候変動によってどのような天災が起こるのかがわからないのではありません。人間が環境にどのようなインパクトを与えるのかを知らないわけでもありません。それが問題ではないのです。私たちの抱えている大きな問題は、真実を述べ、正しいことをする、そんな勇気あるリーダーがいないことです。これが一番の問題です。

一人ひとりがリーダーに

私たちにそういった勇気あるリーダーがいないことによって生まれるのが怒れる市民たちです。一例として、ストリートで多くの若者たちがエクスティンクションレベリオンという活動をおこなっています。ヨーロッパ、北アメリカ、そしてアフリカでも、多くの地域で大きなデモンストレーションがおこなわれているわけです（スライド7）。黄色のベストを着たイエローベスト運動ですが、目的はまったく違う。一方は、給料は安いのにエネルギーコストが高いということで、自分たちの苦しい生活状況を訴えています。もう一方は、気候変動に対して何か行動を起こさなければならないことを訴えています。両方とも正しいと思います。この間を埋めるのが勇気あるリーダーであるわけですが、その勇気あるリーダーがいないというのが現況です。

私たちは非常にジレンマ的な状況にあります。これはローマクラブも同様です。私たちは今、将来に向けて何らかの行動を起こさなければなりません。50年後では遅いのです。ですから私は、自分がローマクラブの会長職にあるうちに、つまりこの10年の間に、何らかの活動をおこなわなければならないと考えています。私たちには十分な時間がないのです。

（スライド7）

考えられる解決策

ポピュリズムといった傾向も生まれていて、大きく左に動けば、振り子のようにそれに対応する右の動きが必ず登場し、極端なものが出てくるわけです。私は、ケンブリッジ大学でも、2週間前のハンブルグ大学でも、こう申し上げたところです。われわれはもう象牙の塔にいるだけの単なる研究者、科学者であってはいけない。私たちには科学を知る力があるけれども、それだけでなく、自分たちの持つ科学の知識とハードサイエンスを融合させ、ビジョンをつくっていかなければならない。しかも、そのビジョンは、ソリューションだけでなく、ちゃんと行動に対する理解に基づいたものでなければならないと。なぜかと言えば、ソリューションは非常にたくさんあるものの、今各国がおこなっている政策では、このままいきますと産業革命から2度以下に抑えるといったところを超えてしまい、3.7度ぐらいに落ち着くのではないかと考えられているからです（スライド8・9）。

次に、非国家のエンゲージメントです。非国家というのは市長やNGOや学の分野などを指しますが、国だけに頼っていてはいけないので、こういったプレーヤーたちによって目標を達成していこうというわけです。スライド10のグラフをご覧いただきますと、日本の非国家のエンゲージメントは小さくて見えないほど非常に低いことがおわかりいただけるかと思います。

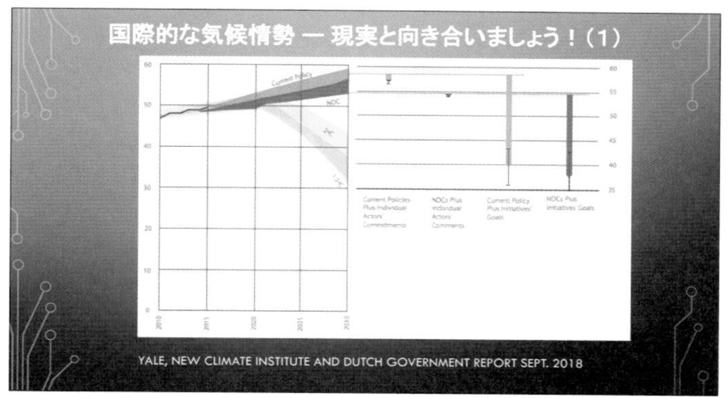

（スライド8）

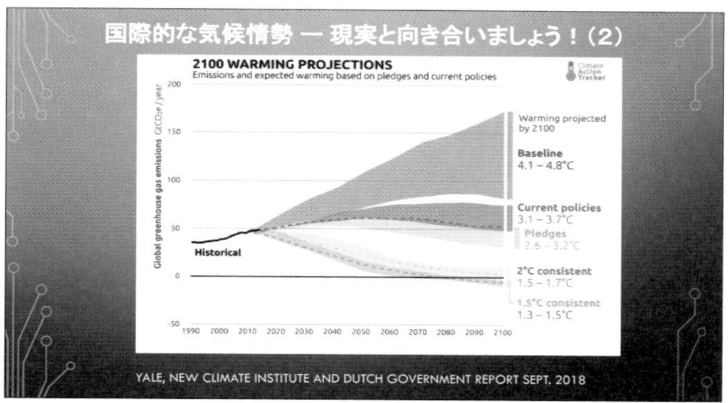

（スライド9）

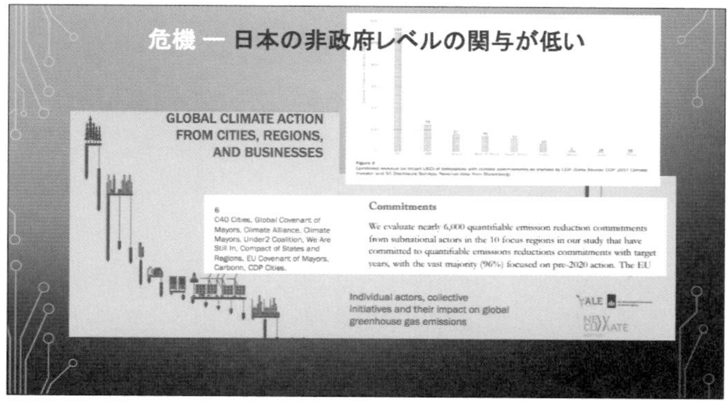

（スライド10）

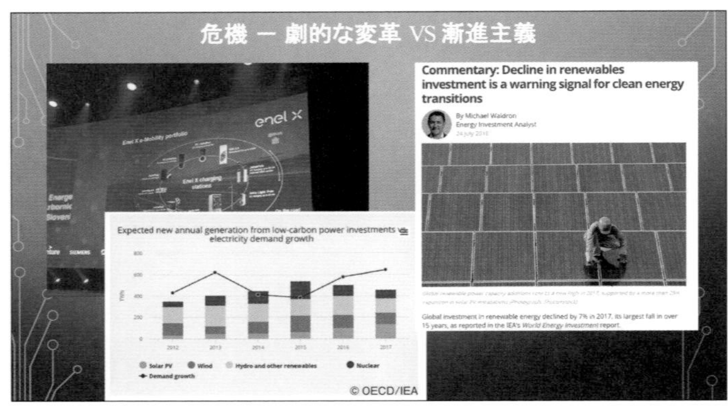

（スライド11）

また、企業も非常に重要な役割を果たします。ここではいわゆる劇的な変化を起こさなければならないのであって、ゆっくりとした変化では不十分です（スライド11）。シフトを起こしていかなければならないわけです。実際、ヨーロッパには、石炭を100％やめて太陽光や風力に移行しているエネルギー会社もあります。これは技術の問題ではなく人の問題であり、人がいかに変容を遂げていくのかという問題であるわけです。すなわち、ポーランドの炭坑で働いている人たちに対して、どのように知識を与え、スキルを与え、職を与えるのかということであります。移行していくにあたっても、しっかりと職などのネットワークをつくり上げてから公正に移行していかなければならないという問題が付随してまいります。

問題は、これをどのようにおこなっていくのかということであります。再生可能エネルギーは決して高いものではなく、安くなってきているわけですが、投資は落ち込んでいる状況です。IAEA（国際原子力機関）は、ここ数年で初めて、エネルギーから来る排出量、エミッションが増えていると発表しています。待ったなしの状況ですから、劇的な変化をすぐにでも起こしていかなければならないのです。

ここで手に入れやすさ、アフォーダビリティの問題に少しふれていきたいと思います（スライド12・13）。

これは非常に重要なことです。最大でも化石燃料の助成金の17％のコスト

危機 ― 気候アクションのコストのハードルを下げる解決策は？

1. 解決策の多くは多額の先行投資を必要とするが、エネルギー効率の改善など、長期的に見るとコスト削減につながる
2. とりわけ太陽光発電をはじめとして、多くの解決策はここ数年で劇的にコストが下がってきている
3. 他の解決策はトータルコストを押し上げる可能性があるということを含めて、コスト的に手が出しやすいというのは解決策を選ぶときの一つの基準である

SITRA • ORAS TYNKKYNEN

（スライド12）

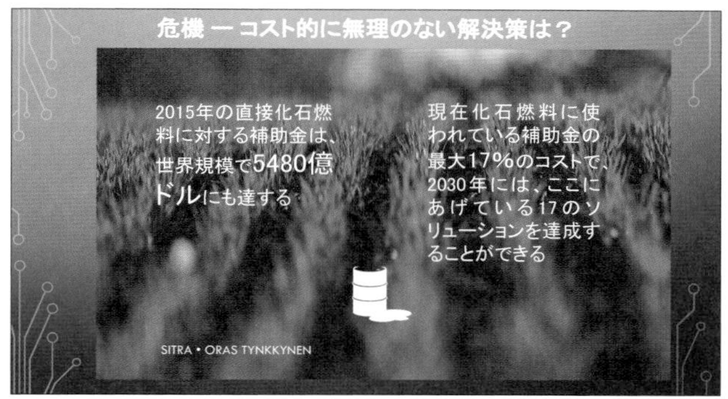

（スライド13）

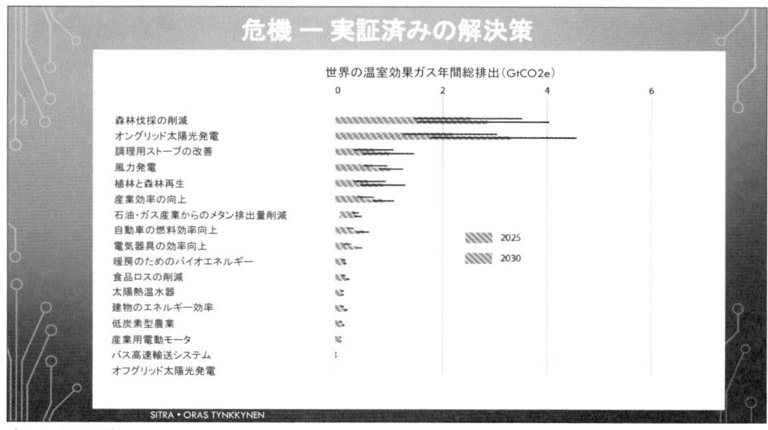

（スライド14）

で、スライド14にあげております17のソリューションを達成できるのです。

石炭、石油、天然ガスなどいろいろな化石燃料がありますが、そういったものに対する投資のたった17％だけで、今ある、そして非常に手の出しやすいアフォーダブルな技術によって目標を達成することができるわけです。このような数字をSITRAというフィンランドの研究所が発表しております。

行動と改革

さて、私たちは次に何をする必要があるでしょうか。どのようにアクションを起こし、変革していくのでしょうか。

まずご紹介しますのは、ローマクラブの2人のメンバー、50年前に『成長の限界』を著した著者の一人であるヨーゲン・ランダースとヨハン・ロックストロームが執筆した『*Transformation is Feasible*（変革は実行可能だ）』という本です（スライド15）。私たちに何ができるのか。そして、それがいかに簡単なことなのか。非常におもしろいので、ぜひともネットで検索されることを推奨いたします。

そしてもう一つは、私ともう2人のローマクラブのメンバーが参加して執筆しました『*Climate Emergency Plan*』です（スライド16）。今非常に危機的な状況にある中で、それを認識し宣言をあげているところがあまりにも少な過ぎ

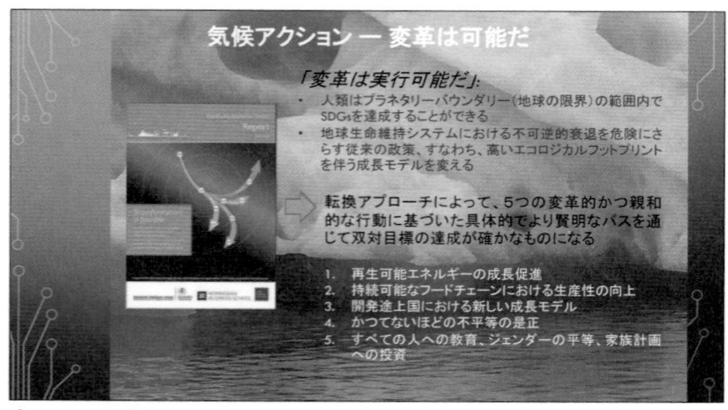

（スライド15）

（スライド16）

ることに対して、世界中に警鐘を鳴らしたものです。私たちはこの危機的な状況から脱出しなければなりません。そのため、私たちは計画を立てなければならないわけであります。日本の皆さんは計画することが非常に上手ですが、そのような計画を立て、危機的な状況が起こる前に、戦争が起こる前に何らかの策をとり、それを回避しなければならないということがこちらにまとめられています。

10のアクションがあるのですが、その前に私たちが考えなければならないのがグローバル・カーボン法です（スライド17)。これはグローバルな炭素の法則とでも言うべきもので、10年ごとに排出量を半減させていき、2050年を

（スライド17）

迎えようというわけであります。

この動きに対して10のアクションがあると申しましたが、それについて手短にお話をします（スライド18〜20）。私が声を大にして申し上げたいのは、これはわれわれにとってチャンスでもあるということです。社会のルネサンスを起こすまたとないチャンスです。14世紀にイタリアでルネサンス運動が起こりましたが、「ルネサンス」というのは「再生」という意味です。このルネサンスによって私たちが大きな苦しみを背負うことはありません。小さな苦しみはあるかもしれませんが、早く行動をとることによって、できるだけその痛みを小さくしようと考えています。

10の活動のうち、とくに初めの1から3が非常に重要だと私は考えます。1番目は、2020年までに化石燃料の拡大をやめ、その助成金をやめること。2番目は、4年ごとに風力、太陽光の能増を2倍に、また投資については3倍にしていくこと。この目標達成年としては2025年をあげています。そして3番目に、しっかりと化石燃料の真のコストを算出し、正しい価格や税の設定をすること。この目標達成年は2020年になっています。ただ、このような変容を遂げていくにあたり、私たちは先ほどのイエロージャケットの運動を忘れてはいけません。すなわち、それによって苦しむ人たちを救う方法、たとえば公正な移行のための基金などをつくらずして、このシステムはうまくいかないということです。そして4番目に、現在、社会の進展の主たる目的となっているGDPに代わる新たな指標をつくり上げることがあげられています。林先生は今ウェルビーングに関するソリューションをたくさんお持ちですが、それはローマクラブもともに取り組めるものと考えております。

短期的なものとしては化石燃料の使用をやめるとか、長期的なものとしてはGDPに代わる生活の質（QOL）をより重視した指標をつくるとか、いろいろなアクションがありますが、私どもは昨年9月以来、740の非常事態宣言をおこなってまいりました。さまざまな尽力をした結果、それだけの危機的状況の宣言になったわけです。しかし、そこにアクションプランが十分ついていっていないのが問題です。どのように変容を遂げていくのかというところがうまく表現できていない状況なのです。ですから、私たちはそれを社会的にどのよ

（スライド18）

（スライド19）

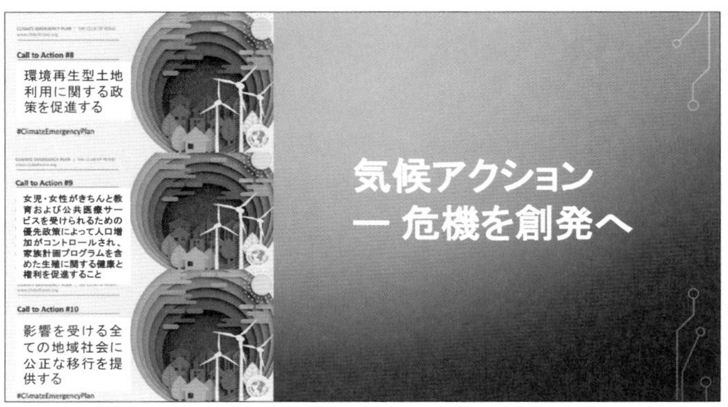

（スライド20）

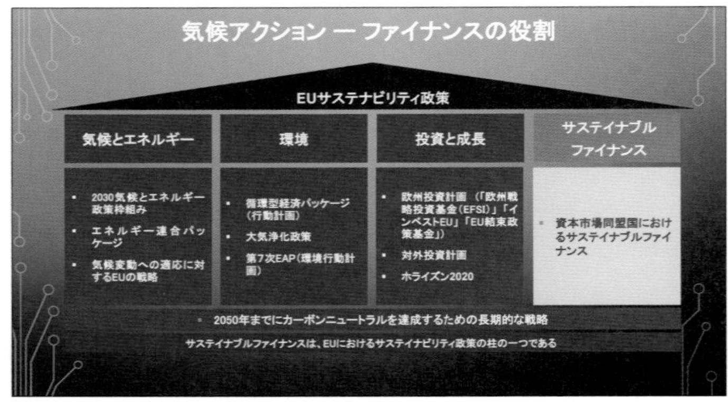

（スライド21）

うにおこなっていくのかを考えていかなければなりません。そういったことで10のアクションが書かれております。

最後にEUについてお話をさせていただきたいと思います。EUの持続可能なポリシーとしてパッケージになっている中に、新たな視点といたしまして、サステイナブルファイナンスというものが入ってまいりました（スライド21）。私は製造分野のチェアとしてここに入り、このパッケージのサステイナブルファイナンスの部分に関わっておりますが、日本、中国、インド、カナダといったところの政府が皆このシステムをお手本にしてやっていこうと考えている非常に新しい取り組みであります。

なぜこんなことをしなければならないのかと言いますと、ヨーロッパでも今、排出量を減らさなければならないとか、再生可能エネルギーのシェアを上げなければならないとか、なりゆきに比べてより省エネをしなければならないといったようなマストな行動がいろいろあるわけですが、そのための資金が足りておりません（スライド22）。年間1750～2900億ユーロの資金不足と言われており、そのギャップを埋めていかなければならないわけです。すなわち、われわれには必要なところにキャピタルを動かす使命があるということです。

そういった中で始まりましたのがタクソノミーと言われるシステムです（スライド23）。私どもEUで新たにおこなわれるシステムですが、皆様がもし投資家としてグリーンプロジェクトに関心がおありなら、これは非常に重要と言

（スライド22）

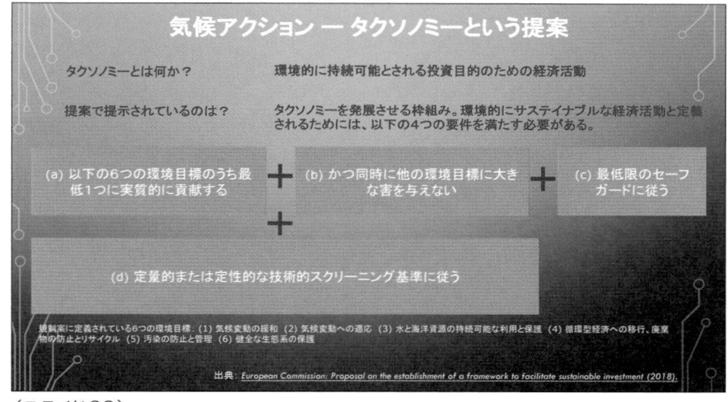

（スライド23）

えます。経済活動においてどういったものがグリーンプロジェクトになりうるか、その分類がなされるわけです。そのための公式をご覧いただきますと、まず下のところに6つの環境目標があります。(1) の気候変動の緩和、(2) の気候変動への適応がとくに重要です。そして、(a) のところは、この6つの項目のうち1つにでも貢献しているか、そして (b) のところは、その他のどの項目に対してもダメージを与えないかといったことです。

では、これを原子力発電を例にとって考えてみましょう。皆さん、はたして原子力発電はタクソノミーのプロポーザルに乗るべき経済活動でしょうか。(a) はどうかと言うと、これは気候変動へのミティゲーションになります。で

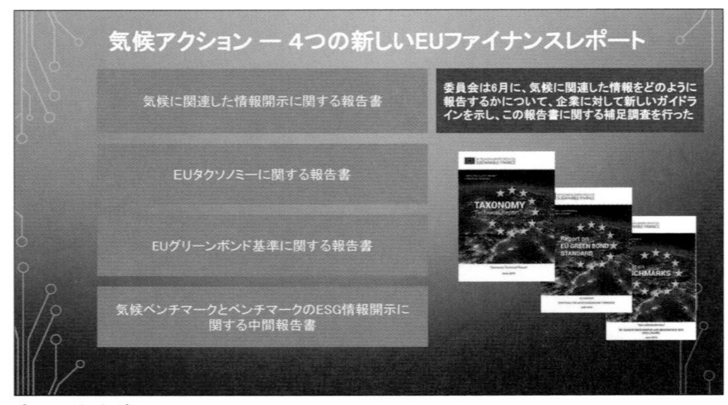

（スライド24）

は、(b) はどうか。他のどの項目にも害を与えないかと言うと、実際は害を与えることになります。ですから、これはタクソノミーに乗らないということになるわけであります。これについては欧州でもさまざまな意見があり、とくにフランスはこの公式をおもしろくないと考えているわけですが、私どもはこのようなかたちでタクソノミーをおこなっております。

ウェブサイトのほうでスマートファイナンスのページに行っていただきますと、さまざまな判断基準や業界が載っています。ガス業界や、日本にとって非常に重要な鉄鋼分野の企業の経済活動なども載っていますので、ぜひともそちらのほうもご覧ください。

それから、スライド24に気候関連情報開示、EUのグリーンボンド基準、ベンチマークなどに関する報告書がいくつかありますが、今これらが非常に重要になってきております。なぜなら、もし欧州議会を通過しようとするのなら、企業、公的組織、民間組織のすべてが、そのお金の流れを開示しなければいけないからです。そして、グリーンプロジェクトに流れるというのなら、タクソノミーをもとにした情報公開によって自分たちの行動を明らかにしなければなりません。つい先週、欧州投資銀行も、タクソノミーをベースに2020年には化石燃料に対する融資から一切撤退すると言っておりますので、私どもの努力がついに実を結んだと考えております。

協力と創発

さて、結論を申しましょう。それは協力と創発です。

私のお話の一番初めのところへ戻りますと、ローマクラブ50年の歴史の中で、私が最初の女性代表としてこれから陣頭指揮をとっていくわけですが、より協力的になることなしに、またより情緒的になることなしに、今日の複雑な問題を解決できないことは明らかです（スライド25）。では、思想的なリーダーであり続けることはもちろんのこと、どのようにインパクトを残していくのか。私たちがインパクトを残していくには、日本、中国、EU、世界各国のナショナルアソシエーションとともに活動していかなければならないわけです。

また、私たちのインパクトをいち早く伝えるために、新しくインパクトハブというシステムも設定していきます（スライド26）。これはまさに、いかに問題が複雑であり、体系的なアプローチが重要であるかを象徴していると思います。私たちはもちろん気候変動に取り組んでいかなければなりませんが、緊急事態からの脱却のためには、やはり経済の再構築も考えなければいけませんし、新しい指標も取り入れなければいけません。どのように資本を持続可能性や気候変動のプロジェクトのほうへとシフトさせるのか、

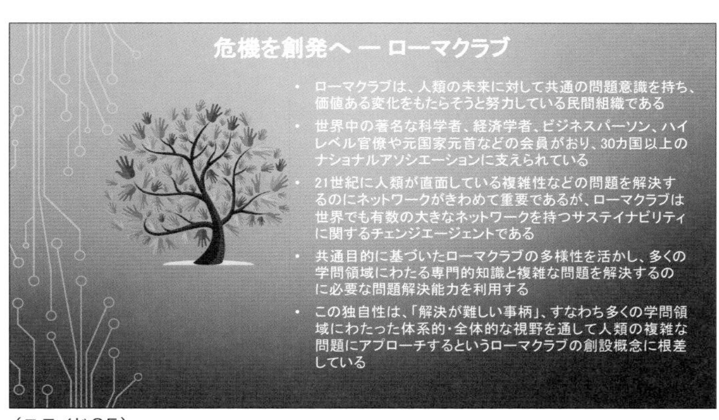

（スライド25）

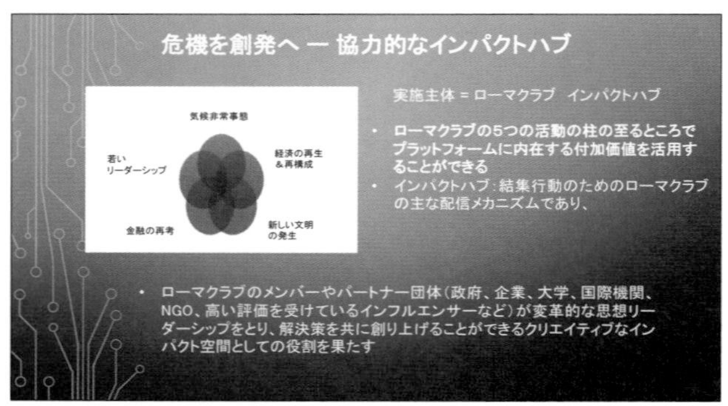

（スライド26）

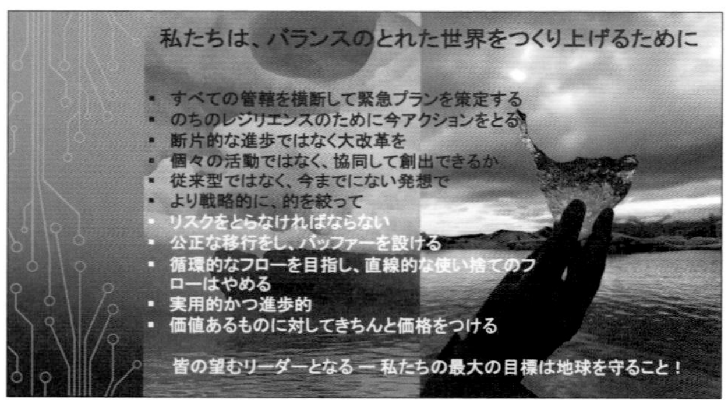

（スライド27）

ファイナンスも考え直さなければいけませんし、若者のリーダーシップとは何か、真の世代間対話のもとに若者がどう意思決定のプロセスの一部を担えるのか、若者の役割も見直さなければいけません。

私たちの最終的な目標は、緊急事態から脱却し、新しい文明に向かうことです。私たちはその新しい文明のためのナラティブ（物語）をつくっていかなければなりません。22世紀に向けて、それが21世紀における現在のローマクラブのミッションであると考えております。

最後になりますが、私たちはどうしたらバランスのとれた世界をつくり上げることができるのでしょうか（スライド27）。

まず、緊急宣言をするだけでなく、740のすべての管轄でプランをつくっていかなければなりません。そして、のちのレジリエンスのために、今アクションをとらなければなりません。ゆっくりした進歩でなく、大変革をおこなわなければいけません。個々の活動でなく、協力をしなければなりません。BAU：Business As Usual（なりゆき）でないシナリオを選ばなければなりません。もっと戦略的に、もっと的を絞り、リスクもとらなければなりません。なぜなら、最も大きなリスクは何もしないことだからです。公正な移行をし、バッファーを設け、人々が苦しまないようにしなければなりません。循環的なフローを目指し、直線的な使い捨てのフローはやめなければいけません。実用的で、かつ進歩的でなければなりません。必要ならば価格をつけなければなりません。人間関係においても、価値あるものに対してはちゃんと価格をつけなければならないということです。

私たちは自分が目するリーダーになる必要があるのですが、しかし同時に、自分たちが目するリーダーに投票しなければなりません。なぜなら、私たちのムーンショットは火星でも月でもないからです。50年前、ジョン・F・ケネディが人類は月への最初の一歩を踏み出さなければいけないと言ったころから時代は変わりました。われわれのムーンショットは地球を守ることです。それが私たちの最大の目標です。どうもありがとうございました。

林　サンドリーン先生、すばらしいスピーチをありがとうございました。

「日本力」の再編集が宇宙船地球号を救う

野中ともよ

林　それでは、これから次のセッションに移ります。パネルディスカッションに入ります前に、パネリストから一つずつ短いスピーチをしていただきます。

最初は皆さまがご存じ、ローマクラブ・フルメンバーの野中ともよさんです。NHKのメインアンカーとして、ソウル五輪、G7、そしてダイアナ元妃の結婚式など、スポーツ、政治の国際報道に欠かせない存在として、次に三洋電機会長としての経済人であり、そして今、自然環境運動のNPOガイア・イニシアティブ代表として活躍中のスーパーパーソンです。

会長が今話をされましたように、われわれはすでに気候危機に至っております。その危機からどのように脱出するのか。そういった考え方や技術や政策についてうかがっていきたいと思います。

野中　ご紹介ありがとうございます。野中です。中部大学の客員教授としてお仲間に入れていただいたことに、まず感謝申し上げます。

サンドリーンの話の最後の具体的な部分を聞きながら、およそ15年前のことを思い出しておりました。今日はこの話がメインではないのですが、思い出したことをちょっとだけシェアさせてください。

「Think GAIA」はいのち輝く地球のために

三洋電機というメーカーの社外取締役を3年間務め、それから会長職に就きましたときに、私は「Think GAIA」というビジョンをつくりました。「GAIA」とは何か？　については、のちほどご説明しますが、私たち人間は、生きている、というよりも生かされている存在でしかないわけで、その「生存」を支えてくれている水、空気、食べるものなど、それらを、いわゆる「環境問題」としてくくっていますが、こうしたさまざまな課題も、実は、テクノロジーがなければ解決は難しい。水の問題一つとっても、ストライキの鉢巻きをしても解決できない。三洋電機は当時、さまざまな世界一の環境技術を持っていましたから、地球が今抱えているこうした問題解決のアルゴリズムになるようなプロダクト、サービスを生み出していこう！　というのを「Think GAIA（TG)」「いのちのために」というビジョンとしたわけです。みんなとビジョンを設定してシェアし、勉強会を重ね、水を使わない洗濯機や、太陽光からでも2000回充電できるエネループという充電池や、車の中のシガレットライター電源を使って、黄色ブドウ球菌や鳥インフルエンザウイルスなどを除菌して99.9%空気を清浄するコンパクトな空気清浄装置など、数々のTG商品を生み出すことができました。

でも、時は、まだリーマンショック前。金融資本主義の嵐が「ハゲタカ」のドラマのように、日本各地で吹き荒れた時代です。四半期ベースで1円でも多く株主に還元せよ。水や空気を循環させて使う技術？　いのちが喜ぶ商品？地球の未来？　はあ～?!　だから女の経営者はだめなんだ。とばかりに、金融界から投資とともに参入した経営陣は、環境技術では世界のトップを誇っていた研究開発部門をはじめ、メーカーそのものも、バラバラに解体へ……。ものづくり大国で輸出大国、世界第2位の債権国を実現した日本が、プラザ合意以降の世界秩序の激流に揉まれ、ついには、「お金」という金融のチカラで瓦解させられていく局面の一端を、まざまざと見る貴重な経験でした。「いのち」の未来に正しいことをなす。これは、世界を席巻する金融界との闘いでもあることを、肝に銘じなければなりません。

そんな中、本日あえて「日本力が宇宙船地球号を救う」というタイトルにいたしましたのは、原点に戻れば救う役に立てる、いや、立たなければいけない！　と考えているからです。飯吉厚夫先生、石原修先生がローマクラブ日本支部をここに開いていいよとおっしゃってくださったので、ざっと早口でそのようなお話をしたいと思います。どうぞおつき合いください。

日本力とは何かというところへまいります前に、まず、先ほどお話がありま

（スライド1）

（スライド2）

した宇宙船地球号についてです。宇宙船地球号と言うと、このような姿を思い浮かべますよね（スライド1）。でも、どうしてこの形だと知ったのか。

スライド2をご覧ください。これは地球人がわれわれの住む惑星を撮った初めての写真です。アポロ8号のクルーが月から地球の出を撮ったものです。1968年に初めてこの写真が世界中にシェアされ、この惑星に住むわれわれ人類は、地球儀で知ってはいたとはいえ、本当に地球が満ち欠けをし、宇宙にぽかっと浮かんでいるお星様の一つでしかないのだと実感をいたしました。

この写真を境にして何が起こったか。たとえば、今日おいでいただいた方はほとんどご存じと思いますが、イギリスの科学者であるジェームズ・ラブロックが、1972年に、「ガイア理論」という、われわれの惑星は実は恒常性のある

（スライド3）

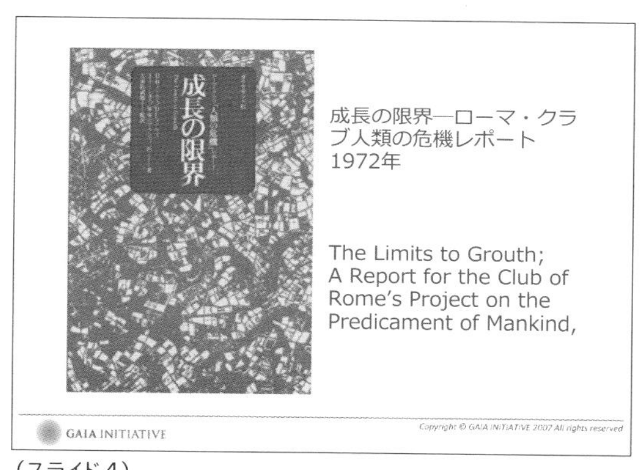

（スライド4）

大きな生命体なのではないかというレポートを発表しています（スライド3）。発表した当時は、エビデンスもないことを言って、彼のことは科学者ではなく小説家と呼んだほうがいいのではないかと揶揄されました。でも、今やそれが科学的に証明されています。

この星の表面、大気、水、土、ミネラルも含めて、バイオスフィアは全部つながっており、それぞれが関係性の中で息をしています。この部屋でも、全員が息を吸って吐いていますよね。あの人の吐いた空気は吸いたくないと思うような人がいたとしても、入ってきてしまいます（笑）。二酸化炭素も含めて、空気を吸うことで私たちの身体は生きていくことができます。つまり、言い方

（スライド5）

を変えますと、運命共同体であると言えるのかもしれません。

先ほどサンドリーンの話にありました『成長の限界』も、1972年に出ています（スライド4)。ハワイには「We are on the same canoe.」＝みんな同じ運命共同体であるということわざがあり、いにしえより、その感覚は伝承されていますが、現代人は、その現実にようやく気づき始めたのが70年代、と言えるのかもしれません。

しかし、70年代にすでに限界があると言っていたにもかかわらず、現在を見るとひどい状況です（スライド5)。温暖化だけでなく、やりたい放題。トランプさんが悪いからですか。誰かが悪いからですか。まあ、それも大いにございますが、それだけではない。

地球を汚すのは誰？

その原因は何なのか、今日は時間がないので、誤解の可能性を承知のうえで、できるだけシンプルに図でお示ししてみます（スライド6)。この星の上で人間は、とりわけ20世紀前半において、自身がカヌーの真ん中にいると考えておりました。この図の人間がすべて男の子であることに注目してください。そして、人生も社会も「お金」を手に入れれば入れるほど幸せになり、文明が進み、国が豊かになると信じてどんどん進めてきました。緑で塗った部分

（スライド6）

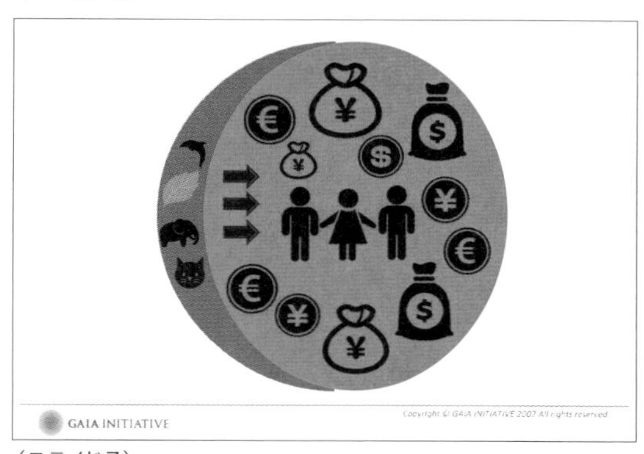

（スライド7）

（自然環境）など、そんなナイーブなことをかまっていられるかといった感じでした。

でも、さすがに20世紀も後半になりますと、企業界すら、このままいくとまずいのではないかと考え始めました（スライド7）。CSR（企業の社会的責任）に取り組み、IUCN（世界自然保護基金）にドネーションをし、人間として絶滅危惧種を助けよう、とかいうことになってきました。皆さん、今度は真ん中に女性が一人いることに気がつきましたでしょうか。この変化も大事なファクターです。

その後どうなったかと言うと、今は、緑の部分をそこそこ助け、強欲になり過ぎることなく、持続可能な発展をしようということで、これがサステイナ

（スライド8）

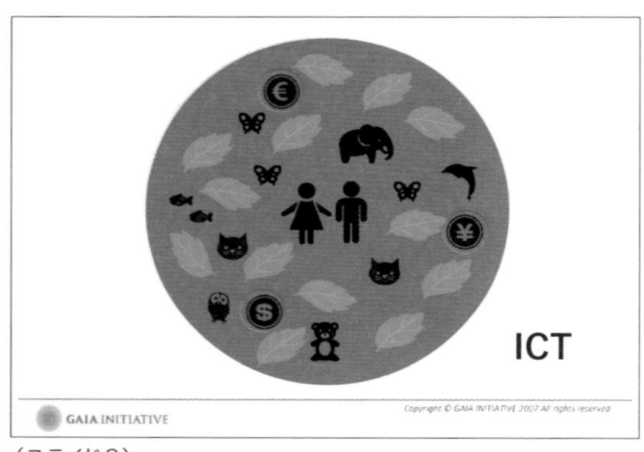

（スライド9）

ブルなのではないかと考えるところまできております（スライド8）。しかし、私ははっきり断言したい。こんな思想で地球の状態を改善できると思ったらまったくの大間違い。方法論ではないのです。とにかくお金を儲けよう、経済成長しようということから起こってきた問題を、金で解決すればいいと考えているようでは、何一つ解決されるはずがありません。どこがだめなのかと言うと、地球のシステムの真実にまったく気がついていないところです。驕りを改めなければ始まらない。

では、真実とは何か。スライド9の図のような姿が真実であると思いませんか。前の図との違いがわかりますでしょうか。私たちはそのほんの一部分でしかないというのが地球のホメオスタシスの真実なのです。ですから、そのシステムとは何か、われわれがどこから来てどこへ行くのかということを、もっとちゃんと真剣に、心を開いて、謙虚に、畏敬の念を持って考えなければいけません。ジェンダーバランスについては、昨今、ローマクラブもそうですが、ビジネス界に女の人が少ないからちょっと入れようとかいうことになっております。女性がリーダーシップをとると何が変わるのかは、最後に駆け足で申し上げたいと思います。

もちろんお金は大事です。でも、お金は道具でしかありません。人生や社会の、目的でもゴールでも何でもないのです。お金というものは地球という惑星の上では、ついこの間生まれたばかりのツールです。で、ここに少し書いてありますICT（情報通信技術）も、同じくツールでしかない。ですから、これらとどうつき合っていくか、私たちのルールやシステム、ユニバーサルな宇宙の営みの中でどう使うのかは人間にかかっております。つまり、お金のときと同じように、AI（人工知能）が来てまたあたふたするようなバカな人間であってはいけないということです。

「日本力」って、どこにある？

さて、ここからが本題です。では日本力とは何か（スライド10）。私たちの

（スライド10）

伝統的な智恵、文化、生活習慣の中に通奏低音のようにあるものは何だと思いますか。ご飯を食べる前に「いただきます」と手を合わせ、お日様を見ても「ああ、ありがたい」と手を合わせる。そういうものが「宗教」と括られるもののカテゴリーの外にあるのですね。日常の生活習慣の中にある、自分は生きているのではなく生かされている、そういう存在でしかないという意識をさまざまな暮らし方の中に、古(いにしえ)の者から連綿とつないでいる国なのです。環境問題に対峙するときの基本哲学は、自然に対しての謙虚な姿勢と畏敬の心、これがなければ前へは進めません。

三洋電機もそうですが、日本は、たまさか、ものづくりに長け、小さくしたり効率や経済合理性を上げたりで、70数年リーダーシップをとって、世界第2位の債権国になりました。それが今ではどうですか。景気が悪くなった、というだけで1年に何万人という単位の男たちが自殺を図っております。バブル崩壊。部長になれなくなってしまったとか、教授になれなくなってしまったとかいう事柄らしいですね。ともかく、私はこうした状況を突破し、今申し上げた、この「八百万(やおよろず)の神」「古神道」的な自然(じねん)感をもとにした、新しいグローバルリーダーシップに再編集できると信じているのです。それをあえて「日本力」と呼びたい。

今日は学会発表シンポジウムではないので（笑）、とても複雑なことを簡単にイイ加減に、申しますことをお許しいただき、イメージ論と思って聞いていただきたいのですが、戦後の日本人のイメージはと言えば、神も持たず、宗教的にも曖昧な未開状態で、人々は何だかはっきりしないし、眼鏡に首からカメラ、はっきりYES、NOの自己主張もせずヘラヘラ笑い、手先は器用だけど、曖昧な文化……という認識を持たれていたように思います。

でも、無宗教、無信仰どころか、日本にはどれくらいの神様がいるか？ と問われれば、答えは「八百万」以上（笑）（スライド11・12）、風にも雲にもお日様にも、それこそ大きな木や岩にも私たちは神を感じ、手を合わせる、という感性を日常生活の中に紡いでつなげてきたと言っていい。そうしたたくさんの神々に守られ、生かされているという感覚です。

私は上智大学出身ですので、もちろんカソリックの洗礼を受けた友達もたく

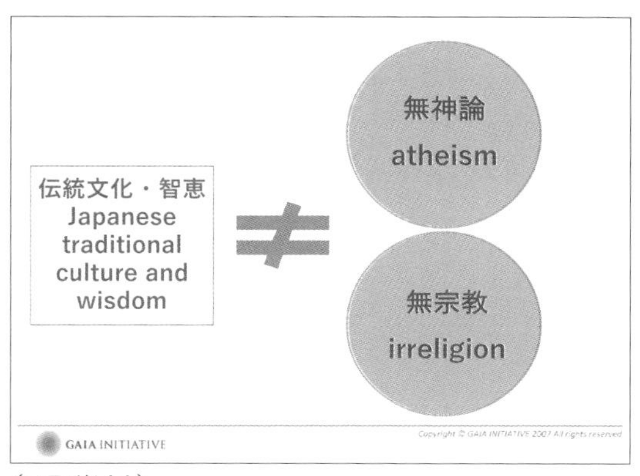

（スライド11）

（スライド12）

さんいます。でも、皆故郷へ帰れば、盆踊りにおみくじに、と。一神教と敵対するのではない次元で、仏教的だったり、古神道的なものが、日々の生活習慣に残っている。そう、尾てい骨のあたりに「ありがたい」というようなものを感じる部分としても、何となく残っているのだろうと思います。人間はほんのちっぽけなもので、周りは神様ばかり。風が吹いても、雲がかかっても、雨が降っても、お日様が出ても、ありがたいと思う感性を、私たちは皮膚感覚として持ってきた。お宮参りに行き、七五三を祝い、教会で結婚式をあげ、クリスマスをし、葬式は仏式ということで、イイ加減と言えばイイ加減なのですが、「まあいいんじゃない？」というとても良い加減と呼んでもいい、おおらかな

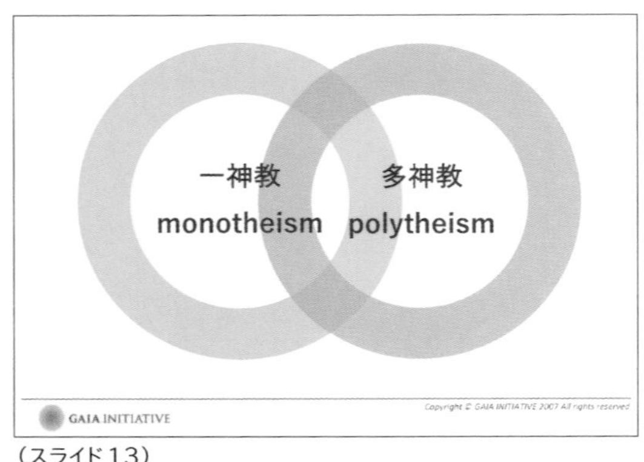

（スライド13）

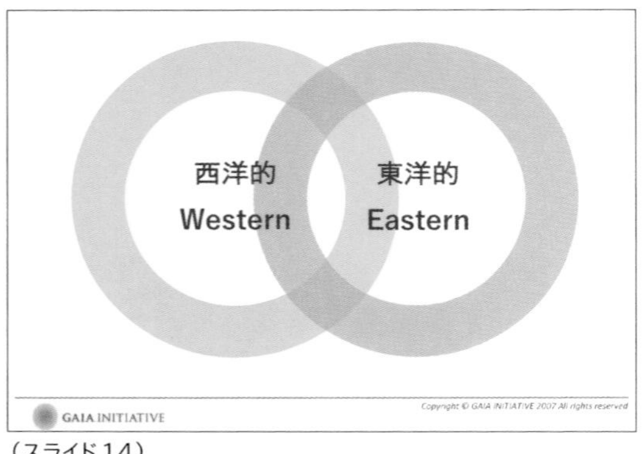

（スライド14）

捉え方です。自分を超える大きな自然（じねん）の神々とつながっている、守られている、という日常感覚がある。これを多神教と呼ぶとすれば、一方の一神教的世界観は、まず、創造主としての一人の神が、宇宙を創り、すべての秩序のもととして、姿を似せたヒトを創り、それを食べさせるために、周りに野生という自然をしつらえたわけです（スライド13）。頂点に神がいて、ヒトが次で、治めるべき周囲が環境という捉え方。根本的対峙の仕方が異なっている。私たちは「八百万の神」のたなごころの中で生かされている、という畏敬が根本にあるのですから。

西洋的と東洋的という分け方もできます（スライド14）。西洋的に言えば、日本人は「Aren't you hungry?（おなかすいていないでしょう）」と聞くと

「Yes, I'm not hungry.（はい、すいていません）」と答えるので、一体どっちなんだと思ってしまいます。まず、問いかけてくれた相手を立てて、イエス、あなたの言うとおり、おなかすいてません、になる。英語は、自分が中心。だって聞かれたんだから、己の状態を答える。さても、日本の文明というのは西洋的と東洋的の交わるところにあるのですね。進駐軍が入ってきて、それまでの君主としての天皇を否定し、民主主義になりました。象徴として、というアイマイでいけるな、この国は。と。明治維新のときも、それまでのアニミズム、サムライイズムを一切否定し、京都にいた天皇を持ってきて君主に据えました。何となく、それでもうまく流れていく。つまり、私たちは、いろいろなものの中で、もちろん西洋的なもののリテラシーも理解もありながら、でも東洋的なものが尾てい骨にある。このイイ加減なところが「良い加減」のかたちになって、私たちの中に流れているのだろうと思います。『「Diversity」多様性』をこの星で本当に実現するには、この「良い加減」の寛容さが必需なのだと思います。

「世界」を変えるには、まず「自分」を変える

さて、話がガラリと変わりますが、アーヴィン・ラズロという科学者が世界賢人会議「ブダペストクラブ（Club of Budapest)」というのをつくっています。私もずいぶん前からその名誉会員になっているのですが、2009年にロンドンで会議を開きましたとき、惑星直列も含めて2012年にとんでもないことが起きたら困るからということで、世界をシフトしようと「Our Chance to Change」というワールドシフト宣言をいたしました（スライド15)。ディーパック・チョプラとゴルバチョフが前書きを、私が後書きを書き、これを世界に出しました。

しかし、やはりこれも単なるシンクタンクでしたので、ドゥタンクをつくらなければ、ということで日本ワールドシフトを立ち上げ、このマトリクスをつくりました（スライド16)。最後にサンドリーンが言ってくれたように、世界をシフトさせるためには、安倍さんがどうとか、トランプさんがどうとか言う

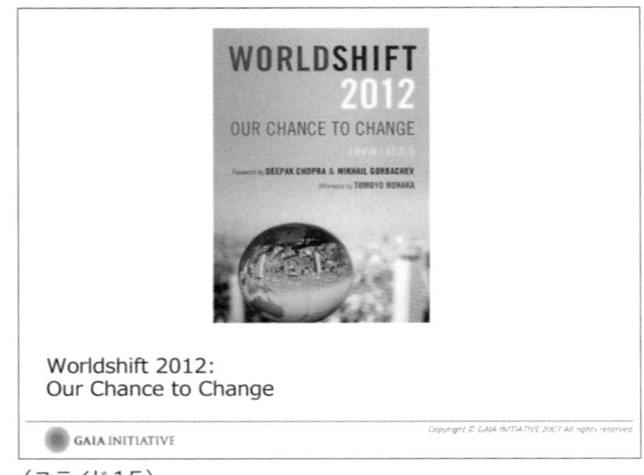

（スライド15）

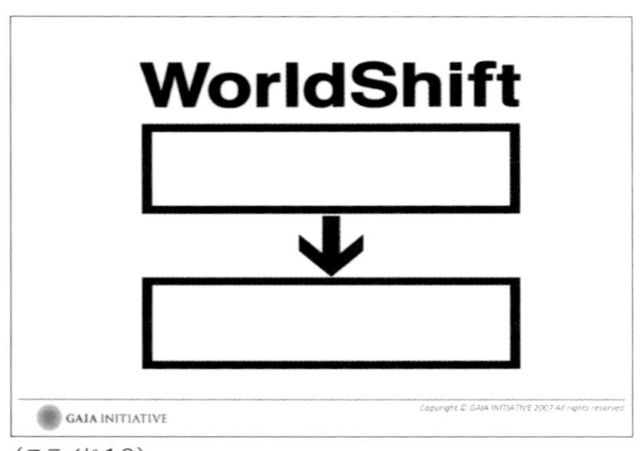

（スライド16）

前に、あなたはどうなのかが重要です。あなたは何をやめて何にしますか。あなたは何を何に変えますか。夜中の12時に寝ていたのを9時にして、早起きになり、エナジーセーブをしますとか、どんなことでもいいのです。あなたは何をするのかをみんなに書いてもらうマトリクスをつくり、大学の学生たちもビジネスマンも、全員が自分事として小さなことからスタートしようという活動を、日本ワールドシフトで始めております。一人ひとりの一般市民が、自分事で暮らし方や信じることを変えていく以外に、この星の状況を変える処方箋はない、とも思います。

最後に、今までの日本社会は、男性による男性中心の経済合理性重視の制度

（スライド17）

設計でやってきました（スライド17）。私も、企業のトップになってみると、女の人より男の人のほうが使いやすい。失礼！　でも本当に簡単。言い方が悪いのですが、「行け！」と言えば、男の人はわーっと動いてくれます。でも、女の人は、「行け！」と言っても、「私、今日は腰が痛くて」みたいな感じで、つまりとても本音なのですね。社会性の欠落、という意味ではなく、いのちをつくり出している私たちは、経済合理性でよくても、それはだめなのでは？ということをちゃんと感じる力を持っている。それを野中は「へその緒がマザーアースにつながった感性がある」と表現しています。

そこで、普通は「Ladies and Gentlemen!」と呼びかけるのですが、今日は、Ladiesはすでに知っておりますから、とくにGentlemenと呼びかけたい。男の人たちよ、あなたはあなたの存在を認識すべきです。あなたはどこから来ましたか。お母さんからですよね。おふくろさんからいただいたものを思い出してください。そう、マザーアースが持っているルール。それは、ルールという言い方でなく、「愛」と呼ぶのではないですか。自分を開いて他者を受け入れ、一緒になって育みながら、歩んでいこうという「ちから」です。

日本は島国なので、大陸からいろいろなものが入ってきました。その中には、仏教も儒教も、いろいろなものがありました。私たちは逃げられなかったので、生き残るため、それらに、私たちの文化的な消化酵素をかけてミックスし、自分たちのオリジナルなものにしてきました。たとえば天台宗の考え方などもそのように言えるのかもしれません。宗教学の先生方、もし間違っていたら教えてください。ともかく、私たちはカリフォルニア州にすっぽり入るぐらいの小さい島国でやってきたのですから、宇宙の中でも同様に、水・金・地・火・木・土・天・海のうちの一つの惑星である地球で、その考え方を取り入れ、技術力とマッチングし、ファイナンスのことも含めつつ、最もプリミティブな人間として、あるいはいのちの塊として私たちの中にあるものをまとめ上げていけるはずです。私自身はこれをローマクラブ日本支部の一つのテーマにしていきたいと思っています。

シンポジウムのテーマを「地球のトリセツ」としてくださいましたが、地球はまったく大丈夫です。考え直さなければいけないのは、とりわけ男の子です。自分がどのように社会に関わってきたかを踏まえ、このままではだめだということで、一度しかない、すばらしい人生をどう生き抜いていくか。ご自分自身のこれからの「人生の」トリセツをまず、考えていくことから始めることがとても大切なのではないか、という提案をしてしめさせていただきたいと思います。ありがとうございました。

林　チコちゃんならぬ、ともよさんに全員が叱られたところでありますが、本当に皆さんの心に響くお話であったかと思います。自然、母、命の中に男も女も含めてわれわれが生きているという重要なことを語っていただきました。

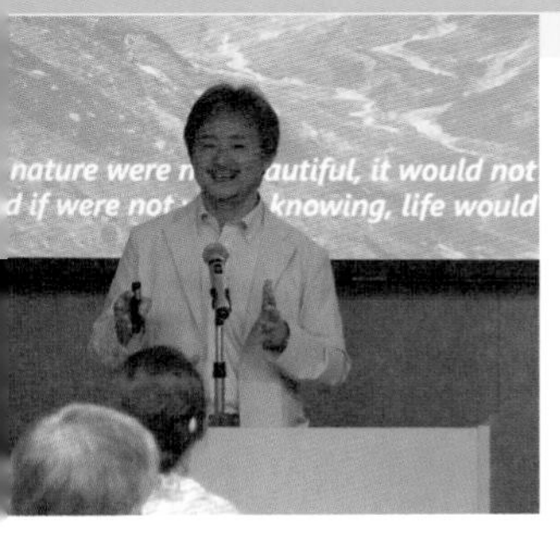

デジタルアースが編む宇宙船地球号の未来

福井弘道

林　次は、福井弘道先生にお願いします。福井先生には、アル・ゴアが提唱したデジタルアースを軸に、地球のずっと上の宇宙から地上のある地点までを一体どのように統一的に捉えるかといったお話をしていただきたいと思います。では、よろしくお願いします。

デジタルアースとは

福井　野中さんに叱られた後でちょっとやりにくいのですが、今日の話題である地球の未来をどのように考えるかということに関して、デジタルアースの考え方、デジタルアースで考える宇宙船地球号の未来について少し紹介したいと思います。

言うまでもなく地球は太陽系の惑星の一つですが、太陽から受ける放射エネルギーの中でもうまく生物が成長できるように、磁気というものがあったりして保たれております（スライド1）。

デジタルアースについて話すにあたって、最初に紹介したいのがバックミンスター・フラーです（スライド2）。私の専門とする世界では「デジタルアースの父」と呼んでいるのですが、彼が示唆的なことをいろいろ言っております。

その中の一つに、専門分化が包括的な思考を妨げ、本来専門分野を統合することによって潜在的な社会的期待に応えることができるのだが、それがうまくいっていないことが問題であるというものがあります（スライド3）。われわれも、地球を考えるとき、まず統合的なアプローチが必要だと考えております。

また、彼は今から50年前の1969年に『*Operating Manual for Spaceship Earth*（宇宙船地球号操縦マニュアル）』を書いておりますが、その話題の一

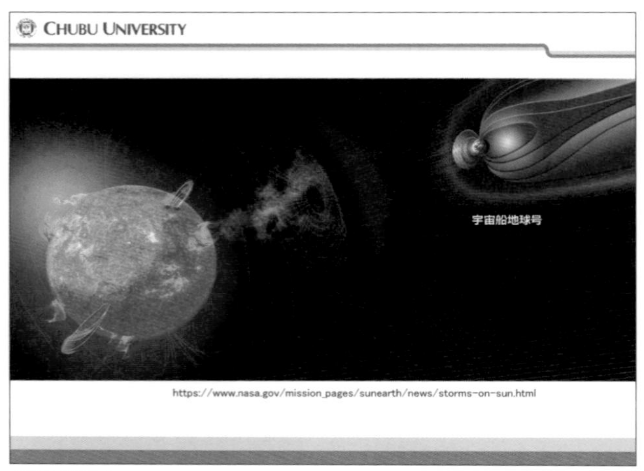

（スライド1）

（スライド2）

つとして、世界中の電力系統線を結ぶグローバルグリッドが世界平和を担うというものがあります。太陽エネルギーをうまく使い、それを電力網でやりとりすることによってエネルギーフリーの社会がつくれるのではないかというわけです。

さらに彼は、化石燃料はいわば宇宙船地球号の点火スイッチ、スターターの

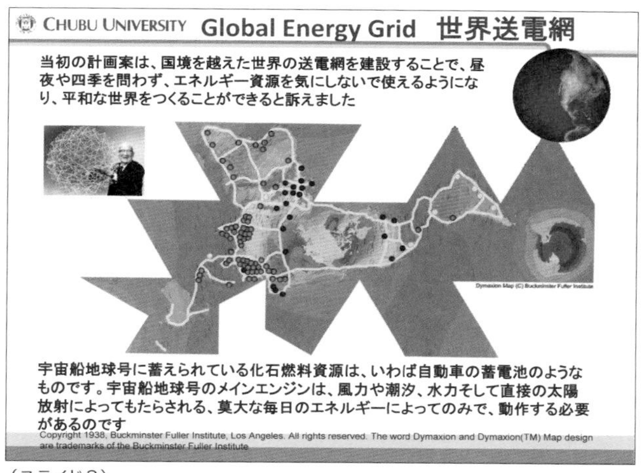

（スライド３）

（スライド４）

ようなものだと言っています。ではメインエンジンは何かと言うと、日々降り注ぐ太陽光や風力といったものであり、これをうまく使っていく仕組みがグローバルグリッドであると提案しています。今日は私の後で本島先生からこのあたりの具体的な実現の方法を話してくださることと思います。

デジタルアースで最初にもう一人紹介したいのは、一瞬だけ大統領になった

（スライド５）

アル・ゴアです（スライド4)。「デジタルアース」という言葉を言ったのは、実は彼なのです。私、このころちょうど慶應義塾大学にいたのですが、皆さん教授会の議論より大統領選のほうが気になって、フロリダで繰り返される投票の変化をこっそり自分のパソコンで見ていたものです。

彼がカリフォルニアのサイエンスセンターの開所式において、われわれがこれから地球の環境問題を考えるときにはデジタルな地球が必要なのであって、多次元多解像度で表現された地球をうまく使いつつ、それを共同実験室にしていろいろな問題を解いていきたいということを言ったわけです（スライド5)。

クリントン政権のころにはNASAにデジタルアースオフィスというのがありまして、地球環境の問題を解いていくために、いろいろな情報を集め、それを相互に運用して使っていこうということが考えられておりました（スライド6)。

今回は15分の発表に60枚ほどのスライドを用意してきたのですが、野中さんが延長5分で終わられましたので、私もできるだけ少なくしたいと思っております。

デジタルアースをつくるには、もちろんいろいろな技術が必要です（スライド7)。その中でも、標準化と言いますか、いろいろなところでつくられたデー

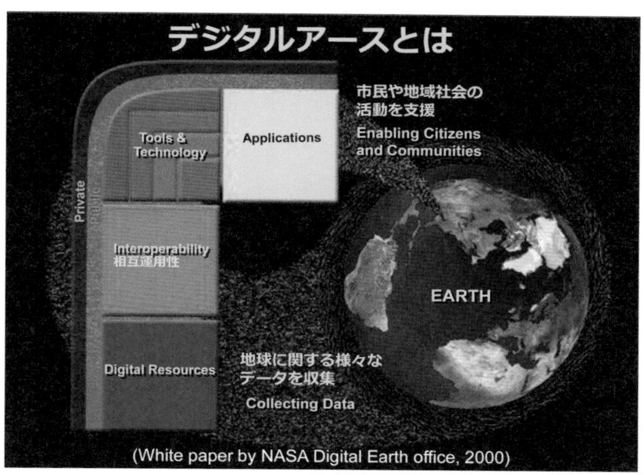

(スライド6)

CHUBU UNIVERSITY

デジタルアース構想を実現する技術

- Technology

Visualization, high-speed computing, AI, real-time computing, intelligent systems, search engines, data fusion, dynamic modeling, 3D rendering, Grid Computing, et cetera

- Standards and Interoperability Protocols

  FGDC, NSDI, GSDI, OGC, ISO, etc.

- Networks

  ITC, W3C. Geography.net, UNEP.net, etc.

- Content

  Clearinghouses, Global Databases, Global Map, etc.

- Applications

  Weather, Land Cover, Health, Urban, Transport, et cetera

(スライド7)

タをうまく相互に使えるような環境に持っていくことが重要です。デジタルアースはファンシーなインターフェイスと巨大なデータベースで構築されるようなものではなく、いろいろな人がつくった世界中に存在するデータやサービスを相互に運用し、それをデジタルな地球として包括的に使おうというものです(スライド8)。

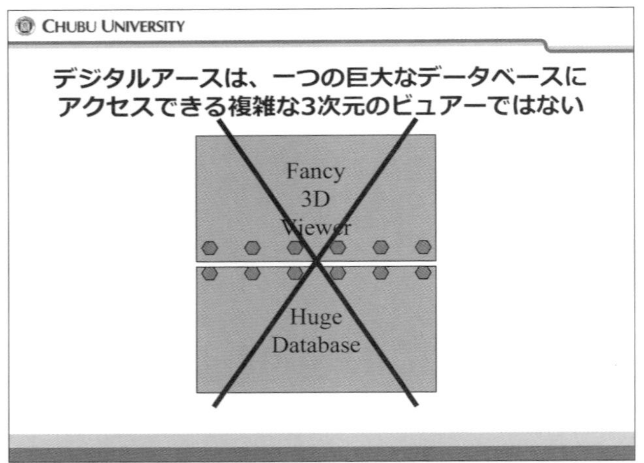

（スライド8）

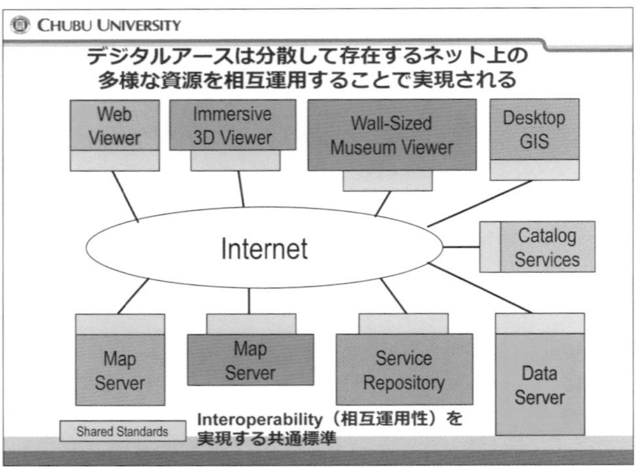

（スライド9）

そのためには、いわゆる標準化、スタンダードがとても重要になってくるのです（スライド9）。

私たちは、この構想が出たとき、これは本当に重要でおもしろい試みであるから、ぜひやらなければいけないと考えました。そこで、アカデミアが中心になって、どうすればデジタルアースがつくれるのか、1999年から2年に1回の

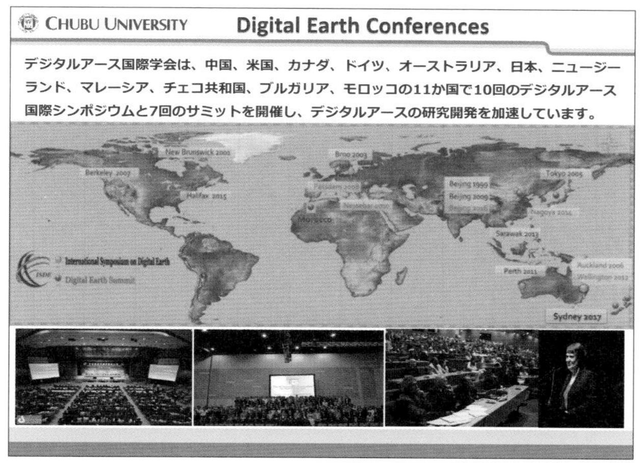

（スライド10）

（スライド11）

国際会議を開いて検討しております（スライド10）。第１回は中国でおこなわれました。私も2005年には東京の六本木ヒルズで第4回デジタルアース国際会議を主催いたしましたし、2014年には名古屋で、国際会議の中間年に特定のテーマを取り上げておこなうデジタルアースサミットというかたちで、ESD（持続可能な開発のための教育）とデジタルアースをテーマに開催いたしま

（スライド12）

（スライド13）

した。

2006年には、ISDEというデジタルアースの国際学会をつくり、アル・ゴアにも来ていただいて学会としての取り組みを始めました（スライド11）。もちろんアカデミックなジャーナルも発行しています。

今年はまた9月に第11回デジタルアース国際会議をフィレンツェで開催す

ることになっています（スライド12）。

デジタルアースというのは、言ってみれば、サイバースペース上につくられたバーチャルな地球であると同時に、誰もがアクセスできるオープンな地球です（スライド13）。そのため、標準的な仕様でつくられているわけです。加えて、最近よく言われる市民科学で、市民が発見したデータをデジタルアースに投入して使っていこうということも重要な特徴です。

デジタルアースの利用例

私は山登りが好きなのですが、たとえば、スライド14は私がヒマラヤの5000mのところから撮った写真です。野中さんが八百万（やおよろず）の神の話をされましたが、こういう環境へ行くと、本当に地球の自然はすごく偉大だなと実感します。まず、雑音が全然聞こえないのですね。聞こえるのは、風の音と、どこかで雪崩が起きているような音のみです。

これは見たままの写真ですが、デジタルアースですと、サイバースペース上でスライド15のように地球を再現することができます。毛利衛さんが実施したスペースシャトルレーダーで地形モデルをつくるプロジェクトによる地形に

（スライド14）

Mount Everest
Lhotse
Makalu
North
ヒマラヤ山脈サガルマータのイムジャ湖付近の３Dビュー
（SRTM と ALOS衛星画像で構築）

（スライド15）

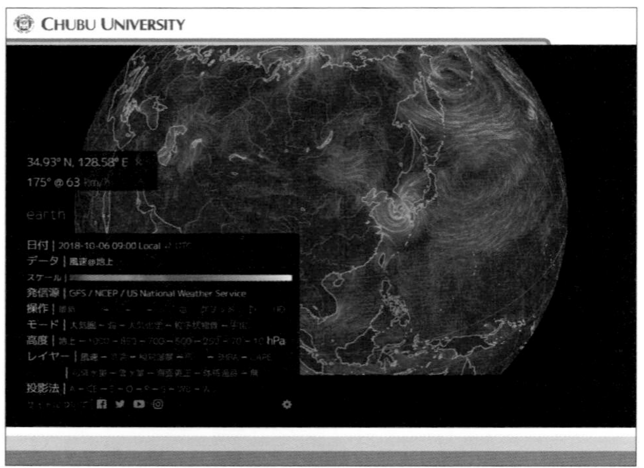

（スライド16）

JAXAの地球観測衛星ALOSのデータを貼り付けてみますと、これは先ほど見た写真より少し高い高度から撮っているのですが、肉眼では見えなかった部分が見えてきます。たとえば、中央に水色の湖が見えます。地球温暖化で氷河が融け、現在は全長2km、幅700mぐらいのイムジャという名前の氷河湖ができています。雪崩が起きたり、地震が起きたり、そういったいくつかのトリガーが働くと決壊洪水というかたちで下流に影響を及ぼす、こういう湖が現在ヒマラヤには200ぐらいあると考えられています。

さて、さらに最近はスライド16のように静的な地球でなく、ダイナミックに躍動する地球も可視化することができ、たとえばこれは風の動きをリアルタイムに表現したものです。皆さんもよく台風の情報などをご覧になるかと思い

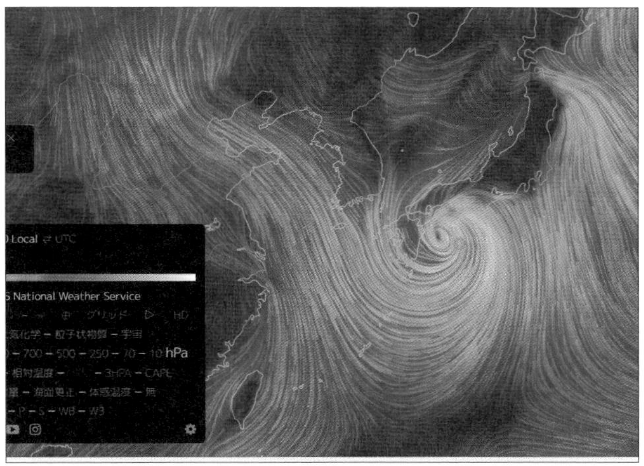

（スライド17）

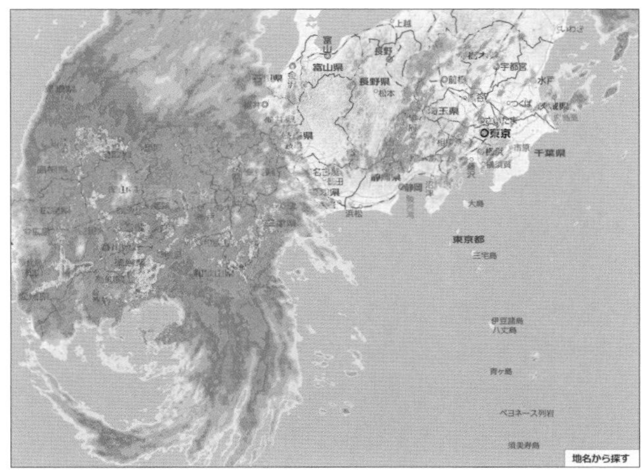

（スライド18）

写真出典：中央上＝https://www.gettyimages.co.jp/%E5%86%99%E7%9C%9F/american-michael-crichton?assettype=image&page=5&phrase=american%20michael%20crichton&sort=mostpopular&license=rf,rm、右上＝https://www.cfact.org/2021/05/01/michael-crichton-revisited-part-three/

（スライド19）

ます（スライド17）。誰でもそういう情報を見ることができるわけです。雨も、どういうかたちで降るのかがわかります（スライド18）。

今日もう一人紹介したいのはマイクル・クライトンです（スライド19）。私は慶應義塾大学にいたころ竹中平蔵さんらと一緒に新設されたグローバルセキュリティ研究所を運営していました。2000年に慶應義塾大学が三田キャンパスに新しくその研究所が入る東館という建物をつくったとき、その開所式にマイクル・クライトンを招きました。彼はとても背が高い人です。右上の写真はゴールデングローブ賞の授賞式でショーン・コネリーとニコラス・ケイジと並んでいるところですが、ショーン・コネリーより頭一つ大きいですよね。身長2m超えなのです。

その建物はデジタルな情報を可視化できる空間で皆さんにいろいろ議論していただこうと考えてつくられたもので、小さな隠し扉のようなものがありまして、それをギーッと押すと小さなバーカウンターがあり、議論が白熱したらちょっとアルコールでもというかたちになっておりました。そこに彼を招いたとき、日本人はよく柱に身長の高さのラインを入れるのだという話から、身長の高い彼にもラインを引いてその横にサインしたもらったのです。ところが、翌日来てみると、それがない。あろうことか、掃除のおばさんが、こんなところに誰が落書きをしたのかと消してしまっていたのです。でも、写真を撮っていたので、私たちの三次元の技術でもって微妙に復元し、今度はアクリル板をその上にかぶせて、現在もサインがあるということであります。

大事なことを言い忘れましたが、彼が2004年に書いた『*State of Fear*（恐怖の存在）』という小説の中に、三田キャンパスのあたりにあるNGOのIDECという世界の情報を集める組織が出てまいります。私たちがつくりたいデジタルアースというのはまさにそういったものでして、地球の環境を考えるために、自然環境だけでなく、SNS上にある人々が何を発言しどう考えているかといった情報も含めて、地球のデータをいろいろ集めているところです。

今私たちの中部高等学術研究所国際GISセンターでは、共同利用・共同研究拠点という形で、デジタルアースをどうつくるか、それを環境や災害など問題複合体にどう生かすかというようなことを考えています（スライド20・21）。

言ってみれば、リアルワールドの問題をサイバースペースをうまく使って解決していこうというわけです（スライド22）。

日本の第5期科学技術基本計画ではSociety5.0というコンセプトが提唱され

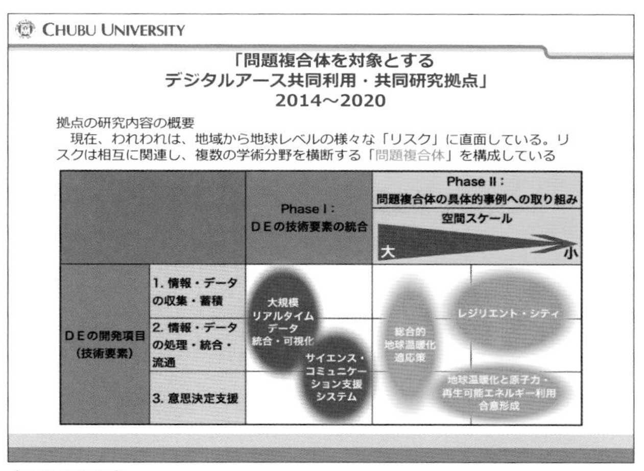

（スライド20）

（スライド21）

（スライド22）

ています（スライド23）。1が狩猟社会、2が農業社会、3が工業社会、4が情報社会と来て、のちほど林先生がお話しになるようなスマート社会を実現しようというのがSociety5.0です。

サイバー・フィジカルシステム（CPS）ということが言われておりまして、文字どおりデジタルアース的なものをうまく活用して現実の問題を解いていく

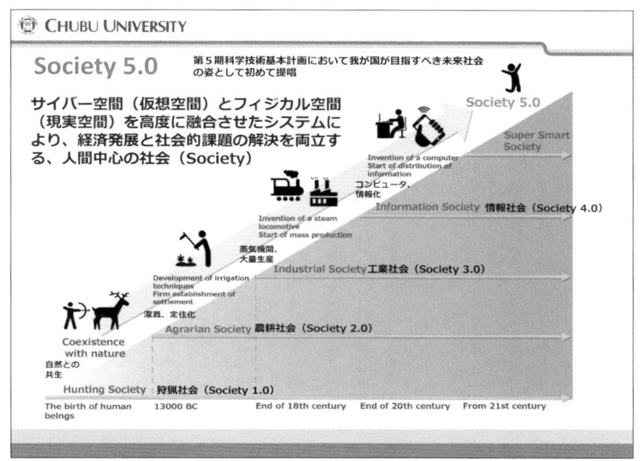

（スライド23）

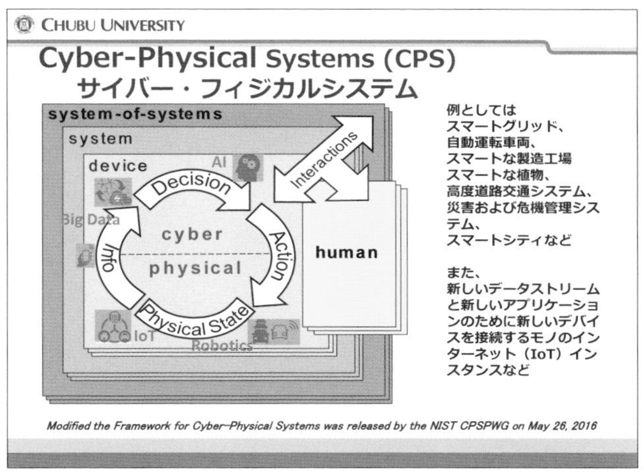

（スライド24）

という発想になっているわけです（スライド24）。

デジタルアースで地球の設計を考える――気候変動への対応

私たちが現在どんなことをしているのかについて、時間を少しオーバーするようですが、最後に少しお話ししたいと思います。

たとえば、スライド25はBBCのウェブサイトからの引用です。「データジャーナリズム」という言葉をお聞きになったことはあるでしょうか。今年の7月はとても暑かったと言われておりますが、このBBCのウェブサイトへ行くと、回る地球が見えまして、世界中のどの場所がどれだけ暑かったのかがわかります。さらに、下のほうに国と都市の名前を入れると、今年の7月がどうだったのかと同時に、そこが過去100年間と比べてどれぐらい温度が上がっており、これから100年でどれぐらいの昇温が予想されるか、地球の温暖化への対応がうまくいかなかった場合にはどういう問題があるかといったことがわかるのです。こういうビジュアライゼーションができるようになっております。

スライド26は、私の今日一番伝えたいことです。地球温暖化の問題を一体どういうフレームワークで考えるべきなのかをお示ししております。人間は自分の欲求を満たすためにいろいろな行動をします。その行動に伴って、エネルギーを消費したり、物質を消費したり、あるいは情報を消費したりします。その結果、CO_2が排出され、それが温暖化につながり、いろいろなインパクトを与えます。現在想像できているインパクトもあれば、まだまだ想定外のインパクトもあります。それらを踏まえて、またフィードバックして考えていくといったフレームワークです。

右上はいわゆる茅方程式の変形パターンです。CO_2はどのようにして生み出されるのか。これにはミティゲーション（緩和策）とアダプテーション（適応策）が重要なのですが、ここでもう一つ、クライメートエンジニアリング（ジオエンジニアリング）というのもあるのではないか。私たちが今までおこなってきた人間活動によって昇温が生じているわけで、IPCCがいろんなシミュレーションをし、CO_2をどのようになくしていくかを提案しているのですが、より積極的に意図的な気候の変動を考えなければならない時期にそろそろ来ているのではないかと思われます。具体的には、CCSのような炭素を回収して貯留するものや、SRM（Solar Radiation Management）によって成層圏に硫酸エアロゾルやCOSのような太陽放射をコントロールできるようなものをまき続けて温度を下げるといったことが重要になってまいります。

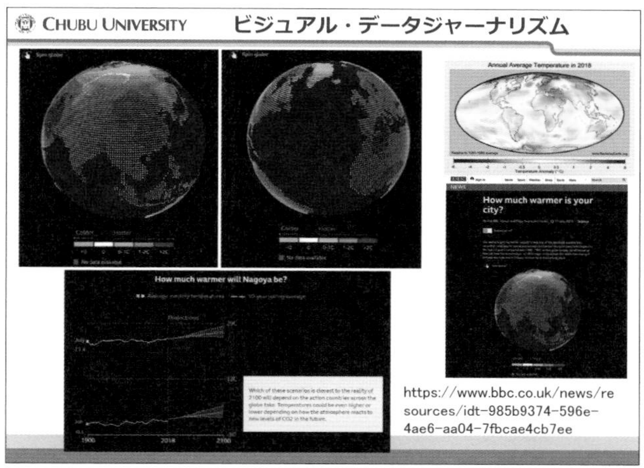

（スライド25）

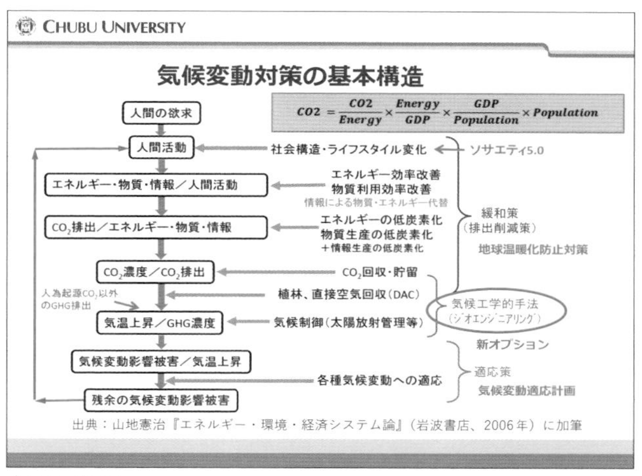

（スライド26）

これは言ってみればディスラプション（スライド27）なのですが、そこにSociety5.0というものがあるわけで、つまり人間のライフスタイルをどう変えればいいのか。今日サンドリーンさんあるいは野中さんがおっしゃったように、私たちのアクションを変えないといけないのです。たとえば、ICTをうまく使えば情報がエネルギーや資源を代替するような課題もありますし、林先

（スライド27）

（スライド28）

生のご専門のスマートシティにおいても、ICTを使ってMaaS（Mobility as a service）といった仕組みに変えていくことができます。

あるいは、化石燃料で飛ぶ飛行機ではなくて、電動の飛行機、UAVを使っていくというようなこともあげられます（スライド28）。

われわれ中部大学では、翼長4mさらには8mのUAVを開発しつつありま

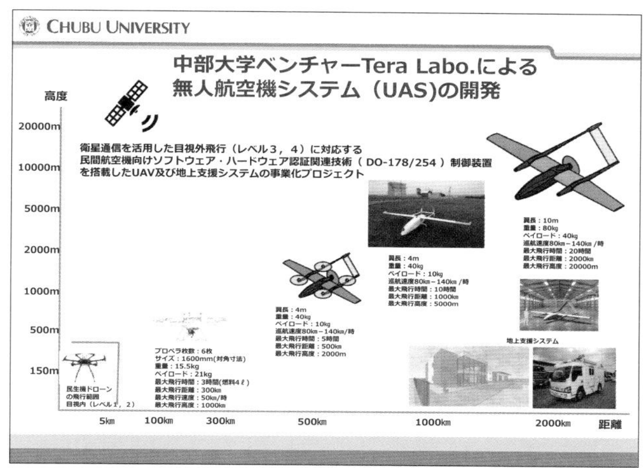

（スライド29）

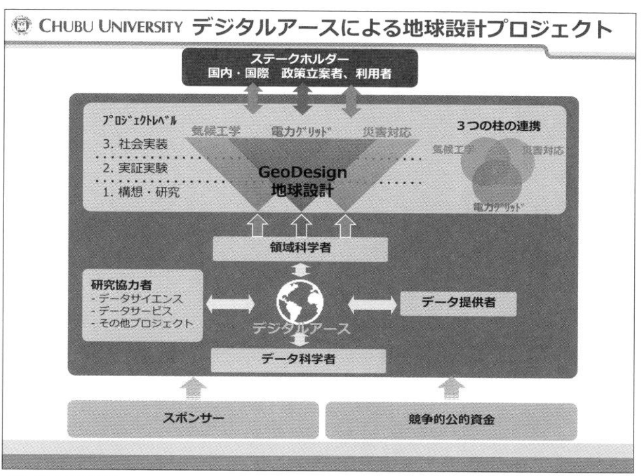

（スライド30）

す（スライド29)。たとえば、これを1000機ほどつくり、それで成層圏にエアロゾルをまき続けることによって昇温を下げるというようなオプションも一つ考えられます。

私たち中部高等学術研究所では、今いくつかリーディングプロジェクトを試行しながら、地球を設計していくにはどういうことが必要なのかを考えています（スライド30）。一つは、今申し上げたクライメートエンジニアリング（ジオエンジニアリング）です。もう一つは、これから本島先生がお話しになるインターナショナルグリッドです。超伝導直流送電によってバックミンスターが言ったような世界中のグリッドを形成し、エネルギーフリーの社会をつくっていきます。もう一つは、レジリエントシティです。スマートシティをつくり、災害に対応してまいります。このようにデジタルアースで持続可能な地球を設計していくことを考えているわけであります。

今日は、この3つのリーディングプロジェクトをうまく融合しながら、これからの地球の将来を考え、総合的な地球を設計していくプロジェクトを現在われわれがスタートしていることをご紹介しましたが、のちほどパネルディスカッションのときに時間があれば、またそれぞれのプロジェクトについて詳しくお話をさせていただきたいと思います。ご清聴どうもありがとうございました。

林 福井先生、どうもありがとうございました。

解説するとまた時間がたちますので、早速次に移りたいと思います。

高温直流超伝導送電技術がエネルギーと社会を変える

本島 修

林　今日は、サンドリーンさんの問題提起に対して、中部大学が持つ世界最高水準の研究が一体どのように役立つかを発表しようとしているわけですが、本島先生は核融合の分野の代表的な研究者でありまして、飯吉理事長が京都大学でずっと世界的に競いながら核融合の方式はどれがよいのかということで学問をつくり上げてこられたときの初期の学生さんであったのが、このように立派になられた――などと言うと怒られそうですが、南フランスにある国際核融合実験炉ITERという研究中心の機構の長を2010年から2015年にかけてされてきた方です。

それでは、よろしくお願いします。

はじめに環境問題について

本島　林先生、ご紹介ありがとうございます。私の話は、当大学の飯吉理事長のリーダーシップのもとに進めております高温超伝導直流送電技術の開発についてでして、先ほど会長のおっしゃっていたクライメートアクションの中のタクソノミーの対象になる非常にいい例ではないかと思っております。これだけ申し上げたらもう私の話は終わりなのですが、お二人のすばらしい話の後ですので、できるだけ皆様の参考になる話をしたいと思っております。

もうすでにサンドリーン会長の話にもずいぶん出てまいりましたが、私たちの周りにはいろいろな危機があります（スライド1）。ハリソン・フォード主演の「今そこにある危機」という映画を引き合いに出して私の話を始めようと思うのですが、これは、ドラッグをめぐる危機管理についての怖い映画でした。私の頭の中で考えただけでも、炭酸ガス増加による地球温暖化、人口増

中部大学

今そこにある危機
(Clear and Present Danger 1994: Harrison Ford)
炭酸ガス増加による地球温暖化
人口増加
エネルギー需給バランスの崩壊
経済危機
政治バランスの崩壊
核戦争の勃発
原子力発電所の事故と世界的な放射能汚染
世界的規模のテロ
ギャンブル依存症・子供虐待等による社会構造の崩壊
人類の持つ遺伝子の寿命到達、ゲノム換え・編集の失敗
超氷河期到来・地球のスノーボール化
小惑星の衝突
地磁気の消滅
そのほかも数多くのリスク評価すべき事象がある！

（スライド１）

加、エネルギー需給バランスの崩壊といったことがありますし、今の中国とアメリカの関係を見ましても、経済危機と政治バランスの崩壊という2つの危機がカップルしています。昨日も中国がアメリカからの農産物の輸入をいったんストップするということがニュースで流れましたが、これは昔で言う、戦線を通り越し後方の兵站と民衆を爆撃するという戦略爆撃の手法であり、まさしく大変危険な状態に立ち至っています。それから、飯吉理事長もおっしゃっていた核戦争の危機とは常に背中合わせです。また、2011年の福島の事故が記憶に新しいところですが、原子力発電所の事故と世界的な放射能汚染の危険があります。私は核融合エネルギーの実現を目指す研究開発をライフワークにしてきましたが、諸外国ではこれをフュージョンと呼び、原子力とは全然違うものだという定義づけをしています。フュージョンも人類の抱える環境問題の解決に役立つエネルギー源であると信じて仕事をしてまいりました。

それから、世界的規模のテロ、ギャンブル依存症、子供虐待等による社会構造の崩壊もありますし、人類の持つ遺伝子の寿命到達といったこともあるのかもしれません。ミトコンドリアなどの研究も進んできているわけです。ゲノム書きかえも、編集に失敗するととんでもないことになります。それから、リスクとして超氷河期の到来、地球のスノーボール化もあります。今は温暖化し

持続可能で発展する世界をつくるための条件

- 炭酸ガスの排出を抑えること
- 地域的に偏らないエネルギー資源を持つこと
- 材料等の資源が再生可能であること
- コストがリーズナブルであること
- 社会的受容性を持つこと
- 安全であること
- 民間の積極的な参入が得られること
- その他多数の条件が複雑に絡み合っています

北極海の氷は解け続けています
日本の衛星イブキが平均の炭酸ガス濃度が
400PPMを超えたことを検出しました（2015.12）

緊張感？

安心感？

下手をすると私たちの子孫が再び、
このような家に住むことになるかも
しれません

私たちは今でも十分複雑な世界に生を受けています

（スライド２）

ているわれわれの地球ですが、氷河期の延長線上にあるという説もあるのですね。そして、これは天文学者の出番になりますが、小惑星の衝突というリスクもあります。また、最後に時間があればちょっと紹介しますが、地磁気の消滅ということもあります。1000年後には地磁気がゼロになり、渡り鳥がみんな死んでしまう可能性があるのです。ではどうするのかと言いますと、ここで超伝導が登場します。その他にも数多くのリスク評価すべき事象があるわけです。

北極海の氷は融け続け、原子力発電所には緊張感があります（スライド2）。われわれは進化したのだという安心感に浸っていては大変なことになります。環境問題の解決に失敗すれば、われわれの子孫がまた原始的な家に住まなければいけなくなる可能性があるわけです。そういう意味で、緊張感を持っていろいろなことを考えていく必要があります。私たちはもうすでに十分複雑な世界におります。これをノンリニア現象によるカオティックな世界の出現と言いますが、どんどん発達していくと、自己組織化をして、ある解に落ちついてしまうのですね。そして、その解がカオティックで想像のつかないところが問題なのです。

超伝導送電のメリット

今、狩猟社会から農耕社会、工業社会、情報社会と進んできて、次のSociety5.0としていろいろなことが言われています（スライド3）。超多様化社会の到来を予想しているわけです。工業社会と情報社会は、まだわれわれがそれぞれにリンクしていますので、カテゴリーとしては賞味期限内です。そして、私としては、Society5.0を環境社会と読みかえるべきと考えています。その中で、炭酸ガスを減らすのは一番大事なことですが、サンドリーン会長もおっしゃっていたように、既存技術のエネルギー効率を大幅に改善することも大変重要です。とくに日本は工業立国としていろいろな技術の蓄積があるわけですから、ここで世界に対して役に立つ余地が十分にあると思われます。

そこで、その一つとして、われわれの高温超伝導直流送電技術が効率を大幅に改善する大変いい技術であることを申し上げたいと思います（スライド4）。持続可能エネルギー社会の実現に向けていろいろな努力がなされておりますが、今日ももうすでに話が出ていますように、エネルギーコストの低減にもっと投資がなされるべきですし、開発努力もされるべきです。これは革新的なシステムですので、それだけビジネスチャンスも増えるということを申し上げたいと思うのです。

どういうことかと言いますと、今の送電線には土地や鉄塔がかなりの数必要です。具体的な数字を言いますと、福島の事故が起こったときに賠償問題が出て、数兆円と言われていましたが、東京電力の持つ送電線の資産価値は5兆円ほどありますから、これを売れば賠償できたわけです。送電線網にはそれぐらいの価値があるのですが、物量とそれに伴うモーメンタムが大き過ぎていろいろなことが決まらないということになります。

それに対して、ここに小さな管がありますよね（スライド5の中央の図）。中部大学で開発している高温超伝導送電ですと直径がたったの約30cmの管なのです。中身を見ますと、寸法が76.3mmのケーブルです。管の中を真空にし、−160度以下にすると、大電力を流しても送電のロスなしに1000kmでも

中部大学

内閣府の言うSociety 5.0について

- 狩猟社会 Society 1.0
- 農耕社会　2.0
- 工業社会　3.0
- 情報社会　4.0
- Society 5.0　交通/医療・介護/ものづくり/農業/食品/防災/エネルギー　←　超多様化社会の到来を予言している

1. 工業社会3.0と情報社会4.0というカテゴリーは今でも賞味期限内にある
2. Society 5.0は環境社会と読みかえるべき
3. 低炭素化社会の実現に不可欠なCO_2削減のためには再生可能エネルギー・核融合エネルギーなどの環境型のエネルギーを増やす必要があるが、既存技術のエネルギー効率を大幅に改善することも効果大である
4. →超電導技術の重要性に社会は注目すべきである→中部大学の推進する高温超電導直流送電技術（HTS DCT）

（スライド3）

（スライド4）

2000 kmでも電力を遠距離送電ができるのです。送電線の損失がゼロという非常に大きな特徴を持っております。

スライド6は、衆議院で私が一昨年に紹介した資料を持ってきましたので「核融合」という冠がついているのですが、高温超伝導技術の応用の可能性を見据えたものであり、中部大学ではいろいろなところと協力しながら研究開発

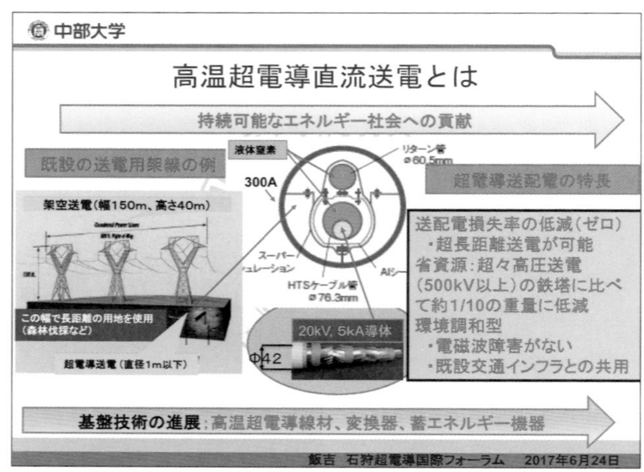

（スライド５）

（スライド６）

を進めてきております。超伝導送電線をつくり、低温にするための機械である冷凍機を開発し、実際に石狩で1kmの試験線も成功しています。

今後の発展型として、今の技術でサハリンと北海道の稚内を結ぶこともできますから、こういうことをもっと社会に発信し、皆さんに知っていただきたいと考えています。そうすれば、サハリンの天然ガスなどを電力に変えて日本に

中部大学

持続可能で発展する世界(SDGs)をつくるために必要な技術
高温超電導直流送電のまとめ

送電ロスが小さい
コストは現在の送電線と同じ程度にできる
環境にやさしい
大型化にも容易に対応できる
スマートグリッド等への応用の多様性があり、
世界規模の電力ネットワークを構築できる

サハリンにエネルギーサーバーとしての揚水発電所群をつくり、
サハリン天然ガス発電所・日本側の太陽光発電の余剰電力などを
送って蓄積する双方向性のある電力基地とすることができる。
このプロジェクトはこの地域の経済的発展と政治的安定に
大きく貢献すると期待できる

ボトルネックのないエネルギーのグローバル・
ネットワークの構築が可能

（スライド7）

持ってこられるようになり、北海道のGDPは間違いなく上がることでしょう。それから、サハリンにはクマしか住んでいないはずですから、揚水発電所の建設コストも安いわけです。そこへ揚水発電所を数カ所つくり、日本の中にもこういう超伝導送電線網を張り、九州電力で今半分ぐらいになっている大規模太陽光発電の電力を運べば、双方向性のあるエネルギーシステムがつくれます。一例としてこういう計画を申していますが、非常に発展性のあるプロジェクトなわけです。

今日のお話の結論として、すでに言ったことのまとめになりますが、高温超伝導直流送電は、送電ロスが小さく、コストは今の送電線と同じ程度でき、環境には間違いなく優しいと言えます（スライド7)。天然ガスのパイプをつくると、もしそれが破裂したらとんでもない環境汚染を起こしますが、そのようなことがないわけです。大型化にも容易に対応でき、スマートグリッドとも結合できて、世界規模の電力ネットワークが構築できます。ボトルネックのないエネルギーのグローバルネットワークの構築が可能なので、皆さん、ぜひ応援してください。会長も、ぜひ応援してください。あなたの助けが必要です。

こういったことがロシアからも評価され、ロシアで80％以上を担当する送電会社であるロセッティ社と中部大学との研究協力協定を結ぶことに成功しま

（スライド8）

した。私のITER機構時代のコネクションを使いました。スライド8は毎年ウラジオストクで開かれる極東フォーラムの様子ですが、一昨年はプーチン大統領と安倍首相が参加しているところで理事長がプレゼンテーションをされています。

今、地磁気はどんどん減少している

最後に、私の話のエピローグとして地磁気の話をしたいと思います（スライド9）。

今、地磁気がどんどん減っています。どうして地磁気が起こるのかは、またのちほどパネルディスカッションで説明したいと思いますが、これもノンリニアな現象の行き着く先であるリオーガニゼーションの結果です。数十万年に1回程度起こっていて、そのとき生物が絶滅したりしている証拠があるわけですね。いつも渡り鳥の10％ぐらいが反対方向へ飛んでいるのは、地磁気がなくなったときにその10％が生き残るためとも言われています。赤道付近にはバクテリアがいて、これも渡りをするのですが、やはり同じだそうです。飛行機に乗れないぐらいのことならまだしも、地上の放射線が増えてしまいます。

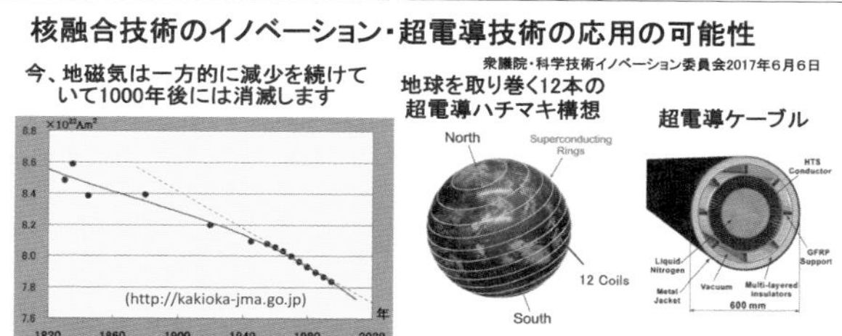

- 地磁気の消滅は過去にも10万年に1回程度起こっており、種の絶滅が記録されています
- おそらく消滅の前後の200年程度は地磁気の弱い状態が続くと予想できますから、長期間地上の放射線の量が増えるため生命体へのリスクが大幅に増えます。飛行機などにはもちろん乗れなくなります。最悪、地磁気のない火星や月のようになる可能性は否定できません
- これを防ぐための地球を回る12本の超電導コイルシステムを研究し提案しました（O. Motojima, NIFS Report-886, 2008）
- 総延長は4万km、総重量は400万トン、コストは約1000兆円かかりますが、2015年の世界のGDPは7500兆円ありますから、人類の総力をあげれば不可能ではありません
- 技術的なバリアーはありません
- 28ペタ（1000兆）ジュールの蓄積エネルギーになりますから強力な電力貯蔵システムとなります。また、昼と夜を結ぶ電力送電ケーブルとしても活躍する重要なインフラとなります

（スライド９）

1000年後ですから、それほど先の話ではありません。

そこで、私たちはどうするのかを真剣に考えました。高温超伝導線を12本、地球を取り巻くように張れば、今の地磁気の10分の１ぐらいはつくれるので、太陽から地上へ飛んでくる放射線をカットできるのではないか。これを科学的な研究の対象になると考え、論文にして*Nature*や*Science*に投稿したのですが、大変おもしろいがちょっとイノベーティブ過ぎて雑誌に合わないと、みんな断られました。もちろん評価してくださる雑誌がありましたので、そこに投稿しています。それ以降、ITERの機構長になってから彼らのインタビューを受ける際には、あなたたちは私の大事なペーパーを落としましたよと、いつも言ってやり込めていました。これは冗談として、最近になってこのペーパーのサイテーション（引用・参照）が増えています。

ちなみに、火星にも地磁気はないために、太陽風でスパッター、つまりはじき飛ばされてしまって、水や空気が薄いのですね。月にもないのですが、小さな星である月の重力が小さいために空気はまったくなくなってしまいました。そこで、火星に移住するなら地磁気に相当するものをつくる必要があるということになりますが、実はすでに検討が開始されておりまして、私たちのこのペーパーが引用されています。そういうところでも中部大学発の技術が役に

立つわけです。しかも、そんなにすごいコストでもないのですね。約1000兆円です。おそらく皆さんの貯金よりははるかに多い金額でしょうが、世界のGDPは7500兆円ほどありますから、重大な危機が起こる前に10年ほどかけてそのぐらいの投資をすることは不可能ではありません。私は、これはできることだと思っております。

ところで、送電線というのは電流を往復させるために2本以上必要としますが、地球を1周させるなら1本でいいのですね。同じ方向へ回すだけでよろしい。こういう検討をしていく中で、エネルギーの輸送に使えるうえに物量が半分で済むということに気がつきました。これは、コロンブスの卵的発見でした。どうもありがとうございました。

林 どうもありがとうございました。非常にコンパクトにたくさんのことを話していただきました。実は今、直流超伝導については、高速道路を使って、ガスと同時に日本全土のナショナルエナジーセキュリティネットワークのようなものをつくろうという検討も始まっております。

地球と人を幸せにするモビリティとは？

林 良嗣

林　さて、次は私ですので、紹介はなしで、早速始めたいと思います。

1990年代バンコクの大渋滞に見るモータリゼーション

林　ちょっと大げさに「地球と人を幸せにするモビリティとは？」というタイトルにしたのですが、地球を幸せにするというのは、地球に負荷をかけないという意味です。では、地球に負荷をかけないだけで、人が不幸せになってもいいのかと言うと、それではいけません。つまり、これらをどのように同時達成するかということなのです。

先ほどからも出ていますが、ローマクラブの『成長の限界』では、人口と資源の量が離れていくことが指摘されました（スライド1）。世の中をどのようにサステイナブルにするかというとき、私は都市や国土を研究の対象にしておりますので、これを私の分野である都市に当てはめ、都市の成長の限界とは一体何なのかを自分なりに定義してみました。

スライド2の左は、タイのバンコク郊外のバス停に夜明け前から立っている男の子で、私が世界中でこれを使って講演しているので、ものすごく行き渡っている写真です。バンコクに都市鉄道がまったくなかった時代の1992年から94年まで、私はJICA（国際協力機構）の鉄道導入調査委員長をしておりました。ホテルで朝御飯を食べていたら、バンコクポスト紙にこの写真が出ていて、当時のプミポン国王が非常に心配しておられるとありました。この子の学校はバンコクの都心にあり、中部大学（名古屋から20km郊外の春日井市）のあたりに住んでいるとしたら、学校がちょうど名古屋の都心にあるぐらいの距離なのですが、8時半に始まる学校のために朝4時半に発たなければいけない

（スライド1）

（スライド2）

のです。つまり、4時間かけて行くということで、実は国王は怒っておられたのだと思います。そういうことは不敬罪になるため絶対に書いてはいけないので、心配しておられるというような記事になっていました。当時は通勤に往復8時間以上かける人が1割を超えていたのですね。なぜかと言うと、1000万人都市圏に長距離鉄道が3本しかなく、しかも東線、北線、南線が各々1時間に1本も走っていない。そのため、鉄道を無視して皆が車で動き、町の中が激しい渋滞だったからです。

もう少しデータを示します（スライド3)。1人当たりの所得が上がると、自動車保有台数がどんどん増えていきます。しかし、同じように増えるのかと

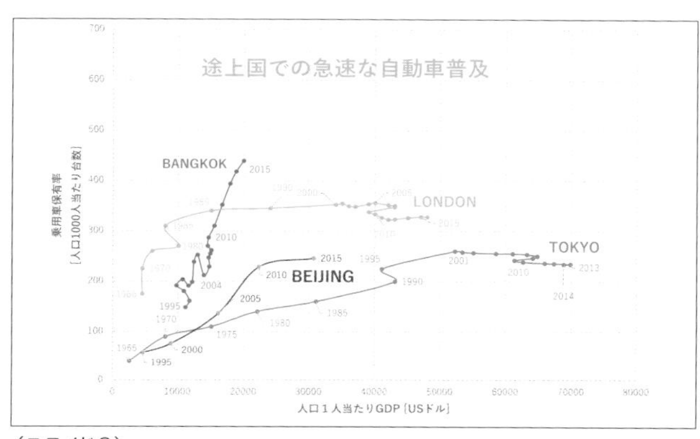

（スライド３）

言うと、都市によって全然違います。東京はずっと下のほうですが、ロンドンは上のほうにありますよね。なぜこうなるのか。鉄道がたくさんあるかどうかも非常に重要ですが、実は、都市圏全体として見れば、東京の鉄道総延長が2500 kmぐらいであるのに比べてロンドンは3000 kmぐらいあるのです。ではなぜ鉄道を使わないのかと言うと、非常に信頼性が低いからです。乗ろうと思ったら、この路線のこの区間は信号系統が壊れたので今日は閉鎖しますとか急にアナウンスされるものですから、全然信用ならない。日本の鉄道は非常にリライアブルと言われますが、それによって自動車の普及が低く抑えられているわけです。つまり、これはロンドンのほうが金持ちという意味ではなくて、同じ所得水準の時代に車保有率がどれほど違っているのかを見ているのですね。

このグラフはバンコクのチュラロンコン大学から私のところへドクターを取りに来ていた学生が1995年ぐらいにプロットしたもので、最初バンコクについては95年の1点だけプロットされていました。ですから、バンコクはこれから東京のほうを向いていくといいねと言っていたのです。ところが、あっという間にロンドンを突き抜けて上へ行ってしまいました。

今度はこのグラフの縦軸である1000人当たりの車の保有率を横軸に持ってきてみましょう（スライド4）。縦軸には、非常に簡単な指標として、車1台当たりに舗装道路が何メートルあるかをとっています。もしも道路をつくるスピードが車保有の増える スピードと同じなら、真っすぐ横に行くはずです。でも、

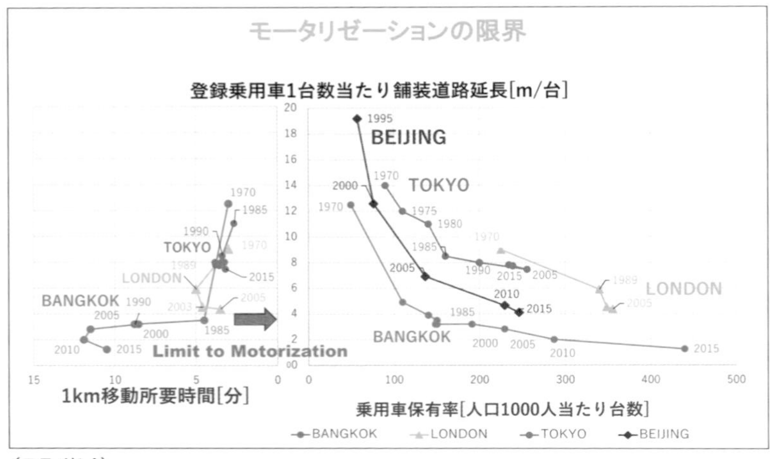

（スライド4）

（スライド5）

予算がなくてそんなスピードで道路をつくり続けることはできませんから、どんどん下がってきております。皆さん気づいていないのですが、ランボルギーニカウンタックを1台走らせるのに必要な道路の建設・維持管理には、実はその価格の10倍ぐらいのお金がかかっているのです。ですから、つくり続けるのは無理なので、どの都市も全部下がってきております。

もう一つ、車1台が1km走るのに何分かかるかという指標で考えてみます。スライド4左図のバンコクを見ると、4mのあたりでがくっと折れ曲がっていますよね。ここで突如として大渋滞に見舞われるというわけで、これを私は「モータリゼーションの限界」と定義しております。このようにグラフにすればわかりやすいだろうということです。

バンコクでは、先ほど来ご覧いただいているように大変な状況だったのですが、私どものプランを聴いてほとんどそのとおりにやっていただきまして、われわれのチームが発表した3年後にはもうスカイトレインが走り始め、非常によくなりました（スライド5）。

交通のCO_2削減メニュー

このとき、実は鉄道をつくるだけでなく、いろいろな種類のもろもろの政策を練り、ハード、ソフトを含めてそれらをどう組み合わせるかということもしております（スライド6）。ここでは時間がないので省略しますが、もし必要でしたら後でお話ししたいと思います。

これらの政策を組み合わせて、複合効果としてCO_2がどれだけ減るかを計

交通部門における緩和策と適応策（CUTEマトリクス）

戦略 ＼ 手段	回避	転換	改善
	交通需要の削減	1人当たりの排出量削減	1km当たりの排出量削減
技術	■歩行者指向型開発 ■自転車指向型開発 ■公共交通指向型開発（TOD）	■統合的な公共交通システム ■鉄道 ■LRT ■BRT	■低排出車 ■代替エネルギー ■高度インフラ技術 ■ロジスティックの効率 ■スマートグリッド
規制	■交通規制・禁止 ■駐車規制 ■コンパクトシティ ■混在型土地利用	■バス・路面電車優先ルール ■非動力交通 ■モードのスマートな進化	■排出基準 ■トップランナー方式 ■エコドライブ
情報	■情報コミュニケーション技術 ■テレワーキング ■職場・学校の賢い選択	■意識キャンペーン	■知識ベース ■高度道路交通システム ■車両性能のラベリング（見える化） ■情報サービスの改良
経済	■燃料税 ■ロードプライシング ■利用者料金徴収 ■立地補助金	■燃料税 ■ロードプライシング ■利用者料金徴収 ■エネルギー消費の補助金	■燃料税 ■低排出車減税

Yoshitsugu Hayashi SUSTRAC Nagoya Univ.

（スライド6）

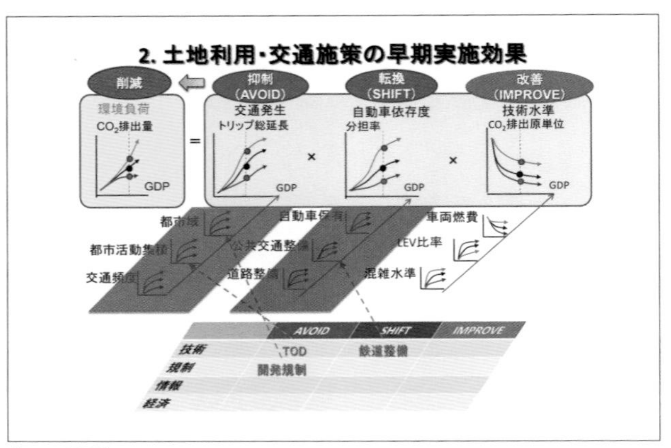

（スライド７）

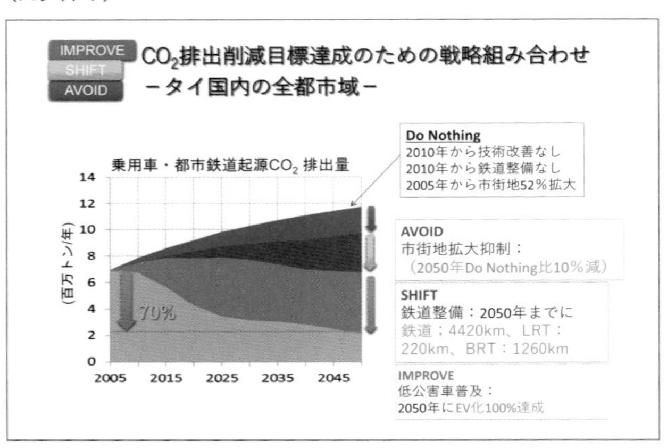

（スライド８）

算して低炭素化効果を評価します（スライド7）。

CO_2削減のためには、スライド6に示すように、コンパクトシティなどにより交通そのものを「回避」する、鉄道を建設して自動車交通を「転換」する、さらには、自動車の技術を「改善」するという3段階の戦略と、それらを支える政策手段のマトリックスを検討してきました。スライド7は、それら戦略・手段の組み合わせごとにCO_2削減を計算する仕方のスケッチです。

スライド8は私どもの試算で、2050年におけるタイ国全体の交通起源CO_2を

2005年の排出量から70％削減するためには、無策だと市街地面積が52％拡大してしまうと予測されるため、それよりも10％拡大抑制、鉄道建設4420km、車のEV100％化のすべてを達成しなければならないことを示しています。

ハピネスを測る

さて、低炭素ならばそれでいいのかと言うと、そうではありません。やはり人々がハッピーでないといけないわけです。ではハピネスはどのように測るのかということを次に考えていきました。

なぜそんなことを考えたのかと言いますと、中国やタイが典型的なのですが、両国は今も経済成長しております。人口も増えています。しかし人口は、間もなく2030年ぐらいからストンと落ちると予想されています。タイの場合、2050年には高齢化比率が30％近くに達し、今の日本とほとんど同じになるとのことです（スライド9)。こういった状況を考えますと、いわゆる途上国と言われるような国々では、われわれがした対策を何十年か後に同じようにすればいいということではなくて、われわれより先に手を回し、さまざまな破壊的イノベーションを考えながら動いたほうがいいわけです。そのときに考えたのが、ハピネスをどう測るか、ということです。

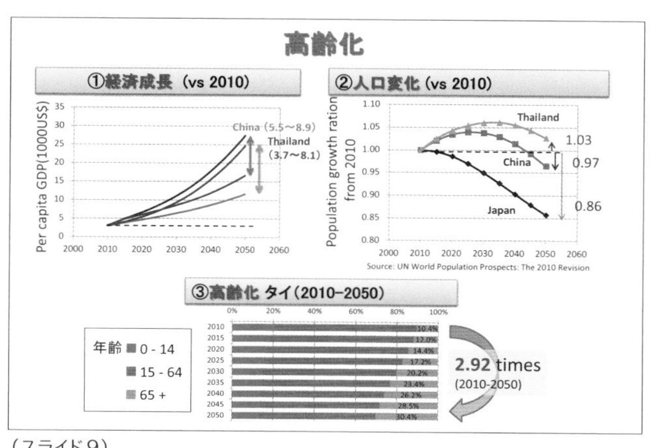

（スライド9）

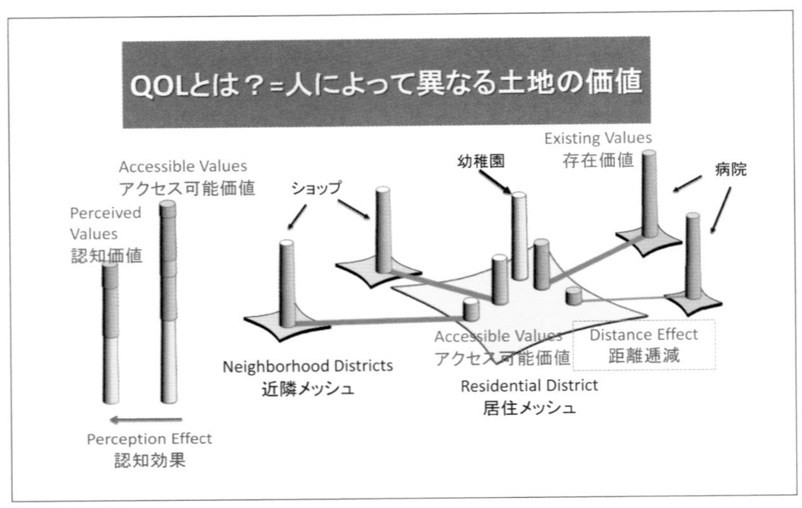

（スライド10）

スライド10をご覧ください。たとえば、皆さんが住んでいるところとは別の場所に病院があるとします。もし病院の隣に住んでいたら毎日でも利用できますが、30分や50分かけないと行けないとなると、実際には少ししか利用できません。これは高齢の男性にとっては非常に興味のある部分です。ただ、若い女性は、病院よりむしろブティックやショップがどこにあるかのほうに興味があります。それらが遠いところにしかない場合は、残念ながら少ししか利用できません。また、もし幼稚園があれば、そこに住めたら若い夫婦にとっては非常にハッピーですが、高齢の男性にとっては別にハッピーではありません。このように考えていくと、アクセス可能価値として、万人に提供されている価値のうち、実際に自分が欲しいものはその一部であるということになるわけです。人によって重みが違うのですね。

スライド11はシンガポールでのQOL要素の重みを求めた結果の例です。上が女性、下が男性で、左から順に若年、中年、シニアとなっています。それぞれが何を一番重視しているのかと言うと、女性はまず犯罪発生率、中年男性は仕事場へのアクセス、シニアは男性も女性も自分の近くの小さなコミュニティ・ライフが便利かどうかといったことを重視しているわけです。このよう

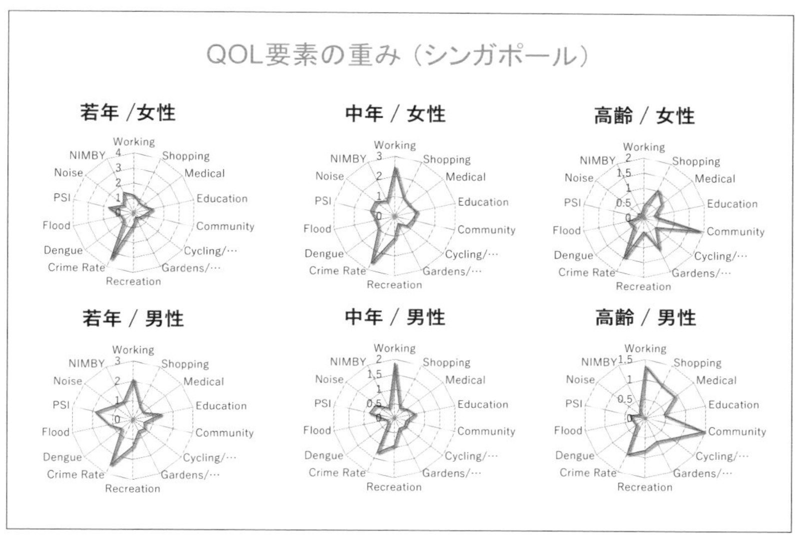

（スライド11）

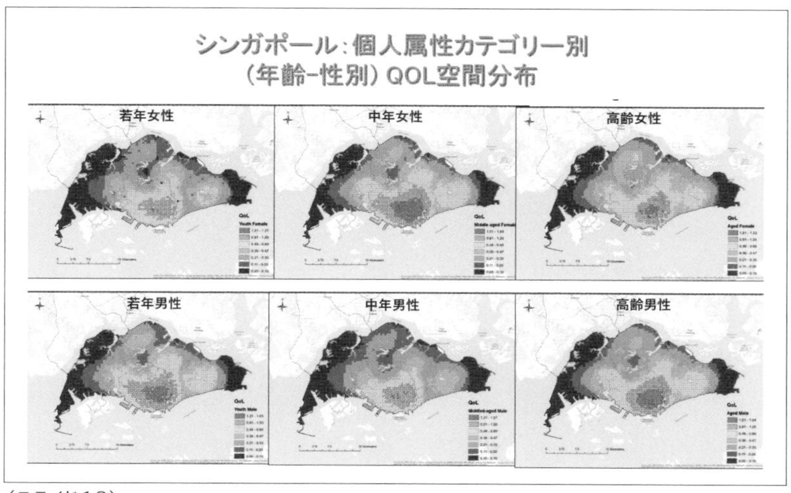

（スライド12）

（スライド13）

な分析をいろいろな国でおこなっています。

次に、スライド11と同じ年齢・性別の区分で、シンガポール市民のQOL空間分布を見てみましょう（スライド12)。赤がQOLの高いところ、青が低いところというふうに色分けしています。サービス施設の分布と交通システムが同じでも、人の属性によって違ったサービスへのアクセスが要求されます。その結果、総じて中年の女性がとくにハッピーですが、中年の男性は全然ハッピーではありません。ブティックがたくさんあっても関心がなく、働いてばかりいるワーカホリックなので、QOLが高くならないのです。そして、シニアの男性はまた非常にハッピーになっています。そろそろ私もシンガポールへ引っ越すとよいのではないかと思っています。

では、当人がハッピーと感じるところに何人住んでいるのか（スライド13)。500mメッシュ単位の地区ごとに実際に住んでいる人口を高さであらわしてみますと、実は周辺のアンハッピーな地域（青色）にけっこう住んでいるのですね。これをどうしたらいいのかということになりますと、私は土木工学の出身なので、何かつくりたがるわけです。たとえば、アンハッピーな人がハッピーなところに簡単に来られるようにすれば皆さんがハッピーになるので、鉄道が必要と考えます。一方、都市計画の人は、コンパクトシティにすればいいということで、アンハッピーなところの人たちに都心との住宅費の差ぐらいの補助金を出せば、半分ぐらいは都心方向のQOLの高い地区に移住するのではないかと考えます。あるいは、ショップや病院などのサービス施設が都心部にたくさんあるから、都心の病院やお店が周辺部に引っ越した場合は税金をなしにしたらどうかと考える人もいることでしょう。こういったことをどのように組み合わせるのがよいかを容易に理解できます。

人のQOLとCO_2排出の比を最大化する交通ガイダンス

では最後に、バンコクでの取り組みを紹介します。

冒頭で述べたように、バンコクでは、1999年から20年の間に急ピッチで鉄道が整備されました。しかし、せっかく道路がすいたのに、また混んできたのですね。これはなぜかと言うと、バンコクの所得が上昇し、市民がトゥクトゥクに乗らなくなったのです。皆さんはトゥクトゥクをご存じでしょうか。かつてのダイハツ・ミゼットみたいな小型三輪車タクシーです。あれは今、観光用になってしまい、自分たちはベンツなどの大型乗用車を買って、出発地から目的地まで運転して行くわけです。この影響でまた道路が混んできたのです。

そこでわれわれは、Thailand4.0という経済社会ビジョンのもと、今度は

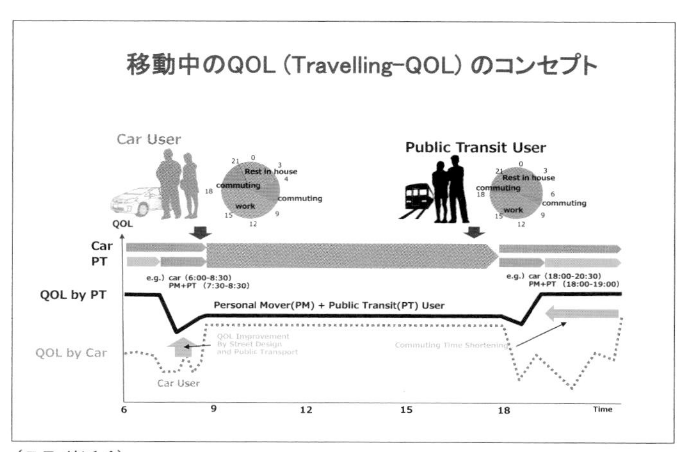

（スライド14）

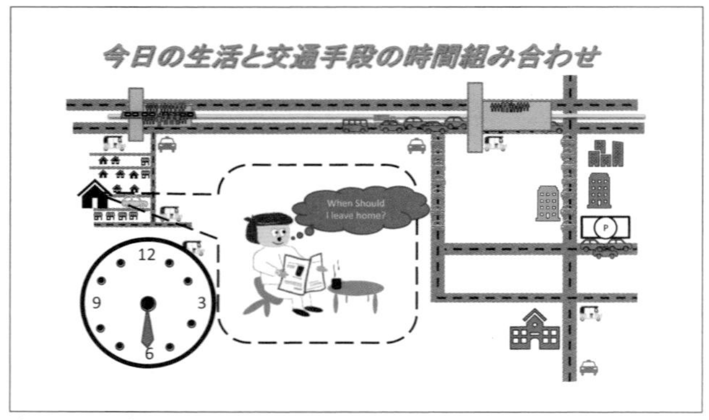

（スライド15）

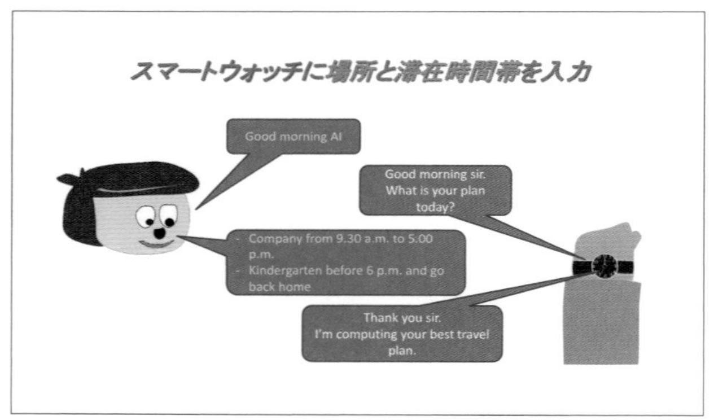

（スライド16）

QOLをベースに考えています。今取り組んでおりますのは、車で出ると渋滞に巻き込まれ、帰りもまた渋滞に巻き込まれて一日のQOLが下がるので、働いている場所や一日のスケジュールは同じでも、何時にどういう手段で動けばいいのかを提案しようといったことです（スライド14）。そもそも5つも座席のある車が町の中を走り回ること自体がナンセンスなので、さまざまな小さな乗り物を開発してくださいということを今私たちは盛んにアピールしています。

スライド15・16をご覧ください。これはうちのチャーリーというタイから来た学生が開発しているものですが、たとえば、自分が午前9時半から午後2

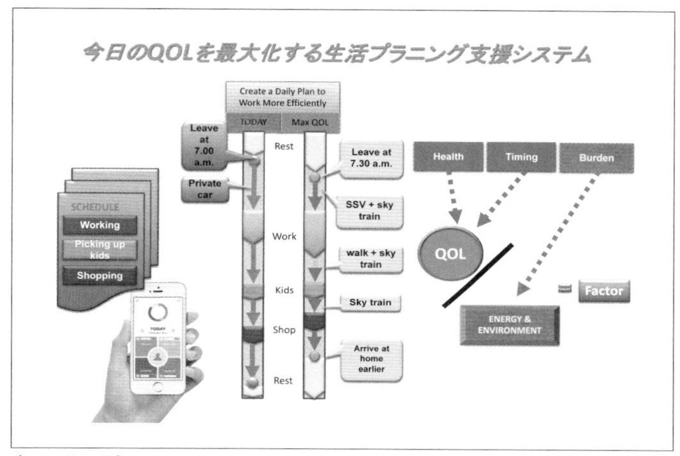

（スライド17）

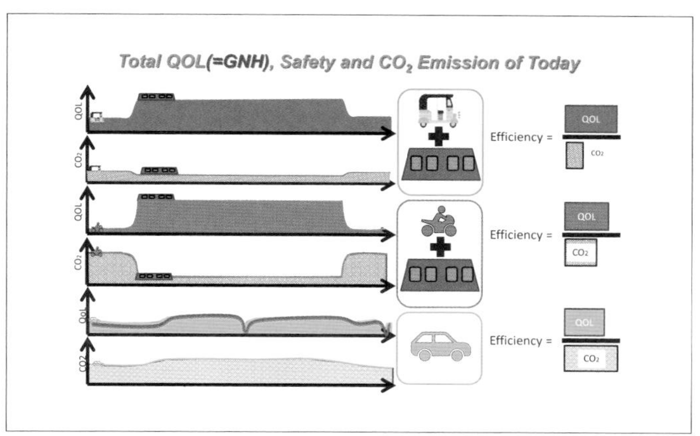

（スライド18）

時まで仕事をし、3時に幼稚園へ子供を迎えに行き、お店で野菜などを買って帰りたいとしたら、朝6時に「今日はこんな予定だけれども、何時に何で出たらいいですか」とAIに聞くのです。

そうすると、QOLを最大にするスケジュールが提案されます（スライド17)。つまり、今車で出たら大渋滞に巻き込まれ、QOLが落ちることは最初からわかっているのですね。それが知らされておらず、われわれは車で行くと決めてから最短ルートを選んでいる。それは全然ハッピーなルートではなく、もともと車という手段を選んだところから間違っている。それはやめていただき、ユーザーに仕事や買い物の活動の必要時間をグーグルカレンダーなどで入力してもらえば、活動の場所と時間帯、移動の時間帯のうちQOLが最大となる順列組み合わせをデザインいたします、というシステムです。

スライド18のように、いろんなルートの場合を比べ、QOLを面積で求めると、トータルの面積が1日のGNH（1日総幸福量）になるので、それを1日の活動によって排出されるCO_2で割ってパフォーマンス（これを経済効率〈efficiency〉に対して、充足効率〈sufficiency〉と呼びます）を見るといったこともしつつ、最終的にはどのようにハッピーにしていくかということを研究しております。

私の発表は以上です。ありがとうございました。

パネルディスカッション

野中ともよ／石原 修／サンドリーン・ディクソン・デクレーヴ／本島 修／福井弘道／林 良嗣

野中　このメンバーですから、何時間あっても、それこそ田原総一朗さんがいて「朝まで生テレビ！」をやろうではないかというのもオーケーだと思うのですが、これから大体1時間ほどの予定でパネルディスカッションを進めてまいります。その中で、のちほどフロアとのコミュニケーションの時間もとりたいと考えております。私はローマクラブのメンバーであり、中部大学の客員教授を拝命している立場でもありますが、こんなにすばらしいシンポジウムを開催してくださったこと、本当にありがとうございます。「知の創発」を目指す組織を実現してくださり、まったく違う分野の頭脳をお集めになっている中で、今回、地球の未来というテーマで、ローマクラブの新しいリーダーであるサンドリーン自身を国境を越えて呼んでくださったことも、それから事務所開設を受け入れてくださったことも、本当にありがとうございました。と、御礼を申し上げ、まず、石原修学長から口火を切っていただけますか。ここまでお聴きになった感想でも、ご質問がおありになるようでしたらご質問をしていただくかたちでもかまいませんので、どうぞよろしくお願いします。

石原　まず、最初のサンドリーン・ディクソン・デクレーヴ会長の基調講演で、歴史的な流れから、われわれが今どういうところに立っているのか、ローマクラブがそれについてどういうイニシアティブをとってきたのかが非常によくわかりました。

というのも、1968年というのは、私が大学に入った年です。私自身の専門は工学で、原子力に興味があったのですが、すでに日本が産業的に非常に発達している時代にあって、いろいろな公害が出てきており、人間工学、安全工学の立場から原子力を勉強したいと考えていました。そして大学時代、1969年にフラーの『宇宙船地球号操縦マニュアル』、1972年にローマクラブの『成長の限界』が出て、そこから今に続いてきております。今日ここでその全体像を見せていただきまして、感銘を受けつつ、自分の人生と重ねながら聞かせていただきました。

その後、「Think GAIA」ということで野中先生の非常に強烈なメッセージがありました。確かに中部大学でも、1万1000人いる学生の中で女子学生が30%ほどで、とくに工学部などは10%ぐらいですので、私も何とか増やしたいと思っているところです。それを見事に日本社会の問題点と結びつけ、GAIA、地球全体へとつなげられました。とくに印象的だったのは「へその緒が地球につながっている」という言葉です。やはりこれからは、個人個人が自分は地球に結びついているという考え方を持つ必要があると思います。

私はプラズマ物理を研究しておりますので、外から地球がどう見えるのかということで、最初にお見せいただいたアポロが撮った写真、さらにはボイジャーが撮った写真などを見せて講演を始めることがよくあります。リンゴを地球と考えると、われわれはリンゴの皮のようなところに住んでおります。それが今まさに危機的状況にあります。今年の春ぐらいに出ましたユネスコの報告でも、生物種が今大変な危機にあるとのことでした。そのへんのところをどう考えたらいいのか。われわれ中部大学では、福井先生、本島先生、林先生からお話がありましたようなかたちで、研究という面で、まずそれが現実にどう結びついていくのかということに取り組んでおります。

本島先生から地磁気の話がありました。今、生命が生まれて38億年、多細胞生物が生まれて10億年ですが、この最近の5億年の間に5回、生物種が絶滅の危機に遭っております。2015年の『ネイチャーコミュニケーションズ』に出ていたように思いますが、地球全体が宇宙の中にあって、地磁気が存在し、それが消滅したり、あるいは場所が変わったりするわけです。地磁気というのはプラズマに関係するのですが、宇宙の中にある地球という観点から、そこにいる生物がどういう影響を受けるのかということで結びついていきそうに思います。物理の視点からもちょっとふれてくださったので、現実的な超伝導の話とともに、プラズマの観点でも、まだまだいろいろ学問的におもしろいところがありそうに感じました。その中で人類が一つの生物種としてどう生きていくのかをいろいろなかたちで考えていきたいと思います。

皆さんの非常に刺激的な発表を興味深く聞かせていただいたという感想をもって、最初のコメントにいたします。

野中　ありがとうございます。お世辞でも何でもなく、本当にすばらしい先生方がいらっしゃる。本学にご縁をいただいてから、初めてここに寺澤朝子先生をはじめ、黒田玲子先生、津田一郎先生、何十年来の大の仲よしがおられることに気がついたのですが、本当にすばらしい学び舎。ローマクラブとしても大変幸せです。

サンドリーン、それぞれのプレゼンをお聞きになって、もし質問なりコメントがおありでしたらお願いします。

日本ならではの貢献を

ディクソン・デクレーヴ　先ほども言及しましたが、ちょうど1年前に私はアイスランドへ行き、その風景を見て、危機的な状況を感じずにはいられませんでした。ですから、それに基づいて多くの大学の方々や政策決定者やビジネスの方々に危機的な状況をお話ししてまいりました。それから1年たって日本に、この中部大学に参りまして、日本庭園などを見つつ、林先生のロジスティックプランニングなどのお話をずっと聞いているうちに、この危機的な状況を計画という概念に変えていくことに思い至りました。

ローマクラブでは、とくに気候変動に関して、欧米の民主主義より中国の計画経済のほうがずっとうまくいっているのではないかといった大きな議論があったのですが、今私は、独裁政治でない、民主主義を受け入れたうえでの日本的な計画経済ならばよいのではないかと考えております。それでもやはり計画と言えるわけです。日本の盆栽のように、選んで決めなければいけないということです。重要なところを取り入れ、要らないところは捨てていく、これがまさに盆栽の考え方です。風景を自分で決めていくわけです。ヨーロッパではそういったものを好みません。自然のままのあり方が好きです。しかし、危機的状況が目前にある今、やはり私たちは選んで決めていく必要があるのではないかと思います。私は今後、日本で学んだその考えに基づいてプレゼンテーションを組み立てていきたいと考えています。

ただ、私が言いたいことは別のところにあります。日本の皆さんは計画に関するすばらしい経験を持っていらっしゃるのですから、今後はその動きをもっと早くし、日本のみならずグローバルなソリューションの一部を担っていただきたいのです。なぜなら、気候変動はグローバルな事象だからです。林先生のタイのバンコクの例は、もっとスケールアップして、多くのところで実施したらいいと思います。核融合のお話も、さらにスケールアップして、いろいろなところでもっと早く行動を起こせたらと思います。

また、衛星のお話がありましたが、ああいったものについては、ホットスポットを選び、一番重要なところから行動していくことが重要であろうと思います。私は、国連で世界銀行やIAEAといったところと行動をともにする中で、ホットスポットを非常に重要視するようになりました。皆さん、今最もエネルギー効率をよくする必要があるのはどこだと思われますか。アメリカではありません。日本でもありません。中国でもありません。ロシアなのです。今のところロシアの経済効率が最も悪く、まさにエネルギー効率をよくしなければいけない部分です。

ただし、こういったことにはまた地政学的な問題もあります。先ほど稚内とサハリンを結ぶという話がありましたが、たとえ日本にはそれが可能でも、EUの場合、経済制裁をおこなっている都合上、ロシアで行動を起こすことはできません。効率が必要であるにもかかわらず、ロシアで行動することができないのです。また、アメリカも、怒ったふりをしているので、ロシアで行動することはできません。これが中部大学をはじめとする多くの大学の優れたソリューションを適用していく際の非常に難しい点となるわけです。私たちはもっと戦略的に、ターゲットを絞ってアプローチしていかなければいけません。そうしないかぎり、私たちが目的を達成することはできないのだろうと思います。

トリセツの羅針盤をどこに向けるのか

野中　日本に国際的な視座が今も欠けている、と言うとき、やはり言語バリアも大きな問題ですね。その問題は、今日は横に置きますが。

さて、今サンドリーンから、私たち日本がこれからの未来においてどういう地球のトリセツをつくり行動していくのかというかたちで、感想も含めたコメントをいただきました。

今日のテーマは22世紀です。今は21世紀で、放っておいても22世紀という時代は来るのですが、そのときこの地球上で一体人類はどういう状態になっているのか。渡り鳥はどういう状態になっているのか。それぞれのグリーンはどうなっているのか。そういったことを考えるときに、野中は「羅針盤」と呼びたいのですが、こうなるといいね、こうしないといけないよねといった自分の羅針盤、国としての羅針盤をどう設定していくのか。

国づくりの方向性という言い方もできるのかもしれませんが、それを私たちが今までどう設定してきたのかと言うと、20世紀の前半は戦争で勝つことでした。とにかく人殺しです。多く殺したほうが戦勝国になるのです。私たちは負けましたが、私たちも戦いの間で多くの命を奪ってきました。そこから70数年の営みの中で、人々の羅針盤も国の羅針盤も、いわば経済成長中心に変わりました。1円でも多くの利益を生む企業、1円でも多くの給料を稼いでくるお父ちゃんでなければならない。われわれは「市民」ではなくて「消費者」と呼ばれてきました。モノを消費する人々というのが日本の国民の普通名詞になっていたのです。さあ、そのままでいいの？ これからの羅針盤は、変えないとまずくはないの？ ……今の政治のリーダーシップでは、国としてそれを考えているとは思えないのですね。アメリカもそういう状態になっているような気がします。

こういう中で、今日、先生方がそれぞれしてくださったプレゼンテーションに共通していたことは何なのかと言うと、技術力とともに新たなパラダイムをつくることができるということです。つまり、社会の羅針盤、個人の羅針盤の評価軸を、しっかりとそれぞれの技術の中で見極めていく必要があるということかと思います。我田引水させていただき、野中の言葉で言うと、肌の色や身長の高さや性別などとは関係なく、「どのいのちにとっても生きることにプラスとなる価値軸で技術を持つ」ということです。

林先生のお話の中では、一人ひとりの国民に共通する新しい評価軸として、GDPや経済力でないところで、QOL、GNHといった表現がありました。消費者だったころは、いっぱい買う人、いっぱい捨てる人、いっぱいお金を使う人がほめられたわけですが、今はそれではだめということがわかってきています。

そこで、これからお一方ずつ、そういった評価軸について、どういう事柄でご自分の専門分野の技術力と結びつけ、みんなを引っ張り込み、社会にわかる言葉で伝えていくのかということをお話しいただきたいと思います。バックミンスター・フラーの言葉で言う要素還元論的なプロフェッショナルでなく総合力として地球全体のいのちが喜ぶ方向にどう持っていけるのかといった観点でもかまいませんので、本島先生からお願いできますか。

本島　野中先生、ありがとうございます。たぶん私が話したそうな顔をしていると思って指名してくださったのかと思います。今のご質問は大変難しいので、今日ここに来て先生方のお話を聞きながら思ったことを最初に申し上げたいと思います。

今日のシンポの非常に大きなテーマは「地球のトリセツ」ですが、その考え方において、野中先生も今おっしゃったように、個人として捉えるのか、社会として捉えるのかという違いが大変大事なのだと思います。まず私が感じたことを申しますと、やはり一人ひとりが宇宙と一緒なのだという考え方を、もっと自信を持って言えるような世界をつくっていく必要があるのではないでしょうか。

実は、つい2週間ほど前、うちに高校生のフランス人を3週間ほど預かったのですね。友達の子供さんなのですが、ちょうど大人になる直前で、大人になったら車の運転ができるとか、ワインも飲めるとか、夢がいっぱいある世代です。私たちの子供はとっくに独立しておりますから、もうすっかりそういう感覚を忘れていたのですが、あの年代は好奇心も旺盛で実に存在感があり、人間は一人ひとりが宇宙と一緒だという感覚を久しぶりに持ちました。思えば私の子供たちもそうだったのかもしれません。

つまり、環境と個人の間に社会が挟まってしまうと、そこで情報が不正確になったりするのです。たとえば、今日は暑いから冷房をつければいいと考えるのが環境と人間との間に社会が挟まっていることの典型とされていますが、これからは大学も責任を持って学生たちがちゃんとそういうことを考えられるようにしていかなければいけません。これは押しつけの教育では絶対にいけないわけで、考える材料を学生に提供して、こういう考え方もあるのだということを理解させることが大学の役割なのではないかと思います。

もう一つ、サンドリーン会長が盆栽の話をされましたので、申し上げたいことがあります。家内は、5年間フランスで生活をして2015年に日本へ帰ってから、フランスの思い出として一生懸命バラをつくっているのですね。「花に話しかけるときれいに咲くのよ」と言いながらバラの世話をしています。これもわれわれの心の一部をあらわしているように思うのです。皆さん、われわれは物質空間にいるだけではないと思いませんか。

フランスにいたころ、私たちは夏のオペラなどで有名なエクサンプロヴァンスという町に家を借りておりました。今も覚えていますが、住所が「955 Chemin de la Rose」、つまりバラの小道955番地ということで、家内は頑張ってバラを植えておりました。家内がとくに好んだバラはプロヴァンスにもたくさん植えられていた種類で、アイスバーグと名づけられており、偶然のことだったと思いますが、今、地球温暖化で消えつつあるあの氷山と同じ名前です。日本でも買えたので、今もそのバラを庭にたくさん植えています。私は穴を掘るのが役目で、50cm角の穴を掘っては植えるのですが、今年は5月の中旬に実にきれいに咲きました。庭のバラ園の完成には5年とか10年かかる話なのですが、家内はそのバラに毎日話しかけております。

野中 ありがとうございます。すばらしい奥様ですね。バラとともに、先生にも毎日話しかけてくださる姿が目に浮かんでまいります（笑）。

では、福井先生、いかがでしょうか。

カギを握る人口分布

福井 バラの話を聞いて、昨日の日経新聞のコラムにヒロシマとアンネのバラのことが書いてあったので、その記事を思い出しておりました。野中さんからこの先どうなっていくのかというお話がありましたが、先ほど見せられなかった図がいくつかありますので、関連して22世紀はどんな人口構成になっていくのかというものをちょっとお見せしたいと思います。

スライド1は2001年の人口分布です。アジア、アフリカ、ヨーロッパ、南北アメリカ、オセアニアに分かれており、面積の大きさが人口の大きさをあらわしています。CO_2をどれぐらい出すかと言うと、1人当たりのGDP、GDP当たりのエネルギー、エネルギー当たりのCO_2といったものの掛け算であらわされるといった式になっています。では、この人口分布がどう変わっていくのかと言いますと、2050年はスライド2のように、さらに2100年はスライド3のようになっています。

人口をエリアごとにわかりやすく書いたものを見ていただきますと（スライド4）、2100年には4割の人がアジアに、4割の人がアフリカに住んでいて、そ

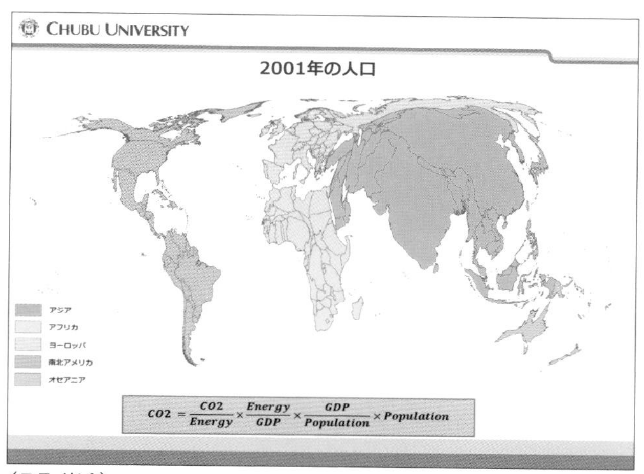

（スライド1）

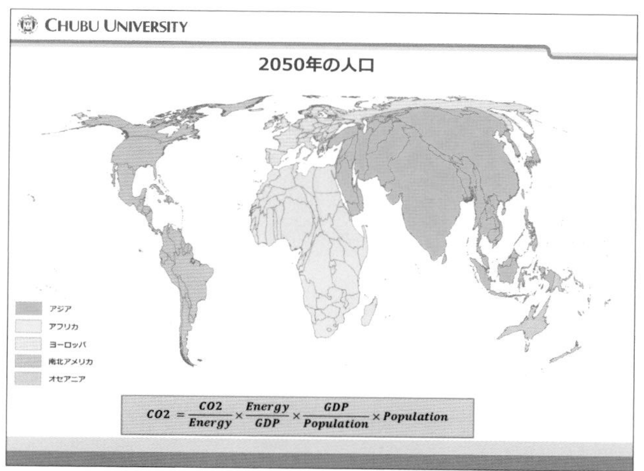

（スライド2）

の他の地域が残りの2割です。これは国連の人口統計に基づく予測ですが、私たちがいろいろな将来予測をするとき、人口統計が一番確からしいのですね。つまり、人はオーダーを超えて子供を産まないので、基本的には相当正確な数字と考えられるわけです。

これを見ると、アジアとアフリカに8割の人が住む世界をどう考えるのかと

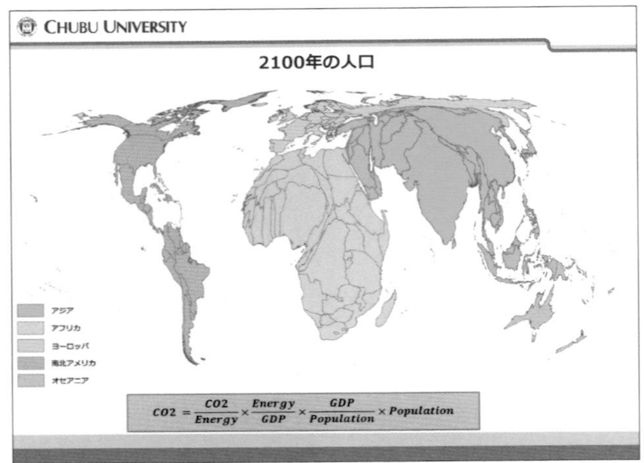

（スライド３）

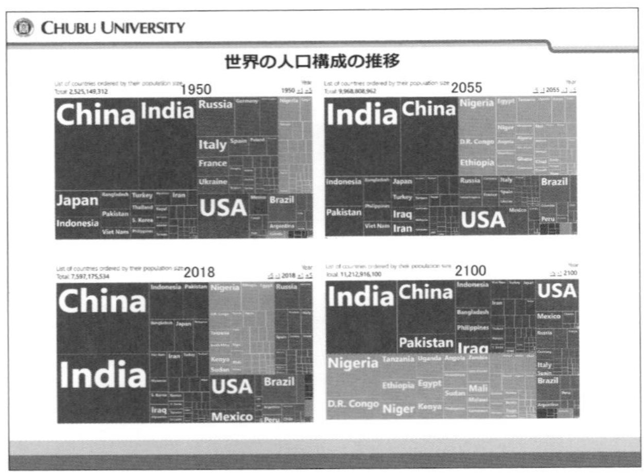

（スライド４）

いうのが、短期間的には一番大きな課題と言えます。中国が一帯一路（One Belt, One Road）というコンセプトを出していますが、まさにここを突いているのです。アジアとアフリカの今後のあり方が世界のあり方を決め、いろいろなことを決めていくということです。ですから、私たちが地球を考えるとき、アジアとアフリカが今後どのようにつながり、人々がどういう経済で、あるいはどういう価値観でその地域において生活するのかということが、まず一番重要なポイントなのではないかと考えております。

野中　ありがとうございます。

今のGDPレベルの国家間格差からしますと、アフリカや多くのアジア地域では、さっき林先生がおっしゃったバンコクどころの騒ぎではなく、自分たちだってこれから経済成長するのだ、どんどん車に乗るのだというように、私たち日本の1960年代の高度経済成長のころと同じ気持ちなのではないかと思います。ただ、インターネット上の情報系は標準化される一方で、さて、そのスイッチを切って自分の国を見ますと、行け行けどんどんでCO_2を出し、資源を掘り、フードセキュリティも問題だらけ。ですから、逆に言うと、それこそがビジネスチャンスになると考え、テクノロジーの発露をそちらに合わせていくのが先進国のミッションなのではないか。サンドリーンが日本にできることは山盛りだから早くやってくださいと言ったのは、そういう話なのではないかと思います。

ところで、先ほど林先生は、バンコクでは3年たったらもうスカイトレインが走っていたとおっしゃいましたが、日本はまったく逆。たとえば、アジア諸国に経団連も政府もみんな出かけて行く。団体で、視察旅行に行き、国際会議をし、いろんな時間を訪問先の彼らからもらっているのに、何も決めない。事は1ミリも進まない。アジア各国から、信頼など得られない。なぜこうなるのでしょうか。林先生はどう思われますか。

未来の「幸せ」を測る目盛りは？

林　非常に難しい質問ですが、勉強しようと思い過ぎて、自分で考えていないのだろうと思います。先ほどからずっと出ていますように、2100年や2050年には一体どういう世界になっているのか。今日本はどんどん人口が減少し、高齢化しておりまして、これは本当に大変だというところまでは全員気づいているのですが、ではどうするのか。そこがサンドリーンの言っていたエマージェンシーからのプランニングなのです。

このプランニングも、今まで、日本だけでなく従来の先進国は、過去を延長して将来を予測する方向でこれを行ってきました。しかし、現在に至っては、成長の限界が典型ですが、どう見てもここがリミットというところが大体わかっているのですね。ということは、逆算して今何をしなければいけないのかがわかるはずなのです。それならば、とくに私も含めて、研究者、学者は常識を捨てなければならない。

私の周りには交通の研究者がたくさんいます。世界交通学会だけでも千何百人も集まってくるのですが、さっき言いましたように、5つのシートを持つ車が走り回ることにあまり疑問を挟みません。また、高速道路や新幹線をつくって本当に幸せになるのかと言うと、幸せにならない場合も多いのです。お金がいっぱい入ってくるところまでは計算しているのですが、それで生活はどうなるのかというわけです。

この点については、私にも一つ経験があります。ラオスのルアンプラバーンというところから100kmぐらい北の町で学生と一緒に2週間ほど暮らしたことがあるのですが、そこではまだほとんどが物々交換で、女性も全然化粧をしておりませんでした。それでみんなとても幸せなのです。そこに中国の昆明のほうから新幹線や高速道路の計画がばんばん入ってきたら、どう考えても幸せを、QOLを下げるのではないかと思われました。われわれの技術からするとそういう計算もできるはずなのですが、そこに踏み込んで境界条件を切り直さないかぎり、いくら計算しても違うところに解があることになってしまう。これは当たり前の話ですが、そういうことが起こっています。

私には孫がおりまして、いつも思うのですが、エマージェンシーをどうするかといった計画を語ったりするときには、必ず孫を連れていって議論をすべきなのです。孫の顔を見ながらですと、やはり現実感が違うと思います。仕事×生活やインフラといったものは変えられます。

また、20年ほど前までは1人当たり所得が上がると出生率が下がったのですが、今アジアの国ではどうなっているのかと言うと、全然所得が上がらない段階からバンジージャンプのように真下に向いています。これは、昔は子供を働かせたので、子だくさんのほうが金持ちになれたのですが、今は子だくさんがコストにつながるという考え方が非常に急速に広まっているためです。そういう常識が働いたわけですが、この常識とされていることをきちっと分析して見せる必要があります。日本やヨーロッパやアメリカはもうなかなか耳を傾けませんから、まだそうなっていないところ、とくにアフリカでそこからスタートするということを、私たちもその国の人たちと一緒にやれるのではないかと思っております。

日本企業の課題は？

本島　先ほどの野中先生のお言葉に関連して、簡単に申し上げたいことがあります。

私もある会社の社外取締役をしている関係で日本の企業がタイなどへ工場をつくってビジネスを展開するケースは見ているのですが、判断は正確で非常に早いと言えます。野中先生が今おっしゃったようなケースがなぜ起こるのかと考えますと、示されたデータの不足のために的確な判断ができなかった可能性が結構あるのではないでしょうか。それでビジネスにならないと判断したということがあるかと思うのですが、いかがでしょうか。

野中　とても優しいお言葉なのですが、私の中の答えを申し上げてよいですか。ある一定年齢以上の日本の経営陣の中には、自分たちの成功体験のお池からまったく出ようとせず、信念やアルゴリズムや方法論は変えようとしない人々がかなり多く棲息していて、しかも世界の動きには関心もあまりない。変化に柔軟に対応していこうとする方は、ほとんどゼロに近い。

本島　そういう会社はつぶれていくのではないですか。

野中　はい。だから大企業も含めて、どんどんだめになっているのだと思います。これは国にも言えることですが、サンドリーンからも国際的な示唆がありましたように、もっと観点を変えればビジネスチャンスになるのにです。でも、まったく動こうともしないし、チャンスが転がってきても、何も決断しない。

これは過去の話ではなく、ここ３年の間でも、私が見たミャンマーとベトナ

サンドリーン・ディクソン・デクレーヴ

ムとシンガポールのケースでは、大企業の方々が集まって向こうの代表団と話をした末に、結局「飯がうまかった」で終わっておりました。「Japan as No.1!」「俺たちのやり方がナンバーワンなのだ！」と考える人たちがまだ意思決定者の地位にぞろ目で張りついているというのが実情です。次世代の若者がそこをブレイクスルーしていく必要があります。林先生が孫を連れて議論するとおっしゃいましたが、この部屋にいる人はもうこれから大して長いこと生きられません（笑）。実際、あと100年生きる方はいませんよね。今、本当に次のパラダイムをつくらないといけないので、とりわけ力のある男子がそれに気づいてくださったらうれしく思います。また言ってしまいました。

本島　大義のある戦なら任せてください。

野中　オーケー。頼りにしていまーす（笑）。

ディクソン・デクレーヴ　これはおもしろくなってきましたね（笑）。

数日前のことですが、新幹線に乗っているときにジャパンタイムズを見ておりましたら、「Japan as No.1: The 21st-century version」という記事がありました。ローマクラブのイギリスの2人のメンバーが集めたデータをもとに、日本について、平等性とソーシャルモビリティが非常に重要であることを示す、真の意味での平等主義国家の例として読み解いておりました。

たとえばトヨタの自動車も、ウォークマンなどもそうですが、確かに日本はかつて技術的にナンバーワンでした。しかし、これは決して日本をピンポイントで批判しているわけではなく、ヨーロッパもそうであったと思いますが、やはりどうしてもアメリカには勝つことができず、アメリカがナンバーワンになりました。そんな中、この21世紀において、EUと日本が再度ナンバーワンに返り咲くときが来たわけです。これからは、決して技術的なところでなく、人々、地球、繁栄といったところに焦点が絞られていくからです。実際、欧州委員会にできた新たな部署で初めて焦点を当てているのが、まさに人々、地球、繁栄であります。私はこの部署のアドバイザーにならないかというお話もいただいております。

そして、野中さんから先ほど来いろいろご意見をいただいているわけですが、これから私たちが新たな指標をつくっていくときには、たとえばイノベーションを測る指標なら、技術のイノベーションだけでなく、政治、社会、ファイナンス、経済システム、教育システム、政府のシステムなど、さまざまな分野のイノベーションを含んだ統合的な指標でなければなりません。

私は皆さんに『*The Nordic Way*』という本を読んでいただきたいと思います。これもローマクラブのメンバーが書いたものですが、北欧諸国は非常に日本に似ているところがあるのです。平等性を重視する国々でもありますし、気候変動に関する目標の達成に向けて非常に環境的なアプローチをしていることがわかるかと思います。

いずれにしても、私たちには時間がありません。ですから、一足飛びでいろんな行動をしていかなければなりませんし、その際にはリスクもとらなければなりません。先ほどお孫さんの話がありましたが、次世代を待っている暇はないのです。なぜかと言うと、気候変動はまさに“今ここにある危機”なわけですから、われわれは今行動しなければならないのです。

皆さんは太平洋側にある国の国民ですが、同じ太平洋にある小島の中には、海抜が上がって5年後にはなくなってしまうところがあります。私の友人の中にも、5年のうちにパプアニューギニアに移住しなければならない人がいます。しかし、パプアニューギニアは彼らを難民として扱い、国に入ってくることを嫌がります。そうなりますと、そこでまた問題が起こります。なかには年とった人たちを置いていけなくて島から動かず、そのまま島で一生を終える人もいると思われます。それが今日の現実なのです。

フロアからの質問

野中　ありがとうございました。

いつの間にかこんな時間になっておりますので、フロアからは今日この人にこの質問をしないと死ねないという方のご質問だけ受けたいと思います。ご発言の前にお名前とご所属をご披露いただければと思います。

フロア１ 株式会社エス・アイ・エーの佐々木賢治と申します。時間がないようですので、質問は一つだけに絞ります。

本島さんにうかがいたいのですが、今日のお話の中で、ここに参加された方にとっては地磁気の問題が非常に衝撃的だったと思うのですね。なかなか日本では議論されておりません。このへんの問題について、ゼロになったときどうなるのかはわかりますが、だんだん減少していく過程で具体的にわれわれの生活にどういう影響があらわれるのか。今までのオゾンホールだけの話とはちょっと違うのではないかという気がしますので、どうぞお聞かせください。

本島 1000年先という近未来のことですから、私も非常に深刻に考え、ペーパーを書き、初期段階の検討をしたわけですが、やはりこういうことをもっと社会に知っていただく必要があると思います。

何が起こるかと言うと、反転するときに、チバニアンは77万年前とされていますが、数十年とか数百年のオーダーで地磁気が非常に弱い状態が続く可能性があるわけです。そうなったときにはオーロラがなくなります。大気圏外で放射線が地磁気によって遮蔽された結果がオーロラですからね。つまり、太陽から飛んでくる放射線が直接地上に来てしまい、外に出られない状況になるのです。諸説はあるのですが、今の強さの地磁気ができたのは20〜30億年ほど前と言われておりまして、それまでは放射線が非常に強かったので、海に発生した生物も地上には上がれませんでした。だから、生物の進化もなかなか進まなかったわけです。

決して脅かすつもりで言ったわけではないのですが、今から具体的なアクションプランを立て、ビジネスプランとして国際的な計画を100年先ぐらいまでにつくるという感じで準備していく必要が絶対にあると思います。今日そういうふうに受け取っていただいて、私としても幸いです。

野中 ありがとうございます。ほかにご質問はありませんか。

フロア２ フリーランサー、浅田電機保安管理事務所の浅田益章です。技術的には超伝導と電気のネットワークについて非常に関心があります。

それはそれでいいのですが、私、最初のローマクラブ会長の話を聞いておる中で、「レジリエンス」という言葉が非常に記憶に残りました。また、その後、野中さんのスライドにあった人間の体の中に地球があるような絵を見て、こう思ったのです。

もちろん普通は人間がレジリエンスを考え、防災やいろんなことを考えるのですが、作用があれば反作用があるのが世の中です。今日の「地球のトリセツ」というテーマを聞いたとき、逆に地球を主人公として考えたら、地球から見たレジリエンス、地球の我慢できる範囲はどうなのかと思いました。人間がいいことだ悪いことだと考えてやっていることに対して、もう我慢できないという見方をしているのではないか。ですから、人間である私たちは、いつも地球は何を考えているのだろうと思いを馳せ、コミュニケーションしながらやっていかないといけないわけです。

そういう中で、どこまで地球に悪さしても大丈夫なのか、どういうことをすると地球のためにいいのか、そういった評価をどなたか大学の先生方がしてくださらないかなと。これは感想になりますが。

野中　ありがとうございます。お願い事として承りました。

ジェームズ・ラブロックが言うには、赤血球、白血球、リンパ球、肝臓、腎臓といった部分はそれぞれまったく違うことをしているが、その全部が集まって相互関連しながら一つのホメオスタシスを保ち、いのちをつくっている。地球もそれと同じである。地球の上で生きているものの中で、とりわけ産業革命以降、人間は自分が地球の主人公であるかのごとく振る舞い、その所作は人体にたとえるならウイルスのようなかたちであった。そこで、これはもうだめだということで、私たちヒトも発熱してウイルスを攻撃するのと同様に、暑くして人間をやっつけてしまえということで地球が起こした現象が地球温暖化であると。それで彼は『*The Revenge of Gaia*』という本を書いています。

彼は、私が三洋電機の会長になったころですからもう20年近く前になりますが、もう少ししたらヨーロッパのフランスであっても、暑さが原因で人が死ぬだろうと言っておりました。実際、そのとおり。サンドリーンから先ほど、これからこんな経済的ダメージを受け、値段にしてこれぐらいの被害があるといった説明がありましたが、人が1人死んだらいくらでカウントするのか。人が死ぬとか、文化がなくなるとか、そういう事柄を値段にしないとことの重大さが認識できないような人間たちは、やはりウイルスなのであろうと、そんな話を聞かせてくれたことがあります。

お答えにはならないと思いますが、ご希望としては、学長がしっかりとメモをとっていらしたので、また中部大学で対処してくださることと思います。

ディクソン・デクレーヴ　私がいささか過激になるときが来たようですね。なぜなら、あなたの質問に答えるには、適切なストラクチャーを整える必要があるからです。今はそれがありません。ですから私たちは、ローマクラブを通して、国連とともに「Planetary Emergency Plan」という新たなアクションプランをつくっているところなのです。私は欧州委員会に対して、新しく地球環境を担当する責任者のためのストラクチャーをつくる必要があると呼びかける文章を書いているのですが、グローバルなコンテクストにおいては、その担当者が自然、人々、気候を考え合わせて臨界点を明らかにしていくことが、あなたの質問に答える最初のスタート地点になるのかと思います。

何度も申し上げていることですが、私たちはこれまであまりにも多くの質問をしてきました。しかし、その中からソリューションを見つけるということをしてきませんでした。長年にわたって私たちは多くの質問をし、多くのリサーチをしてきましたが、これが今必要なのだという主張はしませんでした。私たちは今、ソリューションとして何が必要なのかを明らかにしなければならないのです。

野中　ありがとうございました。

ちょうど時間になりました。では、これを言わないと帰れないということを、壇上の皆様方から一言ずついただきたいと思います。

本島　会長にチャレンジするわけではないのですが、システムの脆弱性についてお示しになった数字にちょっとコメントしたいと思います。温暖化対策を何もしないときのコストがアメリカのGDPの1.8%というのは、ちょっと控え目におっしゃり過ぎではないでしょうか。たとえば、GDPは製造業だけではありませんから、株価やトータルの株式数などで見当がつきます。そうすると、株式の変動による経済的ロスのほうがはるかに大きいことになります。だからトランプさんはああいうふうに地球温暖化の影響は小さいという行動に出るわけです。

つまり、環境と経済は、ちゃんとディールすべきと思うのです。私のここでの提案としては、環境対策をするとマイナスになるということではなくて、もっとプラスになるということを主張すべきではないかということです。システムをしっかりつくっていって、われわれも協力できるところはいっぱいあると思うので、環境対策をすることがビジネスでもプラスになるのだと言いつつ具体的に示すことによって、世界のビジネスマンのインセンティブをもっと引き出せるのではないかと考えます。トランプさんの興味も引きつけられるのではないかと思います。

野中　「まあ、お座りなさい。あれこれ言っていないで早くパリ協定にサインして、アメリカ中心でグリーン経済のリーダーシップをとりなさいよ。そうすればもうかりますよ」と教えてあげるのですね。本当にそのとおりだと思います。サンドリーンがそれをしようとしているところで、ファイナンスの方々と、もし自分自身をシフトさせればもっとお金が儲かるのに、どうしてそうしないのかと話していかれることと思います。

では、林先生、一言お願いします。

林　今日は本当にいろいろな角度からお知恵をいただきました。われわれは、それらを受け止め、ローマクラブの支部をここに置いていただきましたので、中部大学と一緒に、解決策へと向かえるようなことを次々とやっていきたいと思います。

野中　言葉だけでなく、儲かりますよいうことでビジネスストラクチャーをつくりましょう。ありがとうございます。

では、福井先生、お願いします。

福井　今日の冒頭の理事長のあいさつで、次はセキュリティのシンポジウムをするというお話がありました。地球の問題を考えるときには、やはり世界が一丸となって取り組まないといけません。そういうときに、これからの世代においても軍隊や軍備などの話をそのまま続けていていいのか。次のセキュリティの会では、そういった具体的な地球全体の安全機構や人間の安全保障について展開することができればと考えております。

野中 ありがとうございます。

NHK的にまとめることができないぐらい話があっちへ行ったりこっちへ行ったりいたしましたが、地球は丸いのでちゃんと戻ってくるのですね。今日は、右翼だとか左翼だとか、保守だとか革新だとか、もうそういうことではなくて、今ある「当たり前」をそのまま続けていては相当まずいモーメントに入ってきているということを皆さんに共有していただけていたらすごくうれしいです。

そのうえで、サンドリーンが言ったように、ではどうするのか。計画が上手だと彼女はほめてくれましたが、私たちは、計画や分析が得意である一方で、行動に移すことが苦手です。とにかく教育機関でも家庭でも、チャレンジする人はバカだ、空気が読めない自分勝手な人だというような周波数が社会の中にあるような気がします。でも、それが実は最大のリスクになるという事実。

そこで、あえて今日の議論をまとめさせていただきます。

まず、私たちが「当たり前」と思っている人も社会も国も政治も経済も、評価軸をもう一度見直して新しくつくり直さないとまずいということ。

もう一つは、視座の持ち方です。国際的になれというサンドリーンからの示唆がありましたが、非常に大きな国際問題を捉えるのが大好きな方、そういったことが得意な国際政治の方々はいっぱいおられることと思います。でも、それだけでは何も解決しないのですね。一方で人々の日々の生活がどうなっているのかといった視点も重要です。つまり、鳥瞰図と虫瞰図の両方を見る頭が必要ということです。鳥の目と虫の目を自分の中に持つこと。一つの事象について、おらが村ではこうだということがあっても、それをぐっと広げると実は大したことではないのかもしれない。ですから、地球のあちらではどうなっているのかと視座を変えてみる。

そして最後にもう一つ、今日先生方のお話をうかがっていて思ったのは、タイムラインのとり方です。惑星の誕生から何十億年というような視座ももちろん必要なのかもしれませんが、私たちは、次の世代のことを考えている暇はないぐらい、“今ここにある危機”の中におりますので、時間軸を早くしなければいけないのです。早急にすることが一番得意なのは、クォータリーベースの株価、クォータリーベースの投資、費用対効果といったことで考えるファイナンスの方々です。ただ、ここにばかり流れていくと中長期で物事を考えることができなくなりますから、やはりそれらを同時に見る目が必要なのだろうと思います。

この3つの「当たり前」の変革を今日のシンポジウムを通じて皆様と共有できていればと、コーディネーターとしては思います。

閉会あいさつ

石原 修

野中 では、最後の閉会あいさつを石原学長にお願いし、会を閉じたいと思います。よろしくお願いします。

石原 閉会のあいさつをということですが、サンドリーンさんが最後にちょっと気になるコメントをされたので、そこから話を始めたいと思います。

地球はその70％ほどが海に覆われているわけですが、確かにこのところ海面が上昇してきております。それがとにかく差し迫っているというお話で思い出したのが、60年前にわれわれのこの地域を襲った伊勢湾台風です。まず伊勢湾が大体やられ、中部大学がある春日井地域まで水が押し寄せました。低気圧のため伊勢湾の海面が上がり、高潮とともに台風で雨が降って豪雨となり、強風が吹いたので、非常に大きな災害が起こりました。春日井でも死者が出るほどでした。そして、今われわれは南海トラフという非常に差し迫った問題も抱えております。ただ、われわれが直面するのはこの地域における異常気象や災害なのですが、こういった身近な問題を理解するためには、やはりグローバルな大きな視点を持つ必要があります。

さらに、野中先生が今まとめられましたように、いろいろな人とのコラボレーションでこれに取り組んでいかなければなりません。私が扱っておりますプラズマも、いろいろな微粒子が相互作用することによって全体が動き出し、核融合が起こったりするわけですが、結局は相互作用なのですね。生物としての人間（ヒト）の身体がいろいろなものから成り立っているというのも、まさに物理の世界と似ているところがあります。しかも、今もう待ったなしのかなり差し迫った状態にあるわけで、孫の世代ではなく、もうわれわれの世代でメッセージを出さなければいけないということが非常に伝わってまいりました。

また、いろいろな指標、評価軸を持たなければいけないというお話を聞いていて、GII（Global Innovation Index）というものを思い出しました。ここにはかなり経済的なものが入っているのですが、地球全体としてのもの、新しいハピネスといった評価軸も入れたかたちでGIIを再び見直していく必要もあるのかと思います。ちなみに、先ほど『*The Nordic Way*』という本のご紹介がありましたが、北欧諸国はGIIでも上のほうに来ています。スウェーデンやノルウェーが今のところトップクラスです。

中部大学としても、これから教育に力を入れ、学生にそういった視点を持ってもらいたいと考えております。野中先生がおっしゃったように、教え授ける「教育」ではなく、共に育つ「共育」をということですね。われわれ教員も、職員も、学生も、共に育っていくというかたちでグローバルな視点を持つ。ただし、私は大阪商人の息子ですので、やはり常にファイナンシャルなことも頭にあります。それらをうまく解決できるよう伝え、全世界の人を動かすような力を持ちうるかどうか。それでなかったら、どんどん流されていってしまいます。

私は、昨日の夜、韓国から帰ってきたところなのですが、韓国の少子化はわれわれ日本以上に進んでいます。先ほど出生率の話が出ましたが、1.0を切っているのですね。それなのに、町の中は車だらけです。駐車するところがなく、至るところで大変な渋滞になっていました。現地の人に言わせると、経済的に20年遅れて日本に追いつこうとしているとのことでしたが、そういうところにどういうかたちでわれわれのメッセージを伝えられるのかということも、これから考えていかなければいけないと思っております。

最後の締めくくりとして、われわれの建学の精神に「不言実行」というのがあります。今差し迫っている危機に対して、毅然とした態度で実行をしていきたい。「レジリエンス」という言葉も今使われてきましたが、そういったことも考え、社会科学に関わる人、人文科学に関わる人、自然科学に関わる人を巻き込んで相互作用しながら中部大学発で世界に向けて発信していくという、それが学長としての夢の一つでもあります。「共育」というかたちで中部大学の教育を変えていきたいという思いを申し上げ、私の閉会のあいさつといたします。本日はありがとうございました。

野中　ありがとうございます。こんなに熱い学長がいる大学ですから、絶対よくなると思います。学長、有言実行でよろしくお願いします。

最後になりますが、本日は、長時間にわたっておつき合いくださり、ありがとうございました。大体の年代以上の方になら、言えばわかってくださるローマクラブではありましたが、今まであまりに一部の地域や関心領域に集中し、日本でもほとんど何も活動はなかった、というのが実体です。このたび日本において理事長、学長の強いサポートをいただきながら、林先生のおかげで、ここで新たな一歩を踏み出しましたので、どうぞ皆様方もいろいろなかたちでご参加いただければと思います。

頑張れば、またサンドリーンを呼ぶことができると思います。今日のこの場にお越しくださった会長に、再度拍手をお送りくださったらうれしいです。会長、ありがとうございました。

パネリストの皆さんも、会場の皆さんも、本日はどうもありがとうございました。

あとがき

2つのシンポジウムのまとめにかえて

まず、中部大学80周年シンポジウム「私たちは、ポスト・コロナ時代をどう拓くのか？」は、司会の野中ともよさんから、地球が赤く燃えたぎるおどろおどろしいポスターが紹介されて始まった。実はこのポスター、テーマを練る企画段階で、青い地球を提示した私に対して、人類の置かれている非常事態をあらわす絵にすべきだと、野中さんが主張してできたポスターでもあった。

ローマクラブ名誉共同会長エルンスト・フォン・ワイツゼッカー氏の基調講演は、資源消費からCO_2排出に至るあらゆる指標を加速度的に増加させ、地球のバランスを崩してしまった西欧思想中心の20世紀システムに対して、自国中心主義と気候危機、ルールなき金融資本主義と極端な貧富格差など、重大な原因と問題を見事に総括し、展望を示したものであった。これは、2018年に刊行されたローマクラブ50周年記念レポート『*Come On!*』に込められた内容を、23分で語り尽くしたものである。

この問題提起を、飯尾歩氏は、日本の技と智慧で世界を変える新しい物語を紡いでいこう、というメッセージだと受け取った。パネルディスカッションに入り、20世紀の西欧とは異なる発想が次々と提唱された――自然を征服せずに自然に寄り添う日本の科学技術の価値（山本尚氏）、自律分散協調系による自己実現プラチナ社会（小宮山宏氏）、自分以外のYouの幸せのための視点を持つ人材の養成（八重樫武久氏）、人類を幸福にするサステイナブルなモビリティへの移行（ヴェルナー・ローテンガッター氏）と。次に、日本人の集団的幸福という考え方の協調的社会づくりへの価値（チャンドラン・ネール氏）、ケルト文化の自然を尊ぶ伝統的な考え方の日本文化との共通性（黒田玲子氏）、人ではなく生命の根源である「気」を創り出す自然への価値基準の回帰（辻本雅史氏）。これらの提言に対して、微分でなく積分してバランスをとるイスラーム社会の価値観（中西久枝氏）、感染症下における国際交流による文化の多様性保全の必要性（松浦晃一郎氏）、ゼロエミッション社会のための大きな技術変革の必要性（茅陽一氏）、を指摘するコメントが出された。

一方、ローマクラブ日本創設記念シンポジウム「22世紀のためのわが家、ただ一つの地球のトリセツ」におけるローマクラブ共同会長サンドリーン・ディクソン・デクレーヴ女史の基調講演では、現在起きている気候危機に焦点を当てて、それを脱するための創発とアクションの提案がなされ、いわば、ワイツゼッカー講演と双対を成すものであったと見ることができる。

この問題を克服するために、思想と技術について、次のようなさまざまな提案がなされた。経済合理性ではなく「いのち」を軸とする日本の伝統文化・文明的思考と、日本独自の最先端技術との再編集（野中ともよ氏）、また、世界をリードする中部大学独自の研究の中から、送電ロスを大きく減少させる高温超電導直流送電（本島修氏）、気象から災害まで可視化して捉えるデジタルアース技術（福井弘道氏）、QOLを最大化し地球環境負荷を最小化するモビリティ設計（林良嗣）など、具体的な提言があった。

この2つのシンポジウムでの討議から、何が得られたのか？

西欧思想が支配的であった20世紀が終焉。21世紀に入ってすでに20年余が経過したが、日本も世界も、いまだ、20世紀型発想から抜け出せていない。それどころか、経済利益志向がいっそう強くなり、気候危機を招き、私たちは穏やかな幸せからますます遠ざかっていく。まずはその事実の確認である。

そして、国連により、2015年にSDGsが掲げられたが、これも西欧的発想を引きずってはいないか？　という問題提起。日本やアジアには、われわれ人間は自然の中で、異なる生き物や価値観の異なる人とのバランスをとりながら生かせていただいている、という謙虚な思想があり、江戸時代の寺子屋などはその教育の場であったことの再確認もできた。

中部大学は80周年にあたって、迎え入れたローマクラブ日本支部と一体となって、一つの価値観にとらわれた要素還元論的アカデミアを脱して、地球社会の幸せのために全体を見渡した多元的超学的アカデミアを目指す。その羅針盤は、アジア的・日本的な歴史文化に軸足を置いた、20世紀西欧思想と適切な融合をも図りうるハイブリッドシステムにあることも確認した。

シンポジウムでは、名誉会長、会長等ローマクラブメンバー8名を招いて討議し、20世紀西欧システムがもたらした経済、政治、気候の危機に陥っている地球社会を立て直すために、受容とバランスを拠り所とする日本の科学、技術、文化が独自のSDGs-Japanを築いていく示唆も得た。

私たちローマクラブ日本は、ローマクラブ本体の創設50周年の翌年、2019年に発足した、若い集団である。日本からの正会員は、登壇者の小宮山宏氏、野中ともよ氏、黒田玲子氏と林良嗣の4名であったが、新たに、2020年に沖大幹氏、2021年に石井菜穂子氏の2名が選ばれて充実した。一方、誠に残念なことに、国連難民高等弁務官として多くの人命を救い偉大な足跡を残した緒方貞子名誉会員が2019年に逝去された。ローマクラブ日本は、ローマクラブ本部が主体的に取り組み、欧州発で政治的に進めているカーボンニュートラルなどの20世紀文明病の修復アクションを尊重しつつも、より包容力のあるアジア的バランス思想に支えられた文化や科学技術の価値を共有して、世界が協調に向かう方策を模索していきたいと考えている。

2つのシンポジウムが、中部大学とローマクラブ日本が交互に主催・共催し、中日新聞の共催、および国際協力機構、科学技術振興機構、アジア開発銀行研究所、国際連合地域開発センター、日本工学アカデミー、日本環境共生学会、国連大学サステイナビリティ高等研究所、中部ESD拠点協議会、中部圏SDGs広域プラットフォームの共同主催、後援等を得て、広く国内外から聴衆を得たことに対して、厚くお礼を申し上げる。また、準備・運営に尽力いただいた中部大学の同僚諸氏にも謝意を表したい。そして、本書の完成に綿密な作業で支援していただいた明石書店・神野斉氏と編集者・小山光氏に深謝する次第である。

創立80周年事業最後のイベントとなったが、事業実行委員長として支援してくださった山田公夫中部大学副理事長が急逝された。最後に心からの謝意を記し、本書を捧げ、ご冥福をお祈りする。

ローマクラブ執行役員・日本代表、中部大学卓越教授
林　良嗣

編著者紹介

飯吉厚夫

学校法人中部大学理事長／中部大学総長、ロシア科学アカデミー名誉博士

京都大学名誉教授、核融合科学研究所名誉教授、総合研究大学院名誉教授。中部ESD拠点代表。瑞宝中綬章受章。米国プリンストン大学プラズマ物理学研究所客員研究員、英国原子力局カラム研究所研究員、慶應義塾大学工学部助教授、京都大学工学部教授・ヘリオトロン核融合研究センター長、文部省核融合科学研究所初代所長を経て、中部大学長、プラズマ・核融合学会会長、文部科学省国立大学法人評価委員などを歴任。著書に『核融合入門——高温プラズマの閉じ込め（増補版）』（共著、共立出版）、『ビッグプロジェクト——その成功と失敗の研究』（共著、新潮新書）、『物理学から世界を変える——科学者・飯吉厚夫の歩み』（風媒社）などがある。

野中ともよ

中部大学客員教授、NPO法人ガイア・イニシアティブ代表、
ローマクラブ執行役員、元NHKメインキャスター

NHK、テレビ東京等で、国際社会の動向を前線から伝えるジャーナリストとして活躍。アサヒビールなどの企業役員を歴任後、三洋電機会長を務め、“いのち”を軸にした環境負荷の低い商品こそがグローバルマーケットを制するカギであるとし、卓越した経営手腕を示した。NPO法人を立ち上げ、人間も地球という生命体GAIAの一員として振る舞うべきことを説く。財政制度審議会、法制審議会、中央教育審議会、沖縄振興審議会委員、内閣構造改革特別区域推進本部教育評価委員長などを歴任。経済界大賞「フラワー賞」、日本学士会アカデミア賞を受賞。

林　良嗣

中部大学卓越教授、持続発展・スマートシティ国際研究センター、
ローマクラブ執行役員・日本代表

世界交通学会前会長（2013～2019年）、清華大学傑出客員教授、日本工学アカデミー中部支部長。土木学会副会長、日本環境共生学会会長など歴任。都市化、低炭素交通、人口減少時代のQOLに基づく都市・農村のスマートシュリンク研究の国際的リーダー。1990年代に、究極の大渋滞に見舞われたバンコクへの都市鉄道導入を提案、実現。東京湾アクアライン、つくばエクスプレス、インド新幹線のもたらす経済、環境、QOL、GNH、SDGs分析は、政策判断にも使われている。著書に『持続性学』（共編著、明石書店）、『*Intercity Transport and Climate Change*』（共編著、Springer）、『レジリエンスと地域創生』（共編著、明石書店）など。

著者紹介

エルンスト・フォン・ワイツゼッカー

ローマクラブ名誉会長、元ドイツ国会環境委員長、
元カッセル大学学長、環境思想の世界的リーダー

1939年生まれ。これまでに、ドイツ・エッセン大学生物学教授、37歳でカッセル大学創設学長。その後、国連本部部長、欧州環境政策研究所長、ヴッパータール研究所創設所長、ドイツ連邦議会議員（SPD：ドイツ社会民主党）、ドイツ連邦議会環境委員長、カリフォルニア大学サンタバーバラ校ブレンスクール校長などを歴任。ドイツ連邦共和国大十字勲章、ドイツ連邦環境賞などを受賞。『ファクター4――豊かさを2倍に、資源消費を半分に』、『Come On!（ローマクラブ50周年レポート）』の主著者。統一ドイツ初代大統領のリヒャルト・フォン・ワイツゼッカーの甥にあたる。

サンドリーン・ディクソン・デクレーヴ

ローマクラブ共同会長、低炭素経済・グリーンビジネス推進ファシリテータ

30年来、欧州各国および国際的な気候変動問題、持続可能な開発、グリーン成長、持続可能なエネルギー、持続可能な資金調達などに焦点を当てた戦略形成に携わる。また低炭素経済やグリーンビジネスの推進に取り組み、ビジネスリーダー、政策立案者、学界、そしてNGOを結集するプラットフォームを構築した。これらの功績により、GreenBizからは世界で最も影響力のある30人の女性の1人に選出されている。そして、チャールズ皇太子をはじめ、多くの人および組織へのアドバイザーを務め、数多くの講演やメディア記事・著書の出版を通じ、諸課題に精力的に取り組んでいる。

飯尾　歩

中日新聞論説委員

愛知県津島市生まれ。1985年中日新聞社入社、87年岐阜総局、94年生活部生活けいざい班、97年廃棄物キャンペーン「どうするごみ列島」取材班、99年東京本社「21世紀工房」などを経て、2002年3月から名古屋本社論説委員。環境と農業を主に担当。東山再生プラン「楽しみと賑わいの創出ワーキング」メンバー、東海地域農政懇談会委員、愛知県（環境局）主催「かがやけ☆あいちサスティナ研究所」顧問（2015～2018年）を歴任。著書に『なごや環境夜話』（共著、ゆいぽおと）。

山本　尚

中部大学先端研究センター長、ペプチド研究センター長、文化功労者

京都大学工学部卒業、ハーバード大学大学院博士課程修了。その後、東レ株式会社基礎研究所研究員、京都大学工学部助手、講師、ハワイ大学准教授、名古屋大学工学部講座担当助教授、名古屋大学工学部教授、シカゴ大学教授を経て、中部大学教授、ペプチド研究センター長に。学士院賞、アメリカ化学会創造賞、アメリカ学士院会員、日本化学会会長、アメリカ化学会ロジャー・アダムス賞、瑞宝中綬章等を受章。ルイス酸・ブレンステッド酸触媒とペプチド合成の研究の第一人者。

小宮山 宏

三菱総合研究所理事長、ローマクラブ正会員、東京大学第28代総長

東京大学大学院工学系研究科博士課程修了後、同大学工学部長等を経て、第28代東京大学総長に就任。総長退任後、三菱総合研究所理事長に就任。2010年には、サステイナブルで希望ある未来社会を築くため、生活や社会の質を求める「プラチナ社会」の実現に向けたイノベーション促進に取り組む「プラチナ構想ネットワーク」を設立し、会長に就任。2021年にはNPO法人STSフォーラム理事長就任。著書に『新ビジネス2050』(日経BP社)、『「課題先進国」日本』(中央公論新社)、『日本「再創造」』(東洋経済新報社) など多数。また、2020年瑞宝大綬章、2017年にドバイ知識賞、2016年財界賞特別賞など受賞多数。

八重樫武久

トヨタ自動車社友、元トヨタ自動車理事、ハイブリッド開発統括

1969年トヨタ入社、駆動設計に従事。71年排気浄化プロジェクト（マスキー）要員として東富士研に異動、触媒システム担当。以後触媒、電子制御、デジタル制御などエンジンシステム開発に従事、90年代には米LEV/ZEV規制ロビー活動やルール策定に参加。96年HV開発チーフとして本社異動、プリウスハイブリッド開発を指揮。以後、開発統括として戦略策定/開発に従事。2005年トヨタテクノ技監、08年退任後は自動車分野を中心に環境・エネルギー関連の動向調査とそのコンサルティング活動に従事。

ヴェルナー・ローテンガッター

カールスルーエ工科大学名誉教授、元世界交通学会会長

ドイツ、キール大学理論経済学教授、ドイツ、ウルム大学理論経済、政策学教授、1982年アメリカ・テネシー州ヴァンダービルト大学客員教授を経て、ドイツ経済研究所（DIW）の交通部門トップを務めた後、カールスルーエ工科大学にて経済学教授として教鞭をとる。世界交通学会の会長を務め、現在も運営委員会メンバーであると同時に、学術出版社シュプリンガーの交通経済・政策シリーズの共同編集者も務め、また、欧州の交通政策の第一人者として活躍中。

チャンドラン・ネール

Global Institute for Tomorrow（GIFT）代表、ローマクラブ執行役員

香港とマレーシアに拠点を置く独立したシンクタンク、グローバル・インスティチュート・フォー・トゥモロー（GIFT）の創設者であり、CEO。西洋から東洋への経済的、政治的影響のシフト、グローバル資本主義のルール再形成などの国際問題に取り組んでいる香港在住のアジアを代表するオピニオンリーダーである。世界経済フォーラム（WEF）の持続可能な統治に関するグローバルアジェンダカウンシルのメンバーで、カンボジア政府のアドバイザーでもある。『*The Sustainable State: The Future of Government, Economy, and Society*』など著書多数。

黒田玲子

中部大学特任教授、ローマクラブ正会員、元国連事務総長SDGs諮問委員

東京大学名誉教授。東京大学大学院博士課程修了（理学博士）、ロンドン大学キングスカレッジResearch Fellow, Honorary Lecturer、東京大学教養学部化学教室助教授・教授・総合文化研究科教授、東京理科大学教授を経て、現職。スウェーデン王立科学アカデミー会員。TWAS fellow。 内閣府総合科学技術会議議員、中教審、大学審、外務省WINDS大使、国際科学会議（ICSU）副会長などを歴任。ロレアル-ユネスコ女性科学賞、アカデミア賞、文部科学大臣表彰（研究部門）受賞。左右性（キラリティー）研究の第一人者。結晶、巻貝等の左右性構築を分子・遺伝子から探る。

辻本雅史

中部大学フェロー、京都大学名誉教授、中部大学名誉教授

京都大学大学院教育学研究科博士課程修了。文学博士。光華女子大学、甲南女子大学、京都大学、国立台湾大学の各教授、中部大学副学長を経て、現職。東北師範大学（中国）客座教授。教育史学会代表理事、日本思想史学会会長、関西教育学会会長を歴任。専門は教育史、日本思想史。江戸時代の教育と思想の研究から現代の教育を批判的に捉えている。主な著書に『近世教育思想史の研究』（思文閣出版）、『「学び」の復権――模倣と習熟』（岩波現代文庫）、『江戸の学びと思想家たち』（岩波新書）、"*The History of Education in Japan (1600-2000)*" edited by Masashi Tsujimoto & Yoko Yamasaki.

中西久枝

同志社大学グローバル・スタディーズ研究科長

カリフォルニア大学ロサンゼルス校（UCLA）にて歴史学博士（Ph.D. in history）を取得。名古屋大学大学院国際開発研究科助教授・教授（2001～2010年）を経て、2010年より同志社大学大学院グローバル・スタディーズ研究科教授。2005年から2011年まで日本ユネスコ国内委員会委員。2011年から2017年まで総合地球環境学研究所プロジェクト評価委員会委員。専門は、中東国際政治、イスラーム社会におけるジェンダー、平和構築論、国際協力論。2015年米国デューク大学、2022年ロンドン大学SOASにて客員研究員、最近では対イラン経済制裁と国際法、中東のサイバー戦争についての研究に邁進。

松浦晃一郎

中部大学学事顧問、ローマクラブ名誉会員、第8代ユネスコ事務局長

山口県出身。東京大学法学部を経て、外務省入省。米国ハヴァフォード大学経済学部卒。経済協力局長、北米局長、外務審議官（先進国サミットのシェルパ兼任）を経て駐仏大使。世界遺産委員会議長、アジア初のユネスコ事務局長（第8代）を務める。在任中は組織改革を断行し、米国の加盟復帰実現や、無形文化遺産保護条約の策定など多くの業績を残している。帰国後、立命館大学学術博士。現在はアフリカ協会会長、日仏会館名誉理事長、中部大学学事顧問、株式会社パソナグループ顧問等を兼務。『国際人のすすめ』（静山社）、『私の履歴書――アジアから初のユネスコ事務局長』（日本経済新聞出版社）など著書多数。

茅　陽一

地球環境産業技術研究機構顧問、ローマクラブ名誉会員

1962年東京大学工学系大学院博士課程修了後、同大学電気工学科講師、助教授、教授を経て1995年同名誉教授。同年より慶應義塾大学大学院教授、1998年より（公財）地球環境産業技術研究機構副理事長兼研究所長、2011年より同理事長。2021年より同顧問。電気学会会長、エネルギー資源学会会長、政府総合資源エネルギー調査会会長、IPCC国連絡会座長など歴任。専門エネルギー環境システム工学。『長期ゼロエミッションに向けて』『温暖化とエネルギー』（ともにエネルギーフォーラム新書）など著書多数。

石原　修

中部大学学事顧問・前学長

1972年横浜国立大学卒業、テネシー大学大学院電気工学専攻博士課程修了、Ph.D.。カナダ・サスカチェワン大学研究員、アメリカ・テキサス工科大学教授、横浜国立大学工学研究院長、理工学部長等を歴任し、2014年4月、中部大学総合工学研究所教授に着任。副学長を経て、2017年4月、第5代中部大学長に就任。専門はプラズマ物理科学。

福井弘道

中部大学教授、中部高等学術研究所所長、国際GISセンター長

名古屋大学大学院理学研究科修了（理学博士）、㈱住信基礎研究所主任研究員、慶應義塾大学総合政策学部教授、同グローバルセキュリティ研究所副所長を経て、2011年から中部大学教授。「問題複合体を対象とするデジタルアース共同利用・共同研究拠点」代表、（一社）環境創造研究センター理事長、中国科学院客員教授等を兼務。専門は地球環境学、国土学、空間情報科学で、「デジタルアースの構築」とその環境や防災・減災等への応用に取り組む。慶應義塾賞（2001）、ISDE Medal（2009）等を受賞。

本島　修

学校法人中部大学理事・学事顧問、工学博士

地上に太陽を。人類の究極のエネルギー源となる核融合エネルギーの開発研究に一貫して携わっており、SDGs、CNなどに高い関心を持つ。京都大学教授、核融合科学研究所教授・所長、フランスで進行中のメガプロジェクトITER／国際核融合エネルギー研究開発機構の機構長などを経て、学校法人中部大学理事・学事顧問、石狩超電導・直流送電システム技術研究組合理事長を務める。太平洋工業㈱社外取締役、未来エネルギー研究協会会長、スウェーデン王立科学工学アカデミー会員などを兼務。スウェーデン王立工科大Alfven Award、文部科学大臣表彰・科学技術賞、レジオン・ドヌール勲章シュヴァリエなどを受章。

中部大学－ローマクラブ日本叢書 1

ポストコロナ時代をどう拓くのか？
――科学・文化・思想の「入亜脱欧」的シフトに向けて

2022 年 3 月 31 日　初版第 1 刷発行

編著者　飯 吉 厚 夫
野 中 と も よ
林　良 嗣

発行者　大 江 道 雅

発行所　株式会社 明石書店
〒 101-0021　東京都千代田区外神田 6-9-5
電 話　03（5818）1171
FAX　03（5818）1174
振 替　00100-7-24505
https://www.akashi.co.jp

装　丁　明石書店デザイン室

印刷・製本　モリモト印刷株式会社

（定価はカバーに表示してあります）
ISBN978-4-7503-5372-2

JN059054

凡　例

（１）本書ではアメリカ合衆国とキューバ共和国については、それぞれ「アメリカ」と「キューバ」という通称を用いる。
（２）インタビュー記録の引用文中の（　）は筆者による内容の補足である。
（３）インタビュー記録の引用文中の［　］は話し手の表情、しぐさ、笑い声などについての補足である。［…］は中略を示す。
（４）インタビュー記録の引用文中、筆者の発言部分は冒頭に＊を記す。
（５）調査協力者の名前はすべて仮名である。調査協力者の個別の事例について言及する際には、表10に示した参照番号をあわせて表記した。
（６）参与観察を行ったニューヨーク市内のグループ名とサンフランシスコ・ベイエリアの支援団体名は仮名である。
（７）本書では以下の略号を用いる。

ＢＩＡ　移民控訴委員会　Board of Immigration Appeals
ＤＨＳ　国土安全保障省　Department of Homeland Security
ＤＯＭＡ　結婚防衛法　Defense of Marriage Act
ＩＣＥ　移民関税執行局　Immigration and Customs Enforcement
ＩＮＡ　移民国籍法　Immigration and Nationality Act
ＬＧＢＴ　レズビアン、ゲイ、バイセクシュアル、トランスジェンダー　Lesbian, Gay, Bisexual, Transgender
ＬＧＢＴＩ　レズビアン、ゲイ、バイセクシュアル、トランスジェンダー、インターセックス　Lesbian, Gay, Bisexual, Transgender, Intersex
ＬＧＢＴＩＱ＋　レズビアン、ゲイ、バイセクシュアル、トランスジェンダー、インターセックス、クィア、プラス　Lesbian, Gay, Bisexual, Transgender, Intersex, Queer, plus
ＰＲＭ　国務省人口難民移住局　Bureau of Population, Refugees, and Migration
ＳＧＢＶ　性とジェンダーに基づく暴力　Sexual and Gender-Based Violence
ＵＮＨＣＲ　国連難民高等弁務官事務所　United Nations High Commissioner for Refugees
ＵＳＣＩＳ　市民権移民局　U.S. Citizenship and Immigration Services

まえがき

本書は性的マイノリティの難民に関する問題をテーマにしている。しかしそれは「マイノリティ」を可視化することのみを目的としているわけではない。もちろん、本書を通してそうした人々の存在や経験についての認識が広がることを期待してもいるが、なにより明らかにしたいのは、人の移動とセクシュアリティには関わりがある、ということである。入国管理の歴史、制度、政策、言説を紐解けば、「善き市民」がセクシュアリティの規範によって区別されてきたことが見えてくる。個別具体的なプロセスとしての移動の経験自体がセクシュアリティに規定されること、そして移動の経験がセクシュアリティに関わる主体形成に影響を及ぼすこともある。

セクシュアリティと難民、強制移動というテーマに私が関心を寄せ続けてきた理由のひとつに、ある女性との出会いと彼女の語りを理解し損なった経験がある。「移住とジェンダー」についての卒業論文を書こうと、大学学部4年生の夏に東京都八王子市に住む外国籍の女性数人に話を聞かせてもらっていた。調査インタビューに協力してくれた女性たちの多くが結婚し、子どもがいたため、外国籍であること、妻であること、母であることが移住女性にとってどのような意味をもつのかについて考えていた。しかし人づてに紹介されたAさんの状況は他の女性たちと大きく異なっていた。インタビューを開始してまもなくAさんは自分には子どもがおらず婚約しているが、「もつべきではない関係」をもち、「するべきではない妊娠」をしたために、出身国に帰れなくなってしまったと語った。もとは同国出身の婚約者に呼び寄せられるかたちで日本に来たのだが、その婚約者との関係もそれが原因で切れたという。在留資格の期限も迫っている。話の途中で泣き出したAさんになんと声をかければよいのか、そしてその話をどう受け止めてよいのかわからず、私はうろたえるしかなかった。

卒業論文は無事に書き終えて提出したのだが、Ａさんの語った経験を人の国際移動を考えるうえでどう捉えたらよいのかはわからないままだった。未練のようなものを抱えているうちに私は日本の難民問題と出会う。「命の危険にさらされて」「着の身着のままで」「紛争から逃れて」「政治的な活動を理由に」といった、難民問題を説明するのによく用いられる言葉はＡさんの状況とはかけ離れているように聞こえたが、それでもなにかつながっているような気がしてならなかった。

その後ほどなくしてゲイ、レズビアン、バイセクシュアル、トランスジェンダーであることを理由に難民認定申請を行う人々と関わり始めるのだが、最初はかれらのことをマイノリティのなかのマイノリティ（難民のなかの性的マイノリティ、性的マイノリティのなかの難民）としてみていた。やがて性的マイノリティの人々の難民としての移動（強制移動）を、セクシュアリティと人の国際移動の関係性を映し出す事象として位置づけてみると、あのときのＡさんのことがふいに思い出されたのである。Ａさんの出身国に帰れないという語りは、もしかしたらセクシュアリティの規範の逸脱と移動の関連性から考えてみることができたかもしれない。

こうした関わりを色濃く映し出しているのが、性的マイノリティの人々の移動であり、とりわけ強制移動と呼ばれるような現象のなかにセクシュアリティの問題が規定されてきた。本書はこれをアメリカを事例として具体的に描き出すことを目指す。２０２１年2月4日、アメリカ合衆国大統領に就任したばかりのジョー・バイデンは「世界中のゲイ、レズビアン、バイセクシュアル、トランスジェンダー、クィア、インターセックスの人々の人権促進について」という大統領覚書を発表した。覚書は次のように始まる。

すべての人間は尊敬と尊厳をもって扱われるべきであり、誰であろうと、誰を愛していようと、恐れずに生きることができるはずである。ここアメリカを含む世界中で、勇敢なレズビアン、ゲイ、バイセクシュアル、トランスジェンダー、クィア、インターセックス（ＬＧＢＴＱＩ＋）の活動家たちが、法の下での平等な保護、暴力からの解放、基本的人権の承認を求めて闘っている。アメリカはこの闘いの先頭に立ち、我々が最も重要とする価値観のために声を上げ、力強く立ち向かっている。アメリカは性的指向、ジェンダー・アイデンティティやジェンダー表現、性的特徴に基づく暴力や差別の撤廃を追求し、世界中のＬＧＢＴＱＩ＋の人々の人権を向上させるために、模範となる力をもって先導することを方針とする。

続いて具体的な方針が列挙されるが、その第2項が本書のテーマとする「脆弱なＬＧＢＴＱＩ＋難民と庇護希望者の保護」であり、そこには「暴力や迫害から逃げ場（refuge）を求めようとするＬＧＢＴＱＩ＋の人々は、困難な課題に直面している」と、現状についての認識がごく簡単に記されている。

「脆弱なＬＧＢＴＱＩ＋難民と庇護希望者」とは誰のことなのか。「逃げ場」とはどこか。「困難な課題」とはなにか。そしてなぜアメリカが闘いの先頭に立つのか。本書ではこうした疑問に対して、セクシュアリティの規範と人の移動の歴史、政治、制度、そして移動する人々の主体的な経験から答えの手がかりを見つけていきたい。

議論を進めるにあたって「困難な課題」は野蛮／後進的とみなされる国々におけるホモフォビア、トランスフォビアだけではなく、移動先アメリカの国境管理、庇護の空間の縮小、レイシズム、ナショナリズムといった側面にも存在することに目を向けたい。性的マイノリティの難民保護を、入国拒否の歴史との連続性や庇護のポリティクスの文脈のなかで捉え、これらの接合点にみられる問題を可視化することを目指す。また、「逃げ場」を求める手段である移動を、国境を越える方法や難民認定申請手続きというスナップショット的なものではなく、日常生活やコミュニティとの関わり、単線的でない主体形成などのプロセスとして捉えるという方法を取りたいと思う。

難民とセクシュアリティ――目次

第3章　性的マイノリティの難民の保護　89

第4章　難民の移動と語りの構築　129

序章

「性的マイノリティの難民」を問う

1.「性的マイノリティの難民」を問う

難民、第三国定住難民、庇護希望者、国内避難民、パレスチナ難民、ベネズエラ国外避難民、帰還者など、異なるカテゴリーやラベルのもとに、国連機関や各国政府が移動する人々の頭数をカウントすることで、特定の背景をもった大勢の人々が移動する現象は「難民問題」として可視化される。わたしたちの視線は新聞記事やパソコン、スマートフォンの画面を通して文字どおり手に入る写真、映像、物語に集まる。「難民問題」と聞けば、紛争から逃れてくる人々、南ヨーロッパの海岸にボートでたどり着く人々、漂流し沈没する船、ヨーロッパへの「大量流入」、テントやコンテナがひしめき合うキャンプ、疲れ果てた表情の人々といったイメージが浮かぶのではないだろうか。こうしたイメージと重なる問題、つまり、シリア、ベネズエラ、アフガニスタン、南スーダン、ミャンマーといった特定の国において多くの人々が移動を強いられ、近隣諸国がそうした人々の大部分を受け入れているという状況や北アフリカの国々からの人々の入国を阻もうとするヨーロッパ諸国の国境管理の問題が、現在の「グローバルな難民危機」の主要な側面を形作っているということができる。(1) このように特定の国や地域、または紛争や対立と結びつけられることで、いくつかの「集団」として捉えられる難民の人々がいる一方で、個人として様々な理由や背景で難民となる人々がそうした集団の内外に存在する。

当然ながら難民個人の経験は多様であり、人々は比較的よく知られた難民や「亡命者」の経験とは異なる経験、またはより複層的な経験のなかで移動せざるをえなくなることがある。そのなかでも本書では、異性愛規範に当てはまらない性的指向、ジェンダー・アイデンティティ、ジェンダー表現などを理由に、安全に暮らすための諸条件、権利、環境から排除されるという背景をもって移動する人々と、かれらをめぐる国境管理と難民受け入れの政策、制度、言説の変遷に注目する。

性的マイノリティに対する差別や暴力の問題について、いち早く取り組んできたのは当事者コミュニティやローカルなＮＧＯなどだが、２０１０年あたりから、特に国連機関や国際ＮＧＯ、国際的な人権問題を議論する場において重要な問題として取り上げられるようになり、「ＬＧＢＴ主流化」における重要なトピックのひとつとして扱われてきた。例えば、２０１３年9月には11か国の政府高官、欧州連合外務・安全保障政策上級代表、国際ＮＧＯ団体などが参加した「国連ＬＧＢＴＩコアグループ」が開催され、性的指向とジェンダー・アイデンティティに基づく暴力と差別の撲滅と、ＬＧＢＴＩの人々の人権保護に向けた協働についての閣僚宣言が採択された。また、国連人権高等弁務官事務所が「自由と平等 Free and Equal」という反ホモフォビア、反トランスフォビアのキャンペーンを打ち出し始めたのも同年のことである。

一方、ジェンダーや性的指向を理由とした難民保護についての議論は、これよりもやや早い時期に始まっている。特に、性的指向に基づいた難民の主張を認める事例は１９８１年にオランダで初めて認められて以降、１９９０年代にはニュージーランド、カナダ、アメリカ、イギリス、オーストラリアなどでもみられるようになる。個別の難民認定審査において、性的マイノリティの人々の状況に対して、難民条約（１９５１年難民の地位に関する条約と１９６７年同議定書）における難民の定義がより包括的に解釈されてきた。一方、難民の保護を責務とする国連難民高等弁務官事務所（ＵＮＨＣＲ）が、性的マイノリティの問題に表立って取り組むようになったのは２０００年代に入ってからであり、性的マイノリティの難民の適切な保護や支援の実施が徐々に重要な課題として設定されてきた。ＵＮＨＣＲは２００２年の『国際的保護に関するガイドライン第1号：難民の地位に関する１９５１年条約第1条（Ａ）２および／または１９６７年議定書におけるジェンダーに関連する迫害』のなかで、同性愛者の難民に関する主張が歴史的に不可視化されてきた事実や、迫害となりうる同性愛者への差別について言及した。２００８年には『性的指向とジェンダー・アイデンティティに関する難民の主張についてのガイダンスノート』を発表し、性的マイノリティのなかには、難民条約上の難民として認められるべき人々がいることを明確に示した。このガイダンスノートは、２０１

2年の『国際的保護に関するガイドライン第9号：難民の地位に関する1951年条約第1条（A）2および／または1967年議定書における性的指向および／またはジェンダー・アイデンティティを理由とする難民の主張』によって更新され、人権侵害や迫害を経験する性的マイノリティの人々に難民の定義を適用するための法的指針が示された。

UNHCRはその後も関連するディスカッション・ペーパー等を発表しながら、性的マイノリティの人々が強制移動のあらゆる段階で直面するリスクや保護の必要性について発信してきた。実務的には、性的マイノリティの人々に対する保護や支援のアプローチは、「性とジェンダーに基づく暴力 SGBV: Sexual and Gender-Based Violence」の予防と対応に関する事業のなかに位置づけられることが多く、かれらは保護に関するリスクの高い「脆弱な vulnerable」集団の一つとして認識されている。(2)

しかし、性的マイノリティの難民に対する保護の課題や重要性がうたわれるずっと以前から、セクシュアリティは人の移動と関わってきた。ただしその関係性は保護をめぐる問題ではなく、誰を国境の内側に入れ、市民として受け入れるか、受け入れないか、という国民国家による国境管理の問題、ひいては排除の問題としての関わりであった。特にアメリカにおいては、セクシュアリティの規範を軸に、入国者の職業や家族構成、身体、振る舞い、病歴などが審査の対象となり、「異常」な身体・セクシュアリティをもった人々は他者化され、受け入れ社会の秩序を乱すような脅威、または負担として入国拒否や退去強制というかたちで排除されてきた。さらには入国後も、エキゾチックさ、性的な後進性、抑圧、病気、多産のなどの言説やイメージと結びつけられ、性的な存在としてまなざされてきたのである。

2000年あたりから主に欧米の英語圏において新たな研究領域としての輪郭を持ち始めたクィア移住研究は、従来の移住研究で前提とされていたような異性愛関係や異性愛規範を中心とした問題設定や議論の進め方を問い直しながら、こうした移動・移民とセクシュアリティにおける排除の側面特に、移住のプロセスにおけるセクシュアリティを通した市民／非市民、普通／異常の対立関係や、その対立を内包する移住を経験した人々がセクシュアリティやジェンダーの規範に対して、同化、交渉、オルタナティヴな規範の構築というかたちで対応または抵抗してきたことなどを明らかにしてきた。

本書では、このようなクィア移住研究の視点に難民・強制移動研究のアプローチを加え、性的マイノリティの難民がどのように新たな難民問題として規定され、包摂と排除の対象となっているのか、アメリカを事例として論じる。さらに、移民・難民政策の政治構造的な問題とローカルな文脈における難民の人々の個人的で主体的な経験との結びつきについて考察する。具体的には、外交政策と難民政策のなかで性的マイノリティの人々の保護という問題がどのように構築されてきたのかを理解し、その枠組みと言説のなかに、包摂される人々、取りこぼされる人々、排除の対象となる人々が存在することを議論する。そして、難民の人たちが移動の過程をどのように経験し、認識し、語るのかということをあわせて分析することで、難民の人々が難民保護の構造的な権力関係と折り合いをつけ、ときに抵抗し、ときに交渉しようとする経験をクィアな実践として理解することを試みる。

難民、庇護希望者、難民認定申請者

本書が「難民」と呼ぶのは、国籍国または居住国において安全に生活することができず、国籍国または居住国による保護を得られない、または得ることを望まず、移動する人々のことである。ここでは難民認定審査の手続きや、その結果に基づいた地位の有無による区別はしない。しかし本書で取り上げる「難民」をめぐる議論は、地位の認定や獲得という視角と無関係ではない。

難民の定義についてはは多くの議論がなされており、歴史的な現象のなかで多様に異なる背景をもって移動する人々を包括的に定義するのは容易ではなく、現実に即しているともいいがたい。また、難民を定義しようというのも、国民国家側の要請である（山岡 2019）。難民条約における難民の定義が限定的なものであることはまず明らかである。

冷戦構造の利害を反映した1951年難民条約の第1条に定められた難民の定義からは、1967年同議定書によって時間的、地理的制限が取り除かれた。この1967年議定書を経た難民の定義は今日まで有効ではあるが、現在の内戦や紛争、気候変動、災害、貧困から居住地・国を離れざるを得ない状態にある人々、国境を越えていない人々を包括的に定義するには限界がある。「難民とは誰か」という問いは、難民性とはなにかという問いにつながるが、同時に、名指しの権力や政治を反映したラベリングの問題でもある（Zetter 1991, 2007）。

4章以降、個人の具体的な経験に注目するが、そこには難民条約上の定義に当てはまる／当てはまらないケース、難民の地位を認定された／されなかったケース、難民認定申請中／申請予定のケースが含まれる。調査インタビュー協力者の多くは、アメリカでの難民認定申請の経験がある、または申請する意思があるという意味では、いわゆる「庇護希望者」と呼ばれる人々である。「庇護」と「保護」は一見似たような意味をもつように思われるが、なにを軸に救援を行うかという点から考えるとその意味は対照的である。池田（2014）によれば、「庇護」の基準は受け入れ国であり、強制移動の被害者を自らのもとに受け入れて救うという行為である。その逆に、「保護」は被害者を基準として、被害者のもとへ誰かが出向いて救援が行われる。庇護は国家が、保護は国家、国際機関、NGOなどが連携して行うものとされる。いずれの場合も救援の対象となるのが「難民」である。難民問題について議論する際には、広い意味で難民状態にある人々（難民）のなかに、庇護を希望する人々（庇護希望者）が存在すると考えることができるだろう。

ただし、「難民」と「庇護希望者」という用語はアメリカの文脈においては、明確に区別されて用いられている。国土安全保障省（DHS）は、国外で難民の地位を与えられた者を「難民 refugee」、国内に入国後もしくは国境で難民認定申請を行う者を「庇護希望者 asylum seeker」と呼び、庇護申請の結果、地位を認められた者を「庇護対象者 asylee」と呼ぶ。したがって、難民の定住を受け入れていない国に「一時的」に逃れている難民を、第三国へ定住させるプログラム（第三国定住プログラム）を通してアメリカにやって来た難民は refugee であり、国内の難民認定申請手続きを経て地位を得た難民はaslyeeとして区別される。

本書では、法的地位の有無や、移動のプロセス、地位を得る手続きの違いにかかわらず、先に述べたように広義に難民状態にある人々を「難民」と呼ぶが、こうしたアメリカにおける用語の違いは本書の中心的議論のひとつである、第三国定住と庇護のポリティクスに関わる部分でもあるため、文脈によって使い分ける。また、アメリカの文脈では、「庇護希望者」は「難民認定申請者 asylum applicant」とほぼ同義であるが、本書では実際に難民認定申請をしているか否かにかかわらず、国家による庇護を希望する者を「庇護希望者」と呼び、難民認定審査のいずれかの段階にいることを強調する際には、「難民認定申請者（難民申請者）」を用いる。

庇護‐移住ネクサス

人の移動に関する管理・政策の文脈では、「移民」と「難民」は二つの相互排他的なカテゴリーとして維持され、前者は主に社会経済的な理由で「自主的」に移動し、後者は「強制的」に移動させられ庇護を求めると区別されてきた。しかしこのように単純に区別することは、国際移動の拡大と複雑化によってますます困難になっている。難民・強制移動研究はそのことを十分認識してきた。貧困、生活環境、気候変動、生命維持の危機、迫害のおそれ、よりよい経済的機会や教育へのアクセスの希求など、移動の動機や原因は一人の移住者のなかにも複数存在し、また互いに密接に関わっている。人が経済的な理由で移動を選択するのには、そうせざるを得ないような背景があったり、また強制的とみなされる移動も、主体性をもった個人が限られた選択肢のなかで発揮した意思に基づいたりする。そのうえ、エスニック・コミュニティや親族ネットワークの活用、人身取引、移住斡旋ビジネスなど、移民／難民の移動ルートや資源は共通するものが多い（Castles 2003; Castles and Miller 2003; Richmond 1994; Van Hear 2009）。このような現実に即して庇護‐移住ネクサス（asylum-migration nexus）、または混合移住（mixed migration）ということばが用いられる。しかし、２０００年代に入ってからこうした用語、特に「庇護‐移住ネクサス」は、両者を区別し管理することを目的とした北側先進諸国の政策に関連して、グローバル・サウスからグローバル・ノースへの人の移動において、移民／難民を区別できない現実を問題視するような文脈で頻繁に使用されるようになった（Van Hear 2009）。特にアフリカ諸国からの大量の移住者に直面するEU諸国では、「本物の難民」と「経済移民（偽装難民）」を区別することで難民認定制度の「濫用」を防ごうとするが、区別以前にそもそも入国させないという方法がとられている。例えば、他国にある自国の領域に収容所や国境管理機関を設けて、事実上の入国管理を「外注」することは、移民とも難民とも区別のつかない人々が領域内へ到達し、難民として庇護を求めた場合にノンルフルマン原則が発動し送還できなくなるような事態を防いでいる。また、グローバル・サウスからグローバル・ノースへの人の移動に過剰な注目が集まることで、実のところ難民の人々の出身国近隣諸国が多数の難民を受け入れているという事実にもかかわらず、移民／難民が先進国に向かって大量に移動しているという認識をさらに促すこととなりうる。こうした懸念から、例えばUNHCRは2007年にはこの用語についての方針を変更し、以降ほぼ使用していない（Crisp 2008）。

そうした背景を認識しつつも本書では、国境と人の移動の管理のために官僚機構が持ち出すカテゴリーへの批判という意味合いをもちうる庇護–移住ネクサスという概念によって、人の移動を相互排他的な移民／難民のカテゴリーではなく、連続体として捉えることの重要性を強調する。特に3章と4章では、集団としての移動の傾向や特徴を示すだけでなく、主体的なレベルでの庇護–移住ネクサスに注目し、国境を物理的に越えるという経験に限定しない意味での、より包括的で具体的な移動のプロセスのなかにある庇護–移住ネクサスを理解することを試みる。

カテゴリー化へのささやかな抵抗

本書では、異性愛規範や性別二元論に当てはまらないジェンダーやセクシュアリティを生きる人々が、様々な理由で国境を越える移動を経験し、庇護を必要とする、または希望するとき、かれらを便宜上緩やかに総称するのに「性的マイノリティの難民」を用いる。「性的マイノリティ（セクシュアル・マイノリティ）」という言葉によって、ジェンダーやセクシュアリティに関連するいくつもの異なるアイデンティティや、表現、行為、身体の存在やそれらの交差性を無視したり、この言葉で総称しようとする人々を単一な集団として捉えたりすることは意図していない。「マイノリティ」は実際の数の上で少数であることではなく、主流とみなされる異性愛規範を基準として少数とみなされていることを意味する。また、性的マイノリティの難民が必ずしもみな、ジェンダーや性的指向に基づいた暴力や迫害、そのおそれを直接的な理由として移動したとは限らないが、かれらのマイノリティ性は何らかのかたちで移動の選択やプロセスに関わっていると考えられる。

また、一般的により広く用いられている「ＬＧＢＴ」という言葉と「難民」を組み合わせた「ＬＧＢＴ難民」もしくは「クィア難民」を使わず、ともすればまどろっこしさをも感じさせる「性的マイノリティの難民」を使うのは、「〇〇難民」として研究の対象を名指すことで、本研究の目的にずれが生じてしまうためである。(3)

ＬＧＢＴという言葉は運動、キャンペーン、催し、報道、広告などにおいて性的マイノリティの人々の直面する特定の問題やコミュニティの存在の可視化に大きな役割を果たしてきた。しかし他方で、性的マイノリティの人々はいずれかのアイデンティティ・カテゴリーに当てはまるという前提を維持し、カテゴリーの周縁に位置する人々に対する排他性や、可視化とともに商品化を進めたという側面もある。国際機関が牽引する「ＬＧＢＴ主流化」のなかでも、ＬＧＢＴまたはＬＧＢＴＩが用いられ、性的マイノリティの難民も「ＬＧＢＴ難民」と呼ばれてきた。(4) これまで不可視化されてきた人々を可視化することには意義がある。しかし本書の焦点は「ＬＧＢＴ難民」という新たなカテゴリーが用いられることによって、難民保護の問題の中になにが規定され、どのような周縁化と排除の構造が成り立つのかという問題のほうにある。

「クィア難民」についても言及しておきたい。「クィア」はもともと男性同性愛者に対する侮蔑語であったものを、そう名指される人々があえて引き受け、文脈をずらして使用してきたという背景をもつ。名指されてきた人々によるクィアという語の奪取によって、侮蔑の意味合いは無効化されてきた。このような名前の再領有を抵抗のツールにつなげてきたクィアの運動や理論の特徴は、常に中心に対して周縁という位置をとることにあり、同化主義ではなく抵抗運動を目指す。ここでは、アイデンティティに基づく運動や政治（アイデンティティ・ポリティクス）ではなく、包括性が唱えられ、固定的なアイデンティティを前提とはせずに、カテゴリーの境界や、その構築を問うような姿勢が通底している。クィアの運動と理論は１９８０年代のエイズ運動を背景としてアメリカを中心に展開されてきた。ＨＩＶ／エイズが流行するなか、感染者や患者は不道徳で非規範的な存在としてスティグマ化されていた。保守化に向かい「小さな政府」を目指す当時のアメリカ政府は、予防や治療の対策をとる代わりに、感染者や患者を、道徳的な善き市民とは無関係な存在として黙殺しようとした。「ハイリスク」とされた同性愛者たちは、同様にスティグマ化され周縁化されたハイチ人（2章参照）、セックスワーカー、薬物使用者たちとの広範な連帯によって怒りの声をあげ、抵抗運動を立ち上げることとなり、ここにクィアの運動の萌芽がみられる（Patton 1990; Epstein 1998）。

クィアの運動は、80年代以前のゲイ解放運動のコミュニティやネットワークを活用しながらも、これまでの運動を批判的に継承するかたちで発展してきた。50年代のホモファイル運動がとった同化主義や、70年代のゲイ解放運動のアイデンティティ・ポリティクス、「善き市民としてのゲイ」を根拠にした権利の主張といった戦略を受け入れず、異性愛社会の規範を疑問に付し「普通の人」と「普通でない人」の境界を問い直す、揺るがすことを目指してきた。代表的なエイズ運動であるアクトアップ（ACT UP）の活動家たちによって１９９０年にニューヨークで組織されたクィア・ネイション（Queer Nation）の「私たちはここにいる。私たちはクィアだ。慣れろ」というスローガンには、受け入れてもらわなくとも構わない、というクィア運動の同化主義への抵抗が端的に現れている。

特定のセクシュアリティやジェンダー、身体を非規範的とみなすまなざしや制度、歴史、枠組みそのものを明らかにしようとするクィア移住研究では、移動の主体を指し示すのに「クィア移民 queer migrants」、「クィア難民 queer refugees」、「クィア庇護希望者 queer asylum seekers」ということばが用いられる。ここにカテゴリー化の意図がないことは明らかだが、しばしば「経済移民」や「偽装難民」との区別が問題となる「難民」や「庇護希望者」という語と組み合わせられることによって、カテゴリーとしての作用をもつ可能性は否定できず、その課題について十分検討されているとはいいがたい。様々に異なる主体をカテゴリー化することは、国家、人種、ジェンダー、セクシュアリティ、階級、言語をめぐる複層的な領域のはざまで、複数の居場所やコミュニティを形成し、また手放してきた人々の存在と、かれらの移動・抵抗・交渉の実践に対する理解を遠ざけてしまう。さらにいえば、クィアの運動や理論はそうしたカテゴリー化の欲求と要求に懸命に抵抗してきたはずであり、クィア移住研究にもそうした見解が共通している。

こうした理由から、本書では「ＬＧＢＴ難民」もしくは「クィア難民」として研究対象とした人々を名指し、あるカテゴリーを言説的に構築することはひとまず避けたいと考えている。[5]「性的マイノリティの難民」を用いることもカテゴリー化やラベリングの作用から完全に逃れることはできないが、主体のアイデンティティを起点とした問いではなく、（強制）移動という経験のなかに複数の主体が存在していることを、難民問題の中に異なる性的マイノリティの人々が規定されるようすと、移動を経験する難民の人々の語りを通してみていきたい。

2．研究の方法

事例としてのアメリカ合衆国

現在、アメリカ、カナダ、ニュージーランド、オーストラリア、ＥＵ諸国など様々な国が、難民認定申請制度や第三国定住などの枠組みを通して、性的マイノリティの難民を受け入れている。そうしたなかで本書がアメリカを事例として取り上げるのはなぜか。

ひとつにはアメリカにおいてセクシュアリティが、人種、エスニシティ、階級とともに、「善き市民」像をめぐる政治の中心的問題として歴史的に存在し、その問題が移民・難民の管理と受け入れのなかにも見出せることにある。

マーゴット・キャナディ（Margot Canaday 2009）は、アメリカが20世紀に官僚国家として確立していく過程において、セクシュアリティの規範や、ホモセクシュアリティの解釈、意味づけ、定義を通して市民が形成され、同時に、非市民が排除の対象となってきたことを明らかにした。キャナディは、軍隊、福祉、入国管理の三つの領域を考察の対象としたが、そのなかでも入国管理は、他の領域と共通する機会、支援、権利へのアクセスの制限としての排除に加え、入国拒否や退去強制といった物理的な国外への追放が実施されうるため、市民／非市民の識別が如実に現れる領域といえるだろう。

また、アメリカ国内のゲイ政治、性的マイノリティの社会運動の活力や影響力は他国と比較しても強力といえる。性的マイノリティの運動は、70年代後半からの同化主義的な性的マイノリティの権利の主張に始まり、アイデンティティ・ポリティクスとその批判を経て、90年代後半から現在においては新自由主義との親和性を見せるようになる。ここに、一部の権利の保障という成果と同時に、主流のＬＧＢＴ運動・コミュニティから周縁化される性的マイノリティの排除が進行してきた。この周縁化と排除の問題は、セクシュアリティの「置換モデル」（Katyal 2002）や、「新しいホモノーマティビティ」（Duggan 2003）、「ホモナショナリズム」（Puar 2007）といった概念（いずれも3章参照）で説明される。これらの概念は、新自由主義のグローバルな展開や国連主導の「ＬＧＢＴの主流化」の影響がみられる各国の状況を分析するのにも用いることが可能だが、そもそもアメリカの事例と文脈のなかから出てきたという背景を踏まえると、その先駆的なかたちはアメリカにおいて示されているといえる。

また、一般的に難民受け入れは、難民認定申請による行政手続きや司法による保護の実施、または第三国定住による難民問題に対する人道的配慮や国際的な負担分担（burden sharing）としてみられてきた。これまでの性的マイノリティの難民に関する研究の多くは、前者における地位の認定／不認定や難民条約の解釈という議論に集中している。しかし、アメリカの事例に注目すると、第三国定住において、特定の紛争や政治体制・状況によって発生した難民ではなく、「ＬＧＢＴ」という個人の属性に基づいて保護の対象を指定することで、難民保護とセクシュアリティの関係をこれまでの難民政策とは異なる政治の領域に取り込んでいるようすが垣間見える。そしてそこでは、難民条約解釈の議論とは異なる視角で問題を捉えることが必要とされる。こうした意味でも、19世紀終わりからの入国管理における非規範的なジェンダー、セクシュアリティの持ち主の排除に始まり、80年代のキューバからの難民のなかの同性愛者という集団の可視化、そして２０１０年代の人権外交のなかの「ＬＧＢＴ難民と庇護希望者」の保護といった、性的マイノリティの難民をめぐる問題に、セクシュアリティをめぐる国内のクィア・ポリティクスと国際政治が交差してきたことを示しうるアメリカの事例の分析が重要となる。性的マイノリティのなかには難民として認められる人がいる、という事実を現在のスナップショットとして捉える以上に、歴史的、政治的な視座をもって難民の保護とセクシュアリティの関係が理解されなければならない。以上の理由から、アメリカの事例を用いて難民とセクシュアリティの問題を議論する。

アメリカでは２０１６年から２０２０年までの間、トランプ政権下における移民・難民政策に目まぐるしい変化が生じたことがよく知られている。性的マイノリティの権利についても、これまでの社会運動の流れに「逆行」したと評価されている。本書ではいまいちど歴史的に性的マイノリティの人々がどのように国境管理の対象となってきたのか、どのような言説で語られてきたのかをたどり、「ＬＧＢＴ」の権利について積極的に公的な発信がなされてきたオバマ政権下において、性的マイノリティの難民が「ＬＧＢＴ難民と庇護希望者」として外交政策の一端を担うと同時に、国境管理の対象であり続けてきたことを検討する。

分析に用いる資料、データは主にアメリカにおいて難民法が成立し、「マリエル・ボートリフト」が起きた１９８０年から、２０１４年の期間に関するものを分析する。特に3章で、アメリカにおける性的マイノリティの難民をめぐる言説をみながら、実際の保護政策、国境管理との関係性を検討する。

性的マイノリティの難民をめぐる言説については、難民政策関連文書、政治家、政府高官の演説、声明を資料として用いて、政策との関わりでなにがどのように言及されているのかを分析し、アメリカの庇護・難民レジームのなかでの位置づけを明らかにする。ここでは政治家と政府高官による演説や声明は、特定の動機を反映し、認識論的カテゴリーと特定の現実を構築するものとして捉える。資料は、データベース*LexisNexis*と*Factiva*を用いて抽出した文書のほかに、移民政策関連機関の公開資料を参照する。具体的には、上院・下院議員の公開要望書、大統領、副大統領、国務長官の人権やLGBTに関わる催しでの発言記録、国務省人口難民移住局によるNGOへの助成事業の公募文書などである。これらの資料の分析を通して、「LGBTの難民と庇護希望者」の保護の促進が人権外交の言説として、特に第三国定住難民の保護の文脈に構築されていくようすを明らかにする。

加えて新聞において性的マイノリティの難民がどのように表象され「問題化」されてきたのかについても考察を試みるが、ここでは新聞報道を、ある事象や事件についての社会における概念的な変化を反映するだけではなく、そのイメージや特徴を構築する役割も担うものとして捉える。つまり、新聞に掲載される言語は「現実の構築を幅広く共有する力」を伴って言語の構築的な効果を強める (Mautner 2008: 32) と考えることができる。ここでも*LexisNexis*と*Factiva*を用いて、1980年から2014年までにアメリカ国内で発行された新聞記事のうち、性的マイノリティの難民について書かれたものを抽出し、分析する。

フィールド調査について

繰り返しになるが、本書は「性的マイノリティの難民」という十分に可視化されてこなかった人々についての研究ではあるが、かれらをひとつのカテゴリー化された集団として分析することは目指してはいない。かれらが様々に異なる主体であることを念頭におくことは、難民・強制移動研究が「難民のための研究」であるために、いかに難民と呼ばれる人々、難民状態にある人々の個別具体的な経験に耳を傾け、向かい合うことができるかが問われるという問題にもつながっている。本書の4章と5章では、アメリカにおける性的マイノリティの難民をめぐる構造的な問題が、ローカルな文脈や場面において、個人の経験とどのように結びつけられるのかを、フィールド調査の結果から論じる。

フィールド調査は、ニューヨーク州ニューヨーク市と、カリフォルニア州のサンフランシスコ・ベイエリア（以下、ベイエリア）[6]の二つの都市地域で２００９年から２０１４年の間に断続的に実施した。この二つの都市地域を調査地として選んだ背景には、それぞれに性的マイノリティであり移民・難民である人々の支援を専門的に行う団体が集まっているということに加え、歴史的、地理的にも移民・難民がアメリカへ入国する際の入り口としての役割を担ってきたこと、そして性的マイノリティのコミュニティと移民コミュニティが顕著な存在であることが決め手となった。さらに、筆者自身が調査を行うための団体やコミュニティへのアクセスを得ることができたという事情もある。

二つの調査地の特徴

ニューヨーク市にはエリス島（1892-1954）、サンフランシスコにはエンジェル島（1910-1940）という海路による入国管理のための移民施設が存在し、カリフォルニア州はメキシコと国境を接していることからもわかるように、それぞれが移民の入国窓口としての歴史をもつ地域である。[7]難民に関していえば、両地域ともに１９４０年代からの東ヨーロッパ諸国出身者、60年代から90年代まで続くキューバやハイチ、エルサルバドルやグアテマラ出身者の入国を経験している。また、ベイエリアは80年代の政治活動「サンクチュアリ運動」の中心地でもあった。サンクチュアリ運動とは紛争によってエルサルバドル、グアテマラから逃れてきた人々を支援するためのキリスト教を中心とした複数の宗教派集団による運動であり、カリフォルニア州バークリー市は当時の運動の中心地であった。[8]今回のベイエリアでの調査の拠点である支援団体も、この運動に発足の起源をもつ。また両地域は、60年代以降のアメリカにおけるゲイ・レズビアン運動を牽引し、現在でも文化的、政治的に顕著なクィアのコミュニティを擁しており、特にニューヨーク市マンハッタンやサンフランシスコのカストロストリート、ミッション・ドロレスパークなど、アメリカ国内外のメディアでも取り上げられるような、いわゆるアイコン的な「ＬＧＢＴコミュニティ」が存在する。

表1　調査地域におけるエスニシティ・人種構成（2010年センサス）

	ニューヨーク市		サンフランシスコ・ベイエリア	
	人	%	人	%
総人口	8,175,133	100.0	2,665,027	100.0
ヒスパニック／ラティーノ	2,336,076	28.6	585,039	22.0
非ヒスパニック／ラティーノ	5,839,057	71.4	2,079,988	78.0
ホワイト	3,597,341	44.0	1,123,221	42.1
アフリカン・アメリカン	2,088,510	25.5	286,716	10.8
アジア系	1,038,388	12.7	788,994	29.6
アメリカン・インディアン、アラスカ・ネイティヴ	57,512	0.7	15,920	0.6
ネイティヴ・ハワイアン／その他太平洋諸島出身	5,147	0.1	20,732	0.8
その他	1,062,334	13.0	277,334	10.4
2つ以上の人種カテゴリー	325,901	4.0	150,110	5.6

Census 2010（U.S. Census Bureau）より筆者作成。「ヒスパニック／ラティーノ」は人種ではなくエスニシティという扱いになっており、「ヒスパニック／ラティーノ」であると回答した人も、どの人種カテゴリーでも選択することができる。

調査実施時期に近い2010年に実施された国勢調査（センサス）に基づいたそれぞれの地域の民族・人種構成は表1のとおりであり、両地域ともにヒスパニック／ラティーノ人口が20%以上を占めている（ニューヨーク市28・6%、ベイエリア22・0%）。人種カテゴリーをみるとどちらもホワイトが40%以上を占めるが、ニューヨーク市についてはアフリカン・アメリカン人口が次いで多く（25・5%）、ベイエリアにはアジア系が多い（29・6%）という特徴がある。2014年の推定データでは、外国生まれに限定した意味での「移民」人口の割合はアメリカ全体では13・1%だが、カリフォルニア州では27%、ニューヨーク州では22・3%と推定されており、アメリカ全州のなかでもその割合の高さはそれぞれ1位と2位である[9]。ニューヨーク市のみでは38・0%、ベイエリアのみでは35・1%とさらに高くなる[10]。各地域における移民人口の構成は異なり、ベイエリアでは、アジアと中央アメリカ出身者が多くを占めるのに対し、ニューヨーク市はカリブ諸国、アジア、ラテンアメリカ、東ヨーロッパと出身地にはばらつきがあり多様である（表2参照）。

こうした二つの地域の住民におけるエスニシティと人種の構成の違いは、調査の拠点となった支援団体とグループの特徴と

表2　出生地別外国生まれ人口上位10か国

ニューヨーク市			サンフランシスコ・ベイエリア		
	人	%		人	%
外国生まれ人口計	3,103,727	100.0	外国生まれ人口計	935,534	100.0
ドミニカ	393,532	12.7	中国	220,948	23.6
中国	364,117	11.7	メキシコ	153,004	16.4
メキシコ	183,660	5.9	フィリピン	126,755	13.5
ジャマイカ	175,036	5.6	インド	61,899	6.6
ガイアナ	138,732	4.5	ベトナム	50,418	5.4
エクアドル	131,705	4.2	エルサルバドル	37,192	4.0
ハイチ	91,561	3.0	韓国	19,626	2.1
トリニダード・トバゴ	86,642	2.8	グアテマラ	16,273	1.7
インド	75,726	2.4	ニカラグア	14,629	1.6
バングラデシュ	72,931	2.3	日本	11,272	1.2

American Community Survey 2010-2014より筆者作成。

あわせて、次に説明する調査協力者の出身国の違いにも現れている。

調査の実施と協力者について

ニューヨーク市では三度のフィールド調査を実施し、その時期は（1）２００９年12月から２０１０年2月、（2）２０１1年9月から10月、（3）２０１4年2月から3月の三つに分けられる。また、ベイエリアでは、（1）２０１１年10月と（2）２０１2年11月から２０１3年1月の期間に調査を実施した。ニューヨーク市では市内のＬＧＢＴコミュニティ・センターが運営する外国出身者たちのグループ「ＱＳＡＧ（仮名、読み方はキューサグ）」の集まりと活動に参加することで調査の基盤を形成した。ベイエリアではバークリー市内の難民・移民支援ＮＧＯ「ＢＡＹＣ（仮名、読み方はベイック）」の業務にボランティア・スタッフとして参与し、支援実務についての理解を深めながら、個別インタビューへの協力を依頼した。ＱＳＡＧとＢＡＹＣを特徴づける活動内容については、それぞれのフィールドのローカルな背景とともに4章で言及する。

ＱＳＡＧには、２００８年9月から２０１０年5月まで隔週

（一時期は毎週）開催されていたミーティングに継続的に参加し、それ以降は右記の調査期間中に参加した。ＢＡＹＣでは２０１１年10月に職員とクライアントに話を聞かせてもらい、２０１２年の二度目の調査期間中は休日とクリスマス休暇を除くほぼ毎日を事務所で過ごし、出身国情報のリサーチ、電話対応、インテイク面接[11]、難民認定申請書記入のサポート、陳述書の下書きなどの業務を手伝いながら、調査を行った。

調査のための個別の半構造化インタビューに協力してもらったのは、性的指向やジェンダー・アイデンティティを理由とした難民認定申請の経験者または申請希望者54人（ニューヨーク市31人、ベイエリア23人）と、性的マイノリティの難民支援に関連する活動やサービスを行うＮＧＯ代表・職員、弁護士、法科大学院教員、通訳、心理カウンセラーら29人（ニューヨーク市11人、ベイエリア18人）である。

ニューヨーク市の31人の難民の出身地にはばらつきがあり、ロシア6人、ベネズエラ3人、ウクライナ2人、インドネシア2人、ジャマイカ2人、ペルー2人で、ほかにパラグアイ、コロンビア、トリニダード・トバゴ、ガイアナ、マリ、スリランカ、コソボ、ドイツ、ドミニカ共和国、ナイジェリア、グレナダ、エジプト、メキシコからいずれも1人ずつと多様である。一方ベイエリアではメキシコ出身が23人中17人と大多数を占め、パレスチナ出身が２人、アラブ首長国連邦、サウジアラビア、アルジェリア出身が各１人である。

ジェンダー別でみると、男性39人（トランスジェンダー男性1人を含む）、女性14人（トランスジェンダー女性1人を含む）、クィア1人となっており、シスジェンダーのゲイ男性が多数を占める。協力者の年齢は20代前半から60代後半までと幅があるが、ニューヨーク市でもベイエリアでも20代前半から40代前半に集中し、最も多いのは30代である（ニューヨーク市13人、ベイエリア9人）。インタビュー協力者の来米歴、難民申請の時期と調査インタビュー時の状況などについては表10（１４１−１４４ページ）を参照されたい。

インタビューは英語で実施し、協力者の希望に沿って、大学の小教室、支援団体の個別面談室、カフェ、公園、協力者の自宅などで行った。支援関係者、法科大学院（ロースクール）教員、弁護士へのインタビューはほぼすべて協力者の勤務先事務所にて行った。

分析は主にフィールド・ノートとインタビュー記録に基づいている。ＢＡＹＣを拠点としたベイエリア調査では、個人の難民申請書類（「様式I-587 庇護申請と退去強制免除」）、陳述書、その他申請関連資料を閲覧できる機会があったため、協力者の承諾が得られた場合にはこうした資料も分析の対象とした。すべてのインタビュー実施前に目的、録音データとノートの取り扱いについて説明し、ＩＣレコーダーでの録音とノートに記録をとることについて、承諾を得た。不要と申し出た１人を除き、すべての協力者から確認内容等を記した同意書２部に署名をもらい、１部を協力者に手渡した。

筆者／私の立場性

本研究の調査者であり本書の筆者である私は、研究の問いに答えることを目的としてインタビューを実施し、その記録を分析し、語りを取り出し、日本語に翻訳したうえで記述する。それはすなわち、難民の人々が調査者である私に対して語った語りを、私はテクストとして意図的に（再）生産しているということである。二つのフィールドでの参与観察とインタビュー調査を他者との相互行為のなかで実施した私がどのような立場にあったか、また、本研究のテーマと筆者としての位置づけの関わりについて言及しておきたい。

まず、それぞれのフィールドでは異なる立場で調査を実施した。ニューヨークでの調査拠点となったＱＳＡＧと関わり始めたきっかけは２００８年に遡る。私がニューヨークで大学院の修士課程に入学したこの年の秋、マンハッタンのＬＧＢＴセンター内に情報共有とピアサポートを目的としたＱＳＡＧが立ち上がり、私は初回から参加した。当初の参加に明確な調査目的はなく、自分自身の新しい環境のなかで、移民／外国人のクィアなコミュニティへのアクセスを求めていたという背景がある。

隔週で開催される毎回１時間程度の集まりへの参加によって、数人の参加者とはＬＧＢＴセンターの外で時折会うような友人関係ができていた。２００９年10月１日にワシントンD.C.にて開催されたナショナル・イクオリティ・マーチへの参加をＬＧＢＴセンターが企画した際には、グループのメンバーとともに参加し、ホワイトハウス周辺を歩いた。参加を開始しておよそ1年後、当時のグループのファシリテーターに許可を取り、修士論文のための研究として、ここで知り合った人たちにインタビューを依頼することとなった。

その後、日本の大学院博士課程に在籍しながら実施した２０１１年と２０１４年の調査の際には、初めから調査目的で参加したいことを伝えたうえでミーティングに出席してきた。この時期の協力者のなかには２００８年からの友人関係が続いている人もいれば、各調査時期にＱＳＡＧを通して初めて知り合った人もいる。つまり、２００９年のインタビューではグループのメンバーのひとりとしての顔をもっていたが、２０１１年と２０１４年は「日本から調査に来た大学院生」というアウトサイダーの立場でインタビューを実施してきた。とはいえ、一部の協力者にとっては「元グループメンバー」とみなされていたといえる。

一方、サンフランシスコ・ベイエリアの調査協力者との関係には、ＢＡＹＣの存在が大きく影響している。先述したようにＢＡＹＣではボランティアとして事務所でインテイク面接や、陳述書の下書きを手伝っていた。支援業務で直接関わった人にインタビューを依頼する際には、私が「ＢＡＹＣのボランティア」としてその人に関わる業務が一通り終了してから、ＢＡＹＣ職員に許可を得たうえでインタビューを依頼し、できるだけ利害関係が生じないよう努めた。しかしＢＡＹＣの支援業務に何らかのかたちで関わっているということによって、私は調査協力者の法的地位、ジェンダーやセクシュアリティに関わる情報、家族構成、移動と迫害の経験など、個人に関する事情をすでに把握している状態にある。つまり協力者からみれば、「自分のケースを知っているＢＡＹＣのスタッフ」であって、単なる「日本から調査に来た大学院生」ではない。調査者として出会う前に、ＢＡＹＣのボランティアとしてすでに出会っていることは、協力者の語りにも影響を与えていると考えられる。一方で、ＢＡＹＣ以外の団体による紹介や、サンフランシスコ・ＬＧＢＴセンターで出会った協力者たちは、「日本から調査に来た大学院生」としての調査者に対して、状況や経験を語ってくれたといえるだろう。

本書のインタビュー分析は「ナラティヴという形式を手がかりにして何らかの現実に接近していく方法」(野口 2009) としての社会構成主義的ナラティヴ・アプローチに依拠し、語りそのものになにか本質的な真実があるのではなく、語ること自体が現実を構成していると考える。しかし同時に、個々の語りのなかに性的マイノリティの難民の経験を特徴づける何らかの共通点やセクシュアリティと移動の関係性を示す鍵となる情報が含まれていることも期待している。ここでは、語りという形式を手がかりにして難民の状況と認識を理解しながらも、語りの構築自体が、移動の経験と過程、難民認定制度とジェンダー、セクシュアリティに関する言説や概念と深く関わっているということに留意して分析を行う。いずれの調査地や関係性においても観察者/解釈者である私は、他者を表象する者として、「知識」の「構築者」(Plummer 2001: 206) として関わってきており、この権力関係においては、調査者である私は単なる知識や情報の媒介者ではない。私の個人的な経験や立場、大学という制度を土台に、フィールドに「お邪魔」しているという事実はこの調査に常について回るものであり、その認識を欠くことはできない。本書における語りの引用を日本語の話し言葉に翻訳し記述する際には、インタビュー当時の協力者と私の間のそれぞれに異なる距離感や関係性が極力反映されるよう努めた。

また、２０１４年のフィールド調査からおよそ2年後、筆者はＵＮＨＣＲの職員として難民保護事業に関わった。具体的には、２０１６年5月から２０２１年1月の間に、カイロ（エジプト）とガジアンテップ（トルコ）の二つの事務所において、ＳＧＢＶの予防と対応を専門とした難民保護部門にて勤務した。そのなかで、「ＬＧＢＴＩ難民と庇護希望者」の個別ケースの支援にも携わった。ＵＮＨＣＲ勤務を通して得た知見は、本研究の分析や考察の対象ではないが、本書のテーマである性的マイノリティの難民とその問題に支援団体職員として携わったことは、筆者としての立場性と無関係ではない。ＳＧＢＶの予防・対応・リスク緩和や、「ＬＧＢＴＩ」の人々の保護に関する業務では、ＵＮＨＣＲの定義するジェンダーとセクシュアリティを説明したり、支援対象者を「見つけ出す」ことを何度も行ってきた。そこでは私自身が、支援者と支援対象者の不均衡な権力関係のなかに身をおき、またその関係を（再）構築してきたといえる。本書でもこの問題に留意して議論を展開した部分があるが、全体を貫く問いとしては設定されていない。性的マイノリティの難民の保護がＵＮＨＣＲをはじめとする国際機関において、最重要課題として設定されるようになった現状を踏まえて、難民支援または人道支援のなかの権力関係という課題について終章で簡単に言及したい。

3. 本書の構成

以上の目的、問い、方法に基づいて展開される本書は、次のように構成されている。

1章では、難民・強制移動に関する国際的な政策や研究のなかに、ジェンダーとセクシュアリティの視点がどのように立ち現れてきたのかを確認し、また、性的マイノリティの難民をめぐる問題に対するアプローチを概観する。これまでの研究では、難民条約の解釈や、難民申請の場におけるアイデンティティ・カテゴリーの問題がいわゆる主流の議論で、一方では難民条約のより柔軟で包括的な解釈の必要性を、他方では、支配的なセクシュアリティの概念を支える庇護制度に対する批判の必要性を示してきた。しかし、どちらの領域の研究もその分析は法的な文脈にとどまり、より広い意味での移動の経験についての理解には至らず、また、それぞれに蓄積されてきた議論が、承認による難民の地位の獲得の重要性の主張か、地位の承認に内在する排除の構造への批判か、というジレンマを生じさせてきた。こうしたなか、本書は、性的マイノリティが「難民」として保護の対象となるまでの歴史と政治を理解しながら、「難民の地位の認定」の文脈に限定しないかれらの経験とその認識を理解することで、難民・強制移動研究とクィア移住研究を交差させたアプローチをとる。

2章ではアメリカの移民・難民政策のセクシュアリティ、特に同性愛（ホモセクシュアリティ）との関わりの歴史を概観し、その変遷をたどる。セクシュアリティの規範は、入国管理において望ましくない非市民を見つけ出し、区別し、排除するツールとして機能してきた。非規範的なジェンダーとセクシュアリティをもつ外国人は、倒錯者、犯罪者、精神異常者、病人といった異なるカテゴリーに振り分けられながら、入国拒否と退去の対象とされ、こうした排除のカテゴリーはごく最近まで存在した。アメリカの難民法制定と時期を同じくして起きた１９８０年「マリエル・ボートリフト」は難民政策の転換点となり、第三国定住と庇護の明確な区別と、難民の保護と管理が外交政策ではなく、国内の安全保障の問題として形成されていく過程を示す。この事件によるキューバ難民の受け入れと定住において、逸脱者としてスティグマ化された同性愛者の難民の存在が可視化される。かれらは国外政治と国内政治のはざまにおかれていたが、その曖昧な地位が、後のアメリカの性的マイノリティの難民認定において基盤となる判例につながっていく。

3章では、入国管理における排除のツールであったセクシュアリティが、オバマ政権下特に２０１０年以降、アメリカの人権外交のなかで新しい役割を与えられ、新たな問題として構築されていくようすを考察する。性的マイノリティの権利保護の文脈で用いられるセクシュアリティとはどのようなものなのか、置換モデル（Katyal 2002）を手がかりに検討する。性的マイノリティの権利運動が展開していくなかで、国家の性の政治と結びつき、異性愛規範を踏襲するような規範が生じ、さらにさらにナショナリズムを支えているということが、新しい同性愛規範（ホモノーマティヴィティ）（Duggan 2003）とホモナショナリズム（Puar 2007）としてクィア・ポリティクスに関わる研究から指摘される。こうした批判はＬＧＢＴの人権を促進しようとする外交政策にも当てはまり、２０１０年以降、性的マイノリティの難民に対する保護の促進が、外交政策における「ＬＧＢＴ難民と庇護希望者」という新しいカテゴリーの構築と、アメリカの進歩性とホモフォビックな国々を他者として名指す政治の言説のなかで進められてきた。ここでは、「ＬＧＢＴ難民と庇護希望者」の保護が、第三国定住の領域で展開されていることに注目し、その一方で、特定の移民の入国を制限するためになされている国境の厳格化が、性的マイノリティの難民の庇護へのアクセスに影響を与えていることを議論する。

4章と5章はともにフィールド調査分析であり、これまでにみてきた性的マイノリティの難民をめぐる構造的な問題が、個人の経験とどう関わるのかを考察し、また「ＬＧＢＴ難民と庇護希望者」という問題をクィアな主体としての語りの側から照射し直すことを試みる。

4章は性的マイノリティの包摂に関わる言説や概念が難民の語りにはどのように現れてくるのか、また、非正規移民として排除の対象にもなりうる人々は、庇護－移住ネクサスのなかで難民申請をどのように経験しているのかについて明らかにすることを目的としている。インタビュー協力者の異なる移動のパターンを検討しながら、庇護へのアクセスに影響する要因を理解する。また、難民の語りが相互行為から生み出され、習得されるものであることを踏まえて、二つの調査地でのローカルな文脈がそれぞれに反映された語りの特徴を分析する。

5章では難民認定の制度に、法的な地位の認定という包摂の側面と、入国管理の対象としての排除や、支配的なセクシュアリティの概念からこぼれ落ちる人々の周縁化といった側面が同時に存在することによって生じるジレンマを乗り越えるために、難民の語りがもつクィアな可能性を探る。特に、寛容なアメリカ対ホモフォビックな出身国という関係を難民自身がどのように捉えているのか、また、「ＬＧＢＴコミュニティ」のなかで生じる人種差別と市民／非市民の境界線についてに注目する。

終章ではこれまでの論点と導き出された結論を整理したうえで、今後の課題を示し、本書を締めくくる。

図１は、本書の議論を構成する各章の関係性と位置づけを示したものである。

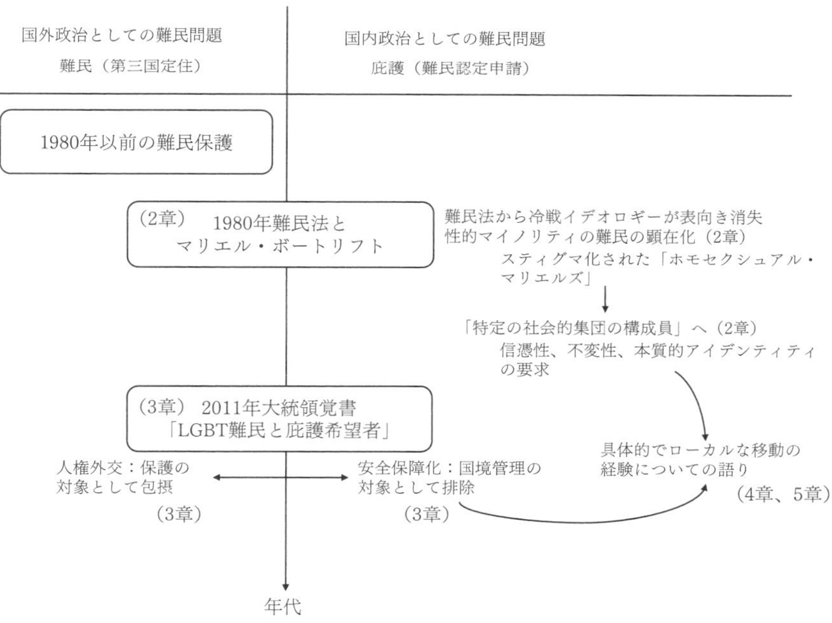

図1　本書の構成と各章の議論

注

(1) ＵＮＨＣＲは２０２１年発行の『強制移動におけるグローバル・トレンズ』で、２０２０年末時点で８２４０万人が強制移動状態にあると発表した。ここにはＵＮＨＣＲのマンデート難民、つまりＵＮＨＣＲが保護の対象とする難民２０７０万人、国連パレスチナ難民救済事業機関（ＵＮＲＷＡ）のマンデート難民であるパレスチナ難民５７０万人、国内避難民４８００万人、庇護希望者４１０万人、ベネズエラ国外避難民３９０万人が計上されている。本文中の５か国出身の難民は合計で１６６０万人で、ＵＮＨＣＲのマンデート難民とベネズエラ国外避難民をあわせた２４００万人を全体としたときに、およそ68％を占めている（UNHCR 2021）。

(2) ２０１５年にはＵＮＨＣＲ事務所のおよそ90％にあたる異なる地域の１０６事務所からのフィードバックに基づいた『多様な性的指向とジェンダー・アイデンティティをもつ人々の保護――レズビアン、ゲイ、バイセクシュアル、トランスジェンダー、インターセックスの庇護希望者と難民の保護に向けたＵＮＨＣＲの取り組みに関するグローバル・リポート』と題した報告が発表された。ここにはＬＧＢＴＩの難民がおかれる法的、社会的、文化的な状況、難民状態の恒久的解決、アウトリーチ、研修に関するこれまでの取り組みと課題が記されている。さらに、報告書の半分以上のスペースは当事者と思われる人々の写真の掲載にあてられており、ドナーやメディアを含む外部の読者に対して強くアピールする構成になっている。一方で、支援現場では性的指向やジェンダー・アイデンティティ、ジェンダー表現についての理解や、性的マイノリティの難民とのコミュニケーションの方法など、支援者側の課題が引き続き認識、指摘されている。そのためＵＮＨＣＲ職員や事業提携団体スタッフの研修の徹底は優先課題となっており、その力の入れようと研修ニーズの高さは、国際移住機関（ＩＯＭ）と共同開発した国連職員や事業実施パートナー向けの研修プログラム「強制移動と人道支援の文脈においてＬＧＢＴＩの人々と働くこと」の充実ぶりからもわかる。

(3) ここでは、「〇〇難民」の「〇〇」の部分における問題に焦点をおいているが、日本語の慣用句としての「〇〇難民」（例えばネットカフェ難民、結婚難民、就職難民）という用語についての検討は、難民というラベリングのもつ複数の作用についての議論を喚起する。久保・阿部（2021）は、この用語が用いられることによる他者化の作用を指摘し、つまりそれは日本社会の難民に対する態度を映し出しているとする。また、小池（2020）はこうした用法が「本物」の難民に対して誤用だとして否定・批判することは、異なる困難の状況にある集団同士を対峙させてしまう危険性をはらんでいると指摘し、むしろ「難民」という括りには連帯の可能性が考えられると論じる。

(4) ２０２０年以降は、ここに「クィア（Queer）」と、その他すべてを意味する「＋（プラス）」が加えられた「ＬＧＢＴＱ＋」が使われ始め、ＬＧＢＴＩでは捉えきれないカテゴリーに対する包括性を与え、際限なく続く（であろう）カテゴリーの追加作業を切り上げた。また、ＳＯＧＩまたはＳＳＯＧＩ（どちらも読み方はソジ、またはソギ）というSexual Orientation and Gender IdentityまたはSex, Sexual Orientation and Gender Identityつまりセックス、性的指向、ジェンダー・アイデンティティの多様性そのものを総称する用語もあり、国連機関における性的マイノリティの人権について語る時にはＬＧＢＴＩＱ＋とあわせて、「多様なＳＯＧＩＥＳＣの人々」と使用されている。なお、２０２０年以降は、ここにジェンダー表現（Gender Expression）、性に関する特徴（Sex Characteristics）が加わった「ＳＯＧＩＥＳＣ」（ソジエスク）が、用いられている。

（5）拙著論文（工藤 2014b）では、queer refugeeの訳語として「クィア難民」を用いてきた。クィアな難民の人々の総体を緩やかに指すことばについては、「難民」ということばのもつラベルとしての作用やカテゴリー化の問題とあわせて引き続き検討を続けたい。

（6）「サンフランシスコ・ベイエリア」と呼ばれる地域は一般的にはサンフランシスコ湾岸の地域をさすが、ここでは本研究の調査地を反映した次の八つの国勢調査地域区分を指す。Alameda, Berkeley, Fremont, Hayward, Oakland, West Contra Costa, South San Francisco, San Francisco City.

（7）エリス島とエンジェル島は、均一な移民管理行政の窓口施設として機能していたわけではない。エリス島がヨーロッパ移民をアメリカに帰化させ、有能な移民労働者の包摂のメカニズムをもっていた一方で、エンジェル島はアジア系移民の入国制限、勾留、帰化阻止といった排除のメカニズムをそなえていた（貴堂 2018: 124-133）。

（8）運動に加わったのはルーテル、キリスト合同教会、ローマ・カトリック、長老教会、メソジスト、バプティスト、ユニテリアン、クエーカー、メノナイト、ユダヤ教などである。１９８０年の難民法が表向きには難民の発生地域と時代を限定しなくなった難民条約を採用したにもかかわらず、レーガン政権は暴力や人権侵害の事実よりも外交戦略を重視し、エルサルバドルとグアテマラからの難民をあくまで「経済移民」と位置づけ、内務省も「裁量」を発揮するよう移民裁判官に通達を出していた。１９８４年当時の両国出身者の難民申請認定率は３％を下回っていたという（Gzesh 2006）。

（9）U.S. Census Bureau, 2010-2014 American Community Survey 5-Year Estimates参照。

（10）Census2010の各地域人口実数を１００％とした2010-2014 American Community Surveyの推定値における外国生まれ人口割合。

（11）初めて団体を訪れたクライアントとの面接のことで、基本情報や現況を構造化された聞き取り票を用いて尋ねる。

第1章

難民・強制移動とジェンダー／セクシュアリティ

本章では、難民・強制移動に関する国際的な政策や研究のなかに、ジェンダーとセクシュアリティの問題がどのように立ち現れてきたのか、また、これまでの性的マイノリティの難民についての研究にはどのようなアプローチがとられてきたのかを概観し、本研究をクィア移住研究として位置づける。

1. 難民・強制移動とジェンダー

難民条約とジェンダー

1970年代、80年代のフェミニズムは「女性を研究対象とし、知の収集の能動的主体として中心におく」ことで「女性の経験を可視化」し、「伝統的な知のセクシスト的なバイアスと暗黙の了解となっている男性中心的前提」を暴くこと（Stacey and Thorne 1985: 303）を目指した。80年代に学問領域として形成されてきた難民研究は、そうしたフェミニスト・アプローチの影響を開発研究における女性／ジェンダーの視点とその変化と並行して受け、当初から継続して難民女性の不可視化の問題に挑戦してきた（Fiddian-Qasmiyeh 2014a）。いまや難民・強制移動研究ではジェンダーは欠かせない分析視点としての地位を確立したといってよいだろう。

難民・強制移住研究の多くは、難民の人々のより良い生に資すること、つまり「難民のための研究」を目指し、しばしば「現場」と呼ばれる難民の人々の経験や難民支援の実務と、近い距離にあろうとしてきた。そうした意味では、難民・強制移動の課題におけるフェミニズム理論・運動・実践からの最も重要な貢献の一つは、女性に対する暴力を難民条約上の迫害と解釈し、また、暴力にさらされる女性の状況を「私的な」問題ではなく、条約上の迫害理由のなかに位置づけることで、女性の保護・庇護へのアクセスを獲得してきたことである。

難民とは誰かという問いに答えるのは容易ではないが、「難民としての地位を得られるのは誰か」という問いには、「1951年難民の地位に関する条約」と、この条約から地域（「欧州」）と時間（「1951年1月1日前に生じた事件」）の条件を取り払った「１９６７年難民の地位に関する議定書」に基づいて議論がなされてきた。通常、この条約と議定書をあわせて「難民条約」と呼ぶ。１９５１年難民条約第1条第1項Ａ（２）に記されている難民の定義は、次のとおりである。(1)

人種、宗教、国籍もしくは特定の社会的集団の構成員であることまたは政治的意見を理由に迫害を受けるおそれがあるという十分に理由のある恐怖を有するために、国籍国の外にいる者であって、その国籍国の保護を受けることができない者またはそのような恐怖を有するためにその国籍国の保護を受けることを望まない者及びこれらの事件の結果として常居所を有していた国の外にいる無国籍者であって、当該常居所を有していた国に帰ることができない者またはそのような恐怖を有するために当該常居所を有していた国に帰ることを望まない者。

この定義を満たすための要件はおおまかに次の四つに整理できる。

（1）国籍国の外にいること
（2）迫害を受ける十分に理由のある恐怖を有すること
（3）迫害の理由が、人種、宗教、国籍（国民性 nationality）、特定の社会的集団の構成員であること、または政治的意見、のいずれかであること
（4）国籍国の保護を受けることができない、もしくは望まないこと

難民条約起草の段階で難民として主に想定されていたのは、第二次世界大戦後の混乱のなかで、政治的意見を理由に移動した東欧共産主義国出身の男性であり、女性はその射程に入っていなかった。難民条約上の「迫害」の解釈も

男性の経験に焦点がおかれ、女性が経験する暴力や差別は想定されていなかったが、実のところ難民条約の起草段階で一度だけジェンダーに関する議論がなされていた。具体的には、条約第3条において締約国は難民に対して「人種、宗教、又は出身国による差別なし」にこの条約を適用するという無差別条項を設ける際に、ここにジェンダーを加えようとユーゴスラビアの代表が提案した。しかし、性別における平等は国内立法の問題であるという理由でこの提案は退けられた。また、当時の国連難民高等弁務官ヴァン・ハーベン・グートハーは、性別に基づく迫害というものが存在するかどうか自体疑問であると述べたという（Spijkerboer 2000: 1)。

難民女性からジェンダーに関する迫害・暴力へ

１９８５年、ＵＮＨＣＲ執行委員会は「難民女性 refugee women」が世界の難民人口の大半を占めていることへの配慮の必要性から、女性が「特定の社会的集団」を構成しうるという解釈が可能であるという見解を発表し、その後もＣＥＤＡＷなど関連する人権条約に依拠して難民女性に対応することの必要性を訴え（UNHCR EXCOM 1990）、さらには性暴力などの女性に特有と考えられる迫害の事実の認識と、各国において女性の難民申請者に関するガイドラインの作成を勧告してきた（UNHCR EXCOM 1993)。ここまではあくまで「難民女性」の可視化であったが、２００２年の『国際的保護に関するガイドライン：１９５１年の難民の地位に関する条約第1条Ａ（２）および／または１９６７年の難民の地位に関する議定書におけるジェンダーに関連した迫害』では、「ジェンダーに関連した迫害」が難民保護の理由となるとし、ジェンダー視点で難民条約をどのように解釈するべきかを示した[(2)]。

このガイドラインでは「迫害を受ける十分なおそれ Well-founded fear of persecution」において、女性に対する差別が迫害となる場合や、性的指向に対する迫害、非国家主体による迫害についてのジェンダーに配慮した解釈や、迫害の五つの理由それぞれにおいて、ジェンダー化された暴力・差別との関連の例や可能性があげられている。また、ＵＮＨＣＲはガイドライン発行の前年２００１年に、難民の主張を構成する迫害の形態としてではなく、強制移動のすべてのプロセスにおいてリスクの存在する「性とジェンダーに基づく暴力（ＳＧＢＶ）」という概念のもと、包括的な保護についての理解をまとめている[(3)]。

ジェンダーに関連する迫害とは、具体的にはレイプやその他の形態の性暴力、家族内の暴力、パートナーによる暴力、強制不妊手術、女性器切除、性的マイノリティに対する差別と暴力、ジェンダー化された社会的慣習やジェンダー規範に背いたことに対する懲罰、背いた者に対する差別などが含まれる。いまやジェンダーに関する迫害と女性に対する暴力は国際的な重要課題として取り上げられるようになったが、そこにはフェミニストＮＧＯ、アクティビストの国境を越えた連携と絶え間ない働きかけがあった（Keck and Sikkink 1998; Joachim 2003）。

女性に対する暴力が迫害として認識されること、女性による暴力への抵抗、暴力からの逃走、そしてフェミニストとしての意見表明や活動が、「特定の社会的集団の構成員」や「政治的意見」といった迫害の理由を構成するという認識が確立されることが含意するのは、難民の女性の「発見」だけはない。フェミニストの難民・強制移動へのアプローチは、いかに政治的な領域が男性性に、私的な領域が女性性に結びつけられ、後者が国際法、国内法、そして移民・難民保護に関する政策の領域で不可視化されてきたかを明らかにしてきたのである。

２００２年のＵＮＨＣＲガイドラインは、同性愛者の難民に関する主張が歴史的に不可視化されてきた事実や、同性愛者に対する差別が迫害になりうる可能性についても言及している。「難民女性」から「ジェンダーに関連した迫害」へとシフトしたことで、国際的保護の議論は同性愛者やトランスジェンダーといった、異性愛規範とシスジェンダー規範に根ざした差別や暴力の対象となる人々に対する保護の必要性やかれらの庇護へのアクセスの確保へと開かれていく[(4)]。

各国での判例も増え始め、難民認定審査を行う多くの国が関心を寄せていたこともあり、ＵＮＨＣＲは２０１２年に『国際的保護に関するガイドライン第９号：１９５１年の難民の地位に関する条約第１条Ａ（２）および／または１９６７年の難民の地位に関する議定書における性的指向および／またはジェンダー・アイデンティティを理由とする難民の主張』を発行しその解釈を明文化した。ただし、ガイドラインにおいては難民の定義がどのように適用されるかについては依然一貫性がない点もあわせて課題として指摘されている。

こうした文書が出揃ったところで、実際には女性や性的マイノリティの人々の差別と暴力の経験やおそれを、難民の迫害の経験とおそれとして認定し、地位を与えるかどうかは、ＵＮＨＣＲ職員による実務のほか、各国政府における難民認定の手続きの実践にかかっている。ＵＮＨＣＲのガイドラインに依拠するかたちで解釈を示すようになった場合もあれば、いくつかの国では１９９０年代からＵＮＨＣＲの解釈に先行する判例がみられ、各国内の司法と行政の場で積み重ねられた議論がＵＮＨＣＲのガイドライン作成に影響を与えてきたという側面もある。

１９９３年にいち早く作成されたカナダのガイドライン（『ジェンダーに関連する迫害を恐れる女性難民申請者に関するガイドライン』）をモデルとして、アメリカでは１９９５年にジェンダーと庇護のガイドライン（『ＩＮＳ庇護・ジェンダー・ガイドライン』）が発行された[5]（USCIS 1995）。これは準規制的な文書という位置づけであるにもかかわらず、移民裁判所や連邦裁判所の様々な判決のなかで参照され、結果として難民認定審査に大きな影響をもつことになった（Anker 2014）。

ＵＮＨＣＲのジェンダーに関するガイドライン発行の時期と前後して、関連する画期的な難民認定の判例がアメリカ、ニュージーランド、イギリス、オーストラリアなどで出始め、精神的・心理的な暴力も含めた女性に対する暴力が迫害と認識できることや、国家が女性を保護してこなかった／できなかったことは難民の地位の認定に十分な事実、主張になりうると認識されるようになる。デボラ・アンカーは、アメリカにおける法的な発展は、記録され公に入手可能な裁判所レベルでの判例だけではなく、ＵＳＣＩＳの庇護事務所レベルの個別のケースで、難民認定を勝ち取ってきたＮＧＯやロースクール、フェミニトの法律家たちの草の根の運動と実務の積み重ねに突き動かされてきたと評価する（Anker 2014）。

こうした各国政府、ＵＮＨＣＲがジェンダーに基づく難民の主張に対してとった、特に80年代、90年代のアプローチは、第二次世界大戦後から変化し続ける強制移動の形態に対処するために、難民レジーム自体がより適切に難民を保護する役割を担おうと変化してきたことを示している（Martin 2010）。これはさらに２０００年代に入ってからの、性的指向とジェンダーアイデンティティに基づく難民の主張への対処についても同様に評価することができ、こうしたジェンダー、セクシュアリティを理由とした難民の人々の移動は、難民レジームが今後も新しい課題に取り組むための枠組みを提供する役割をもっていることを示唆しているといえるだろう。

難民・強制移動研究とジェンダー

ジェンダーに関する難民・強制移動研究の主なアプローチは大別すれば二つに分けることができる。一つはここまでの政策の流れとして説明したように、女性に対する暴力をいかに難民条約上の迫害と解釈し、暴力にさらされる女性の状況を難民条約上の五つの迫害の理由（人種、宗教、国籍、特定の社会的集団の構成員、政治的意見）のなかに位置づけて、保護・庇護へのアクセスを確保するかという問題に対する、主に法学的なアプローチである。もう一つに、強制移動に関連する様々な領域や制度をジェンダー体制（Connel 1987=1993）として捉え、そこに生じるジェンダー関係や秩序、規範、それらのインパクトを明らかにしようというアプローチが存在してきた。前者もジェンダーの視点を用いて難民条約、難民認定制度のなかでジェンダー関係が構築、再強化されていることを明らかにしようとするという点でこの二つのアプローチは互いに関わりあっている。

不可視化されていた女性特有の経験を記録しようという難民研究と支援の実務の当初の試みは、「難民女性」を非政治的で非主体的な被害者、もしくは、「マドンナ的」存在（Mallki 1995）や「おんなこども」（Enloe 1991）として描いてしまいがちだった。女性の強制移住の経験が男性とは異なるものとして認識される一方で、女性は被害者化され、迫害されながらも能動的な主体を維持するという視点を欠いてきたことや、女性の経験を特に性暴力に対する脆弱性に還元する傾向があった（Fiddian-Qasmiyeh 2014a）。

こうした傾向は実際の難民認定審査や支援の実務がジェンダー化されてきた問題と無関係ではない。ジェーン・フリードマン（Jane Freedman 2007）は、ヨーロッパにおける難民認定申請の文脈に焦点を当て、女性の難民の個別の迫害に対する認識の限界を論じてきた。フリードマンによれば、補佐的な役割を担いがちな女性の政治活動が「政治的」とみなされない点や、女性の庇護希望者が性暴力や女性器切除という暴力を立証することにつきまとう困難、「特定の社会的集団の構成員」概念による女性という集団の本質化、女性を「犠牲者」の役割に封じ込める表象などが、ジェンダーに関する暴力に内在している問題の適切な分析を妨げている。

また、ＵＮＨＣＲをはじめとする国際機関やＮＧＯが、女性の難民には「特別なニーズ」があるという前提で行ってきた支援事業が内包する問題も指摘されている。例えば、エレーナ・ファディアン＝カスミヤ（Elena Fiddian-Qasmiyeh 2014b）は、「ジェンダー＝女性」の図式を乗り越えずに、難民キャンプのなかの様々な格差やポリティクスを理解しないまま、ジェンダー平等の達成を目的とした「ジェンダー主流化 gender mainstreaming」を評価軸とした支援事業が実施されても、その効果はむしろ逆説的に現れると主張する。カスミヤはアルジェリア国内、西サハラ、モーリタニアとの国境近くに位置するサハラウィ難民キャンプで調査を行い、ここで「理想的」ともてはやされ、国際的なお手本とも評価されてきた女性のエンパワメント事業が、難民キャンプ内のジェンダー関係に変化をもたらし、年齢やエスニシティ、家族構成等様々な要因に基づいた特定の人々や集団を、ドナー（資金提供者）にとって「理想的でない」存在として新たに周縁化していることを明らかにした。

また、ジェイソン・ハート（Jason Hart 2008）はヨルダン・アンマン市内のフセイン難民キャンプでのフィールドワークをもとに、男性性とパレスチナ難民の「ナショナル・コミュニティ」空間の構築との関わりと、男性性のパフォーマンスが青年期の難民男性にもたらすパラドキシカルな問題について議論した。この研究は「ジェンダー＝女性」アプローチを脱して男性性に着目し、なおかつ男女二項対立という枠組みにとどまらずに、理想化された男性性の概念と実践から特定の難民コミュニティのナショナルな空間を理解するものとして評価できる。

このように難民・強制移動研究は、女性の難民を可視化しながらも、「ジェンダー＝女性」を乗り越え、ジェンダー化された迫害、庇護、保護、そして強制移動の過程と経験という視点を発展させてきた。

2．性的マイノリティの難民へのアプローチ

ジェンダー視点での庇護の拡大やジェンダー化された強制移動に関する理解を深めるような研究が蓄積されていく一方で、性的マイノリティまたは「ＬＧＢＴ」が難民・強制移動研究において注目され始めたのは比較的最近のことといってよいだろう。難民・強制移動研究ではこのテーマに関して、大きく分けて二つのアプローチがとられてきた。一つは女性に対する暴力と難民の定義の課題同様に、難民条約、難民保護に関する地域協定、補完的条約などの国際法の枠組みのなかで、性的マイノリティ、特に同性愛者がどう包摂されるかという法的解釈とその展開についての議論である。もう一つは、法的枠組みや難民認定の過程によって、信憑性の要求やステレオタイプ、偏見とともに強化されるゲイ、レズビアン、トランスジェンダーとしての本質主義的アイデンティティの構築に対する批判である。

まず、「難民女性」同様に、性的マイノリティの難民の保護は、条約上の難民の定義の解釈の問題として論じられてきた。女性であることや性的マイノリティであることが難民条約の示す難民の定義に当てはまる根拠は、そのジェンダーやセクシュアリティに基づくマイノリティ性が、迫害の理由の五つのうちの「特定の社会的集団の構成員」に当てはまるという議論が主流である。特定の社会的集団の構成員は、ほかの四つの理由（人種、宗教、国籍、政治的意見）と比べても、不明瞭といえる要件の一つであり、この要件の解釈の広がりは、難民の定義の変化の展開そのものといえる。法学者ジェームス・ハサウェイ（James Hathaway）の示した社会的集団の特質が「変更不可能」であると

いう基準をもって、ジェンダーや性的指向に対してこの理由が適用されうるという解釈が成り立ってきた (Hathaway 1991: 162; Hathaway and Foster 2014: 442-445)。

性的マイノリティに難民の地位を与えるということ自体は、異性愛中心主義から難民保護が変化してきたと評価することができるだろう。一方で、性的マイノリティの難民が、子どもや女性と同様に、特定の社会的集団というカテゴリーにのみ位置づけられることによって、こうした難民の主張のなかにある政治や宗教とセクシュアリティの関連性の理解や認識には発展がみられないという懸念も指摘されている (Fiddian-Qasmiyeh 2014a)。ＵＮＨＣＲは２０１２年発行の国際的保護に関するガイドラインにおいて、セクシュアリティとジェンダーに関する迫害は特定の社会的集団の構成員だけでなく他の迫害の理由との連関のなかで捉えられることを強調しているが、実際には性的マイノリティの難民の主張においては、１９９１年のハサウェイ解釈の影響が大きく、特定の社会的集団を優先する傾向が強く残っているといえる。

さらに、性的マイノリティの難民性に関して、性的指向や性自認をどのように「証明」するのか、実際に性的マイノリティ「である」ことが要件なのか、もしくは他者（迫害の主体、コミュニティ、社会）から性的マイノリティ「とみなされる」ことで十分に要件を満たすのか、アイデンティティを隠匿すれば迫害の危険はないのではないか、といったことについても議論がなされてきた[6]。

判例をみると、性的マイノリティ性がどのように審査されるべきかについては、オランダ裁判所が欧州司法裁判所にガイダンスを求めた*A, B and C*（2014）において、性的指向に関しては本人の証言が重要であるが、ステレオタイプに基づいた視点、医学的検査、性的行為についての執拗な質問は難民認定審査にはふさわしくないという立場が示されている。また、これまでは性的指向については、同性愛者であることをわざわざ公表（カミングアウト）しなければ出身国において迫害の危険はない、という解釈が存在していたが、２０１４年のイギリス最高裁におけるイランとカメルーン出身の難民男性についての裁判*HJ and HT*（2010）で、性的指向とは当人に隠すことを要求されるべきものではない、という決定が下された。

このように裁判例を積み重ねるかたちでの法的な議論からすれば、難民認定にみられる性的マイノリティ性の信憑性や審査の基準といった問題には、ある程度の決着がついたようにみえる。しかしポスト構造主義的視点からしてみれば、どのような語りやアイデンティティの表現が難民として「本物らしい」とみなされるかという問題は、難民認定制度の文脈における権力構造との関係で捉えられるものであり、判例の積み重ねで解決されるものではない。二つ目のアプローチが指摘するのは、難民認定の文脈における「ＬＧＢＴ（Ｉ）」難民としての本質的アイデンティティと支配的な語りの構築である。つまり、誰が「十分にゲイ」であり、どのような経験や恐怖が「本物」であるかということについての判断がなされることで、特定のセクシュアリティとジェンダーについての知が庇護のシステムのなかで再生産されるという問題である。セクシュアリティについては、自発的な「語り」ではなく、フーコーが『性の歴史』で見出したように「告白」という制度が真理を決定する権力のなかで重要となり、告白される側がその真理を判断する。審査インタビューや裁判の際、難民には信憑性のある、一貫した合理的な陳述や供述が求められる。法制度において、「知」と「真実」を決定することができるのは法的権限をもつ側であり、そこで使用可能な言語も限定されている（Foucault 1972: 50-55）。権限や言語をもたない者にとって、耳を傾けてもらえる語りを繰り出すことは容易ではない。アメリカの事例においても、難民の地位に「十分な」ホモセクシュアリティの主張は、意思決定者側にとって「理解可能な」セクシュアリティに限定され、特に性的指向は容姿や振る舞い、行動を通してある社会にとって典型的で理解可能なかたちで可視化されなければ、説得力を失う点が指摘されてきた。ハナ（Hanna 2005）は２００４年の移民控訴委員会（ＢＩＡ）によるメキシコ出身ゲイ男性ホルヘ・ソト・ベガ（Jorge Soto Vega）のケースを取り上げる。ここでは、難民申請者の服装や振る舞い、話し方などに「社会がゲイと判断するような典型的なもの」が何一つ見られなかった、という移民裁判官の申立却下理由に注目し、この申請者がゲイであることをこれまで隠さざるを得なかったという事実や、不可視なパフォーマンスとしてのアイデンティティが無視されていると論じられている。同様の指摘は、イラン出身ゲイ男性のケースで、移民局職員が難民申請者に「フェミニンな振る舞いをするゲイ」というイメージを求めていたことなどにもみられる（Morgan 2006）。

こうしたアプローチをとる議論のなかでは、難民として十分なゲイ／レズビアン／トランスジェンダー「になる」ためという目的に難民の語りが大きく影響され、結果として支配的な言説を再強化する仕組みが維持されていることに問題の焦点が当てられる。そして、難民自身が意思決定者に「通じる」言語や概念を駆使しなければならない状況におかれることが、難民の主体性を否定し、多様に異なるはずの個人の背景と状況が無視されていることが批判されてきた[7]。

また、性的マイノリティに対する不寛容さを取り上げて、難民の出身国を「野蛮で」ホモフォビックな社会だとするコロニアルかつレイシスト的な視線の存在も慎重に議論されなければならない。こうした考えに基づく難民の地位の審査は、複雑なリアリティやジェンダーとセクシュアリティの不確定性や流動性を適切に認識することを困難にし、その結果として保護の枠組みからこぼれ落ちる個人を生み出すという重大な結果をもたらしうる。

このようにアイデンティティを承認する作業の権力関係に注目する研究は、庇護のシステムそのものが、クィア研究が脱構築しようとしてきたもの、つまり、不変的で本質的なものとしてのジェンダーやセクシュアリティの概念を再構築していることを懸念しており、本書もその関心を共有している。しかしこうしたアプローチは、難民申請の文脈に分析が固定されがちで、審査において「難民認定申請者」が採用する語り、申請者の振る舞いや語りに対する意思決定者の解釈と承認／不承認といった、難民申請の場に表出する問題のみを捉えることになる。したがって、国籍、人種、エスニシティ、ジェンダー、セクシュアリティ、階級、身体、言語などが交差する（強制）移動の過程がどのようなものなのか、また、その過程のなかで難民の語りがどのように構築されるのかということについては明らかになっていない。

さらに、難民認定申請の文脈に分析が固定されることで、グローバルな、または各国政府による難民レジームのなかで性的マイノリティの難民の保護という問題を捉える議論への展開を限定的なものにしている。難民女性の保護、ジェンダーに関する暴力についての難民の主張で展開された議論を焼き直すにとどまらず、「ＬＧＢＴＩ難民と庇護希望者の保護」を新たな難民問題のなかに規定することを可能にしてきた政治や歴史について考察する必要があるといえる。

3. クィア移住研究として

フェミニズムの視点をもった移住研究者たちは、早い時期では１９７０年代から単身男性が移動の主体であるという前提に基づいていた移住・移民研究の枠組みを問い直し、移民女性に注目し始める。80年代には、女性の移動を可視化する研究の重要性が認識され、その後、移民女性への注目にとどまらず、移住そのものがジェンダー化された現象であるという視点から、移住によるジェンダー関係・役割の変化、ジェンダー規範の影響を大きく受けた移住の過程、歴史、政策について明らかにしようとする研究が展開され、人の国際移動という現象についての理解を促してきた。

その一方で、移民研究のなかでもセクシュアリティに関しては、私的な事柄であり、移住における他の重要と思われる議論とは関係がないというふうに理解される傾向があったといえるだろう。90年代頃から、クィア研究の展開と相まって、移住におけるセクシュアリティというテーマの重要性が認識され始めると、移住に関連する事象、特に支配と被支配の関係性を読み解くためにセクシュアリティの視点が用いられ始める。それでも移民・難民に関する研究が想定する難民の集団や、調査・分析の対象は異性愛規範に基づいて形成された家族やコミュニティであることが多い。そうしたコミュニティの形成と活動から排除されている、または自ら距離をおくような難民や移民個人の経験への注目は限定的であった。また、移民研究自体が異性愛規範的な設定を前提としていることや、それによる限界について必ずしも認識されてきたわけでいない。

また、ながらくセクシュアリティ研究の射程にも移民の問題は入ってこなかった。このことは、セクシュアリティ研究の論者が「セクシュアル・シティズンシップ」ということばを用いて、ジェンダー、セクシュアリティの視点を取り入れたシティズンシップ理論を批判的に展開した際にも、移民や外国人の形式的、実質的シティズンシップについてはしばらく言及されなかったことにも表れている。議論の中心は、ゲイとレズビアンの人々がいわゆる二級市民として扱われている問題や、親密な行為、関係、アイデンティティに関わる権利の要求という文脈、さらに文化表象などにおかれており、法的地位としてのシティズンシップの有無やアクセスを問うものではなかった。[8] 法的地位という形式的基盤や地政学的視点なしに国家と個人の関係性を問うことは、シティズンシップのもつ排除の作用についての理解を限定的なものにとどめてしまう。特にアメリカでの非正規移民に対する規制が拡大する状況においては、こうした視点が広範なセクシュアル・シティズンシップの議論のためにも不可欠となってくる（Robson and Kessler 2007）。

１９９０年代から、クィア移住研究（queer migration studies）と呼ばれる主にアメリカに基盤をおいた研究が現れ、２０００年代には一つの研究領域としての輪郭を持ち始める。初期には文学作品、映像、アートをクィアに読み解いていく研究、地方から都市へといった国内の移動とセクシュアリティ、また国境を越える移民に関する研究など様々な分野が「クィア・ディアスポラ」研究として混在していた。[9] その中でも、エトナ・リュベイド（Eithne Luibhéid 2002）による国境における権力が可能にする排除・追放の歴史と移民管理行政の実践についての研究や、マーティン・マナランサンⅣ（Martin Manalansan IV 1997, 2003）やライオネル・カントゥ（Lionel Cantú 2009）らによるエスノグラフィックな手法を用いてクィアな移民の移住の経験とセクシュアリティの関わりを出身国と移動先の地政学的関係やトランスナショナルな文化実践のなかで明らかにするような研究が、従来の移民研究との関連性を明確に示し、クィア移住研究が国際移動研究の一角をなすものとして位置づけられていく。

２００５年には『クィア移住：セクシュアリティ、ＵＳシティズンシップ、越境』(Luibhéid and Cantú 2005) と題された、アメリカにおけるクィアな移民についての論文集が出版された。また、２００６年の雑誌 *International Migration Review* (*IMR*) の「ジェンダーと移住の再考」特集では、マナランサンが「クィアな交差：移住研究におけるジェンダーとセクシュアリティ」(Manalansan 2006) を発表し、これが *IMR* では初めてのクィア移住研究に関する論考の掲載となった。２００８年には雑誌 *GLQ: A Journal of Lesbian and Gay Studies* が「クィア／移住」特集を、さらに２０１４年には雑誌 *Sexualities* が「クィア移住、庇護、強制移動」の特集を組んだ。こうした流れから、クィア移住研究が移民研究、セクシュアリティ研究の双方から注目を集めてきたことがわかる

そもそもクィア移住研究は、移民といえば異性愛者であり、クィアな人々といえば市民、つまり移民ではない人々のことを指す、というこれまでの前提や、主要な議論の進め方を支えてきた支配的な枠組みを反省的に批判し再設定するところから始まっている。周縁化された移住の主体に注目することで、クィアな人々がどのように移住のプロセスや経験を形成するのかを明らかにしてきた。これまで不可視化されてきた主体に光を当てる研究の功績には疑問の余地はない。しかし同時に、クィア移住研究が、重箱の隅をつつくような作業、もしくは性的マイノリティのカテゴリーを従来の移住研究に、移民を従来のセクシュアリティ研究に加えるだけのものではないことも強調しておきたい。例えば、マナランサンは *IMR* にてクィア移住研究の視角を提示する際に、フィリピン人移住家事／ケア労働者研究において、移住女性を異性愛家族を基準とした「家事」や「再生産」に関する言語や規範のなかにのみ位置づけることの限界や、多くの移住研究において女性のセクシュアリティが生物学的な再生産や、性的な搾取といった側面から理解され、欲望や快楽といったセクシュアリティの存在が見落とされていることなどを指摘する (Manalansan 2006)。また、クィア移住研究は移住のレジームや政策自体が、国民国家とシティズンシップの異性愛規範的な概念に依って

いることを明らかにする。入国管理や移民政策とは、セクシュアリティや人種についての規範をツールとし、極めてポリティカルに市民と非市民を区別し、さらにそうした規範の構築、強化がシステマティックに実践される場であることが議論されてきた（Luibhéid 2002; Canaday 2009）。

いまや移住研究にとって、セクシュアリティとは、移住に関わる政治、制度、経験、権力構造をさまざまに構成する重要な要素であることが認識され、セクシュアリティ研究にとっても、移住というものがセクシュアリティに関わるアイデンティティや実践、クィアなコミュニティ、政治、文化を変化、構成させていることが議論されるようになっており、ここにクィア移住研究の果たす役割がある。

セクシュアリティは、移住と関連するあらゆる社会関係や制度に浸透している権力の一側面として理解されるが（Cantú 2009）、セクシュアリティを複数の交差する権力関係（人種、エスニシティ、ナショナリティ、ジェンダー、階級、シティズンシップ、地政学的位置づけなど）が積み重なるなかで構築されたものとして理解し、交差的な（インターセクショナルな）視角（Crenshaw1989; 1991）をもって分析すること、そして「クィア」ということばをもって非異性愛規範的なセクシュアリティとその政治を語るという姿勢がクィア移住研究には共有されている。特に、「クィア」を用いることは、多様な背景を抱え、異なる文脈におかれる移民を、「ＬＧＢＴＱアイデンティティ」という発展的で普遍的な語りで理解しようとすることを避け、アイデンティティとは、特定のローカルな歴史を抱えながら、トランスナショナルな循環のなかにおいて変化しうる、という認識を示すことでもある（Luibhéid 2008: 170）。

移住の経験とアイデンティティの関係性は、単線的な進歩のモデルや欧米中心的なモデルを前提にしていては理解することができない。例えばマナランサンの１９９０年代前半のニューヨーク市に住むフィリピン人移民ゲイ男性のエスノグラフィ、『グローバル・ディーバス *Global Divas*』は、かれらがアメリカとフィリピンという二つの異なる社会の文化、規範、言語体系のなかを生きながら、移住先でローカルなコミュニティを構築し、維持するようすを描く。Taglish（タガログ語と英語がまざった言語）で話されるライフストーリーと参与観察を用いて、かれらがbakla（タガログ語で同性愛、両性具有、異性装、女々しさを抱合する語）のイデオロギーと、グローバルに普遍的なゲイ文化として表象されるアメリカの白人ゲイ男性中心イデオロギーの間で折り合いをつけているようすが描かれる（Manalansan IV 1994; 1997; 2003）。

また、クィアな移民や難民を支援する団体や運動の政治についての批判的研究（Cháves 2013）や、クィア・コミュニティ、トランス・コミュニティの実践や非正規性、収容、送還のダイナミクスへの抵抗、制度との交渉についての考察（Luibhéid and Cháves 2020）は、クィア移住研究が難民・強制移動研究同様に「現場」と近い距離にあることや、多くの研究課題がクィアな移民個人やかれらのコミュニティに影響するような緊急性をもっていることを物語っている。

異性愛規範を問うことはクィア移住研究の主要な分析の軸だが、クィア・スタディーズのなかで新しい同性愛規範（ホモノーマティヴィティ）（Duggan 2003）やホモナショナリズム（Puar 2007）という概念が重要さを増すと、クィア移住研究においても（ホモ）セクシュアル・ポリティクスと、新自由主義、ナショナリズムの関係が指摘され始めるようになる。[10] その分析範囲は難民に関するイシューにも及んでいて、性的指向とジェンダー・アイデンティティに基づく難民の主張がしばしば主流のＬＧＢＴの人権言説を取り入れることで、性的マイノリティの難民申請が同性愛規範的な言説によって構成されやすいことや、ホモナショナリズムを形成しうることがカナダ（Murray 2011）やアメリカ（Llewllyn 2016）の事例などから指摘されている。

しかし、同性愛規範の批判から性的マイノリティの難民の議論をする際には、どうしてもアイデンティティ・カテゴリーの問題に立ち戻ってしまい、同性愛規範的な言説を難民申請者や庇護審査官の個人の語りや、申請者を支援するＮＧＯや弁護士の発言に見つけようとしてしまう。法的文脈の語りのみを分析の対象とすることで、自由で進歩的な西洋（受け入れ国）と野蛮で後進的な出身国との二項対立や、本質的で支配的なゲイ・レズビアンアイデンティティを見出すことはできても、ホモナショナリズム概念がまさに指摘した、新自由主義的な社会で生成される、寛容でリベラルで進歩的な国民国家形成の物語と、その代償としての他者化のポリティクスまでは論じられていない。そして、性的マイノリティの難民保護の構造のなかでどのように同性愛規範が維持され、誰が庇護のレジームのなかで周縁化されているのかという問いに応えるのを、いまだ困難なものにしている。

クィア移住研究が権力の所在と作用に注目するアプローチをとりつつも、性的マイノリティの難民の問題に関してはアイデンティティ・カテゴリーの問題や法的文脈に限定的な個人の語りの分析にとどまる理由は、庇護・難民政策の政治的かつ歴史的な特性を見逃していること、また、グローバルな難民保護のレジームという観点から距離をおいていることにあるだろう。そういった意味では、クィア移住研究は難民・強制移動研究と必ずしも十分に交差してきたとはいえないのである。

しかし、難民・強制移動研究とクィア移住研究の視点を同時にもつことで、性的マイノリティが条約上の難民として認定されている事象の評価にはジレンマが生じる。クィアな人々の安全や権利を確保することは非常に重要で、現実的な今ここにある暴力や追放という危険に対して、保護を受け、追放されずに、必要な支援やサービスへのアクセスできることを確かにするには、法的な地位の獲得は優先課題のひとつである。その一方で、難民認定審査のなかで、同性愛規範的な言説や本質主義に基づいた境界線を用いて保護の対象となるカテゴリーを形作ることは、クィア移住研究の目指す方向性とは相反する。したがって、難民保護のための制度（特に難民認定制度）そのものへの批判を手放すこともできない。本書では、どちらもともに重要な課題であることを認識しつつ、セクシュアリティの規範に基づく非市民の排除と包摂の歴史と、難民レジームと保護の言説の変化を踏まえたうえで、この問題の最も重要なアクターである難民自身の移動の経験を理解し、さらに難民認定申請の文脈に限定しないかれらの語りのなかからクィアな抵抗の可能性を見出すことを試みたい。

注

（1）また、アフリカ地域におけるアフリカ統一機構条約（1969年）、ラテンアメリカ地域におけるカルタヘナ宣言（1984年）、EUにおけるEU資格指令（EU Qualification Directive）（2004年、2011年）はそれぞれの地域的・歴史的文脈に沿ってより広くの難民を定義し、難民を補完的に保護するような役割をもつが、基本的には1951年難民条約で用いられた定義を土台としている。

（2）UNHCRの発行する国際的保護に関するガイドラインは、政府、法律家、政策決定者、裁判官及び現場で難民認定にあたる、UNHCR職員に法解釈の手引きを提供することを目的とし、現在第13号まで発行されているが、その第1号がジェンダーに関連する迫害であった。

（3）UNHCRは、紛争下のレイプ・性暴力の事実とその防止の重要性を強調するために「性とジェンダーに基づく暴力」、通称SGBVということばを長年独自に定義し用いてきたが、2020年9月、「性 Sexual」の部分を削除し、NGOや他の国連機関が主に用いてきた「GBV」を改めて採用して、機関間で一貫した用語を用いることにした。GBVの定義はIASCのGBVガイドライン（IASC 2015: 5-6）に準ずる。

（4）2002年のガイドラインにおいては、トランスジェンダーということばは用いられておらず、「トランスセクシュアル」と「異性装者 transvestites」が「同性愛者」と常に並列されて用いられており、それぞれに異なる状況が十分に認識されていたとはいいがたい。

（5）カナダにならって、オーストラリアでは1996年に、イギリスでは1998年に同様のガイドラインが作成されてきた。

（6）例えばMillbank（2009）やSpijkerboer（2013b）を参照。

（7）McGhee（2000）, Mullins（2003）, Berg and Millbank（2007）, Miller（2005）, Millbank（2009）等参照。

（8）例えばRichardson（1998）, Plummer（2003）, Weeks（1998）やRichardson（2000）, Cossman（2007）があげられる。ゲイ、レズビアンの移民についても考察に含めていたセクシュアル・シティズンシップ研究としてはBell and Binnie（2000）がある。

（9）例えば*Queer Diasporas*（Eds. Cindy Patton and Benigno Sanches-Eppler 2000）など。

（10）例えばLuibhéid（2008）; Bracke（2012）; Haritaworn et al.（2008）。

第2章

国境におけるセクシュアリティの歴史と政治

本章では、アメリカの入国管理とセクシュアリティ、特に移民法のなかの同性愛者の排除の歴史を概観し、セクシュアリティが移民管理のツールとして機能してきたことを確認する。また、難民政策のターニングポイントである1980年難民法制定と同年に起きたマリエルボートリフトからは、「望ましくない」キューバ難民をめぐる庇護のポリティクスと難民問題の安全保障化の過程、そして、性的マイノリティの難民の排除と保護が歴史的に交差した地点を見出していく。

1. セクシュアリティの規範と入国管理

国民国家の形成と維持に関わる市民と非市民の境界には、包摂と排除のポリティクスが働いている。そこには静的で明確な境界線が存在するのではなく、その時々の「望ましい市民」の規範が「望ましくない市民」の輪郭を描き出し、定義づけ、排除を可能にしてきた。アメリカのそうした国民管理システムのうち、そこに存在することの許可／拒否（追放）という物理的な包摂と排除の作用をもつのが、入国管理の場である。ここには従来の移住・移民研究が注目してきた国籍、人種、エスニシティ、階級、ジェンダーという要素に加え、セクシュアリティの規範も緊密に関わっている。より具体的に言えば、「売春婦」やポリガミー、妊婦、同性愛者といった人々を、優良な市民モデルに当てはまらない他者として排除する構造が20世紀の移民に関する法の変遷のなかに存在してきたのである。

リュベイド（Luibhéid 2002）はフーコーの議論を用いてアメリカの移民管理の歴史を読み解き、人口管理の場のひとつとしての入国管理における身体の規律化が、女性のセクシュアリティに関するアイデンティティ、カテゴリー、規範の規定と再構築に加担し、特定のセクシュアリティが人種化、階級化されてきたことを論じる。特に、アジアからの労働者、囚人、「売春婦」の入国を禁じた1875年ページ法が、中国人女性の移動に影響を与え、さらに中国人「売春婦」をいかに執拗に「妻」としての女性と差異化してきたかを明らかにし、ここから移民管理による性の規制が始まったとする。貴堂（2012）も、サンフランシスコで当時社会問題とされていた「中国人売春婦」騒動の影響を受けたページ法の制定過程に、ジェンダーとセクシュアリティに基づく出入国の管理と制限の起点をみる。また、１９０８年から１９２０年の期間における日本からカリフォルニア州への「写真花嫁」の移動をめぐる歴史からは、当時の日系人排斥の機運にもかかわらず、婚姻関係に限定された「道徳的」異性愛が特権化されていたことや、排斥派が移民による子どもの出産・養育のなかに国家に対する人種的脅威、経済的負担を読み取ろうとしていたようすが明らかになる。移民に対する規制のなかでセクシュアリティは人種や階級によって異なる意味合いを書き込まれ、家父長制的異性愛主義を軸としながら歴史的に管理されてきたといえる（Luibhéid 2002）。

リュベイドが人種化され、階級化された女性のセクシュアリティの規範に焦点を当てる一方で、キャナデイ（Canaday 2009）はアメリカが官僚国家として発展していく歴史と、同性愛についての知と関心の関わりに注目する。ホモセクシュアリティの定義と解釈は、20世紀のアメリカ国家形成の鍵となる三つのシステムである入国管理、軍隊、福祉政策の形成過程において重要な役割を果たしてきた。特に40年代半ばから60年代の後半の間に、国家は同性愛を、誰が入国できるか、誰が軍隊に従事することができるか、誰が福祉の対象となるかについての線引きに動員してきた。裏を返せば、ホモセクシュアリティは「市民」の構築のなかで構成されてきたのである。本節ではキャナディの入国管理における同性愛者の排除とその概念の変遷に関する議論を、リュベイドのジェンダー、人種、階級に関する分析と２０１０年以降の変化で補足しつつたどっていきたい。

同性愛排除のための条項

キャナデイの分析は１８９５年に財務省内に作られた移民局（Bureau of Immigration）が、１９０３年に商務労働省に移された時期を起点とし、連邦レベルで早い時期に同性愛が言及されたものとしてブラウン報告に注目する。１９０９年に「白人奴隷」問題、特に売買春の調査でヨーロッパに派遣された移民調査官マーカス・ブラウン（Marcus

Braun）の報告には、ヨーロッパにみられる堕落（degeneracy）や男性売春者が新大陸アメリカにも入ってきていること、また、ヨーロッパを旅するアメリカ人が「男色」に目覚め、ヨーロッパ人の恋人を連れて帰ってくる状況が記されていた。ブラウンは、（同性愛と相互互換的な意味での）「小児性愛またはソドミー」と同様に売買春に関わる外国人はアメリカから送還すべきと主張する。ブラウン報告の内容は、当時の移民局のなかでも「望ましくない移民の新しい人種」についての報告として衝撃をもって受け止められ、特に南欧・東欧からの移民は、モラルの発展したアメリカ社会と文化に深刻な脅威をもたらすと考えられた。１９０７年移民法に基づき、ウィリアム・Ｐ・ディリンガム上院議員を委員長として米国連邦議会に設置された移民委員会、通称ディリンガム委員会も、この報告を受けて「不道徳な目的をもった少年と男性の往来の始まり」について警鐘を鳴らしたという(1)（Canaday 2009: 19-21）。

入国管理における明確な同性愛者の排除は１９５２年に始まるのだが、それ以前にも望ましくないセクシュアリティをもつとみなされた外国人は、異なる装置でもって入国の拒否、退去の対象とされてきた。そのうち最も柔軟で効果的だったのか、公的扶助（public charge）条項である。特に男性同性愛者の実質的な排除が、１８９１年移民法に導入された公的扶助条項と不道徳行為（moral turpitude）罪条項に基づいて行われていた。公的負担条項は入国しても自立が見込めず公的支援の対象として国家の負担になるとみなされる者や、貧困ゆえに罪を犯すおそれがあるとされる者の入国を制限、拒否することを目的としており、判決や証拠が必要な不道徳行為罪に比べて、容易に適用できた。経済的自立が難しい単身女性移民のほかに、クィアな男性移民にも適用され、そこには身体に「欠陥」のある外国人は労働することができず自立できない、モラルと性を自ら管理できない倒錯した外国人は、労働を自ら管理することもできない、という論理が働いていた。健康審査では身体の障害や病気のほかに、精神的病気、異常な性的欲求、未発達とみなされる不完全な性器をもつことが、堕落者の指標として用いられ、こうした特徴をもつ移民は経済的依存を引き起こす可能性がある、という理由で入国を阻まれてきた。ここでは、経済的依存と堕落した身体または倒錯的な行為が強く関連づけられ(2)（Canaday 2009: 33-39）、堕落は身体に表れるという考え方には当時の優生学の影響がみてとれる。

しかし、性的倒錯は経済的依存をもたらすという解釈に公的負担条項の適用が依っていたということは、この結びつきがほどけ始めると、排除のツールとしての機能は弱まることになる。１９１６年に、少年や男性と性的関係をもったとされる経済的に豊かなギリシャ人牧師に対して移民局が退去強制令状を出そうとした際に裁判となり、当時移民局を包括していた労働局は、性的倒錯者の移民を排除するような法律は存在せず、性的倒錯と公的負担となる外国人の入国を防ぐ条項の間にも、法的な関連性はないという解釈を示した。経済的・社会的資源を持ち、弁護士を雇い、政治家の後押しを得られるような移民にとって、「倒錯＝経済的依存の可能性」というロジックには、反論の余地があったのである。１９３０年代終わり頃には、公的負担条項は性的倒錯者の排除という目的にはうまく使用することができなくなっていった（Canaday 2009: 39-44）。

１９１７年の移民国籍法（ＩＮＡ）が１９５２年の連邦会議にて改正されたのち（通称マッカラン－ウォルター法 McCarran-Walter Act）、人種的な特権も無効となる。ここでは帰化の際の人種条項が廃止され、「初めて」の「カラー・ブラインドな市民権」（Ngai 2004）が確立される。人種的な包括がなされていく一方で、同性愛の排除の傾向はより強まっていく。１９５２年移民法では、これまでと同様に不道徳行為条項の罪によって同性愛者は排除されていたが、すべての同性愛者の外国人を退去させるには不十分でもあった。排除の手続きには同性愛行為にコミットしたという有罪判決が必要だが、同性愛行為という犯罪をどう取り扱うかは州と地域の自治体によって決められていたため、連邦政府は各自治体に頼らざるを得なく、その基準や処罰の方法も一貫していなかった。そこで１９５２年移民法のなかで同性愛者排除の機能を備えたのが、新たに加わった「精神異常人格 psychopathic personality」の条項であった。この条項により、刑法との関連性を問わずに、同性愛者の外国人を検査する責務が加わり、公衆衛生局（Public Health Service; PHS）が医療検査を担うことになった。しかし、この曖昧なカテゴリーの存在は、同性愛を「行為」としてみるか、もしくは「状態」としてみるかについての判断を二転三転させた。また同性愛と精神異常人格のつながりを疑問に付す医学・科学の専門家の議論も存在していた（Canaday 2009: 214-227）。

さらに1965年移民法では、同性愛者排除の条項は「性的倒錯者」と文言を変え、引き続き公衆衛生局がその検査に関わっていた。一方で、60年代後半から70年代は精神医学が変化を迎える時代でもある。同性愛は1952年からアメリカ精神医学会（American Psychiatric Association; APA）の精神病リストに載っていたが、70年代初期のゲイ権利運動グループであるマタシン協会と同性愛法改正協会がAPAに働きかけ、同性愛をリストから除外させることに成功する。この除外は移民に対する規制に関しても影響を及ぼし、1979年には軍医総監ユリウス・リッチモンドが覚書にて、移民帰化局（INS）はもはや同性愛者の疑いのある外国人を公衆衛生局による検査にかけるべきではないと提言するに至った。この覚書を受けて、移民帰化局は入国審査後に行われる検査や在外公館職員による同性愛者の判断の権限行使などを公衆衛生局抜きで実施することになる（U.S. Department of Justice 1992: 457-46）。

60年代から70年代は各州で同性愛行為の非犯罪化が進む。1962年のイリノイ州を皮切りに、1977年までに19の州が非犯罪化に続いた。(3) こうした非犯罪化の流れやゲイ・レズビアンの権利運動の影響を受け、移民帰化局は同性愛についての直接の質問は行わず、また本人が否定した場合にはそれ以上の審査はしないという方針を1980年の新たな運用から導入した。さらにその10年後の1990年にマサチューセッツ州の連邦議会議員バーニー・フランク(4)の改正案によって、移民法から同性愛者の入国禁止が取り除かれたのである（Canaday 2009: 256）。

キャナデイはこのように移民法のなかに書き込まれた同性愛を含意する排除条項の変遷を詳らかにしたが、こうした排除条項がすべての同性愛者とみなされた移民に等しく適用されたわけではない。リュベイド（Luibhéid 1998; 2002）によれば、排除条項による退去強制は男性のケースが圧倒的に多く、女性についてはほとんど記録が残されていない。1965年以降の同性愛者排除は、犯罪化された同性愛の条項に基づいており、移民帰化局は公的な領域における行為が可視化されやすい男性同性愛者に焦点を当ててきた。それはつまりレズビアンの女性移民に対して、同性愛排除の歴史的実践がゲイ男性に対するものと同様の効果や影響をもってこなかったことを意味すると考えられる。しかし、リュベイドは女性に対しては異なる方法が採用されていた可能性を議論する。記録に残されている希少な女性の事例として、メキシコのファレスとテキサス州エル・パソの国境にて捕まったサラ・ハーブ・キロスの退去強制（*Sara Harb Quiroz, Appellant, v. Marcus T. Neelly 1961*）を取り上げ、レズビアンと自称しない女性の外見や供述のなかにレズビアニズムを見つけ出し、１９５２年ＩＮＡの「精神異常人格」のなかに規定しようとする権力の実践を描き出す。ファレスとエル・パソを家事労働者として長年行来してきたキロスの身体は、アメリカ–メキシコ国境管理という文脈のなかで捉えられ、性的に逸脱した存在として追放された。リュベイドの議論は、法に書き込まれた排除は決して機械的に適用されるのではなく、国境においてはジェンダー、人種、階級が交差する特定の身体のうえで実践されることを指摘している。

ＨＩＶ／エイズとＤＯＭＡ

キャナデイの入国管理の法と同性愛をめぐる議論は１９８３年を一つの区切りとする。しかし、80年代については当時のエイズパニックの影響で、入国管理においてもＨＩＶ陽性者が排除とスティグマの対象となった事実を見落とすことができない。１９８７年から在留資格申請者に対してＨＩＶ／エイズに関する審査が開始され、１９９３年にはＨＩＶ陽性者の入国不許可が国立衛生研究所再編法の改正の一部として明文化され、議会を通過した。ここではＨＩＶ陽性者が国家にとって公衆衛生上の懸念であることが明言され、必要であれば入国審査においてＨＩＶ検査実施も可能となった（Congressional Record 1993）。この改正はレーガン政権の１９８７年から検討が始まっており、１９９３年当時大統領に就任したばかりのビル・クリントンによって署名された。

ＨＩＶの感染とエイズの発症が多く報告されたコミュニティはスティグマ化され、この改正は男性同性愛者、特にハイチ出身者の入国と在留を制限するものであったといえる。また、ＨＩＶ陽性者入国禁止は、保健福祉省からの異論にもかかわらず実施されたもので、改正案がまだ検討段階であったジョージ・ブッシュ政権下の１９９１年の時点で、保健福祉長官ルイス・Ｗ・サリヴァンは、ＨＩＶは特定の行為を通してのみ感染するものであるため、入国に関する医学的な排除対象のリストからは除くべきだと提案していたが、受け入れられなかった（Pear 1991）。

さらに、１９９１年11月に多くのハイチ難民がアメリカへと向かった際、難民ではないと判断された人々はハイチに送還されたが、難民の主張が認められながらもＨＩＶ陽性と判明した人々は、グアンタナモの「世界初のＨＩＶ陽性者収容センター」（Ratner 1998: 187）へと送られ収容された。この収容は、すぐにアメリカのハイチ人コミュニティ、法律家、移民の権利運動、エイズアクティヴィズムからの大きな批判を受け、被収容者はアメリカに入国を許可され、その後収容所は１９９３年に閉鎖となった（Ratner 1998）。

ＨＩＶ陽性者の入国禁止は２００７年にジョージ・Ｗ・ブッシュ大統領が制定法から取り除いたが、保健福祉省はこれを行政法のなかに維持する。しかし２００９年にオバマ大統領がＨＩＶ陽性者の入国禁止廃止を宣言したのを受け、保健福祉省はＨＩＶ陽性を「公衆衛生に重大な影響を与える感染症」のリストから除外し、実質的にＨＩＶ陽性者の入国禁止が取り払われることとなった。

病気と関連させた同性愛者をターゲットとした排除はこうして終わりを迎えるが、望ましい市民モデルとしての異性愛家族規範に反する、という意味での入国に関する特定の制度からの同性愛者の除外は引き続き実施されていた。１９９３年、連邦法である結婚防衛法（DOMA: Deffence of Marriage Act）が成立し、婚姻を男女間のものとして改めて定義することによって、連邦レベルでの婚姻が男女間に限定され、特定の州で認められた同性間の婚姻が他州では効力をもたないことが明文化された。ＤＯＭＡは国境管理にも影響を及ぼし、特にアメリカ市民と非市民で同性間の婚姻関係を結ぶカップルは、連邦レベルではその婚姻が承認されないので、移民法上、異性間婚姻のカップルと同様の扱いを受けることができない。つまり、同性のアメリカ市民をパートナーにもつ移民は、家族関係を基盤にして入国許可・在留資格を取得することや、退去強制を免れることができないのである。

ＤＯＭＡは２０１３年６月に最高裁の違憲判決を受けて廃止されたが、実際には、２０１１年の時点でオバマ大統領が、ＤＯＭＡには違憲の可能性があるという声明を発表して以来、退去強制については保留とされるケースが存在していた。つまり、国土安全保障省はＤＯＭＡ廃止以前から、家族としての同性カップルの在留については議論の可能性があることを認識していたのである。(5) ただし、ここで移民として制度上の利益を得ることができるのは、異性愛家族の価値観を踏襲する婚姻関係にある同性カップルのみであり、ポリガミーや友人関係に基づいた関係など、パートナーシップそのものの多様性が認められたわけではないことには注意しておきたい。

20世紀のアメリカの入国管理を通して、望ましくない市民である同性愛者は、国家の公的負担となりうる倒錯者、同性愛行為に及んだ犯罪者、「精神的異常」の病気・人格をもつ者、ＨＩＶ陽性者といった異なる排除カテゴリーのもと、入国拒否と退去の対象となってきた。アメリカでは性的マイノリティの難民の庇護の事例が90年代以降から現れ始めるが、そうした判断もあくまで入国管理行政のもとで行われており、認定審査で保護に値しないと判断された個人は排除され続けた。次節では入国管理と難民レジームの重なりに焦点を当て、80年代以降のアメリカの難民政策の特徴を捉えていきたい。

２．難民政策のターニングポイント——１９８０年マリエル・ボートリフト

第三国定住と庇護

難民状態にある人々は様々な方法で移動するが、現在国境を越える難民を国家が受け入れる方法は大きく分けて三つある。一つ目は、難民が最初に到着した国（第一庇護国）が一時的ではあるにせよ自国に滞在を許可している状態、二つ目は、第一庇護国にいる難民を別の国（第三国）が受け入れる第三国定住、三つ目は、国内または国境にやって

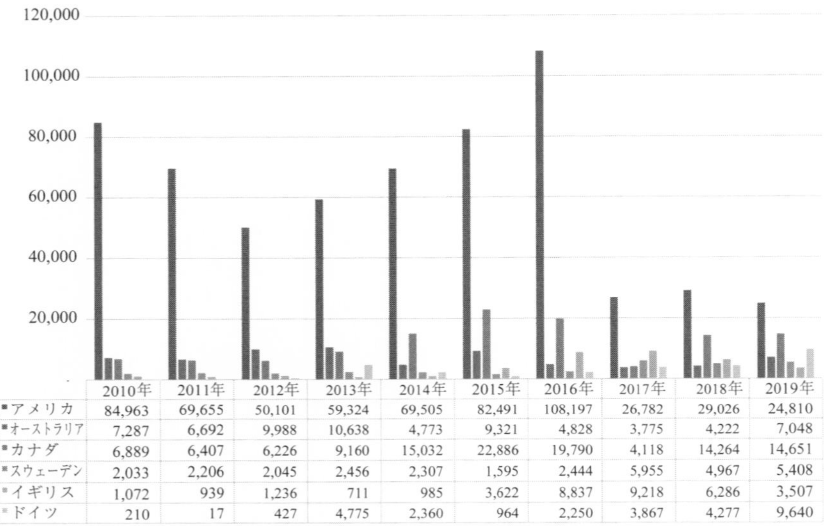

	2010年	2011年	2012年	2013年	2014年	2015年	2016年	2017年	2018年	2019年
アメリカ	84,963	69,655	50,101	59,324	69,505	82,491	108,197	26,782	29,026	24,810
オーストラリア	7,287	6,692	9,988	10,638	4,773	9,321	4,828	3,775	4,222	7,048
カナダ	6,889	6,407	6,226	9,160	15,032	22,886	19,790	4,118	14,264	14,651
スウェーデン	2,033	2,206	2,045	2,456	2,307	1,595	2,444	5,955	4,967	5,408
イギリス	1,072	939	1,236	711	985	3,622	8,837	9,218	6,286	3,507
ドイツ	210	17	427	4,775	2,360	964	2,250	3,867	4,277	9,640

グラフ１　第三国定住先別UNHCR難民受け入れ検討提出数（2010-2019年）

UNHCR Resettlement Data Finderより筆者作成。提出数はUNHCRが各年に第三国定住受け入れ国に検討を依頼した難民の数を表し、各国が受け入れ実施を計画している難民の数を反映している。実際に出国するまでにはケースごとにかかる期間が異なり、各年の難民出国数とは一致しない。2017年以降はトランプ政権下で大幅に減少した。

来た難民を受け入れる庇護である。アメリカは世界最大の第三国定住難民受け入れ国であり、他の主要な受け入れ国と比較しても、２０１６年までは受け入れ数は群を抜いて多かった。２０１２年以降はシリア難民の増加を受けて、イギリス、ドイツ、フランスといったＥＵ主要国が受け入れ数を増やし始めた一方で、アメリカでは２０１７年以降トランプ政権による大幅な減少が起きた。それでも、いまだ最も多くの難民を受け入れている（グラフ１）。

　本節では、第三国定住プログラムを通して入国する人々と、自らその国境の入国地点、もしくはその国にすでに入ってから庇護を求める人々とを区別し、アメリカの難民行政の用法にならって前者を第三国定住難民（refugee）、後者を庇護希望者（asylum seeker）と呼ぶ。両者の大きな違いは一見手続きや移動のプロセスにあるようにみえるが、それだけではない。マシュー・ギブニー（Matthew Gibney 2004）によればこの両者の違いは、国家の難民受け入れに対する国際的な義務とモラルの問題、難民受け入れの管理のしやすさ、そして国内の安全保障問題としての対応、という三つの視点から説明することができる。どのような経緯や背景でやって来るにしても、非市民・外国人の入国は国家によって管理される。難民についても同様だが、第三国定住難民の管理と庇護希望者の管理はそのアプローチが異なる。第三国定住プログラムを通して受け入れる難民についての管理は容易で、受け入れたい難民の数やプロファイルは国家の予算と政治的関心に沿って事前に選択、決定することができ、難民が領域内に到着する前から管理することが可能である。反対に、庇護希望者については、いつ誰がどの程度の規模で国境にやって来て、もしくはすでに入国して庇護を希望するかを事前に正確に予測するのは難しい。さらに国家にはノンルフルマン原則という国際慣習法の規範に基づいた義務があり、庇護希望者を生命または自由が危機にさらされるおそれのある国に送還することは許されない。第三国定住についても義務がないわけではないが、ノンルフルマン原則のような高度に制度化された義務に比べれば、第三国定住難民に関する負担の共有の義務はさほど制度化されているわけではない (Betts 2014)。こうした国外の難民受け入れと、国境または国内の難民の受け入れの特徴とその違いを整理したのが表3である。また、表4は２０１０年から２０１９年の10年の間に受け入れられた難民の手続き別の人数と、難民の国籍上位3か国の内訳を示したものである。第三国定住難民と庇護対象者では、出身国に大きな違いがあるのがみてとれる。国境または国内の難民受け入れの異なる手続き（能動的庇護手続きと防御的庇護手続き）については、3章第5節にて説明する。

さらに、庇護希望者に対する義務は、国際法上の義務だけではなく、国家として今ここにいる眼の前の難民を保護するべきではないのかというモラルの問題としても突きつけられる。出身国に戻れば迫害されるかもしれない、命を落とすかもしれない難民を、国家のメンバーではないからという理由だけで追い返すことが果たして許されるのか。そもそも現在行われている移民・難民の入国の制限は、人の移動の自由という基本的人権の侵害にほかならない、という懸念を示すのはグローバル・リベラリストと呼ばれる立場の論者だけではない(6)。共同体を重視するコミュニタリアンのマイケル・ウォルツァー (Michael Walzer) も、国家コミュニティの文化的な一貫性が損なわれない限り、国

表3　第三国定住と庇護による難民受け入れの特徴

	第三国定住	庇護
受け入れ決定前の難民の所在	国外	国境または国内
国際的な義務とモラル	国際社会の負担の共有（制度化されていない）	ノンルフルマン原則（国際慣習法の規範、高度に制度化された義務）、人の移動の自由という基本的人権の保護
受け入れの管理	管理は容易。数やプロファイルは政治的関心に基づいて事前に選択、決定が可能	管理は困難。庇護希望者の数やプロファイルは予測がつかない
管理のアプローチ	第三国定住プログラムを通した審査、セキュリティチェック	安全保障対策としての国境管理政策
政治の領域	国外政治	国内政治

アメリカの場合

関係機関	国家テロ対策センター、FBI、DHS、国務省、防衛省	DHS（USCIS、ICE、CBP、庇護事務所）、司法省（移民審査庁、移民裁判長事務所、移民裁判官、BIA）
地位	難民（Refugee）	庇護対象者（Asylee）
アメリカにおける認定手続き	INA 第207条、難民受け入れプログラム等の手続きにしたがって認定	INA第208条等の手続き（=難民認定申請審査）にしたがって認定
難民の定義	難民条約上の定義に基づく	

アメリカの第三国定住難民には、国籍国・居住国にとどまっている難民も例外的に含まれる。

家には難民を受け入れる義務があり、その義務は特に難民がすでにその国の国境もしくは領域に到達している場合、つまり庇護希望者に対する場合、より強く国家にモラルとしての問題として迫ってくる（Walzer 1983: 48-51）。

一方で、第三国定住による難民は、受け入れ前には国家の領域に到着しておらず、さほどの義務を要求してこない。さらに、難民を選択し管理したかたちで受け入れても、国際社会における負担の共有によって難民保護の義務はある程度果たされていると解釈される（Betts 2014）。したがって、国家にとって、自国の利害関心に基づいて容易に管理することができないのは庇護希望者なのである。そこで持ち出される管理・制限の方法が移民・難民政策における安全保障対策という政策アプローチである。この第三国定住による難民の受け入れと庇護希望者に対する難民認定申請の関係は、性的マイノリティの難民の受け入れにも現れており、これについては3章にて議論したい。

表4　アメリカ国内外の手続き別難民受け入れ数と上位3か国の内訳

	第三国定住難民受け入れ			能動的庇護手続き			防御的庇護手続き		
		人	%		人	%		人	%
2010	全体	73,293	100.0	全体	11,258	100.0	全体	8,519	100.0
	イラク	18,016	24.6	中国	2,906	25.8	中国	3,419	40.1
	ミャンマー	16,693	22.8	エチオピア	686	6.1	エチオピア	359	4.2
	ブータン	12,363	16.9	ハイチ	682	6.1	ネパール	217	2.5
2011	全体	56,384	100.0	全体	13,470	100.0	全体	10,138	100.0
	ミャンマー	16,972	30.1	中国	3,896	28.9	中国	4,299	42.4
	ブータン	14,999	26.6	ベネズエラ	909	6.7	エリトリア	461	4.5
	イラク	9,388	16.7	ハイチ	822	6.1	エチオピア	446	4.4
2012	全体	58,179	100.0	全体	17,345	100.0	全体	10,575	100.0
	ブータン	15,070	25.9	中国	4,683	27.0	中国	5,000	47.3
	ミャンマー	14,160	24.3	エジプト	2,577	14.9	エチオピア	406	3.8
	イラク	12,163	20.9	ベネズエラ	967	5.6	ネパール	379	3.6
2013	全体	69,909	100.0	全体	15,075	100.0	全体	9,767	100.0
	イラク	19,488	27.9	中国	4,050	26.9	中国	4,510	46.2
	ミャンマー	16,299	23.3	エジプト	3,081	20.4	エチオピア	387	4.0
	ブータン	9,134	13.1	シリア	762	5.1	ネパール	385	3.9
2014	全体	69,975	100.0	全体	14,441	100.0	全体	8,636	100.0
	イラク	19,769	28.3	中国	3,904	27.0	中　国	3,978	46.1
	ミャンマー	14,598	20.9	エジプト	2,593	18.0	インド	368	4.3
	ソマリア	9,000	12.9	シリア	870	6.0	エチオピア	317	3.7
2015	全体	69,920	100.0	全体	17,674	100.0	全体	8,140	100.0
	ミャンマー	18,386	26.3	中国	2,577	14.6	中国	3,583	44.0
	イラク	12,676	18.1	エルサルバドル	1,857	10.5	グアテマラ	363	4.5
	ソマリア	8,858	12.7	グアテマラ	1,695	9.6	ホンジュラス	303	3.7
2016	全体	84,988	100.0	全体	11,457	100.0	全体	8,695	100.0
	コンゴ民主共和国	16,370	19.3	エルサルバドル	1,381	12.1	中国	3,078	35.4
	シリア	12,587	14.8	中国	1,380	12.0	エルサルバドル	758	8.7
	ミャンマー	12,347	14.5	グアテマラ	1,273	11.1	グアテマラ	631	7.3
2017	全体	53,691	100.0	全体	15,639	100.0	全体	10,560	100.0
	コンゴ民主共和国	9,377	17.5	中国	2,822	18.0	中国	2,728	25.8
	イラク	6,886	12.8	エジプト	1,014	6.5	エルサルバドル	1,341	12.7
	シリア	6,557	12.2	シリア	635	4.1	ホンジュラス	955	9.0
2018	全体	22,405	100.0	全体	24,382	100.0	全体	13,185	100.0
	コンゴ民主共和国	7,878	35.2	中国	3,747	15.4	中国	3,047	23.1
	ミャンマー	3,555	15.9	エジプト	1,402	5.8	エルサルバドル	1,771	13.4
	ウクライナ	2,635	11.8	シリア	546	2.2	ホンジュラス	1,181	9.0
2019	全体	29,916	100.0	全体	27,643	100.0	全体	18,865	100.0
	コンゴ民主共和国	12,958	43.3	中国	4,027	14.6	中国	3,451	18.3
	ミャンマー	4,932	16.5	エジプト	2,156	7.8	エルサルバドル	2,315	12.3
	ウクライナ	4,451	14.9	シリア	513	1.9	インド	1,921	10.2

Department of Homeland Security, *2019 Yearbook of Immigration Statistics* (September 2020) の Table 14, Table 17, Table 19のデータ から筆者作成。

１９８０年難民法以前

実のところアメリカは１９５１年難民条約を批准していない。１９６９年になって、１９６７年難民の地位に関する議定書を批准し、その13年後の１９８０年に国内の難民法を制定したのである。１９８０年以前のアメリカの難民レジームは、第三国定住受け入れに基盤をおいてきた。特に70年代前半まで難民問題は、明確に外交政策のなかに位置づけられており、国別に詳細に定められた上限数を設定することで、イデオロギー的に望ましい難民のみを予算の範囲で受け入れてきた。ヨーロッパからの難民の受け入れについての方針が明確に示されたのは１９４５年12月、終戦直後のトルーマンによる大統領令であり、その後１９４８年に期限付きの法律として避難民法（Displaced Persons Act）が制定され、効力の続いた１９５１年までのあいだに、およそ40万人の難民をヨーロッパから受け入れた（US Department of Health and Human Services 2020）。その後１９５３年に難民救済法（Refugee Relief Act）、１９５７年に難民・亡命者法（Refugee-Escapee Act）、１９５８年にアゾレス諸島難民法[7]（Azorean Refugee Act）をそれぞれ制定しながら、特定の国、地域の難民を上限枠のなかで受け入れてきた。こうした流れのなか、１９６０年に成立した難民公平配分法（Fair Share Refugee Act）によって、一時入国を許可された難民は2年の滞在期間を経て永住権を持つことが可能となり、市民権獲得への道が開かれることとなった。

その後、１９８０年難民法以前は、１９６５年移民国籍法（ＩＮＡ）がアメリカの難民受け入れ枠組みを形作ってきたが、そこで難民は、人種、宗教、政治的意見に基づく迫害によって共産主義の国、共産主義に支配された国または地域、及び中東地域[8]から逃げてきた人々と定義されていた（INA 1965: Gibney 2004: 151; Meissner 1988: 57-58）。１９６８年に難民条約議定書を批准し、実質的に難民条約における難民の定義を採用することが求められた際にも、ＩＮＡの定義は変更されず、１９８０年に難民法が成立するまでこの政治的関心を反映した定義が用いられ続けた（大津留（北川）2016: 47）。

こうして大統領行政府は難民の保護を、イデオロギーと緊急の人道的ニーズに合わせて柔軟に用いてきた。アメリカにとって１９８０年以前の難民問題とは海の向こうで起きている事態であって、難民の保護はアメリカの外交政策にとって望ましい難民を選択的に受け入れることによって実施されるという前提があった（Meissner 1988: 60）。ところが、難民法を制定した１９８０年に突如、難民問題が国内政治の問題として突きつけられるのである。

１９８０年難民法の制定とマリエル・ボートリフト

１９８０年にカーター大統領の署名した新しい難民法は、難民条約の国内実施法であり、難民条約の条文全体がようやくＩＮＡのなかに組み込まれることになった。難民条約に基づくことによってはじめて、共産主義に関する事項、つまり冷戦イデオロギーが難民政策から取り除かれた。移民帰化局元長官ドリス・マイスナー（Doris Meissner）は難民法の四つの成果として、（１）難民受け入れの上限数についての行政府と議会の交渉のプロセスの確立、（２）難民条約の国内法への組み込み、（３）政府内外の様々なアクターとの連携とコミュニケーションの確立、（４）難民の法的地位と永住権を得る権利についての明確化をあげており、難民法は人道主義を基盤とした難民政策を形作ったと評価している（Meissner 1988: 158-159）。しかし、実際にはハイチ難民とキューバ難民に対しては差別的な実践が残っており、両者には新しく「キューバ人・ハイチ人入国者」という、難民の地位とは異なる、仮滞在に等しい地位が与えられた(9)。

これまで第三国定住を難民受け入れの基盤とし、国境・国内の庇護希望者についてはその時々で対応してきたアメリカの難民政策にとって、難民法の制定された１９８０年はまさにターニングポイントであったといえよう。難民政策を転換したインパクトは、難民法制定のわずか1か月後に起きた「マリエル・ボートリフト」と呼ばれる大量のキューバ難民到来事件が政治危機にまで発展したことに表れている。このキューバとハイチからの庇護希望者の対応に向けられた批判は、国内外の政治に大きな影響を及ぼし、「マリエル危機」とも呼ばれる。

マリエル・ボートリフトとは１９８０年4月に始まったキューバのマリエル港からアメリカ・フロリダへと大量の

キューバ人の到来を指す。この年の4月から10月の間におよそ12万5千人がキューバから、2万5千人がハイチからフロリダ州キー・ウェストに到着した。60年代と70年代のキューバ難民は共産主義の被害者、共産主義に対する共闘者としてアメリカでは歓迎され、1980年4月にキューバ難民が到着した当初こそ、その第2波として同様に迎えられていた。ところが、次第にこの大量のキューバ難民の受け入れと、それに対応しきれないカーター政権に批判が集まり始める。70年代までのキューバ難民については、冷戦イデオロギーに支えられつつ人道主義的主張から寛容な受け入れがなされたのに対し、なぜマリエル・ボートリフトの難民受け入れに対してはバックラッシュが起きたのだろうか。その背景をギブニー（Gibney 2004）は、ウェイナーの安全保障モデル（Weiner 1995）を用いて次のように説明する。

ウェイナーによれば、国家が移民問題を国内の安全保障の問題として懸念し始めるのには、移民の数、市民との親和性の欠如、社会・経済的負担という三つの要素が影響している。これらの要素は1980年のアメリカの文脈にも見出すことができる。まず一つに、アメリカはこれまでに経験したことのない大量の難民と移民の到来を迎えることになった。フィデル・カストロがマリエル港を開放すると宣言してからわずか6週間で8万人ものキューバ人がアメリカに到着し、同時にハイチからの難民も到来し、およそ4万人が難民認定申請を行ったといわれている。二つ目に、この時期のマリエル港からやって来たキューバ人たちは侮蔑的に「マリエリトス Malielitos」と呼ばれ、アメリカがこれまで受け入れてきたキューバ難民とは異なる存在とみなされた。60年代、70年代に受け入れられたキューバ難民たちは、多くが高等教育を受けた中産階級出身者で、異性愛規範的な家族の単位で移動し、肌の色も薄いというイメージと特徴があり、「自由のための闘争者」または「金の漂流者たち Golden Exiles」と呼ばれ、受け入れられ、南フロリダにコミュニティを築いていった。アメリカにとってこうした難民たちは反共産主義をともに掲げ、また正当化してくれる存在であった。一方で、マリエリトスと呼ばれる難民たちは主に貧困層の出身であったといわれ、そのなかには受刑者や病人、「売春婦」、同性愛者が含まれているとされ、かれらは社会統合することのできない集団、またはすることが望ましくない集団としてまなざされ始める。かれらを受け入れることは、犯罪者や「不法移民」の入国を促すのではないかという不安が、入国を制限すべきだという世論をさらに加速させていく。

三つ目はコストの問題である。先述したようにキューバ人には難民法の下での難民の地位が与えられなかったため、かれらの定住のプロセスにかかる経済的なコスト、社会サービスは連邦政府ではなく、実際の受け入れ先となる自治体にも重くのしかかった（Gibney 2004: 132-165）。例えば、１９８０年4月27日、連邦緊急事態管理庁はキューバ人の入国に関するロジスティカルな支援を担うはずだったが、実際には地方自治体に僅かな援助しか提供しなかった。さらに同庁は「緊急事態」にならない限り活動することはできないという理由から、キューバ難民への長期的な支援を行わなかった（Engstrom 1997: 141）。

このように大量の入国者、人種的・社会的な他者化、社会的・経済的コストを背景として、マリエル・キューバ難民と同時期のハイチ難民はホストコミュニティのフロリダ州そしてアメリカ社会全体にとって脅威としてみなされることになったといえる。結果としてカーター政権は難民がそもそも入国しないように阻止する[10]という対策を取るようになり、この方針がカーターが再選を逃したあとのレーガン政権にも引き継がれていく。

マリエル・ボートリフトと安全保障

冷戦期と冷戦終結後では、難民の特徴と難民受け入れの意味合い、そして安全保障の主体と領域に違いがある。安全保障化（セキュリタイゼーション）とは、これまでに安全保障上の問題とはされてこなかったイシューや集団が、安全保障の問題として扱われるようになる過程や現象のことである[11]。戦争が想定された時期の、国家間の軍事戦略や外交政策といった国家というアクターを中心においた意味での安全に関連する問題は、冷戦の終結とともにその射程を広げていく。安全保障の問題は伝統的な国家観念の変容、個人の人権、社会の文化的アイデンティティなどに関連して取り上げられるようになり[12]、経済、人権・人道分野においても、これまで安全保障の問題と捉えられてこなかったものが問題として扱われるようになる。国家から非国家主体へ、軍事問題から非軍事的領域へと争点となる領域が広がったのである。しかし、２００１年アメリカ同時多発テロをきっかけとして、脅威の対象はテロやテロリスト、テロリスト「候補」とみなされる特定の移民やマイノリティ集団に設定され、国境管理、情報、メディアの管理、国際法や国内法の整備によるテロの犯罪化というかたちで安全保障化が新たな展開をみせる（加藤 2007）。特にアメリカにおいては、同時多発テロ直後にホワイトハウスのなかに国土安全保障室（Office of Homeland Security）、そしてＤＨＳが創設されたことからも、国家を再び主体とし、テロという非国家主体からの本土防衛という方向へ安全保障政策を強化したといえる（土山 2014: 441）。

１９８０年のマリエル・ボートリフトを国内政策としての移民・難民政策としてだけではなく、国家間外交との連携のなかで捉えると、まさにこの出来事が冷戦期と冷戦終結後のアメリカにおける難民の定義の変化と、安全保障概念の変化のはざまで生じたものであると位置づけられるだろう。上（2019）は、アメリカが冷戦期の移民危機、特にマリエル危機における移民管理を国家安全保障の最重要目標に据え、キューバ政府との提携を模索し結果として半世紀におよぶアメリカとキューバの膠着・対立状態に緩和をもたらしたと論じる。上によれば、マリエル港の閉鎖を望むカーターに対して、カストロはアメリカ・キューバ関係全般の協議へと対話を持ち込むことに成功したのであって、ここで生じた問題は一見移民管理、国境管理についての問題ではあるが、同時にアメリカとキューバの外交闘争でもあった。それも、当時押しも押されもしない存在と目されていたアメリカがキューバという小国に屈するという意味で、ある種の「外交革命」であったとみなすことができる。その意味では、マリエル・ボートリフトは難民の保護を冷戦イデオロギー対立を背景とした外交問題から、国内の難民受け入れの問題に変化させただけではなく、外交政策としての冷戦イデオロギーに基づいた安全保障の問題を、国内の安全保障問題としてその次元を拡大させた現象と捉えることができる。つまり、難民受け入れが、冷戦期の外交における安全保障の問題でありながら、国内の問題としても形成されていくこの事例は、多元的な主体と複数の領域にまたがってこの時期に拡大し始めた安全保障化のもつ意味合いの変化の問題としても理解されなければならない。

冷戦終結後に発生した、アジアやアフリカ地域からの避難民という新たな性格をもった難民の移動によって、庇護希望者の急増を受けたアメリカでは、90年代までに、第三国定住と庇護の違いがより明確化する（Gibney 2004: 150-159）。難民認定を受けた庇護希望者の出身国のばらつきをみれば、庇護による受け入れは国内の利害関心とは無関係ではない[13]。しかしそれでもアメリカは庇護希望者に、公平な申請と認定の機会を与えるという義務を１９８０年以来遂行してきた。したがって、安全保障の問題として庇護希望者を制限しようとしても、原則として、人道主義に基づく難民の庇護を保障するという枠組みが１９８０年難民法によって形成されており、無視できないのである。それとは反対に、第三国定住は外交政策の領域にとどまり、難民の受け入れと選別を十分に管理することができ、国内の安全保障の問題として立ち現れることも、ノンルフルマン原則にも触れることもない。ギブニーはアメリカのこの相反する二つの政策について「第三国定住政策は寛容だが人道的ではなく、庇護政策は人道的だが寛容ではない」（Gibney 2004: 159）と表現する。ここにアメリカの難民受け入れの特徴があるといえる。

3.「ホモセクシュアル・マリエルズ」から「特定の社会的集団の構成員」へ

ホモセクシュアル・マリエルズの受け入れ

難民政策のターニングポイントであったマリエル・ボートリフトは、性的マイノリティの難民の存在が、アメリカで初めて可視化された出来事でもあった。先述したように、60年代と70年代にやって来たキューバ難民と異なり１９８０年のマリエル・キューバ難民（マリエル難民）はアメリカにとっても、キューバにとっても社会的に「望まれない」集団であったといわれている。「マリエリトス」は肌の色、低い階級、社会的に逸脱した地位（同性愛者、精神異常者、犯罪者）によってアメリカでは否定的に表象されてきた。1980年と1981年の新聞報道はこうした否定的なイメージ、特に犯罪性や病気、ホモセクシュアリティとキューバ難民を結びつけるうえで重要な役割を担ってきた（Hufker and Cavender 1990）。同性愛者がマリエル難民のなかに存在することは、ボートリフト発生3か月後の1980年7月7日のワシントン・ポストと同日のAP通信によって初めて報道された（Brown 1980; Gedda 1980; Peña 2005: 132）。特にAP通信の次の記事には、同性愛者のキューバ人が再定住センターに取り残された社会統合の難しい集団であることが示唆されている。

ここ数週間でアメリカに逃れてきたキューバ難民に含まれる数千人もの同性愛者を支援するために、全米のゲイ権利団体が資源を動員しているところである。政府関係者は月曜日［1980年7月7日］、このボートリフト事件で何人の同性愛者がアメリカにやって来たのか見当がつかないと語った。しかし、移民局職員はアメリカのゲイの権利支援団体に対して、四つの米軍基地で受け入れを待っている約3万2千人のキューバ人のうち、推定2千人が同性愛者と自称していると語った。キューバ人同性愛者の処遇を調査したある情報提供者は、移民局の審査において自分の性的指向を認めた男性または女性の同性愛者は5人に1人程度と推定している。この計算が正しければ、収容所の同性愛者人口はおよそ1万人となる。情報提供者は匿名を希望している。この同性愛者たちは、いわゆる「送還猶予審査基準」でアメリカに入国している——つまり、永住資格について最終的な決定がなされていないのである。

キューバ難民の受け入れに動いているボランティア団体は、同性愛者のための家を探すのに苦労しており、ゲイ権利団体に支援を求めている。マイアミ地域のゲイ権利団体は、キューバ人同性愛者800人のための住まいと就労先を見つけたと報じられている。最も積極的な団体の一つは、カリフォルニアに拠点を置き、国内の113の教区に2万人の会員を抱えるメトロポリタンコミュニティ教会である。この教会のある会員によると、再定住支援の資金として６万ドルが集まり、約４千人の教会員がキューバ人同性愛者の受け入れを申し出ているという。地元の牧師がスポンサー候補の適性を判断するようだ。教会と公民権団体の代表者およそ20人が月曜日、教会のワシントン支部に集まり、さらなる手段について協議した。

キューバ人難民の審査を行ったある情報提供者は、同性愛者は島［キューバ］での厳しい弾圧から逃れるためにアメリカに来たのだと語った。「同性愛者というだけで逮捕されることもある」とその情報提供者は言い、懲役は長ければ４年におよぶと付け加えた。匿名希望のこの情報提供者によれば、ボートリフトの出発点となったマリエル港からバスに乗せられアメリカへと送られた多くのキューバ人受刑者のなかに、同性愛者がいたとのことである。また、同性愛者に変装して警察署に出頭し、島［キューバ］を脱出したキューバ人もいたという。「かれらは、当局が自分たちを追い出したがっていることを十分承知で、ドレスを着て口紅を塗って現れたのです」と情報提供者は話した。（Gedda 1980）（段落分けと大括弧内の補足は筆者による）

マリエル・ボートリフトの文脈において、アメリカへの「再定住 resettlement」とは移民帰化局の施設もしくは、国内に数か所置かれていた軍の基地を一時的に利用した「定住キャンプ」から、難民を受け入れる地元コミュニティへの移動を意味した。家族や親戚が南フロリダにいれば、難民はマイアミへと移動させられ、解放される。受け入れ先のない難民は、南フロリダでの手続きのあと定住キャンプへ移送され、受け入れ先を見つけるまでは定住促進施設を立ち去ることが許されなかった（Associated Press 1980a）。市民ボランティア団体がかれらの受け入れ先探しを支援するが、クィアなキューバ人、特にスティグマ化されたゲイ男性にとって受け入れ先を見つけるのは困難を極めた。

マリエル難民の中に「ホモセクシュアル・マリエルズ」と呼ばれた同性愛者がどのくらい含まれていたのかに関しては正確な情報は不明で、ＡＰ通信の2千人という数字に対して、同日のワシントン・ポスト紙は再定住を待つキューバ難民４万人のうち半数の2万人が同性愛者であるという推定を報道している（Brown 1980）。また性的指向

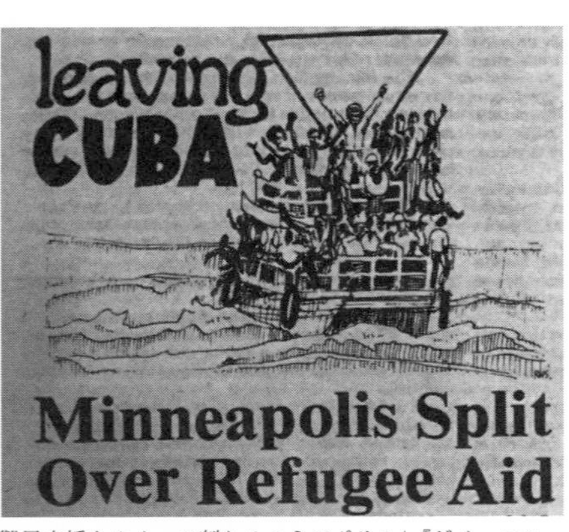

「難民支援をめぐって割れるミネアポリス」『ゲイ・コミュニティ・ニュース』1980年8月2日

ミネソタ州ミネアポリスにて、手続き上互いに協力を必要とする2つの団体ポジティブリー・ゲイとメトロポリタンコミュニティ教会の間で、同性愛者のキューバ難民の審査に関する立場の違いが現れたことを取り上げた記事（*Gay Community News* 1980）。挿絵の船の三角形は、ホロコーストで強制収容された男性同性愛者の識別に用いられ、ゲイの権利運動のシンボルとなったピンク・トライアングルである。挿絵はCapó（2010）にも引用されている。

出　典：Northeastern University Library Digital Repository Service

のみならず、ジェンダー規範に当てはまらない外見や振る舞いに基づいて「同性愛」とみなされていたことを踏まえると、トランスジェンダーの女性や非規範的なジェンダー表現をする人々もホモセクシュアル・マリエルズに含まれていたであろう。ペーニャ（Peña 2013）は、こうした男性難民の女性性と結びつけられる外見や振る舞いといった、ジェンダーの越境性とその可視性こそがマリエル難民のゲイの人々の特徴であることを難民の人々へのインタビュー調査などから指摘している。その可視性はキューバでの迫害の経験への抵抗、自由と解放の国アメリカへの期待を反映していたと考えられるが、同時にメディアの注目を浴び、定住支援を限定的なものにしてしまった。

同性愛者のマリエル難民は、アメリカでの受け入れという文脈で初めてスティグマ化されたわけではなく、キューバにおいても周縁化された存在であった。カストロがキューバから出ていく難民を「ルンペンプロレタリアート」や「反社会主義者」として革命の役に立たない社会の底辺だと執拗に名指すとき、そこには明確に同性愛者が含まれていた。フリオ・カポＪｒ．（Julio Capó Jr.）は、当時のカストロ政権下のキューバ社会ではホモフォビアが刑法などをもって制度化されていたことを指摘し、マリエル・ボートリフトそれ自体も戦略的に進められた制度的ホモフォビアの一部だったと位置づける。カストロ体制にとって、同性愛とは個人の堕落や快楽主義の表れで、資本主義と結びつく性的文化として捉えられ、「女性的な男性」は、革命が求める男性性とは相容れないものでもあった。カストロがマリエル港を開放した際には、同性愛者、病人、犯罪者という非生産的な存在を、アメリカへと送ってしまおうという戦略が存在したとも考えられる(14)（Capó Jr. 2010)。つまりキューバ側においてもモラル、セクシュアリティ、ジェンダーの規範をによって社会主義国家にとって望ましい理想的な身体と、非規範的な身体の線引きがなされてきた。また、マリエル・ボートリフト以前にアメリカに定住したキューバ人コミュニティも「マリエリトス」と人種的にも階級的にも異なる「金の放浪者」である自分たちとの差別化を図ろうとしていたことからは、反カストロの立場にあるキューバ人コミュニティからも他者化された存在であったことがわかる(15)（Peña 2013: 60)。ラザリエール（1988）によれば、自身もキューバ出身である移民帰化局の審査官は、マリエル難民について「カストロは浮浪者や低階級の人々を送ってきた。…ホモセクシュアル、レズビアン、売春婦、そして浮浪者の混ざりあい。非常にいかがわしい集団。ハバナの底辺」と発言した。この人物はこうした難民の特徴についてホワイトハウスに報告した時のことを、「ホワイトハウスは不満に思い」、「かれらは私の言っていることを信じたくなかったようだ」と振り返っている（Larzelere 1988: 334-335)。

スティグマ化されたキューバ難民を支援しようという動きもあり、連邦政府とゲイの権利運動団体の間にはやりとりがあった。先に引用した新聞記事に書かれているように性的マイノリティのコミュニティに開かれた教会として有名なメトロポリタンコミュニティ教会は、国務省からの依頼を受け、すでにゲイのキューバ人の定住支援に乗り出していた（Brown 1980)。その一方で、国務省は同性愛者の集団は静かにコミュニティに同化すべきと考えていた。例えば、「過剰な注目」が集まったことを理由に１９８０年7月およそ3千人の同性愛者の定住計画は保留となり（Associated Press 1980b)、また、サンフランシスコ国際空港での25人のゲイの人々の歓迎セレモニーは中止に追いやられてしまった（Associated Press 1980c)。

翌年１９８１年、連邦政府はようやくキューバ人ゲイの人数を把握し、同性愛者権利団体とともに定住に向けて動き出した（Peña 2007)。１９８１年4月、メトロポリタンコミュニティ教会は連邦政府より定住支援のための37万

５００ドルの助成金を受け取る（United Press International 1981）。当時まだアーカンサス州フォート・シャフィの定住キャンプにいた２６００人のキューバ難民のうち、２００人以上がゲイ男性であったといわれている（Montgomery 1981）。

同性愛者のキューバ難民たちは当時の移民法における一貫性のない同性愛者の排除の規定によって、法的に曖昧な状態におかれていた。先に見たように１９８０年までＩＮＡは同性愛者の外国人を排除するのに「性的倒錯者」というカテゴリーに頼っていた。１９８０年に公衆衛生局が移民審査の目的で同性愛を医療的に検査するのをやめ、新たな運用では同性愛について本人が否定したのであれば直接質問を繰り返すことを禁止した（Canaday 2009: 252）。反共産主義イデオロギーを背景としていた当初はすべてのキューバ難民を積極的に迎え入れており、こうした同性愛者排除条項の適用については曖昧なままに残されていた（Peña 2007; 2013: 32-35）。つまり、１９８０年当時、同性愛者であることを明らかにしたキューバ難民を入国拒否することも可能だったのである。１９８５年になって移民帰化局はようやく、ゲイまたはレズビアンと自認するキューバ難民は「それを理由にアメリカから排除されることはない」という立場を明らかにした（Peña 2007: 511）。マリエル港からキューバ難民がアメリカに向かって5年後のことである。

キューバ難民の受け入れはもともと国家のイデオロギーを反映したいわゆるハイ・ポリティクスの領域だった。そのなかで同性愛者のマリエル難民は、同性愛者排除条項の対象でありながらも国家の利害関心に即して入国を許可されてきた。「キューバ人・ハイチ人入国者」の地位によって送還は免れるものの、永住資格は与えられず、定住先も容易には見つからない。ペーニャの表現を借りれば、アメリカの移民・難民政策の転換期に生じた矛盾と曖昧さが「ゲイのキューバ人の身体において衝突した」（Peña 2013: 33）のである。

「特定の社会的集団の構成員」へ

興味深いことに、このように望まれない難民であった当時のマリエル難民の一人が、その後アメリカの性的マイノリティの難民認定において基盤となる重要な裁判を起こしていた。それが１９９０年のトボソ－アルフォンソ裁判（*Matter of Toboso-Alfonso*）である。トボソ－アルフォンソはマリエル難民として入国し、当時「キューバ人－ハイチ人入国者」の一時的な在留資格を得ていた。在留資格の期限が切れるのに際し、性的指向に基づいた迫害の可能性を理由に難民認定申請を行い、退去強制の差し止めを求めた。この裁判を通して移民控訴委員会（ＢＩＡ）はキューバ出身のゲイ男性のホモセクシュアリティは難民条約上の「特定の社会的集団の構成員」になりうると認めるに至った。

ＢＩＡの移民裁判官はトボソ－アルフォンソのホモセクシュアリティが、「特定の社会的集団の構成員」であること、彼の供述に信憑性があること、アメリカ国内での薬物使用の前科があることなどを考慮したうえで、難民の地位ではなく、退去強制令停止を決定した。移民帰化局は、この決定に対して異議を唱え、特に「社会的に逸脱した振舞い、例えば同性愛的行為はこの法（ＩＮＡ）が意図するような社会的集団の基盤」ではなく、退去強制令停止は「社会的に逸脱しているだけでなく、国家の法と規則に違反する行為」を行う者に、裁量的救済を与えるに等しいと申し立てた。ただし、移民裁判官の示したように、ホモセクシュアリティは「変えることのできない」特徴である、という見解については反論しなかった（*Matter of Toboso-Alfonso* 1990: 822）。つまり移民裁判官と移民帰化局はホモセクシュアリティが不変的な人格の特徴であるという点では一致しつつも、一方はそれを庇護に値する特定の社会的集団の構成員資格だとし、もう一方は国外退去に値する逸脱かつ違法行為であるという異なる見解を示したのである[16]。

結果として、１９９０年3月にＢＩＡは、移民帰化局の異議を却下した。その4年後１９９４年には、法務長官ジャネット・レノがトボソ－アルフォンソのケースを、同様の問題に関わるすべての訴訟の先例と認め、「同性愛者と自認しており、彼または彼女の政府に迫害されてきた」庇護希望者は、「特定の社会的集団の構成員であることを理由にした迫害に基づいて難民法の下の保護に値する」という覚書を発表した（Interpreter Releases 1994）。これは現在でも重要な先例として参照され続けている。

性的指向を迫害の理由とした難民の地位がアメリカで初めて認定されたのは、1993年のマルセロ・テノリオ裁判（*Matter of Marcelo Tenorio*）である。ここでは同性愛という「不変的であり、庇護希望者が変更を迫られるべきでない」特徴を理由とした迫害のおそれの存在が認められ、ブラジル出身のゲイ男性に難民の地位が与えられた。こうして先天的で不変的なアイデンティティとしてのホモセクシュアリティは難民条約上の特定の社会的集団を構成しうる要素であり、そうしたアイデンティティと、迫害を受ける十分なおそれが認められれば、難民の地位に値するという基準が確立された。

性的指向とジェンダー・アイデンティティに基づいた難民の主張をめぐる法廷での議論やナラティヴは、その時々に性的マイノリティがどのように理解され名づけられてきたのかを反映している。2000年のジオバニ・ヘルナンデス－モンティエル裁判（*Geovanni Hernandez-Montiel v. INS*）におけるトランスジェンダー女性の事例は難民認定を得たという意味では成功事例であるが、難民申請者であるトランスジェンダー女性をどのように名指していたかに注目すると、その理解が適切であったとはいいがたい。移民裁判官は「女装する同性愛の男性」という定義を主張し、それに対して法廷は「女性のセクシュアル・アイデンティティをもったゲイ男性」と定義すべきだと指摘していた。法廷記録からは難民申請者自身がどのように自認していたのかを確認することはできないが、どちらの定義も性的指向と男性ジェンダーを基盤とし、当事者のジェンダー・アイデンティティに対しては十分な認識をもっていたとはいえない。性的マイノリティの難民申請者のアイデンティティや行為の解釈の展開についてはすでに議論されているのでここでは繰り返さないが、信憑性に関わる本物のマイノリティらしいナラティヴや、その判断にステレオタイプや欧米中心的なモデルが採用されることについての批判は、1章で言及したように、性的マイノリティの難民研究の中心的な課題として設定されてきた(17)。

その一方で、先例となったトボソ－アルフォンソ裁判が、1980年に入国を許可されたマリエル・キューバ難民によるものあったという文脈については、先行研究においてほとんど注目されてこなかった。この難民申請を行ったのが偶然にもマリエル難民だったのではない。これは１９８０年難民法を導入しても冷戦イデオロギーを取り払いきれなかったアメリカに「ハイチ人－キューバ人入国者」として入国を許可されつつも、スティグマ化された集団のひとりとして定住に困難をきたした男性の移動の経験のなかに立ち現れた選択肢の一つだったと考えられる。性的マイノリティの難民の包摂に関わる先例が、スティグマ化された「ホモセクシュアル・マリエルズ」によって形成されたという歴史は、難民レジームの中でクィアな難民に対する排除と保護がまさに交差した地点を示している。同時に、地位の認定や条約解釈に焦点を当ててきた性的マイノリティの難民に関する研究に、移民・難民政策と国内・国外政治の変遷という歴史的な視座が限定的であったことも改めて指摘できるだろう。

ハイチ難民のスティグマ化と排除

同時期に並行して起きていたハイチ難民に対する排除と差別についても触れておきたい。１９７２年から１９８０年までに、ハイチ出身者の入国は3万人から5万人あったといわれているが、キューバ人とは異なり、第三国定住プログラムをもって対応されることはなかった。反共産主義の姿勢をアメリカと共有するハイチからの難民を、キューバ難民同様に受け入れることにはイデオロギー的な矛盾を生む懸念があったのである。そのためハイチ難民は政治難民ではなく経済移民とみなされ、入国が阻まれていた。(18) こうした政治的に難民を区別することをギル・ロシャーとジョン・スキャンランは「イデオロギー的差別」と呼ぶ（Loescher and Scanlan 1986）。加えてハイチ出身者は１９８2年にアメリカ疾病管理予防センターによって当時猛威を奮っていたＨＩＶ感染ハイリスク・グループの一つとして名指しされ、これを発端に、ハイチ＝ＨＩＶ／エイズの温床というイメージが広まる。ハイリスク・グループにはほかに、同性愛者、血友病者、薬物依存者も含まれていたが、この三つのグループについては、慣習的行為を根拠とした感染リスクが問題視されていたのに対し、ハイチ人だけは１９８5年までその出自に感染リスクがあるとされていた[19]（McCormick 1993）。すべてのハイチ人をＨＩＶ／エイズと結びつけるような誤った認識は、かれらに対する差別を助長することとなる。特に80年代、90年代のハイチからの移民・難民は、ＨＩＶの「運び屋」とみなされ排除の対象となってきた。先述した１９９３年ＨＩＶ陽性者の入国禁止法は明らかにハイチ難民の入国を阻止するものであったし、難民認定申請を行うことができてもグアンタナモの「ＨＩＶキャンプ」に収容されたのである。アメリカはここでも冷戦イデオロギーを背景としながら、ハイチ難民の受け入れをエイズの蔓延という恐怖と偏見による国内の安全保障の問題のなかに再構築していったのである[20]。

マリエル・キューバ難民と同様に、そこには人種、モラル、病理、セクシュアリティによる市民と非市民の境界線が引かれてきた。ハイチ社会の抱える貧困や医療の問題ではなく、ハイチ人「であること」とＨＩＶ／エイズを結びつけた偏見は、入国や難民申請へのアクセスを阻むだけでなく、教育の機会、就労などにも影響し、現在でも差別的な扱いが根深く残っているといえる。

このエイズ蔓延に対するモラル・パニックは、不道徳な病原菌とみなされ周縁化された人々の抵抗のための広範な連帯を呼び、クィアの運動を立ち上げ、発展させてきた。そしてそのおよそ30年後、難民のセクシュアリティは「ＬＧＢＴ難民・庇護希望者」という新たな保護の対象を構築するという大きな役割を担うことになる。

注

（１）「白人奴隷」問題の歴史とブラウンの調査・報告についてはPliley（2016）に詳しい。自身もハンガリーからの移民であったブラウンは、ヨーロッパ派遣以前はアメリカ国内の移民による売買春について調査を実施していたが、売春婦＝女性、客＝男性という図式に基づいた売買春の概念のもと調査の焦点は女性「売春婦」におかれていた。

（２）公的負担条項の適用には経済的依存の可能性が判断の軸となるが、その意味にはジェンダーによる違いがあった。経済的自立を常に求められる男性とは反対に、結婚している女性にとってはむしろ夫への依存性が「普通」のことであった。ただし単身の女性、または女性同士で移動してきた移民については、経済的依存性が売春や不道徳と結びついて厳しい審査の対象となった。20世紀の初めには、女性のホモセクシュアリティは、男性のホモセクシュアリティとは異なったものとして扱われており、女性の取り締まりは、逸脱した異性愛が焦点となった。同性愛というカテゴリーが確立された20世紀半ばから、異性愛と同性愛の二項が対立関係におかれ、女性のホモセクシュアリティも取り締まりの対象となっていく（Canaday 2009: 37-39）。

（3）１９７７年までに同性愛恋を非犯罪化した州は次のとおりである：コネティカット、コロラド、オレゴン、デラウエア、オハイオ、マサチューセッツ、ノースダコタ、ニューメキシコ、ニューハンプシャー、カリフォルニア、ウェストバージニア、アイオワ、メイン、インディアナ、サウスダコタ、ワイオミング、ネブラスカ、ワシントン、ニューヨーク。

（4）自身がゲイであることを公表しているバーニー・フランクは性的マイノリティの難民申請についても働きかけており、２０１５年のCenter for American Progressによるインタビューでは、トボソ－アルフォンソ裁判を先例とした１９９４年のジャネット・レノの覚書にも影響を与えたと明かした（Gruberg and West 2015）。

（5）２０１１年4月、*Matter of Dorman, 25 I. & N. Dec. 485 (AG 2011)* にて、アイルランド人男性Paul Wilson DormanはＢＩＡから強制送還を言い渡されたが、司法長官Eric Holderは彼がニュージャージー州でアメリカ人男性とシビル・ユニオン・パートナーシップを結んでいたことから、この件についてはＤＯＭＡが当てはまらないとし、その判断を取り消すよう求めた（U.S. Department of Justice Office of the Attorney General 2011）。２０１１年5月、コネティカット州でアメリカ人男性と結婚したベネズエラ人ゲイ男性の強制送還手続きがニュージャージー州ニューアークの移民裁判所にてAlberto Riefkohl判事の判断で停止される（*New York Times* ２０１１年5月11日）。ＤＯＭＡ違憲判決後の移民に関する手続きへの影響についてはShmueli and Goel（2013）を参照。

（6）例えば、Joseph Carens（1992）、Ann Dummett（1992）、Michael Dummett（2001）らはそうした立場をとる。

（7）１９５８年アゾレス諸島難民法は、ポルトガル領アゾレス諸島で起きた地震と噴火により避難したポルトガル人に対して、上限なしでアメリカ入国査証を与えることを可能にした。１９６２年まで効力をもち、およそ5千人のポルトガル人がアメリカに移動した（Library of Congress 2011）。

（8）中東地域は「西はリビア、北はトルコ、東はパキスタン、南はサウジアラビアとエチオピア」に囲まれた地域と定義されている（INA H.R. 2580; Pub.L. 89-236, 79 Stat. 911, enacted June 30, 1968）。

（9）１９６６年Cuban Adjustment Actに基づいてキューバ人には永住者になりうる可能性が残されていた。一方で、ハイチ人が退去の対象にならないためには改めて庇護申請する必要があった（Gibney 2004: 156）。しかしハイチ人の庇護申請はほぼ慣習的に不認定となっており、このダブル・スタンダードは、ハイチ人があくまで難民ではなく経済移民として捉えられてきたことを示している（Loescher and Scanlan 1986: 179）。

（10）カーターは当初沿岸警備隊を漂着したボートの保護のために出動させていたが、後に到着者を食い止めるために出動させることとなる。カストロに対して、キューバ難民の出国の管理を求めた交渉にも失敗し、カーター政権のリーダーシップのなさを顕著にする事態となる（Loescher and Scanlan 1986: 184; Gibney 2004）。

（11）安全保障化の定義については高澤（2015）を参照。高澤は、短期的な政治的宣言による「発話行為論的セキュリタイゼーション」と、相互行為として認識され、制度化や慣習化といった中長期的な過程と現象として社会に浸透し、共有される「社会学的セキュリタイゼーション」という異なる分析視角を用いる。

（12）冷戦終結後の安全保障の主体の多元化と領域の拡散については浦野（2003: 25）の整理を参照。ただし、浦野の整理によれば、難民と移民をめぐるイシューは、ともに市民を主体とする国境横断的な次元にあるとしつつも、難民は政治・軍事の領域に、移民は経済の領域にそれぞれ明確に分類されており、移民と難民の移動の区別が困難であることや、区別することの政治性についてはさらなる考察の余地があるだろう。

（13）Swanwick（2006）と本章表2を参照。

（14）当時のメディアはマリエル難民のなかに同性愛者とあわせて重犯罪者が多く含まれていると報道したが、実のところマリエル難民たちの80％には犯罪歴がないという記録が残されており、キューバで「犯罪者」としてカテゴリー化された人々の多くは政治犯でもなく、盗難などの行為を罰せられた人々で、アメリカの基準からいえば到底重犯罪者ではなかった（Capó Jr. 2010）。

（15）「望まれない」とされたキューバ難民だが、かれらが定住先社会に与えた影響は当時の新聞報道が強調したような犯罪性や堕落とは結びつかないといえる。例えばPortesとClarkはマリエル・キューバ難民がたった数年で失業率を下げ、自営業に乗り出し、南フロリダ経済に溶け込んでいったことを５１４人のサンプルをもとにした経年調査で示した（Portes and Clark 1987）。ほかにもマリエル難民の定住と社会統合については、Portes and Jensen（1989）, Portes and Stepck（1993）, Aguirre, Saenz, and James（1997）, Martinez, Nielsen and Lee（2003）などがある。また、Skop（2001）はより詳細に人種とアメリカ国内のモビリティによってマリエリトスが経験した異なる統合のようすを示している。このように望まれないキューバ難民のその後の社会統合については80年代後半から研究されてきたが、当時大勢いると報道されてきた同性愛者のマリエル難民ついて本格的に研究されたのは２０００年代になってからである。マリエル難民のゲイ男性たちを地元マイアミでの生活のなかで身近に見てきたペーニャによる*Oye Loca*（Peña 2013）は、ゲイのマリエル難民たちがその後マイアミにおけるキューバ系アメリカ人ゲイコミュニティの文化を転換・形成するような存在となっていったことを、当事者の語りと歴史資料の分析を通して明らかにし、当時メディアで過剰に可視化されつつも学術研究においては不可視化されてきたコミュニティの歴史に光を当てた。

(16) トボソ－アルフォンソはキューバでは同性愛が犯罪化されているがゆえに、自身の自由が脅かされていると主張したが、当時アメリカでも同性愛は犯罪化されていて、1986年には最高裁がソドミー法は基本的人権を侵害しないという判決（*Bowers v. Hardwick*）を出したところであった。

(17) 例えばBirdsong 2008; DeVolld 2014; Landau 2004; Immigration Equality 2014など。LGBTの難民の主張の認定については「一貫性がない」（DeVolld 2014）と評価されるが、その一貫性のないなかにも進展がある。例えば、トランスジェンダー女性の難民申請者について、*Morales v. Gonzales*（2007）では「男性から女性へのトランスセクシュアル」と認識されている。さらに、*Razkane v. Holder*（2009）では、モロッコ人ゲイ男性の難民申請者が「同性愛者には見えない」という外見についてのステレオタイプから結論を導いたBIAでの裁判官の決定について、第10巡回区控訴裁判所は見直しと差し戻しを命じた。

(18) ハイチ難民については、Carl Lindskoog（2018）を参照。

(19) 四つのハイリスク・グループはハイチ人（Haitians）、同性愛者（Homosexuals）、ヘロイン使用者（Herloin users）、血友病者（Hemophiliacs）の頭文字から「4Hs」と呼ばれ、差別の対象となった。

(20) 2000年4月、エイズの蔓延はクリントン政権では国家の安全保障に対する脅威であると位置づけられ、これまで感染症の問題に関与してこなかった国家安全保障会議によって政府の取り組みの見直しが指示された（Gellman 2000）。エイズの蔓延にはこうした「発話行為論的セキュリタイゼーション」と「社会学的セキュリタイゼーション」（高澤 2015）の双方の側面があったことを踏まえると、ハイチ難民が複層的な安全保障化のなかで周縁化されていたことがわかる。

第3章

性的マイノリティの難民の保護

本章では、入国管理における排除のツールであったセクシュアリティが、オバマ政権下、特に2010年以降アメリカの人権外交のなかで新しい役割を与えられ、新たな難民問題が構築されていくようすを、置換モデルやホモナショナリズム批判を手がかりに考察する。性的マイノリティを難民として保護し、受け入れるための「LGBT難民と庇護希望者」という新しいカテゴリーが、アメリカの進歩性とホモフォビックな国々の他者化の言説のなかで構築されてきた。「LGBT難民と庇護希望者」の保護が第三国定住の領域で展開される一方で、特定の移民の入国を制限する国境の厳格化が、性的マイノリティの難民の庇護へのアクセスにも影響を与えていることについて注目する。

1. セクシュアリティと保護／排除の言説

性的マイノリティの権利保護の文脈で用いられるセクシュアリティとはなにを意味するのか。ここではソニア・カチャル（Sonya Katyal）の置換モデルを手がかりに、欧米中心的なセクシュアリティ概念のもつ問題点を検討する。また、そうした概念に基づいて性的マイノリティの保護の運動が進行していくなかで、新自由主義国家の性の政治と結びつき、「善き市民」として異性愛規範を踏襲するような同性愛規範と、さらにこの規範がレイシズムとナショナリズムを支えているというホモナショナリズム批判について考察する。

本質主義的アイデンティティに基づく権利の主張‐置換モデル

これまでの性的マイノリティの難民認定審査に関する研究のなかでは、審査の意思決定者が参照する欧米中心的なセクシュアリティの理解や本質主義的アイデンティティがたびたび批判されてきた。

カチャル（Katyal 2002）は1968年の *Bowers v. Hardwick* 裁判において、プライバシーの権利としての同性愛者の権利の主張が失敗したことをきっかけに、その後のゲイ・レズビアン運動がアイデンティティに基づく権利の主張をオルタナティヴな戦略として採用したとする。[1] ここで、それまでは私的な空間や関係における同性間の性的欲望や行為を意味してきたホモセクシュアリティは、公的で普遍的な、人格としてのアイデンティティのカテゴリーへと再定義される。カチャルはアイデンティティに基づくセクシュアリティの概念の性質を示すモデルとして、置換モデル(substitutive model) を提示する。このモデルでは、性的アイデンティティ、性的指向、性的行為という、セクシュアリティに関する異なる三つの要素を、それぞれ入れ替えても、普遍的かつ本質的な人格として性的アイデンティティが説明される。例えば、ある男性がゲイとしてのアイデンティティをもつという事実だけでは、この男性が実際にどのような性的指向をもち（男性にも女性にも性的指向が向いているかもしれない）、どのような性的行為を行うかはわからない（性的行為を行わないかもしれない）。また、そうした人のセクシュアリティは流動的でもありうる。しかし置換モデル的な理解では、ゲイを自認することと、男性を性的に指向し、男性と性的行為をもつことが同一視される。セクシュアリティは人格と結びついた不変的な性質をもつものとされ、だからこそ、ゲイやレズビアンの権利は、人格を否定されることなく生きるための普遍的で基本的な権利の一つだという主張を支えることができる。またその不変性と普遍性は、カミングアウトによって強化される。性的マイノリティ「である」権利は人権だという言説を巧みに支持することで、法的保護の獲得は成功を収め、アイデンティティとしてのセクシュアリティは90年代以降アメリカ国内にとどまらないグローバルなゲイ・レズビアン運動に採用され続けてきた（Katyal 2002: 98-113）。

しかしこうしたセクシュアリティの理解に基づいて個人に与えられる法的保護の機会は、自分自身と自分の欲望に対してアイデンティティ・カテゴリーを明確にかつ公的に付与できる能力に依るところが大きく、このパラダイムに当てはまらないクィアな人々は権利要求の主体や保護の対象から外れてしまう。また、こうした流れのなかで用いられるようになったＬＧＢＴという総称には性的指向に基づくカテゴリーと、ジェンダーに関連するカテゴリーが一括りにされているが、これらをひとまずＬＧＢＴというアイデンティティ・カテゴリーに収めることで性的マイノリティはマイノリティ集団としてわかりやすく可視化される。同時にカテゴリーに収まらない実践、欲望、身体は不可視化されることとなり、置換モデル的なセクシュアリティの理解は性的マイノリティの保護を要求しつつも、限定的かつ排除の可能性を内包しているといえる。カチャルはこの本質主義的で欧米中心的なモデルが、アメリカ国内に限らないあらゆる場面において使用され、支配的なモデルとしての位置づけを確立することで、オルタナティヴなセクシュアリティの存在が周縁化されてしまうことを懸念する(2)。

置換モデルは、ゲイやレズビアンの難民認定に関する研究のなかで、受け入れ社会に支配的なセクシュアリティの概念を理解するためのモデルとして参照されてきた。難民の主張の信憑性を判断する審査側が用いる基準としてのみならず(Morgan 2006; Conroy 2009)、難民申請者自身が期待される難民としての振る舞いやナラティヴを実践する際の準拠枠として置換モデルは位置づけられ、欧米中心主義的な概念が保護の対象を限定しているという問題について指摘がなされてきた。ただし、置換モデルが採用される場を、難民認定申請審査という法的文脈のなかに設定することは、難民の移動の経験を難民としての地位の獲得に限定する。ここに、様々な社会関係とプロセスとしての移動のなかで形成される難民の主体や経験と置換モデルの関係は検討されてこなかった。

同性愛規範とホモナショナリズム

アメリカにおけるゲイ・レズビアン運動は１９６０年代からその時代によって異なる主張を軸にしてきた。そこには同化主義的なホモファイル運動、ゲイ解放運動、エイズ運動、プライバシーの権利、アイデンティティの権利、軍隊における同性愛者禁止への抵抗、そして同性婚などが含まれてきた。アメリカだけでなく自由民主主義的といわれるような国家において、ＬＧＢＴの人々の権利は90年代以降急速に展開し、今ではＬＧＢＴの権利は保護すべき権利の一つとして広く認識されているといえる。こうした流れは手放しに歓迎されるわけではなく、同時に展開する性の政治に対する批判的な考察もなされてきた。

リサ・ドゥガン(Duggan 2003)は白人ゲイ男性を中心としたオンラインのライターグループ「インディペンデン

ト・ゲイ・フォーラム」の書き手ら、特にアンドリュー・サリヴァン（Andrew Sullivan）の用いる善きゲイとしてのレトリックを90年代の主流のゲイ運動の言説と位置づけ、そうした言説に対する批判的検討を通して、異性愛主義的な主流の規範に対抗しないゲイ政治を新しい同性愛規範（ホモノーマティヴィティ）と名づける。[3] 同性愛規範は新自由主義と親和性が強く、既存の規範や婚姻、軍隊といったシステムへの同性愛者の包摂を支えながら、同性愛者の問題を公的領域から切り離し、私的領域とゲイ・カルチャーの消費に還元し、脱政治化する。ここでは、支配的な異性愛主義に対する抵抗ではなく強化が生じる。例えば、同性婚を同性愛者の権利として推し進める運動や主張は、今日「ＬＧＢＴ」の権利にまつわる問題を語る際に頻繁に取り上げられる。しかし、同性間での婚姻が可能になることは、結局のところ異性愛規範に対抗することなく、むしろ異性愛規範を支えてきた婚姻制度や家族観の維持と強化に加担する。こうした保守的な「権利」への加担は、婚姻制度に対するこれまでのフェミニズム批判やクィア批判を無視し、異性愛規範に抵抗するようなクィアな人々の生についての権利を求めるところまで主張が及ばない。[4] また、同性婚の恩恵を受けることができるのは、婚姻関係を結ぶことが社会的にも経済的にも可能な中産階級のゲイとレズビアンの人々であるが、まるで同性婚が「ＬＧＢＴコミュニティ」内のすべての人に同等の権利をもたらすかのような錯覚を生じさせている。

同性愛規範的な運動の流れは、新自由主義的傾向の特徴ともいえる家族・私的生活の責任と役割の強化、国家による社会保障の切り詰めを強化する。「自立した責任ある善き市民」の運動としてのゲイ運動は、国家による福祉に頼る人々（貧困にさらされやすい移民や、黒人コミュニティの人々）など、そもそも異性愛者との「平等」を選択できない人々を周縁化し、限られた市民の特権やレイシズムを支える。ドゥガンの批判は、現在のクィア・ポリティクスに関わる学術的議論において頻繁に参照されているが、このことは主流の「ＬＧＢＴ」運動がますますラディカルな性の政治から離れ、ホモノーマティヴなものとして展開し続けているという状況を物語っている（清水 2013）。

ジャスビル・プア（Jasbir Puar 2007）はさらに、この同性愛規範の概念を用いて、９・11同時多発テロ事件以降の「テロとの闘い」のなかに表出してきた、人種差別をともなうナショナリズムと密接な関係にあるゲイ政治について分析した。プアはこのゲイ政治が、寛容なアメリカ国民国家のイメージが、同性愛行為をタブー視し、性的に抑圧されている（とされる）ムスリム男性との対比のなかで構築されていくと議論し、同性愛規範とアメリカ愛国主義の共謀関係を「ホモナショナリズム」と名づけた。ここでは、同性愛に不寛容なムスリムの性は病理化され、野蛮と逸脱のスティグマを割り当てられ、他者化される。さらに、9・11同時多発テロ事件の攻撃を受けたという例外状態において、「異性愛規範的な想像の共同体を一時的に停止」(Puar 2003: 5) し、一部の愛国的な同性愛者を国民として包摂したうえで、同性愛に不寛容な「ムスリム・テロリスト」への拷問（例えばアブグレイブ刑務所でのイラク人収容者に対する暴力）といった、他者への暴力の正当化がなされる。ムスリムという性的他者を構築し排除することで、アメリカ社会は改めて性的多様性と性的自由を享受できる特権的な文明の場として位置づけられ、「アメリカの性的例外主義 U.S. sexual exceptionalism」(Puar 2007: 3-11) と愛国のナラティヴが強化される。ホモナショナリズム批判は、同性愛規範と同様に新自由主義経済におけるゲイやレズビアンのリベラルな権利の言説に対する強烈な批判であり、こうした言説がどのように、一方では特定の人々の文化的・法的シティズンシップへのアクセスを促す進歩やモダニティのナラティヴを生み出し、もう一方でその代償として他者化された人々の切り捨てや追放を可能にしているのかを分析しうる概念である (Pure 2013: 25)。この概念を参考に、アメリカ例外主義と他者化の言説に注目しながら、性的マイノリティの難民の保護という問題が構築される文脈について考察してみたい。

2．外交政策としての「ＬＧＢＴ難民と庇護希望者」

性的マイノリティの問題は国際社会の重要な課題と認識され、特にアメリカやＥＵ諸国においては外交政策の重要な課題の一つとして位置づけられている。性的指向とジェンダー・アイデンティティに基づく人権侵害に対する懸念は国連機関によって１９９０年代から発信されてきたが、国連人権理事会（ＵＮＨＲＣ）が性的指向とジェンダー・

アイデンティティに初めて言及した決議（A/HRC/RES/17/19）を採択したのは２０１１年のことである。この決議のなかで、国連人権理事会は「世界中すべての地域における、性的指向とジェンダー・アイデンティティを理由とした個人に対する暴力と差別についての深刻な懸念」を表明した。ただし、この決議が賛成23、反対19、棄権３によって採択されたことを踏まえれば、この問題は国際社会の合意ではなく、むしろ外交の争点となりうることを示唆している。(5)

アメリカでは、オバマ政権はＬＧＢＴの権利を国際政治の問題として認識し、２０１０年あたりからＬＧＢＴの人権を軸にした外交や政策について発信してきた。例えば２０１０年6月のＬＧＢＴプライド月間を記念したワシントンD.C.での催しで、当時の国務長官ヒラリー・クリントンは「私たちは人権についての対話を他の政府とともに進めており、レズビアン、ゲイ、バイセクシュアル、トランスジェンダーの人々の権利を保護するためのパブリック・ディプロマシーを実施して」いると述べ、さらに「今アメリカはＬＧＢＴ難民が直面する脅威に注目している」と加えた（Clinton 2010）。この演説に続けて、国務省人口難民移民局（ＰＲＭ）の次官補エリック・シュワルツは、ＰＲＭは「世界中あらゆる場所の」人権侵害にも立ち向かうためにＬＧＢＴ難民と庇護希望者の特定と保護への対応を始めていると発言した（Schwartz 2010）。

アメリカにおいて２０１０年を境にＬＧＢＴ難民の保護が人権外交のなかに位置づけられ始めたのには、前年のオバマ政権発足が背景として考えられるが、同時期に議員らの働きかけも存在した。記録に残されているものとして上院議員クリスティン・ジリブランド（ニューヨーク州）と下院議員タミー・ボルドウィン(6)（ウィスコンシン州）から２０１０年2月にヒラリー・クリントンに宛てられた文書がある。42人の議員から署名を得たこの文書は「深刻な暴力を受け、また迫害の深刻なおそれに直面したことによってイラクとイランから逃げてきたＬＧＢＴの人々」の状況に対する懸念を示し、「出身国と同様に残酷」な第一庇護国で危険に直面している人々の保護のためにリーダーシップをとることを要請した（Gillibrand 2010）。この文書に特定されていたイランとイラクは同年6月のプライド月間演説では「世界中あらゆる場所」のなかに吸収されている。

対外的にも同年のＵＮＨＣＲ執行委員会において、アメリカ代表は国内避難民、第三国定住と並ぶ難民保護の焦点としてジェンダーに基づく暴力をあげ、特に性的指向やジェンダー・アイデンティティを理由とした迫害を逃れる難民や、第一庇護国で人権侵害にさらされる難民の保護に注目し、アメリカ政府はＵＮＨＣＲのリーダーシップに期待すると述べた（Pollack 2010）。

しかしアメリカのＬＧＢＴ外交が国際的により明確に発話されたのは、翌年２０１１年12月6日世界人権の日に国連欧州本部（スイス・ジュネーヴ）にてヒラリー・クリントンが行った記念のスピーチである。ここでクリントンは国際的なＬＧＢＴの人権問題についてその発展と課題に言及したが、その際に使用した「ゲイの権利は人権であり、人権はゲイの権利である」というフレーズは特に大きな注目を集め、新聞やオンラインのニュースサイトのヘッドラインを飾った。

このクリントンによる「ゲイの権利は人権」演説がアメリカの例外主義や帝国主義的表現を慎重に避けていることは川坂（2013）によって分析されている。演説は、アメリカのゲイの権利に関する反省すべき歴史と「多くのＬＧＢＴアメリカ人」に対する自国での暴力やハラスメントについて触れ、さらに南アフリカ、ネパール、コロンビア、アルゼンチン、モンゴルといった「ホモフォビック」な国でも「西洋」でもない「第三国」の先進的な取り組みについて述べることで、帝国主義的な先進国／第三世界の対比が避けられている（川坂 2013: 15-19）。また、「ゲイであることは西欧の発明なんかではなく、人間のリアリティである」という発言にも同様の慎重さがみてとれる。これはおそらくスピーチの聴衆を踏まえたものであろう。この日のイベントには同性愛行為を犯罪化している国も含めた各国代表が集まっていた。ここでクリントンはＬＧＢＴ人権の「進歩」を、アメリカや他の西欧諸国における進歩ではなく、すべての国が達成すべき普遍的に歴史的な進歩として提示したのである。川坂（2013）はこうした「第三国」を経由する演説の特徴を明らかにし、オバマ政権下のＬＧＢＴの権利推進のナラティヴは西洋とイスラム／他者という二項対立を強調するプアの議論では把握しきれないと論じる。

一方で、同時期のアメリカ国内の聴衆に向けたＬＧＢＴの人権言説は、例外主義や先進性のナラティヴにもとづいたナショナリズムを喚起させるように発信されてきたといえる。２０１１年5月末、オバマ大統領はＬＧＢＴプライド月間宣言のなかで、政権が達成してきた「進歩」を振り返った。例えば、ビル・クリントン政権が１９９４年に導入した「Don't ask Don't tell（DADT）」という軍隊内でのカミングアウト禁止政策(7)の廃止については、「私たちの国家の安全を強化」し、ＬＧＢＴのアメリカ人の軍に対する「英雄的貢献」を認識できるようになると称賛した。こうした「ＬＧＢＴのアメリカ人の権利の発展における私たちの功績」は、「歴史が我々の味方であること、そしてアメリカ国民はすべての人のための自由と正義を追い求めることを決してやめないのだということを思い出せてくれる」ものとして位置づけられる（White House 2011a）。

また、先述した２０１０年のワシントンD.C.でのクリントンの発言では、ＬＧＢＴ難民を保護することは、アメリカが歴史的に獲得してきた平等を、同じように実現することが不可能な国の人々について思いをはせることも意味し、それはアメリカの責任であると発言されていた（Clinton 2010）。さらに、２０１４年5月、当時副大統領だったジョー・バイデンによるＮＧＯヒューマン・ライツ・キャンペーンのロサンゼルスでのディナーイベントにおける演説からは、アメリカ例外主義にあわせて「他者」の構築も読み取れる。バイデンは「この世界のほとんどの国が」アメリカを「手本として、ＬＧＢＴの権利のチャンピオンとして見ている」と述べ、「尊厳と尊敬は私たちの不変の信念であり続けなければならない」が、「世界の他の国々はまだまだである」と評価する。そしてそうした「世界の他の国々」の例としてウガンダ、ナイジェリア、ジャマイカ、「いくつかのアフリカの国々」、ロシアが引き合いに出される。反同性愛法が注目を集めていたウガンダについては、聴衆の笑いすら誘った。

ウガンダ、悪質なホモセクシュアリティとかいう、よくわからないそんなことで生涯刑務所行きになる国。［会場から笑いが起こる］　悪質なホモセクシュアリティ？　おっと。この世界にはおかしな人たちがいるもの

だ。［会場から笑いと拍手が起こる］（White House 2014b）

アメリカの先進性は、こうした他者との比較によってナショナリスティックな言語で表現される。さらに、ＬＧＢＴの人権外交政策は、「私たち」（アメリカ）が「世界中の考え方と法律を変えるための長い旅路」と表現される。こうした文脈のなかでバイデンは、「迫害から逃れた難民の地位と庇護希望者を含めた、危険な状態にあるＬＧＢＴの人々への緊急支援」を提供すると述べた（White House 2014b）。

「ホモフォビックな国」は、ＬＧＢＴの人権言説で他者化され、公に非難の対象として位置づけられる。２０１４年のウガンダの反同性愛法に対しては、大統領声明において、「国として、民衆として、基本的自由と普遍的人権保護のために常に立ち上がる」アメリカの立場から、この法律が「すべてのウガンダ人にとっての後退」となり、ウガンダの人権保護に対する不十分な責任を示すであろう、という懸念が表明された。また同声明ではロシアとナイジェリアでのＬＧＢＴコミュニティに対する暴力とハラスメント行為も同様の懸念の対象としてあげられた(8)。実際、このウガンダの反同性愛法は、アメリカのＬＧＢＴコミュニティにおいて大きく取り上げられており、筆者がニューヨークでのフィールド調査を実施していた際に、名の通った複数の団体によるプロテストの呼びかけや集まりに街中で遭遇することもあった。こうした先進的な人権モデルを後進の国々に広めるアメリカの責任とホモフォビックな国々に対する抗議という枠組みのなかで、「ＬＧＢＴ難民と庇護希望者」の保護は語られてきた。

２０１１年「ゲイの権利は人権」演説のなかで、クリントンは同日に発表されたばかりの大統領覚書に言及し、オバマ政権の人権政策と外交政策の一部としての「ＬＧＢＴ難民と庇護希望者」の保護について次のように述べた。

アメリカ国務省ほか政府機関がすでに進めている努力をもとに、大統領は国外のすべてのアメリカ政府機関に対して、ＬＧＢＴの地位と行為についての犯罪化と闘うこと、脆弱なＬＧＢＴ難民と庇護希望者の保護を強化すること、われわれの対外援助がＬＧＢＴの権利の保護を確かに促進すること、差別と闘う国際団体に協力することと、ＬＧＢＴの人々に対する暴力に迅速に対応することを指示した。(Clinton 2011)

ここで言及されているのが、同日にホワイトハウスが発表した大統領覚書「レズビアン、ゲイ、バイセクシュアル、トランスジェンダーの人々の人権保護促進のための国際的な戦略 *International Initiatives to Advance the Human Rights of Lesbian, Gay, Bisexual, and Transgender Persons*」(White House 2011b) のことである。ここでは国務省、財務省、防衛省、司

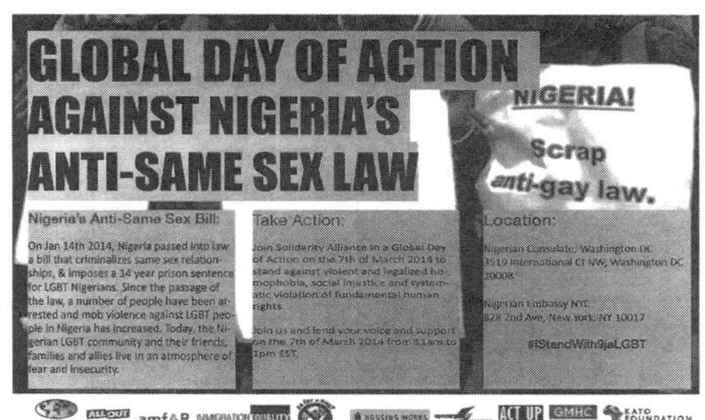

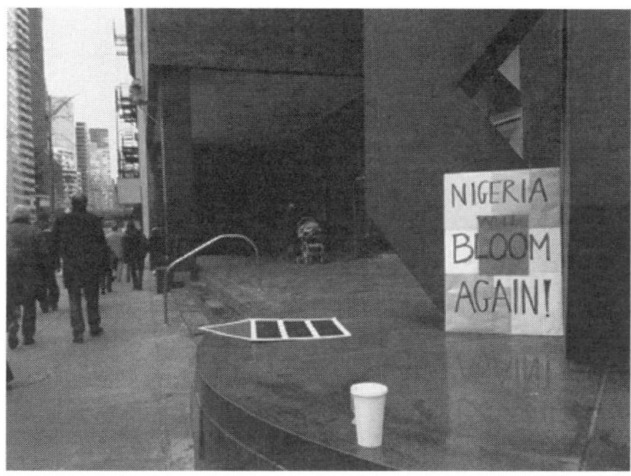

「ナイジェリアの反同性愛法に対する世界一斉抗議の日」と、ニューヨーク市内のナイジェリア大使館前のようす。(筆者撮影)

ナイジェリアの「反同性愛法」に反対する、2014年3月7日の世界各地での一斉抗議活動の一環として、ナイジェリア領事館（ワシントンD.C.）とナイジェリア大使館（ニューヨーク市）での抗議活動が呼びかけられる。2014年3月にニューヨーク市タイムズスクエアにて筆者が受け取る。80年代エイズ運動から活動するACT UPやGMHC、90年代発足のQueer Nation、Housing Works、Immigration Equalityらが協賛団体として名を連ねる。抗議活動が終わったあとのナイジェリア大使館には、「ナイジェリアはまた花開く！」と書かれたボードが残されていた。

法省、ＤＨＳ、ＵＳＡＩＤなどの外交と対外援助に関わる政府機関を対象に、次の六つの項目に関する指示が出された。

（１）ＬＧＢＴであることやその行為の犯罪化との闘い
（２）脆弱なＬＧＢＴ難民と庇護希望者の保護
（３）人権保護と差別解消の促進のための対外援助
（４）国外のＬＧＢＴの人々の人権侵害に対するアメリカの迅速で効果的な対応
（５）ＬＧＢＴ差別と闘う国際団体との協力
（６）以上の活動の成果報告

アメリカではＤＨＳによって「庇護希望者」と「（第三国定住）難民」が明確に区別されていることを踏まえると（序章、２章参照）、２０１１年のクリントンの人権スピーチと大統領覚書で用いられている「ＬＧＢＴ難民と庇護希望者」というフレーズは、聴衆にとって混乱を招くものである。なぜなら、一見すると国外の難民と国内・国境の庇護希望者を一括りにして包括的にかれらの保護の必要性を訴えているようにみえるのだが、実際に覚書が重点をおいているのは、国外の難民、つまり第三国定住難民と第一次庇護国にとどまっている難民の保護という内容になっているからである。覚書の該当項目では、次のような指示が出されている。

強制移動のあらゆる段階におけるＬＧＢＴ難民と庇護希望者の保護を強化するため、国土安全保障省は特に第一庇護国におけるＬＧＢＴ難民と庇護希望者の保護と支援への平等なアクセスを確保するという現在進行中の努力を一層促進する。さらに、国務省、法務省、国土安全保障省は適切な研修の実施を徹底し、関係する連邦政府職員と重要な関係者が効果的にＬＧＢＴ難民と庇護希望者の保護に対応できるようにする。これには適切な支援の提供と、連邦政府が緊急の保護のニーズをもつ非常に脆弱な人々の第三国定住を特定し、迅速に処理するためのキャパシティの確保が含まれる。(White House 2011b)（強調は著者による）

このように覚書は「強制移動のあらゆる段階」に言及してはいるものの、特に第一庇護国のＬＧＢＴ難民への支援と第三国定住を関係機関に対して呼びかけている。「ＬＧＢＴ難民と庇護希望者」は、国内または国境における移民・難民の保護というよりは、「ゲイの権利は人権」というフレーズに表象される国際的な人権外交の言説に回収されている。

このように人権外交のなかに構築されていく「ＬＧＢＴ難民と庇護希望者」は、新しい国際難民レジームのなかにも位置づけることができる。(9) 冷戦の時代から内戦の時代へと移行するにつれ、難民の性格は政治難民から紛争の避難民へと徐々に変化した。冷戦期にはイデオロギー対立を背景とした難民を受け入れることには革命国家の正当性を否定してくれる戦略的価値があったが、それも喪失へ向かい、価値の見出されない難民の受け入れ先は少なくなっていく。しかしアメリカの２０１０年以降の外交政策のなかに出現した「ＬＧＢＴ難民と庇護希望者」は、新たな戦略的価値を備えた難民として構築されてきたといえる。ただし、戦略的価値を備えた難民の受け入れは、ウェイナー(Weiner 1999) のいうような受け入れ国内における脅威（「不法移民」という周縁に対する恐怖）と重なってはならない。あくまで１９８０年以降制度として明確に分けられた第三国定住受け入れの枠組みを主に用いることで、戦略的価値は薄まらずにアメリカの先進性、人道主義、人権主義という物語を支え、後進的な他者を措定し境界線を引くことができるのである。

３．「ＬＧＢＴ難民」≠「ＬＧＢＴ庇護希望者」

第三国定住プログラムによる受け入れについていえば、アメリカは歴史的に他のどの先進諸国よりも多くの難民を受け入れてきた[10]。年間の難民受け入れ上限数と地域別の割当は、その時々の政権の提案について議会で協議されたのち、大統領決定にて毎年定められるものであり、どこからどれだけの難民を受け入れるかというのは政治的な決定である。第三国定住に際しては、最初に保護を求めた第一庇護国にて難民認定を受けた難民も、改めてＤＨＳの職員による面接を受けなければならない。この段階で受け入れられない難民のケースは、健康、犯罪行為、公的負担、安全保障に基づくなにかしらの理由がある場合である（RCUSA 2015a）。２００１年の９・11同時多発テロ事件のあと難民受け入れ数は、受け入れの停止、安全保障対策の強化、予算減額のため大幅に減少した。２００２年度に提案された受け入れ上限数は７万人であったにもかかわらず、２００２年度と２００３年度の受け入れは年間２万９千人を下回った[11]（PRM 2002; Brown and Scribner 2014: 111）（グラフ２参照）。第三国定住において安全保障の問題はＤＨＳや関連機関の審査を通して管理され、受け入れの数や対象の難民の選択は、難民が領域内に到達する以前に行われるため、ノンルフルマン原則にも抵触しない。恣意的な難民の選択は批判にさらされることなく、国家は国際社会のメンバーとしての「負担の共有」の責任を果たすことができる。

アメリカの難民受け入れプログラムで主要な役割を担う機関は、国務省人口難民移民局（ＰＲＭ）で、市民権移民局（ＵＳＣＩＳ）、ＤＨＳ、保健福祉省（ＨＨＳ）内の難民定住事務所（ＯＲＲ）とともに第三国定住プログラムの運用に関わっている。２０１１年にはＰＲＭ次官補のアン・リチャードは、ＬＧＢＴ難民と庇護希望者はアメリカにとって優先的な支援対象者として支援プロジェクトに含まれており、ＵＮＨＣＲが促進しているＬＧＢＴの問題への対応能力の習得・構築、ＮＧＯへの予算提供、ＬＧＢＴ難民の特定のニーズに関する研修の強化を支援していることを明言した。リチャードによれば、ＰＲＭの認識としてはＬＧＢＴ難民にとっての「唯一の真の解決は第三国への定住」ではあるが、今のところはコストも時間もかかる第三国定住よりも、第一庇護国での保護に支援の焦点はおかれている（Richard 2012）。実際の支援の例としては、ＬＧＢＴ難民の第三国定住のためにＵＮＨＣＲトルコ事務所への

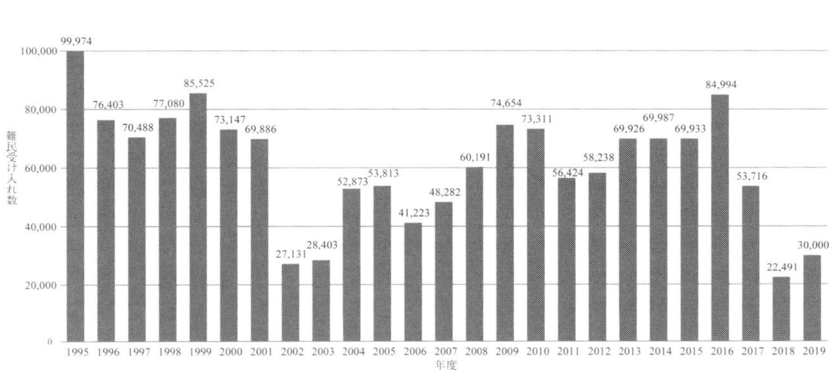

グラフ2　アメリカにおける第三国定住難民受け入れ数の変遷　1995-2019年度

出典：Refugee Processing Center "Historical Arrivals Broken Down by Region"（2019）より筆者作成。

予算の追加や、ＰＲＭによるＮＧＯガイドラインの改定を通してＬＧＢＴ難民と庇護希望者に対する支援の優先性の認識を広げること、また、ＬＧＢＴ移民・難民のための新プログラム[12]への資金提供などがあげられる（Office of the Spokesperson 2011）。

ＬＧＢＴ難民の保護に関しては、翌年度の難民受け入れの提案として議会に提出する年次報告のなかでも取り上げられている。報告は、国務省、ＤＨＳ、保健福祉省が合同で提出するものであり、それによれば２０１０年以降、ＬＧＢＴ難民は拷問や性暴力のサヴァイヴァーと並んで「世界で最も脆弱な」難民という位置づけになっている（RCUSA 2015b）。さらに、ＰＲＭの予算による事業実施ＮＧＯの公募には1年間で20件から30件ほどの募集がかかるが、その募集要項にも政策の広がりが示されている。２０１０年度の時点では31件の募集のうち、中東において強制的に移動したイラク人のためのプログラム募集が、ＬＧＢＴの個人を「最も脆弱なグループ」に含めていた唯一の案件であった。２０１１年度には28件のうちの4件がＬＧＢＴの保護について触れており、そのうち3件は、地域を限定しない能力構築と調査事業、一つはイラク人を対象とした支援事業であった。こうしたＰＲＭによる国外のＬＧＢＴ難民支援事業の募集は徐々に数を増やし、２０１２年度、２０１３年度には、「ＬＧＢＴＩ」について触れた地域特定的なプログラムが、南コーカサス（アルメニア、アゼルバイジャン、ジョージア)、コンゴ共和国、タンザニア、ルワンダ、ウガンダにおけるシリア人とイラク人とその他の難民の支援のために募集された(USDS 2015)。やがて政策の地域的な差もなくなり、2014年度からは募集要項に「LGBTI個人」を脆弱な集団として事業の対象とすることという指針が示され、2014年度公募案件29件のうち20件に、2015年度には23件のうち21件に「LGBTI個人」を事業の対象とすることが明記されている。こうした事業の内容は、主に第三国定住ではなく、第一庇護国における「保護」のための事業だが、2016年度に向けては、3件の第三国定住支援センター支援事業が募集された[13]。募集要項によれば、これらの事業はDHSによる第三国定住審査に向けての個別支援を通して、難民受け入れプログラムに携わることになる。事業採択されたNGOは「女性、子ども、LGBTI、その他のマイノリティ」といった潜在的に脆弱で、十分な支援を受けていない集団のニーズに対応することが求められている。また、国際移住機関(IOM)は2013年の時点ですでにPRMをドナーとしたLGBTI難民支援事業を、モスクワ、キト(エクアドル)、アンマン(ヨルダン)、ダマク(ネパール)の4か所の定住支援センターで実施していた(Rumbach 2013)。

こうして2010年から2014年の間に、「LGBTI個人」を脆弱な集団として認識することはPRMの支援事業の指針として定着する[14]。その一方で、アメリカ国内または国境で庇護を求める難民に対しては、後述するガイダンスが発行されたほかには政策的な対応はなされておらず、アメリカ政府がLGBTIの難民のニーズを特定し支援するという姿勢を示しているのは、国外における難民の支援、または第三国定住プログラムの文脈に集中している。2011年大統領覚書に読み取れるように、「LGBT難民と庇護希望者の保護」に対する政治的関心は、庇護希望者のための政策ではなく、難民の数やプロファイルの選択と管理が可能となる第三国定住レジームのなかで実践されているといえるだろう。

4. 新聞報道のなかの性的マイノリティの難民

難民・庇護希望者に関する新聞報道もまた、性的マイノリティの難民の問題に関する言説を考察する手がかりとなる。新聞報道は当時の状況を映し出すだけでなく、性的マイノリティの難民・庇護希望者についてのイメージや特徴、公的な言説を構築する役割を担ってきた。新聞を含めたマスメディアに用いられる言語は「広く共有された現実という構築物を形成する力」をともなっている（Mautner 2008: 32）。本節では新聞における言説の変遷をたどりながら、新聞報道でとりあげられる性的マイノリティの難民とは誰のことを指してきたのか、そしてどのようなストーリーの登場人物としてかれらが描かれてきたのかに注目する。具体的には、一つの記事のなかに（1）非異性愛的セクシュアリティとジェンダー・アイデンティティのカテゴリーと（2）難民／庇護カテゴリーという2種類の用語カテゴリーが同時に含まれる記事を抽出し、分析する。新聞記事にとりあげられる難民の出身国とナラティヴの変化から、各時代において誰が「ニュース」として報道されるに値するとみなされ、またどのように「問題」として構築されてきたのかを考察したい。

記事検索データベース*LexisNexis*を用いて１９８０年1月1日から２０１４年12月31日までにアメリカ国内で発行された新聞記事のうち、性的マイノリティの難民について取り上げたものを抽出し、年代別に記事のなかで登場する難民の出身国と、記事の内容の種類を分類した。(15) その結果をまとめたものが表5と表6である。国内の出来事としては、マリエル・キューバ難民、ＨＩＶ／エイズの流行、個別の難民認定申請、難民認定申請の傾向、２０１１年大統領覚書とクリントンによる「ゲイの権利は人権」スピーチ、難民認定申請に関わる制度と政策が主に取り上げられ、国外の出来事としては、個別の難民認定申請のケース、難民認定申請の傾向、ＬＧＢＴの人々の状況が取り上げられている。

80年代の記事数32本のうち、26本が1980年と1981年に報道された同性愛者のマリエル・キューバ難民に関するものであり、この時期の新聞報道についての先行研究では、「望ましくない」難民としてのスティグマの問題が中心に考察がなされている（Hufker and Cavender 1990; Peña 2005）。その一方で、キューバ人ゲイ難民を受け入れようとする教会やゲイ団体の努力や支援についても多く取り上げられている。例えば「同性愛者キューバ人、定住支援を受ける」と題された1980年8月17日のニューヨークタイムズ紙の記事は、こうした同性愛者団体からの積極的な働きかけにより、むしろ他の難民よりも優先的に定住のためのスポンサーシップを得ているのではないか、というNGO職員の発言や、ゲイでない難民が定住キャンプから出るために、よりスポンサーの数が多く、支援にアクセスできるゲイのふりをしている、という教会ボランティアの発言を取り上げている（DeWitt 1980）。とはいえ、同性愛者の難民は定住しづらいという認識は根強く、1980年9月の時点でおよそ80％の難民の定住が完了したという報道でも、残る1万5千人の難民について定住担当職員は「ついにあと残っているのはかなり難しい集団、つまり犯罪者、同性愛者、精神病者、病人だけだ」とコメントしている（Sewell 1980）。この時期、国外の性的マイノリティの難民に関する新聞報道は見当たらなかった。

1990年から1999年の期間の記事数は34本で、性的指向とジェンダー・アイデンティティを理由とした難民認定申請の事例が取り上げられ始める。マリエルの難民の一人であったトボソ－アルフォンソの裁判については、裁判当時の1986年に報道はないが、このケースが先例に指定された1994年に初めて取り上げられた（Johnston 1994）。ほかに、ブラジル人男性マルセロ・テノリオと、1993年に難民として認定されるも翌年エイズで死亡したメキシコ人ゲイ男性アリエル・ダ・シルヴァ（Ariel Da Silva、別名Jose Garcia）、メキシコ人トランスジェンダー女性ヘルナンデス・モンティエル（Hernandez-Montiel）の難民認定申請などがこの時期に報道された。国外の難民についての記事3本はどれも1992年にカナダで難民として認定されたアルゼンチン人出身のゲイ男性のケースについ

表5　性的マイノリティの難民に関する新聞記事数と記事で扱われる難民の出身国

	計	発行時期			
		1980-1989	1990-1999	2000-2009	2010-2014
記事数	209	32	34	67	76
難民の出身国					
メキシコ	36	0	9	24	3
キューバ	29	26	3	0	0
ロシア	23	0	7	2	14
ブラジル	16	0	6	6	4
ウガンダ	14	0	0	4	10
イラン	13	0	1	7	5
ナイジェリア	7	0	0	0	7
サウジアラビア	6	0	0	1	5
レバノン	6	0	0	6	0
エルサルバドル	4	0	2	2	0
フィリピン	4	0	0	4	0
その他	45	5	7	17	16

1983年と1987年から1991年の間には分析に該当する記事なし。

表6　性的マイノリティの難民に関する新聞記事の内容

記事の種類	合計	発行時期			
		1980-1989	1990-1999	2000-2009	2010-2014
アメリカ国内					
マリエル・キューバ難民	27	26	1	0	0
HIV/エイズ流行	7	7	0	0	0
個別の難民申請	79	0	16	38	25
難民申請の傾向	16	0	3	6	7
2011年大統領覚書とゲイ人権スピーチ	10	0	0	0	10
庇護申請制度・政策	9	0	2	3	4
アメリカ国外					
個別の難民申請	18	0	3	6	9
難民申請の傾向	12	0	2	5	5
LGBTの状況	22	0	1	2	19
その他	22	0	7	10	5

てである。

2000年から2009年の期間、記事数は67本に増加する。そのうち47本はアメリカ国内での個別の難民申請についての記事であり、主にメキシコ出身者、サウジアラビアの外交官、フィリピン人大学教授のケースが取り上げられているが、ほかにも、アルメニア、レバノン、ウガンダ、コロンビア、ジンバブエ、セルビア、エルサルバドルなど注目される難民認定申請者の出身国が多様化する。

2010年から2014年の5年間では条件を満たす記事は合計76本にのぼる。国内の難民申請の事例について取り上げる記事もみられるが、そのなかでメキシコ出身者についての記事は2000年代の24本から3本へと減少しており、抽出対象が5年と短期間であることを考慮しても大幅な減少といえる。2011年12月以降は、メキシコ出身者の難民認定申請の報道はみられなくなる。その一方で、2013年以降の2年間でロシア出身の庇護希望者に関する記事が7本登場する。また、ロシア、ウガンダ、ナイジェリアなどの国外の性的マイノリティを取り巻く状況についての記事は19本に増え、2013年ロシアの同性愛宣伝禁止法(16)、2014年ウガンダの反同性愛法の文脈での報道がなされる傾向にあるといえる。また2011年の「ゲイの権利は人権」スピーチと大統領覚書が報道された際に、LGBTの難民問題は国際的な人権問題の一つとして位置づけられた。LGBTの難民を対象としたアメリカの第三国定住プログラムについても取り上げられ始め、トルコで第三国定住を待つイラン人の性的マイノリティの難民のストーリーが3本(Faiola 2010a, 2010b; Faramarzi 2010)、第三国定住プログラムを通してケニアの難民キャンプからカリフォルニア州サンフランシスコにやって来たウガンダ人ゲイ男性の難民についての記事が1本書かれている(O'Brien 2011)。

また、性的マイノリティの難民の描かれ方も変化してきた。1990年代以降のメキシコ人庇護希望者については、当時はまだ性的指向やジェンダー・アイデンティティを理由とした難民認定申請そのものに新しさがあったこともあり、国内の法的な問題として難民の地位の認定・不認定や条約の解釈を中心として記事が書かれてきた。特に200

０年から２００８年の間は、メキシコ出身者のケースは「ゲイ男性、メキシコに送還された際の迫害を恐れて庇護を求める」（Associated Press 2004）、「控訴裁判所、ゲイのメキシコ人男性が庇護に値すると判断」（Associated Press 2005）、「庇護を拒否されたゲイのメキシコ人、今度は滞在の許可を裁判官が決定」（Associated Press 2007）などと題されながら、どの裁判所においてどのような判断が下されたかということが報道されてきた。２０００年あたりまでは性的マイノリティについての理解の浅さも見受けられ、例えば、２０００年8月25日のニューヨークタイムズ紙は「裁判所、異性装者を庇護の主張に基づいてアメリカに滞在できると判決を下す」（強調は筆者）と題して、トランスジェンダー女性のケースをとりあげ、「異性装者」や「ゲイ男性」と呼称していた。この7年後、同紙は記事は難民の主体に焦点を当てて全く異なる視点から、アメリカに暮らすムスリムのゲイ男性たちについて取り上げる。そこでは、出身国での差別や迫害の経験に加えて、自らのセクシュアリティと信仰のあいだに折り合いをつけようと模索する姿が、サンフランシスコのプライド・パレードに参加するヨルダン人男性の写真とともに紹介された（McFarquhar 2007）。

２０１０年以降は、先述したようにメキシコ人庇護希望者についての記事が減少し、代わってロシア、ウガンダ、ナイジェリア人の難民認定申請について、個人が出身国でどのような迫害を経験したのかという物語が「アフリカ」や「ホモフォビックな」国のＬＧＢＴの人々の環境を示すものとして書き足されていく。例えば２００７年3月の時点ではＡＰ通信は、ウガンダ人のレズビアン女性の難民認定申請がＢＩＡによって却下された件について、連邦第8巡回区控訴裁判所がＢＩＡに審査見直しを命じたという事例を簡潔に説明している（Hopfensperger 2007）。しかし、２０１３年5月6日の記事では、難民認定申請をしたばかりのウガンダ人男性について取り上げた際には、申請の手続きや難民条約解釈には触れずに、ウガンダの反同性愛法制定とそれを受けての世界銀行、デンマーク、ノルウェー、オランダによるウガンダへの支援差し止めと、法律制定に対するオバマ大統領による批判を取り上げている（Sutherland 2013）。

以上のような新聞記事で使用される言説の変化は、多様化してきた性的マイノリティの移民・難民の姿、アメリカ社会において変化してきた性的マイノリティの難民についての関心と認識の変化とあわせて、それぞれの時期に誰がどのように「ニュース」になり得たかを示している。報道に用いられるストーリーと言語は特定の時代においてなにが／誰がより重要な報道対象であるかを反映し、また同時に構築している。80年代には南フロリダのキューバ難民が、そして１９９０年代と２０００年代には主にメキシコ出身者の難民認定申請が国内の移民政策や行政と司法の領域の問題として取り上げられてきたが、２０１０年以降、ＬＧＢＴの難民といえば、ロシア、ウガンダ、ナイジェリアといった「ホモフォビックな国」で苦境に立たされ、そこからアメリカへと逃げてくる人々が取り上げられていく。特に２０１１年12月6日以降は、多くの記事が大統領覚書もしくはクリントンの人権スピーチを参照しながら、ＬＧＢＴ難民・庇護希望者の問題を国際的な人権の問題として説明してきた。次節では、メキシコ出身の庇護希望者が「注目されなくなった」背景を、かれらが直面してきた国境の厳格化の側面から推測する。

5. 国境の厳格化と入国管理政策

アメリカのＬＧＢＴ人権外交としての難民政策の焦点は第三国定住にあると考えられるが、庇護希望者に向けた動きがないわけではない。ＵＳＣＩＳは２０１１年にＬＧＢＴＩの難民の主張についてのより適確な審査実施のため『レズビアン、ゲイ、バイセクシュアル、トランスジェンダー、インターセックス（ＬＧＢＴＩ）の難民と庇護の主張の判断のためのガイダンス』という研修モジュールを発表した。このモジュールでは難民認定申請者の主張を効果的に引き出し、ＬＧＢＴＩケースの信憑性を適切に判断するための、面接審査で考慮すべき点や関連する質問例などが記載されている。その内容には、性的指向に基づく迫害を主張する難民申請者に対して、ゲイ、レズビアン、またはバイセクシュアル「である」ことに気がつくことや、個人的な経験、同様の他者、自らのセクシュアリティの受け入れ、迫害の経験またはおそれについて「言い表す（describe）」ことができる能力を求めるなど、置換モデル的な前提を抱えていることが指摘できる（工藤 2014b）。例えば、ガイダンスにまつわる「性的指向」についての前提的な理解は次のとおりである。

［…］もし申請者が出身国において彼または彼女がゲイ、レズビアン、またはバイセクシュアルであることに気がついていたのであれば、彼または彼女は、自身の個人的な経験を、一般的なゲイの人々の生活と同様に言い表せるだろう。申請者は、彼または彼女の性的指向を受け入れるのがどのようなことであったかを言い表せるだろう。同様に、申請者は彼または彼女の初めての恋愛関係、出身国で被ったまたは恐れている痛みについて言い表せるだろう。ただしこれは、当事者が「アウト」の場合のみに当てはまりうるだろうということに留意する必要がある。（USCIS 2011: 33）

あわせて、適切な関連する質問の例として、出身国でどのような扱いを受けたかということに加え、「ゲイ（またはレズビアン、またはバイセクシュアル）であることに初めて気がついたのはいつか」、「あなたの国の他のゲイの人物を知っているか」、「恋愛関係をもったことがあるか」、「どのようにパートナーに出会ったか」などがあげられている。このガイダンスにおけるジェンダーとセクシュアリティついての説明には本質主義的な理解が多く含まれているといえるだろう。

こうした問題を内包しつつも、このガイダンスは庇護審査官が性的マイノリティの難民の主張の特徴やかれらがおかれている状況の特有さなどを理解し、難民の地位の適切な認定を促すという重要な目的をもっている。しかし難民認定申請は安全保障化の動きと不可分で、そもそもこのガイダンスが用いられるであろう審査の場にたどり着くことは容易ではない。また、移民・難民に対するいくつかの規制は特に性的マイノリティの難民の庇護へのアクセスを制限している。第三国定住政策のなかでＬＧＢＴ難民が保護の対象として主流化する一方で、いまだ庇護としての難民受け入れは性的マイノリティにとっても制限的な政策を残しているのである。

ギブニーは、なぜ国家が難民と庇護希望者を脅威としてみなすようになったのかという理由として、（1）入国する難民・庇護希望者のその数に予測がつかないこと、（2）出身国における危険な状態の被害者でありながらその危険な状態を持ち込んでくる可能性のある人々という特徴、（3）匿名性の三つをあげている（Gibney 2004: 254-259）。第三国定住を通してやって来る難民の場合は、これらの要素をかなりの程度管理することが可能である。年間の難民受け入れや出身国には上限数が設定されているし、受け入れを決定する前に難民一人ひとりの属性や経歴を審査することができる。その一方で、庇護希望者は偶発的に国境または国内に、時に大量に出現するという意味で、国家の安全保障に対する脅威としてみなされやすいため、その対応は安全保障対策の対象となってきた。しかし、１９８０年の難民法を転換期としたノンルフルマン原則と司法の介入は、アメリカの庇護の実施を非差別的で政治的利害関心の影響を受けづらいものとしてきたはずであった。ところが、難民認定申請の手続きの一部は移民政策の影響を受け、難民認定申請そのものへのアクセスを難しくしている。本節ではその例として、１９９６年非合法移民改革及び移民責任法（Reform and Immigrant Responsibility Act: IIRIRA）と２００５年運転免許証等の発行基準に関する連邦法（Real ID ACT of 2005）を取り上げ、簡易送還、通常の難民認定申請へのアクセス制限、強制収容、難民認定申請期限、信憑性基準の厳格化という要素から性的マイノリティの難民への影響を検討する。

まず確認しておきたいのは、難民認定申請には、能動的（affirmative）と防御的（defensive）という二つの異なる手続きが存在することである。[17] 申請者が退去強制の手続きに関わっていない場合、難民認定申請はＵＳＣＩＳに提出され、能動的庇護手続きとして審査される。そして国内の八つの庇護事務所のうち1か所で難民認定審査官による審査を経て、難民の地位が認定される。この時点で認定されない場合は、送還の手続きを進めるまたは引き続き難民の地位を審査するために移民裁判所での裁判が必要となる。一方で、送還手続きがすでに始まっている外国人は、送還に

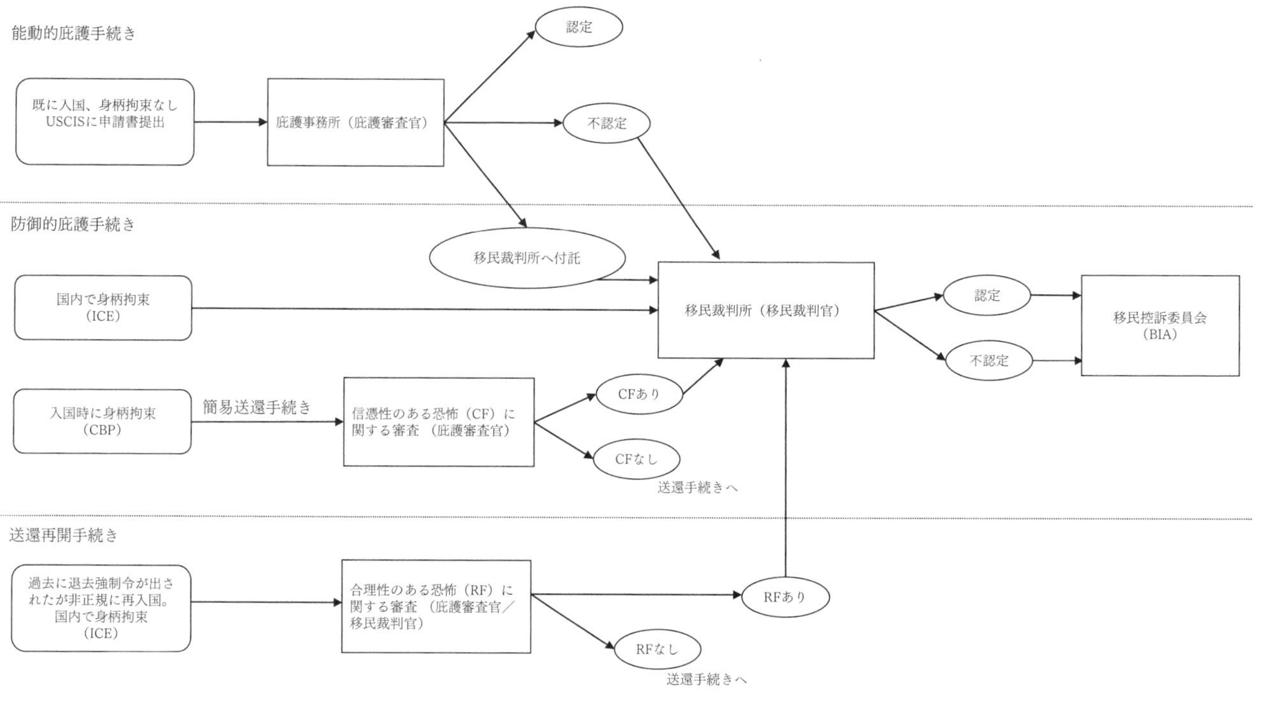

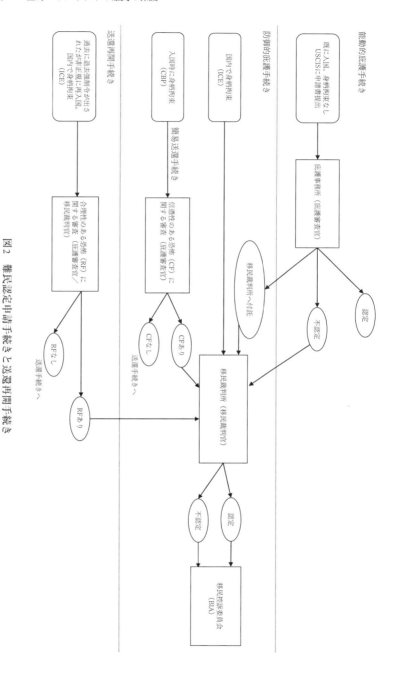

図2　難民認定申請手続きと送還再開手続き

American Immigration Council（2020）、Human Right Watch（2010）、中山（2017）を参考に筆者作成。市民権移民局（USCIS）、移民関税執行局（ICE）、税関国境取締局（CBP）はいずれも国土安全保障省（DHS）の下部組織。「認定」は難民の地位（asylee）の認定を意味するが、送還再開手続きの場合は送還差し止めとなっても難民の地位は得られない。

対する防御的庇護手続きとして、移民再調査事務局（ＥＯＩＲ）を通して移民裁判所へ庇護を求めなければならない。異なる審査の過程と各段階での審査機関は図２に示したとおりである。安全保障対策の政策はどちらの手続きにも影響を及ぼしているが、特に防御的庇護手続きを通して庇護を希望する場合により多くの制限に直面することになる。どちらの手続きにおいても最も多く難民（庇護対象者）の地位を認定されているのは中国出身者である（69ページ表４参照）。

１９９６年非合法移民改革及び移民責任法（ＩＩＲＩＲＡ）

アメリカにおいては、反テロリズム対策の動きが１９９０年代初頭の庇護希望者の増加、冷戦イデオロギーの終焉、庇護希望者によるテロの恐怖とともに登場し[18]、移民規制の厳格化の促進に一役買っていた。１９９４年の選挙の後、非合法移民改革法及び移民責任法（ＩＩＲＩＲＡ）が新しい議会の共和党議員らによって準備され、１９９６年９月に制定された。ＩＩＲＩＲＡが移民国籍法を改定した際に、結果として庇護のプロセスにも制限的な規制を加えることとなり、「大規模に整備された非合法移民管理の制度のなかに庇護プログラムを組み込むことで、アメリカの庇護政策における新しい時代」を築いたともいわれている（Hamlin 2012: 42）。

（1）簡易送還

新たな規制のなかでも、簡易送還政策（expedited removal）は口頭審理、再審査、異議申し立ての機会を限定することで、防御的庇護手続きからの難民認定申請の濫用を防ぐために設けられた。入国の時点で、ＤＨＳ職員が、入国の不正や、適切な書類の不足を判断することができ、もしそうした条件に当てはまれば移民裁判官の前で弁明する権利を与えることなく即時送還を命じることができる。庇護を希望する場合は、庇護希望者はＤＨＳ職員に対して自国に戻ることには恐怖がともなうことを表明しなければならない。また、移民裁判官に対して難民申請を行うためには、まず入国地点で庇護審査官によって実施される「迫害に対する信憑性のある恐怖 credible fear of persecution」についての審査面接を受け、通過しなければならない（図2参照）。つまり移民裁判所における難民の地位に関する判断以前に、入国管理手続きとして難民性が判断されるのである。簡易送還の制度化は、難民の可能性のある人々が国境において難民認定申請のシステムにアクセスすることを阻んでいる（Hamlin 2012; Kerwin 2011）。２０１３年度、簡易送還は19万３０３２件発令されており、これは全体の強制送還者（43万８４２１人）の44％を占める（DHS 2014b）。また、２０１４年2月28日に、ＵＳＣＩＳ難民部門長官ジョン・ラファーティが覚書にて、信憑性のある恐怖についての審査において、信憑性の基準を再強化するように通達しており、その背景には、増加する未処理の審査件数とそのための資源の配置を見直す必要があるという懸念があった（Linthicum 2014）。つまり、未処理件数への対応とコスト削減のために、庇護希望者に対するより厳しい審査が求められたのである。

（2）難民認定審査へのアクセス制限

さらに、過去に退去強制令が出されたが再入国した、または試みた場合や、なにかしらの有罪判決を受けている場合、庇護希望者は「信憑性のある恐怖」の審査の代わりに、迫害または拷問に対する「合理性のある恐怖 credible fear」についての面接審査の機会を請求し、受けなければならない。これを送還再開手続き（reinstatement of removal）と呼ぶ（図2参照）。この面接によって庇護希望者は送還差し止めまたは延期、拷問等禁止条約のもとの保護を申請することができるが、通常の防御的庇護手続きを経た難民認定申請を行うことはできない。よって、たとえ難民性が認められるような場合でも、難民の地位を得る道は絶たれている。また、送還差し止めは、滞在許可の獲得を意味しない。これは事実上、庇護希望者の非正規入国に対する罰則として機能しており、庇護国に非合法に入国・滞在した難民を収容したり罰したりするべきではないという１９５１年難民条約第31条の決まりに反していると考えられる。(19)

（３）強制収容

入国の際に簡易送還の対象であると特定された庇護希望者の強制収容は、ＩＩＲＩＲＡで明文化された[20]。非市民の強制収容の実践は、アメリカの移民政策の歴史を見れば19世紀から存在する。人種、政治的イデオロギー、経済、犯罪、テロリズムへの懸念が、収容を正当化する法律を整え、近年では収容所の民営化という「収容産業」も強制収容の実施と収容数の増加を支えてきた。非正規入国の庇護希望者も強制収容の対象となり、入国の時点で庇護の希望を訴え、信憑性のある恐怖の審査を受け、その信憑性を認められた場合でも、さらに難民申請に関する口頭審理の日まで収容される。そのうえ、収容は難民認定の裁判まで長引くこともあるという（Siskin 2012:1）。

ＮＧＯヒューマン・ライツ・ファーストの報告によれば、庇護希望者の収容数は増加を続けている。２０１０年の収容数は１万５６８３人で、２０１４年には４万４２２８人に増え、これは裁判所による難民手続きの全件数の44％にあたるという（Human Rights First 2016:2）。他の人権団体もこうした収容が難民の適正な庇護へのアクセスを阻む要因になっていることを指摘し、劣悪な収容環境については改善を求め続けてきた。収容によって、難民申請において認定を得るためには事実上不可欠な存在である法的代理人を探す機会も制限される。また、収容所における性暴力の問題も繰り返し指摘されてきた。収容は性的マイノリティ、特にトランスジェンダーの人々に対する虐待的な扱いがおこる状況を体系的に備えており、これまでにも多くの性暴力の事例や、不適切な医療ケアなどが報告され、個別のケースについても政府監査院（Government Accountability Office: GAO）に申し立てられている[21]（NIJC 2011; NIJC and PHR 2012: 15）。

例えば、グアテマラ出身のトランスジェンダー女性の庇護希望者は、２０１４年10月に収容されてから難民として認定される２０１５年４月までの期間、アリゾナ州の男性用施設に収容され続けていた。収容期間中、彼女は恒常的に収容所を管理する移民税関執行当局（ＩＣＥ）職員と他の収容者から性暴力とハラスメントの被害にあっていたことが報道されている（Echavarri 2015a; 2015b）。ＮＧＯハートランド・アライアンス（Heartland Aliance）のナショナル・イミグラント・ジャスティス・センター（National Immigrant Justice Center: NIJC）も、性的マイノリティの被収容者に対する個別の支援活動とアドボカシーを行っている。本研究のインタビュー調査に協力してくれた団体職員によれば、収容の経験が与える精神的、身体的影響の深刻さに加え、収容所という場所に情報が届きにくく外部からアクセスできないために支援そのものが困難だという。

（４）一年申請期限

能動的庇護手続きでの難民認定申請には、防御的庇護手続きと比較すると制限が少ないが、ＩＩＲＩＲＡは能動的庇護手続きにも厳格化といえる規制を課した。ＩＩＲＩＲＡの改定によって、難民認定申請は入国から一年以内に提出されなければならないという期限が設けられた（INA208（a）（2）（B））。一年期限を過ぎた場合の提出について考慮される例外は二つあり、一つは、申請者の申請する能力に「申請者の難民性に大いに影響する状況の変化」があった場合、もう一つは「申請が遅れたことに関する特別な事情」が存在する場合である。この申請期限は法学者や人権団体によって批判されており（Hamlin 2012a; HRF 2012; Kerwin 2011; NIJC et al. 2010）、不合理かつ送還のリスクが高まるという点においては難民条約違反に当たると指摘されている（Seay 2011）。特に難民認定のため適切な情報や支援へのアクセスが入国当初から容易ではない性的マイノリティやＨＩＶ陽性の庇護希望者にとって、申請期限は難題として立ちはだかる。性的指向やジェンダー・アイデンティティを理由に難民の地位を得られる可能性があることをそもそも知らない場合や、家族や支援者、法的代理人に対するカミングアウトにともなう躊躇やリスク、そしてホスト社会と移民コミュニティの両方からの社会的な孤立などが迅速な申請を妨げている（Neilsen and Morris 2005; Musalo and Rice 2008; Seay 2011）。本研究のフィールド調査でも、支援団体や弁護士らはこの期限を「一年申請期限 one year bar」と呼び、支援の第一の課題と捉えていた。また、調査協力者のなかには、一年期限を過ぎたために「複雑なケース」となってしまい、支援団体から支援を断られた経験をしている人もいる。

運転免許証等の発行基準に関する連邦法（Real ID法）

２００１年の9・11同時多発テロ事件ののち、テロリズムに対する恐怖はピークに達し、特定の人種や国籍者の非正規入国はテロリスト予備軍の入国と同等かのようにみなされている。こうした背景のもと、「運転免許証等の発行基準に関する連邦法（Real ID Act法）」が、テロと津波対策を全面に押し出した「防衛、テロに対する世界的戦争および津波救援のための緊急予算充当法（Emergency Supplemental Appropriation for Defense, the Global War on Terror, and Tsunami Relief, 2005）」の一部として２００５年に成立した。「テロリストの庇護防止」と題された第１０１条に示されるように、庇護の安全保障化がこの法律の主旨の一つである。この法案を支持した下院司法議会議長のジェームス・センセンブレナーによれば、「この良識ある法律制定はテロリストの移動を妨げ、我々の国境の安全保障を補強することで、9・11事件が再び繰り返されるのを防ぐこと」を目的としている（Office of Congressman James Sensenbrenner 2005）。Real ID法は、「テロリスト団体」と「テロリスト活動」の定義を拡大することに加えて（Section 104, Section 105）、難民認定申請者と証言者の証拠・証言の信憑性、一貫性、確証に関する基準を厳格化した（Section 101）。信憑性に求められる高い基準の規定は、入国から難民審査までのあらゆる段階における供述のなかで少しでも一貫性を欠けば、移民裁判所における不認定結果の根拠になりうることが懸念される（Cabot 2014: 372）。

コンロイ（Conroy 2009）は、Real ID法の求める一貫性と信憑性は、性的マイノリティの庇護へのアクセスをより困難にしていると指摘する。第一に、厳しい一貫性を求めることは、庇護希望者自身が自らの難民性を認識する過程を無視している。特に性的マイノリティの難民の場合、入国してすぐにDHS職員に対して自分の性的指向やジェンダー・アイデンティティを明かすことは必ずしも容易ではないが、この時点でそうした事実を説明せずに後から主張した場合、一貫性を欠くとみなされる。さらに実証責任は難民申請者に課せられ、特定の社会的集団の構成員であることと迫害のおそれについての関連性を証明することが求められる。しかし、流動的であったり、ときに自認も曖昧であったりするセクシュアリティやジェンダーについての客観的証拠を得ることの難しさ、性的マイノリティの難民が生存戦略としてこれまでクローゼットでいることを選択してきた場合などを考慮すれば、一貫性やマイノリティ「である」ことを客観的に示すことは困難を極めるといえる。

以上のように、能動的庇護手続きによる難民認定申請にも国境管理と移民規制を通した安全保障化の影響が及んでいる。一方で、長年の支援の実務を通して認定に至るケースを多くみてきた支援団体や弁護士は、一年申請期限の例外要件や信憑性の証明を満たすための対策やノウハウを積み重ねている。そのため、難民申請者がそうした支援団体や弁護士にたどり着くことができれば、特定の規制を克服することは必ずしも不可能ではない(22)。

他方で、難民申請の異なる段階において複数の規制が次々に機能する防御的庇護手続きは、依然困難なプロセスである。この手続きでは庇護事務所での申請機会は与えられず、移民裁判所から審査が始まるが、移民裁判官のほうが庇護審査官よりも懐疑的な態度を取るといわれている。例えば、２０１２年のメキシコ出身のゲイ男性の難民認定裁判（*Neri-Garcia v. Holder*）では、申請者に退去強制令の差し止めと拷問等禁止条約による保護のどちらも適用されなかった。この事例において移民裁判官は、申請者の主張は信憑性があるがメキシコにおけるゲイ男性をめぐる状況はすでに改善されており、申請者が今後迫害を受けることはないと判断したのである。しかし、サンフランシスコで個別申請手続き支援も行っているジェンダーと難民研究センターによれば、その2年後の２０１４年3月、サンフランシスコ庇護事務所は能動的庇護手続きによって別のメキシコ人ゲイ男性を難民として認定している（CGRS 2014a, 2014b）。また、口頭審査の厳格さのほかに、移民裁判官の間でも判断の基準が一貫していないのではないかという問題もある(23)。

メキシコ出身者に対する排除

本研究の調査協力者にはメキシコ出身者が多いが、実のところメキシコ人難民申請者の認定率は低い。２０１４年度中に、移民裁判所には８８４０件のメキシコ人による防御的庇護手続きの難民申請が提出され、処理された件数のうち、１８５２件が不認定、１２４件が認定とされた（US Department of Justice 2015）。安全保障化による規制とスクリーニングの後に、難民認定申請の手続きにようやくたどり着いても、メキシコ出身者はシステマティックに排除されているのである（Cabot 2014）。「労働移民」や「不法移民」のイメージがつきまとうメキシコ出身者は「非正規性」や「違法性」の言説のなかに概念化されており、実際には様々な背景をもつ個別の経験を難民レジームのなかに形成することを妨げている（Boehm 2011）。メキシコ出身の難民の主張は薬物に関わる暴力・抗争の被害というケースが多いとされるが、性的指向やジェンダー・アイデンティティを迫害の理由とする難民も同様にこうした規制政策と排除の対象となっている。

また、入国管理手続きの厳格化のみならず、メキシコからアメリカとの国境にたどり着く道のりも平坦ではない。ＤＨＳの一部局であるＩＣＥによれば、メキシコと接する南西部国境で亡くなった人の数は１９９８年度から２０１７年度までの合計が７２１６人で、年間平均およそ３６１人にものぼる（United States Border Patrol 2018）。国境において多くの死者、行方不明者が出る要因の一つは、国境警備と監視システムの強化・軍事化である。ロジエールはＥＵ諸国も含めたこうした「死」と切り離せない先進諸国の国境における移民現象を構造的な「対移民戦争」と呼び、事態の深刻さを喚起する（ロジエール 2014）。

他の外国籍者に比べてメキシコ出身者は、防御的庇護手続きにおける安全保障対策と国境管理の対象として、逮捕、収容、送還、退去強制といった移民の取り締まりの対象となってきた。２０１３年度、ＤＨＳは43万８４１２人の外国籍者を送還したが、うち72％がメキシコ人であった。また、簡易送還では75％（およそ1万４２７０人）がメキシコ人で、次いでグアテマラ（11％）、ホンジュラス（８・３％）、エルサルバドル（４・７％）出身者である。ＩＣＥの収容施設は、被収容者の55・５％（24万４５８５人）がメキシコ国籍者で占められている（DHS 2014b）。

実のところ、包括的移民法改正を公約に掲げていたはずのオバマ政権下において、移民規制の厳格化はより一層進行してきた。強制送還者の数自体は２００３年にＤＨＳが設立された後に急激に増加し、制度的に大規模な強制送還が可能になるメカニズムが存在していることを表している（飯尾 2017）。２０１２年に発表された非正規若者移民層に対する救済策としてのＤＡＣＡプログラムのように、特定の条件を満たす人々に正規化の機会を与え、社会に包摂しようとする一方で、入国管理や取り締まりの厳格化、収容機能の強化を通じて、犯罪性や違法性と結びつけられた人々を排除する「選別的移民政策」が進んできたのである（飯尾 2017、小井土 2017）。

「他者」の相対化

2章にて論じた第三国定住と庇護という二つの異なる難民レジームの緊張関係は性的マイノリティの難民のケースにも同様に存在する。政府が「ＬＧＢＴ難民」の保護を人権外交政策の一角として、第三国定住プログラムのなかで推し進めていく一方で、国境または国内の性的マイノリティを含む庇護希望者に対しては、90年代から続く安全保障化の政策が引き続き制限的に働いている。簡易送還、強制収容、申請期限、厳格な信憑性の要求は、難民申請そのものへのアクセスと難民の地位の獲得を難しくするだけでなく、送還という難民にとって深刻な状況をもたらしうる。

第三国定住と庇護の関係は、ギブニーのように、管理の及ぶ程度、安全保障への脅威、モラル的義務の発生という側面からも説明できるが、改めてこれまでのＬＧＢＴ人権政策言説と新聞報道を通して誰が「ＬＧＢＴ難民」として注目されてきたのかを考慮することで、ホモナショナリズム概念における他者の相対化を試みることができる。

人権外交のなかに位置づけられる「ＬＧＢＴ難民と庇護希望者」の保護には、同性愛規範とアメリカの例外主義に支えられたナショナリズムを高揚する効果をもつという意味で、プアのホモナショナリズム批判が当てはまる。しかし、プアが立てたアメリカ対ムスリムのような二項対立は、アメリカの移民政策の実践における排除のメカニズムを考慮すると成立しないのである。プアは対テロ政策が進むアメリカのホモナショナリズムは、ムスリム男性をホモフォビックな存在として他者化したうえで、彼らへの暴力や排除を正当化していると論じる。それに対応するように、人権外交政策の文脈における言説では、ロシア、ナイジェリア、ウガンダといった同性愛を犯罪化し抑圧するような国々がホモフォビックな存在として名指され他者化されてきた。新聞報道もそうした国々出身の「LGBT」の人々の苦境に注目をシフトさせてきた。しかし、「LGBT難民と庇護希望者」の保護が実施されるアメリカの難民レジームにおいて、実際に収容や送還、国境での暴力によって排除されてきたのは、南の国境からの入国者、特にメキシコ出身者である。

また、第三国定住プログラムを見れば、他者であるロシア、ナイジェリア、ウガンダ出身の難民は、その保護の明確な対象にはなっていないが[24]、メディアで報じられるこうした国々にいるLGBTの苦境の物語は、「脆弱なLGBT難民と庇護希望者」の構築に大きな役割を果たしてきたと考えられる。脆弱な難民というカテゴリーは、第三国定住政策におけるLGBT難民の保護の優先性の枠組みの形成が可能になった場といえる。脆弱なLGBT難民は、国家の安全保障に対する脅威のイメージからは程遠く、かれらの保護の優先を唱えることは、第三国定住プログラムの管理可能な性質と相まって、国内の安全保障の問題として立ち現れにくい。一方で庇護希望者を潜在的テロリストとみなす安全保障化の波は、LGBT人権政策の方針に影響されることなく、庇護希望者、特に防御的庇護手続きを経ることの多いメキシコ出身者を国境と領土から排除する。同時に、性的指向やジェンダー・アイデンティティを理由とした難民性が認められるようになった90年代から2010年あたりまでしばしば報じられていたメキシコ人の性的マイノリティ、特にゲイ男性やトランスジェンダーの難民の物語は公の言説から姿を消した。こうした意味でLGBT人権外交は第三国定住政策にのみ反映されているように見えつつも、庇護の安全保障化とも関わってきたのである。

つまり、LGBT難民の保護レジームにおいては、アメリカのホモナショナリズムを支えるための「名指される他者」は政府や新聞報道による言説によって構築されるが、必ずしも実際の排除の対象としての他者ではない。望ましくない他者の排除の正当化は、厳格な移民規制・国境管理の枠組みのほうで実施されている。LGBT難民を人権外交の柱の一つに持ち出すことで、あらゆるLGBT難民と庇護希望者にアメリカの寛容でリベラルな手が差し伸べられているかのようなナラティヴが成立するが、その一方で、脅威としてのメキシコからの入国者はたとえ「LGBT

庇護希望者」であっても、規制と排除の対象となる。また、こうした特定の「ＬＧＢＴ庇護希望者」が難民政策からこぼれ落ちる可能性は、寛容なアメリカに対するホモフォビックな他者と、安全保障上の脅威としての他者という異なる二つの他者のすり替えによって人権外交の文脈においては批判を免れている。

注

（1）*Bowers v. Hardwick* 裁判では、ジョージア州の反ソドミー法に基づいてゲイ男性が自宅寝室で逮捕された事件について最高裁まで争われた。自宅寝室という私的な空間での逮捕は、プライバシーという基本的人権を不当に侵害しているとする弁護側の主張は最終的にしりぞけられた。

（2）カチャルがあげるオルタナティヴなモデルには「変換モデル transformative model」と「付加モデル additive model」がある。前者は男性性の文化に取り囲まれているセクシュアリティにとって、ホモセクシュアリティは同性愛的行為の側面ではなく、個人のジェンダーの表出における逸脱に付与される（例／フェミニンな男性）。したがって女性的な男性と性的行為をもつマスキュリンな男性や性行為において挿入する男性にホモセクシュアルなアイデンティティはないし、他者から付与されることもない。後者では性的アイデンティティや性的行為を人のアイデンティティの核や人格とはみなされない。同性間の性行為は時に娯楽、時に通過儀礼的なその人にとって単に付加的な行為の一つにすぎないと理解される。

カチャルはさらに、社会構築主義やクィア研究に拠りながら、様々なセクシュアリティが文化・社会横断的な文脈においても法的保護の対象として包括されうるモデルとして、「熟議的性の自律モデル deliberative sexual autonomy model」を提示する。このモデルでは、ローカルな文化的要因の影響を受ける自己の内的領域・外的領域、身体的領域に関するアイデンティティや表現は、本人の判断と選択にのみ基づいて理解されるべきものと認識される。個人がアイデンティティを選択する、またはしない能力と、様々な要因と自己との対話によって形成されるアイデンティティを尊重することで、置換モデルが陥るカテゴリーや本質主義の問題を避けることができ、包括的な性的マイノリティの法的・政策的保護が成り立つという（Katyal 2002: 168-174）。カチャルは性の自律モデルに基づいた法的保護が実施された重要な判例として、最高裁がソドミー法を無効とした、ローレンス対テキサス州裁判（*Lawrence v. Texas* 539 U.S. 558 (2003)）を取り上げ、空間的プライバシー、熟議的自律、表出的自由という性に関する主権の条件がそろっていることを評価する。しかしこの議論は、公的空間と私的空間の間に明確な線引きを行ってしまうことや、ジェンダー、人種、エスニシティ、階級などとのインターセクショナリティの問題が言及されていないという限界もある。また、性の自律モデルのめざす性的マイノリティの権利獲得は、「市民」を前提としていることにより、非市民として受け入れ国の庇護の獲得を目指す際に採用することの有効性には疑問が残る（工藤 2014a）。また、２０１０年の論文"The Dissident Citizen"（Katyal 2010）では、文化と社会横断的な、特に欧米から南側諸国へのグローバルなゲイ・ディスコースの影響についてクィア・ディアスポラの理論的枠組を取り入れているが、実際に国境を越える人の移動については言及されない。

（３）ドゥガンの批判が向けられたサリヴァンの著書 *Virtually Normal: an argument about homosexuality*（1996）は『同性愛と同性婚の政治学――ノーマルの虚像』（本山哲人・脇田玲子監訳 2015 明石書店）として日本語訳が刊行されている。

（４）『平等反対（原題：*Against Equality*）』と題された論考集には、ＬＧＢＴに対するヘイトクライムの法制化、性的マイノリティの軍隊に従事する権利と合わせて、同性婚・同性パートナーシップについて主流のゲイ・レズビアン運動のもつ異性愛規範への同化に対する多角的な批判が収められている（Conrad ed. 2014）。また、青山（2016）は、デンマーク、オランダ、イギリス、アメリカの同性パートナーシップの法制化についてそれぞれ検討し、同性婚制度の保守性を批判しつつも、性的役割分業の変化、性と生殖の分離などの革新性についても踏み込んでいる。

（５）Rohrich（2015）はこの外交を「ＬＧＢＴ世界大戦」と名づけて、ヨーロッパとロシア地域における性的マイノリティの権利に対する外交的な影響を分析している。

（６）ボルドウィン下院議員はイラクにおけるＬＧＢＴの問題に最も早く注意を向けた政治家の一人である。ウィスコンシン州議員であった２００７年当時に、国務長官ライスに「ゲイのイラク難民」についての調査を要求する文書を送っている（Office of Wisconsin Rep. Tammy Baldwin 2007）。また、２００９年にはクリントン宛に38人の議員署名とともに送った文書で、国務省あてにイラク政府、人権団体、国連機関とともに「ＬＧＢＴのイラク人」の死刑を廃止するよう働きかけることを求めた（Office of Colorado Rep. Jared Polis 2009）。ボルドウィンは下院議員として初めてレズビアンであることを公言した人物でもある。

（７）１９９３年にクリントン政権によって１９９３年に制定され１９９４年から導入された「Don't ask Don't tell（DADT）」は、当初、アメリカの軍隊における同性愛者入隊禁止を緩和する目的であったが、実際には軍隊内でのカミングアウトを禁止しただけで、入隊禁止は維持され、むしろ同性愛者差別を制度として支えることになった。

（８）Office of the Press Secretary, "Statement by the President on the Anti-Homosexuality Bill in Uganda" ２０１４年2月6日。

(9) 人間の安全保障に対する批判的考察を用いた国際難民レジームの分析は土佐（2013）を参照。

(10) Refugee Processing Center の記録によれば、例えば2013年は6万9926人が実際に受け入れに至っている。2013年の受け入れを国籍別でみると最も多いのがイラク（1万9488）ついでミャンマー（1万6299）、ブータン（9138）、ソマリア（7608）、キューバ（4205）、イラン（2578）、コンゴ民主主義共和国（2563）、スーダン（2160）、エリトリア（1824）である。

(11) トランプ政権となってからの2018年度は2002年度と2003年度をさらに下回るという歴史的な難民受け入れの縮小をみせた。

(12) 新しいプログラムには、都市におけるLGBT難民支援事例の調査や、コスタリカでのLGBTの移民のニーズについての取り組みなどが例としてあげられている。

(13) この三つの定住支援センターの場所は、ラテンアメリカ（エクアドル・キト）、オーストリア（ウィーン）、東アジア（バンコク）である。

(14) トランプ政権下の2018年度、2019年度、2020年度の募集でも、こうした指針は大きく変化しなかった。

(15) 記事検索データベース *LexisNexis* を用いて1980年1月1日から2014年12月31日までにアメリカ国内で発行された新聞記事のうち、1本の記事のなかに①非異性的セクシュアリティとジェンダー・アイデンティティのカテゴリーと②難民／庇護カテゴリーという2種類の用語カテゴリーが同時に含まれる記事を抽出した。カテゴリー定義のために使用した語は次のとおりである。

①非異性的セクシュアリティとジェンダー・アイデンティティのカテゴリー：homosexual*, gay*, lesbian*, transgender* OR bisexual*, queer*, LGBT*, LGBTI*, intersex*, sexual minorit*

②難民／庇護カテゴリー：asylum*, asylum-seeker*, asylee*, refugee*

抽出の結果得られた新聞記事が次のいずれかの条件に当てはまる際には分析の対象から除いた。

a．記事が見出しと要約のみで本文内容を含まないとき

b．記事のなかで使われている「難民（refugee）」がアメリカの地方から都市への国内移動を意味するとき

c．記事が特定の大学新聞、または広告記事であるとき

d．一つの記事のなかで非異性愛カテゴリーと難民／庇護カテゴリーをそれぞれ関連しない異なる文脈で用いられているとき

また、同一の記事が同一のニュースソースから複数の新聞によって発行されている場合（例えばAP通信の記事が複数の新聞で同様

に掲載されている場合）は、異なる新聞メディアにおいて大幅に編集されている場合を除いて、一つの記事として数えた。一つの記事が、複数の難民出身国、複数の内容のカテゴリーを含んでいる場合は、それぞれを一つとして数えた。そのため、合計の記事数と、難民出身国の合計数、内容の種類の合計数は一致しない。また、*LexisNexis* に含まれないウォール・ストリート・ジャーナルのような新聞の記事についても可能な限り拾い上げられるように、データベース *Factiva* も同様の条件で用いて、抽出結果から *LexisNexis* との重複を取り除いた。以上の条件に該当する記事は合計２０９本で、報道元の内訳はＡＰ通信69、ニューヨークタイムズ26、ワシントン・ポスト24、ＵＰＩ通信（United Press International）22、サンノゼ・マーキュリーニュース7、シティ・ニュースサービス7、その他54である。

(16) 正式な名称は「伝統的な家族の価値観を否定する情報から未成年を保護するために連邦法『健康及び発達に害を及ぼしえる情報から未成年者を保護する法律』第5条及びその他個別の連邦法を改正する法律」であり、ロシアにおけるジェンダー規範と家族観に深く根ざした法律である（五十嵐 2015）。

(17) 日本語訳については中山（2017, 2019）を参考にした。

(18) アメリカにおけるテロリストとしての庇護希望者のイメージは１９９３年2月ニューヨークでの世界貿易センタービル駐車場爆破事件において、首謀者とされるラムジ・アフメッド・ユセフが難民認定申請者であったという事実によって強化された。ラムジ・アフメッド・ユセフは事件以前にアメリカで難民認定を申請しており、認定手続き自体は保留になっていたが、その間アメリカに数年間滞在することが可能となっていた（Hamlin 2012: 42）。

(19) 難民条約の当該条項にもかかわらず実際にはヨーロッパ諸国、北アメリカ諸国、オーストラリア、日本など多くの国が難民申請者の収容を行っている。

(20) IIRIRA 1996, SEC. 302.

(21) ＧＡＯの調査報告によると２００９年10月から２０１３年3月の間に、ＩＣＥの収容施設における２１５件の性暴力被害が申し立てられていた。そのうち立証された15件の詳細をみると、3件においてトランスジェンダーの収容者が被害にあっていたことがわかる。ＧＡＯはそもそもＩＣＥの中立の記録システムのデータに欠損があり効果的な監査ができないことや、中立を取り扱う手続きや、通報のためのホットラインの技術的な接続、個別の中立の調査の手続き等にも問題があることを指摘し、改善を勧告している（GAO 2013）。

(22) 一年申請期限については、いまだ廃止には至っていないが、政府もこの規定には問題があることをかつて認識していた。難民条約60周年、無国籍に関する条約50周年を記念して開催された２０１１年の首脳会議では、アメリカ政府は28の公約を提出し、そのなかには議会と協力し、申請期限を撤廃することもあげられていた（UNHCR 2011a: 124-128）。さらに２０１２年発行のＵＳＣＩＳによるＬＧＢＴＩの難民の主張に関するガイダンスでは、庇護審査官に、申請期限と関連する特有の状況、例えばカミングアウトの難しさや、ジェンダー移行の実施、ＨＩＶの診断、メンタルヘルスの問題を考慮するよう求めている（USCIS 2011: 61-64）。

(23) *Refugee Rourette*（Ramji-Nogales et al. 2009）では、庇護事務所、移民裁判所、ＢＩＡ、連邦控訴裁判所で出された難民申請をめぐる決定に、それぞれの機関のなかでばらつきがあることが検証された。例えば、庇護事務所においては、所属する地域によるばらつきがあり、移民裁判所においては裁判官のジェンダーや経歴（民間の法律事務所やＮＧＯでの勤務経験）が認定率と関わりがある。また、難民申請者本人だけでなく子どもと配偶者の保護も同時に求めるケースのほうが認定率が高いなど、難民の主張とは関連しない要因が庇護へのアクセスを左右していると考えられる。

(24) ２０１３年度の第三国定住難民受け入れでは、ウガンダからの難民15人、ナイジェリアから2人、ロシアから１２５人が受け入れられた（PRM 2014）。

第4章

難民の移動と語りの構築

前章では、アメリカの寛容さや先進性という言説とともに、人権外交政策として「ＬＧＢＴ難民と庇護希望者」の保護の促進が掲げられ新たな難民問題として構築されると、同時に「ＬＧＢＴ庇護希望者」を含めた人々の排除が継続していることをみてきた。ここからは、難民の人々の存在に焦点を当て、これまでにみた性的マイノリティの包摂に関わる概念とかれらの語りの関わり、また、非正規移民として排除の対象にもなりうる人々の難民申請の経験について理解することを試みる。

1．調査のフィールドと支援のアクター

難民の人々の経験を理解するためにも、まずは調査当時（2009-2014）の調査地における、難民認定申請の状況をみておきたい。ＤＨＳの発表によれば、２０１０年度から２０１４年度の能動的庇護手続きと防御的庇護手続きによる難民認定数は表7のとおりである。迫害の詳細な理由に関する統計は公表されていない、もしくは取られていないため、近年性的マイノリティの難民ケースが注目を集めてはいるものの、実際に難民認定申請数のうちどのくらいの割合を占めるのか、また申請数がどのように変化しているのかなどは不明である。出身国別に見れば、２０１０年度から２０１４年度の庇護対象者合計のうち、出身国の上位3か国は中華人民共和国（44・5％）、エチオピア（4・0％）、ネパール（3・3％）（DHS *Yearbook of Immigration Statistics 2016* より算出）である。一方で、ニューヨーク市とサンフランシスコ・ベイエリアで難民支援に携わるＮＧＯや法的代理人を務める弁護士らによれば、性的マイノリティの難民の出身国はニューヨークではジャマイカとロシア、ベイエリアではメキシコが多数を占めているという認識が共通しており、アメリカ全体でみたときの庇護対象者とは異なる層を形成していると考えてよいだろう。

ニューヨーク市とサンフランシスコ市には難民認定審査のための庇護事務所（全国に8か所）と移民裁判所（24州に53か所）が各々一つずつ設置されており、ニューヨーク市のケースは区によってニュージャージー州のニューアー

表7　アメリカにおける難民認定数

年度	合計	能動的庇護手続き	防御的庇護手続き
2010	19,755	11,236	8,519
2011	23,570	13,432	10,138
2012	28,010	17,435	10,575
2013	24,997	15,230	9,767
2014	23,296	14,624	8,672

出典：Refugee &Asylee Data Tables（DHS 2016）より筆者作成。
アメリカ連邦政府の会計年度は10月に始まり翌年9月に終わる。締めの年月が属する暦年で年度を示す。

ク庇護事務所で審査されることもある。[1]ＤＨＳの報告（DHS 2016）によれば、２０１４年度に庇護事務所で認定された難民１万４７５８人の居住地の上位２州はカリフォルニア州（47％、６８６６人）とニューヨーク州（13％、１９５６人）で、全体の半数を占めている。調査対象の両地域はこれらの州のなかに位置し、他の都市よりも難民が集住する傾向にある地域でもある。他の庇護事務所と比較すると、サンフランシスコ庇護事務所は高い認定率を特徴とし、ニューヨーク庇護事務所は申請数が多く認定率は高くないが、その場での不認定ではなく、移民裁判所に付託し、その判断に委ねる傾向が強いといえる（表8、表9参照）。また、ニューヨークとサンフランシスコの移民裁判所は他の移民裁判所と比較して、防御的庇護手続きの難民認定率の高さが特徴としてあげられる。小井土（2008）によれば、移民の規制は官僚制の構造と地域的文脈との相互作用によって、地域による異なる偏向性をもって進行、実施されるが、難民認定審査も地域権力構造による不均等さを反映しているといえるだろう。それぞれの地域的特徴は支援団体の言説、難民の経験のなかにも見出すことができ、各地域に集まる庇護審査官のジェンダー、エスニシティ、学歴などの属性が、認定率に影響を与えるという研究もなされている（Ramji-Nogales, Schoenholts and Schrag 2009）。こうした違いは、これまでは主に一つの国家のなかで画一的な手続きと前提とされてきた難民認定申請というプロセスが、地域における実践のレベルでは異なる傾向や特徴をもつことを示している。

難民認定審査に至るまで、またその審査の手続きを開始してからのプロセスには様々なアクターが関わるが、特に難民認定申請を直接的に支援する組織・団体や当事

表8　2014年度（2013年10月〜2014年9月）の各庇護事務所の処理状況

庇護事務所（州・都市）	申請数		処理数		認定数		却下数		裁判所判断	
合計	57,840	100%	30,620	100%	11,841	100%	707	100%	7,743	100%
カリフォルニア・ロサンゼルス	12,734	22.0%	8,311	27.1%	3,479	29.4%	253	35.8%	1,555	20.1%
ニューヨーク・ニューヨーク	12,146	21.0%	7,742	25.3%	1,321	11.2%	88	12.4%	3,144	40.6%
ニュージャージー・ニューアーク	8,833	15.3%	2,714	8.9%	1,045	8.8%	14	2.0%	422	5.5%
フロリダ・マイアミ	6,452	11.2%	2,270	7.4%	1,055	8.9%	38	5.4%	531	6.9%
カリフォルニア・サンフランシスコ	6,188	10.7%	3,613	11.8%	2,498	21.1%	50	7.1%	479	6.2%
テキサス・アーリントン	4,594	7.9%	2,975	9.7%	1,257	10.6%	136	19.2%	849	11.0%
イリノイ・シカゴ	3,774	6.5%	1,273	4.2%	566	4.8%	44	6.2%	393	5.1%
テキサス・ヒューストン	3,119	5.4%	1,722	5.6%	520	4.4%	84	11.9%	370	4.8%

表9　2014年度各庇護事務所の認定率（処理数を全体としたとき）

庇護事務所	認定率
全体	38.7%
サンフランシスコ	69.1%
マイアミ	46.5%
シカゴ	44.5%
アーリントン	42.3%
ロサンゼルス	41.9%
ニューアーク	38.5%
ヒューストン	30.2%
ニューヨーク	17.1%

表8、表9はいずれもUSCISから3か月ごとに発表される資料（RACWKLM1, USCIS Asylum Division）より筆者作成。認定数の合計は2015年1月に改めて集計された*Annual Flow Report*（DHS 2016）と多少の誤差がある。

者のコミュニティは、難民の人々の庇護へのアクセスに重要な役割を果たすだけでなく、かれらが移動と申請のプロセスをホスト社会においてどのように経験し、認識し、言語化するかということに大きな影響を与えている。ここではフィールド調査の拠点として著者が参与観察してきた二つの団体と、ニューヨーク市のケースに関わる団体についてその活動や特徴をおさえておきたい。

ベイエリアのＢＡＹＣは１９８０年代初めのサンクチュアリ運動のなかで展開されていたアリゾナ州とメキシコの国境沿いでの非正規移民の支援活動を団体の発端とし、現在ではＮＧＯとしてバークリー市内に事務所を構えている。理事会のメンバーは教会関係者で構成されているが、団体の事業内容に理事らの宗教的な信念はほぼ反映されていないという。団体代表は財務管理とボランティアのコーディネートなどを担当するが支援事業には直接的に関わらない。財政基盤は教会への寄附金、クライアントのサービスに対する支払いなどが恒常的な収入であり、その他助成金も獲得している。支援は法的個別支援に限られており、難民認定申請、若年移民に対する国外強制退去の延期措置（ＤＡＣＡ）[2]、Ｕビザ[3]、短期保護滞在許可（ＴＰＳ）[4]、永住権と市民権の申請を専門とするスタッフや弁護士がいる。調査当時は常勤の職員が９人いて、ほぼ全員英語とスペイン語での業務が可能であった。事務所のすぐそばには大学があり、法科大学院の学生やエスニック・スタディーズ専攻の学生がインターンまたはボランティアとして働いており、登録ボランティア数はこうした学生を含めて50人を超える。支援サービスを利用するクライアントは主にメキシコと中央アメリカ出身者である。難民申請支援プログラムはＬＧＢＴとドメスティック・バイオレンス（ＤＶ）、グアテマラ先住民の3種類のケースに特化しており、難民プログラムのディレクターによれば、２０１１年度は４０７の難民ケースに対応し、そのうち半数以上のおよそ２２０から２５０がＬＧＢＴケース、１１６がグアテマラ先住民ケース、およそ50がＤＶケースであった。サンフランシスコ庇護事務所の庇護審査官には民間弁護士事務所勤務経験のある職員が多く、ＢＡＹＣ職員とも複雑な難民ケースについてアドバイスを求め合ったり、互いの事務所のイベントに招待し合ったりするような関係を築いていているという。

一方、QSAGはニューヨーク市マンハッタン区のLGBTコミュニティ・センター（以下「LGBTセンター」）が運営するプログラムのもとで活動するグループの一つである。NGOの建物はもとは食品貿易・海運の学校として使用されていたもので、1983年に売り出された際にLGBTセンターによって買い取られて以来、様々なグループの活動拠点として機能し、ニューヨーク市におけるクィアなコミュニティを長年支え続けてきた。例えば、80年代、90年代には「沈黙＝死」のスローガンで政府に対して医薬品の開発や薬剤費引き下げ等のエイズ対策を訴えたアクトアップ（ACT UP）は、このLGBTセンターに集まる当事者や活動家によって発足した。LGBTセンター自体にはエイズ、健康、若者支援、アート、アーカイブなどの独自の事業があるが、何よりも大小様々なグループに集会スペースを提供することでニューヨークの多様なクィアなコミュニティにとっての重要な役割を担っているといえる。QSAGはLGBTセンターの成人支援事業の一部として2008年に開始され、週に一度のピア・サポートを目的とした集まりで、そのサブミーティングというかたちでより政治的・社会的な活動に関わりたいという参加者向けに隔週の集まりも開催されていた。ミーティングはLGBTセンター職員であるソーシャルワーカーの取り仕切りのもとで自由に話をするという形式で、新聞記事などの資料を用いて特定の話題を取り上げることもあれば、参加者が自由に近況や悩みを共有することもある。2008年の初回開催時の参加者は6人だったが、その後徐々に増え、筆者がインタビュー調査を始めた頃には15人から25人くらいの顔なじみが集まるような規模に落ち着いていた。2014年の調査時には、多いときでは参加者は30人を超えることもあった。ファシリテーターを務めるソーシャルワーカーは個別相談支援も行っており、この個別相談を通して必要があればイミグレーション・イクオリティ（Immigration Equality）の難民認定申請のための法的支援サービスを紹介されることがある。

イミグレーション・イクオリティはLGBTとHIV陽性の移民のための法的個別支援サービスと、アドボカシーを行うNGOであり、1994年に設立されて以来、アメリカにおけるこの分野での支援活動をリードしてきた。マンハッタンのビジネス街として知られるウォールストリートに事務所を構え、2010年以降年間支出は毎年160

万ドルを超え、２０１５年の年間予算は２００万ドルという財政規模の団体である。２００３年から２０１４年の難民関連の法的支援で認定に至ったケース数は６９９で、ジャマイカ出身者が１７７件と多く、次いでロシア49件、ホンジュラス、メキシコが各31件である。また、結婚防衛法に対する違憲判決が最高裁で出される２０１３年６月前までは、アメリカ市民または永住者による同性パートナーの家族呼び寄せを可能にするユナイテッド・アメリカン・ファミリー法（United American Family Act）[(5)]という移民国籍法の改正案のアドボカシーに力を入れていたことからも、

2009年10月11日ワシントンD.C.にて開催されたナショナル・イクオリティマーチに参加するQSAGのメンバーたち。LGBTの人々の権利がアメリカ全州の市民法上において平等となることを求めて、およそ20万人が参加したといわれている。（筆者撮影）

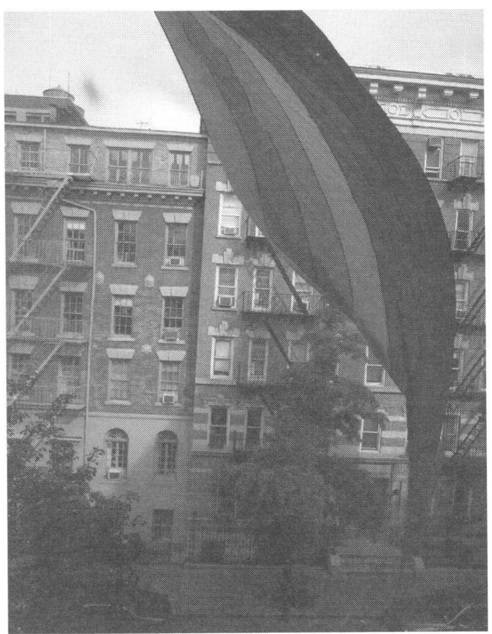
LGBTセンターに掲げられたレインボーフラッグ。建物の2階にあるフリーマガジンスペースから見たようす。（2012年1月筆者撮影）

この団体にはアドボカシーにおいて市民として家族を形成しうる存在としての「ＬＧＢＴ」移民を描くという特徴があるといえる。調査では以上三つの団体以外にも、性的マイノリティの移民・難民支援団体、法律事務所、地元の法科大学院のリーガル・クリニック[6]にて聞き取りを行った。

本書中で取り上げる個別の調査協力者の名前はすべて仮名を用い、個別のケースについて参照する際には表10（141‐144ページ）に示した参照番号をあわせて表記する。分析の対象とする語りは、私（筆者）と調査協力者がともに英語を使用して行ったインタビューのノートと音声記録によって構成される資料をもとにしている。

2．移動と難民認定申請

どのような状況の難民にも個別に異なる経験があるが、例えば紛争の影響によって大量の難民が発生してきたアフガニスタン、シリア、南スーダンなどの地域からの、出身地やエスニシティ、主な移動の理由などを共有している難民の人々と比較すると、アメリカに何らかの方法で移動し、性的指向やジェンダー・アイデンティティを理由に庇護を求める人々の移動の経歴には共通点が見出しにくい。調査協力者たちの背景は当然ながら様々で、かれらを「ＬＧＢＴ難民・庇護希望者」と一括りにすることの難しさが改めて認識させられる。しかしながらニューヨーク市とベイエリアという地域別に見ると、そこに集まる人々の国籍や難民認定申請までの経験にある程度の傾向をみてとることができる。

調査協力者について理解する際にまず留意しておきたいのは、ジェンダーの偏りである。1章で述べたように、協力者はシスジェンダーの男性が全体の70％と多数を占める。偏りの原因はいくつか考えられるが、一つには性的指向による迫害を理由とした難民認定申請者にそもそも男性が多いことが調査協力者の集団にも反映されたといえるだろう。難民申請者の正確なジェンダー別の内訳については公表されているデータがないが、今回の調査に協力してくれたすべての支援団体や弁護士の間でもシスジェンダー男性の割合が圧倒的に高く、次いでトランス女性、シスジェンダー女性、トランス男性の順に多いという認識が共有されている。数のジェンダー差は男性の難民性がより高いということではなく、そもそもアメリカに移動するための資源やネットワークを女性よりも男性の方が有していることが要因の一つだと考えられる。航空券や査証を用意して出国することのコストや困難に加えて、女性はジェンダー役割・規範をより強く期待されるがゆえに出身国を出ることを選択せずに、異性との婚姻関係をもったり、家族のケア

QSAG主催のLGBTQ移民フェアのようす。（2011年３月筆者撮影）

LGBTセンターの各階の廊下に様々なトピックごとに張り出されるフライヤー。（2012年１月筆者撮影）

役割を担うことも珍しくない。調査協力者のシスジェンダー女性にも男性との婚姻経験があったり、子どもや親きょうだいのケアを担ったりしている人や、一人でアメリカへ渡るのに家族、特に父親の理解と支援を得るのに苦労したという人たちがいた。

もう一つには、性的マイノリティの移民・難民のコミュニティ内部のジェンダー構成にみる不均衡な関係やシスジェンダーのゲイ男性中心的な特徴が理由として考えられる。特にニューヨーク市のＱＳＡＧのメンバーは圧倒的にシス男性が多く、かれらは繰り返しミーティングに訪れるが、女性の参加者は定着しにくい傾向があった。例えば一度のミーティングの参加者がおよそ30人前後とすると、男性が21人から23人、女性5人から7人、トランスジェンダー女性1人または2人という構成であった。特にニューヨークの調査ではこのコミュニティを拠点として協力者を探したため、インタビュー対象者のジェンダー構成にはより偏りがある。難民申請に関する情報はＱＳＡＧのような性的マイノリティの移民当事者コミュニティ内で共有され、そこで初めて難民申請という選択肢について知る場合も多い。しかしこうしたコミュニティを構成するメンバーやコミュニティ内の話題を決定するのはシスジェンダーのゲイ男性に偏りがちで、シスジェンダー女性やトランス女性、トランス男性にとってはそもそもコミュニティに居心地の悪さを感じたり、そこで共有される情報へのアクセスが限定されたりする。そのため、ジェンダー化された移動の困難を克服しアメリカに来ることができたとしても、難民申請の手続きにつながるまでに時間を要することがある。クィアなコミュニティのなかのジェンダー関係や、クィア移住研究におけるトランスの人々やレズビアン女性の不可視性（Luibhéid 2020）については、引き続き検討を要する課題として残されている。

調査協力者たちの移動から難民申請に至るまでの経緯は大きく分けて、難民申請計画型、難民申請機会発見型、「移民」移動型の三つに分類できる。表10はこの類型ごとの調査協力者の詳細である。ここでの「難民」は「庇護対象者」の地位を意味する。

(1) 難民申請計画型

難民申請計画型には、アメリカに入国する前から、難民認定申請を計画し、実際に入国して間もなく申請またはその準備を始めたケースが分類される。このケースでは、難民申請についての情報を入国前から、もしくは入国直後に得て支援団体や弁護士事務所の支援・サービスにつながり、一度も国外に出ることなく1、2年のうちに申請に至る。ベイエリアとニューヨークの双方でみられたケースである。

ベイエリアではメキシコ出身者を除いた6人のうち、アルジェリア、アラブ首長国連邦、パレスチナ、サウジアラビア出身の5人が当てはまる。例えば、アルジェリア（BA-3）出身の女性とアラブ首長国連邦出身（BA-4）の女性はパートナー関係にあり、アメリカ入国前にサンフランシスコの弁護士事務所に連絡をとってから「旅行者」の査証で入国した。ニューヨーク在住の20代のロシア人男性2人（NY-1、NY-2）は、それぞれ事前にインターネットで難民申請の可能性や支援団体について調べてからアメリカに入国し、すぐにＱＳＡＧとイミグレーション・イクオリティを訪れて申請の手続きを進めた。

(2) 難民申請機会発見型

申請機会発見型には、旅行、就労、留学、空港・港の通過など、何らかの査証を用いて入国し、多くの場合は一時的な滞在を計画していたが、その後難民申請ができるということを知り申請に至ったケースが分類される。１９９７年に留学生として入国したマレーシア出身の男性を除いて、すべてニューヨーク在住のケースである。アメリカに初めて入国し、その後アメリカを離れることなく難民申請を行ったケースと、申請前に何度かアメリカと出身国や他の国を行き来したことがあるケースとがあるが、特に後者の場合は、旅行や仕事、家族・親類を訪問するという目的でアメリカを訪れた経験があり、個人の高いモビリティもみてとれる。例えばベネズエラ出身の50代男性（NY-10）は、奨学金を得てアメリカの大学院に留学し、その後も学会参加や出張で30回以上は訪れてきたという。彼はアメリカのほかにもウクライナ、スペイン、ドイツ、コロンビアへの短期留学経験をもち、移動そのものが人生の一部であると語る。

ただし、このパターンは、難民認定申請の支援や手続きにすぐには結びつかず、滞在年数を重ねることも多い。例えばマリ出身の男性（NY-25）は、1999年に短期商業ビザで入国し就労しながらニューヨーク市に住む姉と暮らしていたが、ゲイであることをめぐって姉と衝突し、シカゴに移った。そこで出会ったアメリカ人女性から在留資格を新しく取得することを手助けしたいと結婚を持ちかけられ、結婚した。その後2008年にニューヨークに戻った際に、当時の同性のパートナーから難民申請についての情報を得て、2009年に申請し、2010年に認定を得た。ほかにも、インドネシア出身のゲイ男性ロイ（NY-16）は調査インタビュー当時にすでにアメリカ在住歴10年以上で、もともとは雇用に基づく永住権の申請を行っていた。しかしその手続きを進めていた最中に9・11同時多発テロ事件が起こり、永住権申請手続きは保留状態となってしまう。さらに当時のテロ対策の一つである米国愛国者法によってイスラム教徒が多くを占める指定国家出身の成人男性に移民登録義務が課せられ、インドネシア国籍のロイもその対象となった。そこで弁護士とも相談しこのままでは永住権申請の先が見えないと判断して、難民認定申請に切り替えたという経緯をもつ。

難民申請を計画してはいなかったが、入国してから間もなく申請に至るケースもある。20代のロシア人女性はロシアでの弁護士としての仕事を休職し、語学留学のつもりで来たが、到着して数か月でロシアに帰国したくないと強く思い始めた。弁護士に提案され入国から4か月で難民申請したが、能動的庇護手続きで不認定となり、インタビュー調査当時は防御的庇護手続きを開始したところだった。また30代コソボ人男性は、カフェで出会った見知らぬ人にLGBTセンターを紹介され、QSAGにて難民申請のことを知り、同じく入国から4か月で申請した。

表10　調査協力者と移動から申請までのプロセスの類型

(1) 難民申請機会計画型

参照番号	出身国	ジェンダー	性的指向	年齢	在留に関する地位または資格	最初の入国時期	最後の入国時期	難民申請時期	認定審査結果受領時期	インタビュー実施時期
NY-1	ロシア	男性	ゲイ	20代前半	観光	2014	最初と同じ	申請準備中	–	2014
NY-2	ロシア	男性	ゲイ	20代前半	観光	2014	最初と同じ	申請準備中	–	2014
NY-3	ナイジェリア	男性	ゲイ	20代後半	永住者	2010	2012	2012	2012	2014
NY-4	コソボ	男性	ゲイ	30代前半	難民申請者	2013	最初と同じ	2014	未受領	2014
BA-1	パレスチナ	男性	ゲイ	30代前半	難民申請者	2012	最初と同じ	2012	未受領	2012-2013
BA-2	パレスチナ	男性	ゲイ	20代後半	難民申請者	2012	最初と同じ	2012	未受領	2012-2013
BA-3	アルジェリア	女性	レズビアン	30代前半	難民	2012	最初と同じ	2012	未受領	2012-2013
BA-4	アラブ首長国連邦	女性	レズビアン	20代前半	難民	2012	最初と同じ	2012	未受領	2012-2013

(2) 難民申請機会発見型

参照番号	出身国	ジェンダー	性的指向	年齢	在留に関する地位または資格	最初の入国時期	最後の入国時期	難民申請時期	認定審査結果受領時期	インタビュー実施時期
NY-5	ロシア	男性	ゲイ	20代前半	難民	2008	最初と同じ	2009	2009	2010
NY-6	ロシア	男性	ゲイ	20代前半	難民申請者	覚えていないが来米歴あり	2013	申請準備中	–	2014
NY-7	ロシア	男性	ゲイ	20代前半	難民申請者	2010	2013	2014	未受領	2014
NY-8	ロシア	女性	レズビアン	20代前半	難民申請者	2012	最初と同じ	2012	2012（不認定となり、防御的プロセス）	2014
NY-9	ベネズエラ	男性	ゲイ/ホモセクシュアル	50代前半	永住者	覚えていないが来米歴あり	2009	2010	2010	2014
NY-10	ベネズエラ	男性	ゲイ	40代前半	観光	1983	2014	申請準備中	–	2014
NY-11	ベネズエラ	男性	ゲイ	60代後半	永住者	覚えていないが来米歴あり	2009	2010	2010	2014
NY-12	ウクライナ	女性	レズビアン	20代前半	難民	2007	最初と同じ	2008	2009	2010
NY-13	ウクライナ	男性	ゲイ	30代前半	観光	2014	最初と同じ	申請準備中	–	2014
NY-14	ジャマイカ	男性	ゲイ	30代前半	難民	2006	2008	2008	2008	2011
NY-15	ジャマイカ	女性	レズビアン	30代前半	難民	1994頃	2012	2013	2014	2014
NY-16	インドネシア	男性	ホモセクシュアル	40代前半	永住者	覚えていないが複数回の来米歴あり	1998	2003	2005	2010

NY-17	インドネシア	男性	ゲイ	40代前半	難民	1999	最初と同じ	1999	2010	2011
NY-18	パラグアイ	男性	ホモセクシュアル	30代後半	難民	2008	最初と同じ	2009	2009	2010
NY-19	コロンビア	男性	ゲイ／ホモセクシュアル	40代前半	難民	2007	2007	2007	2009	2011
NY-20	ガイアナ	男性	ゲイ	30代前半	難民申請者	1996	2006	2010	2011	2011
NY-21	グレナダ	男性	ゲイ	30代前半	難民	1995	1998	2011	2011	2011
NY-22	トリニダード・トバゴ	男性	ゲイ	40代前半	–	1999	最初と同じ	2011	未受領	2011
NY-23	ペルー	男性	ゲイ	30代前半	難民	2003	最初と同じ	2011	2011	2011
NY-24	ドミニカ共和国	女性	レズビアン	40代前半	永住者	2006	最初と同じ	2011	2011	2014
NY-25	マリ	男性	ゲイ	30代前半	難民	1999	最初と同じ	2009	2010	2011
NY-26	エジプト	トランス男性	ヘテロセクシュアル	30代前半	難民申請者	2011	最初と同じ	2011	未受領	2011
NY-27	スリランカ	男性	ゲイ	30代後半	難民	2006	2008	2011	未受領	2011
NY-28	マレーシア	男性	ゲイ	30代前半	難民申請者	2012	最初と同じ	2013	未受領	2014
NY-29	ドイツ	女性	レズビアン	40代後半	難民	1998	最初と同じ	2009	2011	2011
BA-5	メキシコ	男性	ゲイ	40代後半	難民	1993	覚えていない	2003	2005	2011
BA-6	メキシコ	女性	レズビアン	40代前半	難民申請者	1989	2011	2012	未受領	2012-2013
BA-7	メキシコ	女性	レズビアン	40代前半	難民申請者	2005	2007	2012	未受領	2012-2013
BA-8	メキシコ	男性	ゲイ	30代後半	永住者	1998	2005	2005	2007	2012-2013
BA-9	メキシコ	男性	ゲイ	30代後半	難民申請者	1998	2011	2012	未受領	2012-2013
BA-10	マレーシア	男性	ゲイ	30代前半	永住者	1997	2003	2001	2003	2012-2013
BA-11	サウジアラビア	男性	ゲイ	30代前半	難民申請者	2012	最初と同じ	2012	–	2012-2013

（3）「移民」移動型

参照番号	出身国	ジェンダー	性的指向	年齢	在留に関する地位または資格	最初の入国時期	最後の入国時期	難民申請時期	認定審査結果受領時期	インタビュー実施時期
NY-30	ペルー	男性	ゲイ	30代前半	難民	2005	–	2012	2012	2014
NY-31	メキシコ	男性	ゲイ	40代前半	アメリカ市民	1994	1999.2	1998	1999	2014
BA-12	メキシコ	クィア	クィア	20代前半	難民	1999	最初と同じ	2011	2010	2011
BA-13	メキシコ	女性	レズビアン	30代前半	難民申請者	1990	覚えていない	2011	–	2011
BA-14	メキシコ	男性	ゲイ	30代後半	難民申請者	2003	覚えていない	2011	–	2011
BA-15	メキシコ	トランス女性／トランスセクシュアル	特になし	20代後半	難民	2000	覚えていない	2010	2012	2012-2013
BA-16	メキシコ	女性	レズビアン	20代前半	難民申請者	2004	覚えていない	2012	未受領	2012-2013
BA-17	メキシコ	女性	レズビアン	20代前半	難民申請者	2008	覚えていない	2010	未受領	2012-2013
BA-18	メキシコ	女性	レズビアン	40代前半	難民申請者	1997	2005.9	2011	未受領	2012-2013
BA-19	メキシコ	男性	ゲイ	30代前半	難民	1994	2005.1	2011	2012	2012-2013
BA-20	メキシコ	男性	ゲイ	40代前半	難民	2002	覚えていない	2012	2012	2012-2013
BA-21	メキシコ	男性	ゲイ	40代前半	難民	2004	覚えていない	2011	2012	2012-2013
BA-22	メキシコ	男性	ゲイ	40代前半	難民申請者	1991	1992	2012	2012	2012-2013
BA-23	メキシコ	男性	ゲイ	20代後半	難民申請者	2001	2005	2012	未受領	2012-2013

(3)「移民」移動型

「移民」移動型は、入国審査を避けてアメリカとメキシコとの国境から入国し、長期に滞在したのちに、地位の正規化の手段として難民申請を選択したケースである。「違法性」と紐づけられるような移動のプロセスを経験し、申請までに出身国との複数回の行き来があるといった特徴をもつ。入国した後に難民申請の機会を見つけたという意味では難民申請機会発見型と共通する点があるが、機会発見型の場合、入国してしばらくしてから在留資格を失うケースはあるものの、入国時にはなんらかの査証を持ち、入国審査を受けている。また、「移民」移動型には幼少期や10代の前半に親や親類に連れられてアメリカに移住したケースも含まれる。

主にベイエリアのメキシコ出身者がこの類型に当てはまり、他国出身者に比べると、出身国の地理的な近さやトランスナショナルなコミュニティや親族ネットワークの存在もあり、多くの場合アメリカとメキシコの国境を非正規に行き来する経験をもつ。こうした移動は、移民／難民が相互排他的なカテゴリーとして用いられるときには、「移民」として分類されるだろう。アメリカへは家族・親類とともに、またはすでに入国しているかれらを頼って移動し、その後少なくとも7年以上滞在したのちに難民認定申請の制度を知り、申請するに至っている。40代の女性サンドラ(BA-18)は、１９９７年に姉夫婦を頼ってアメリカにやって来るが、その後妹が病気になった際と父親が亡くなった際にそれぞれ1か月ほどメキシコに帰っており、難民申請までには計3回ほど国境を非正規に往来している。[7] また、別のメキシコ人の40代女性マチルダ（BA-6）も１９８９年に、留学する姪の付き添いというかたちで、アメリカ在住の叔母といとこのもとに移り住む。その後、メキシコに住む母親の病気が進行した際と運転免許証の更新のために一時的にメキシコに戻り、再びアメリカに入国した。

ニューヨークの調査協力者のなかでは、40代のメキシコ人男性（NY-31）と30代のペルー人男性（NY-30）がこのケースに当てはまる。メキシコ人男性は１９９４年に非正規に入国し、１９９８年にサンフランシスコにて難民申請を行い認定を得て、２００７年にニューヨークに移り住む。ペルー人男性は２００３年にアリゾナ州から入国し、姉を頼ってニューヨークに住み始め、その後２０１１年まで難民申請の制度については何も知らずに在留資格を持たないまま過ごしてきた。調査インタビュー時にはすでに認定されており、学生として市内のコミュニティ・カレッジで学んでいた。

この類型のケースは、非正規入国であるがゆえに難民申請を防御的庇護手続きからスタートさせなければならないという点においては、難民の地位を獲得することの困難さを経験しており、また国境における排除の対象となり得てきたことや、「偽装難民」や「不法移民」に対する懐疑と偏見のまなざしにさらされる傾向があるといえる。同時に、かれらの多くは出身国で凄惨な暴力の被害を経験をしており、こうした「違法性」と結びつけられる人々の庇護へのアクセスの重要性を物語っている。

以上のようにモビリティや移動のパターンについていえば、ベイエリアの調査協力者は、メキシコ出身の「移民」移動型と、メキシコ出身以外の申請計画型で構成され、ニューヨーク市の調査協力者は、難民申請機会発見型が多く、出身国にはばらつきがあり、移動や申請を決断するまでの経緯も多様である。

このような難民の人たちの入国から難民申請までのプロセスは、メディアや支援団体にしばしば表象される「着の身着のまま逃げてきた」という画一的な「真の庇護希望者」のイメージとは必ずしも一致しない。主体的かつ戦略的にその時々の状況に応じて、移動や難民申請に関わる選択、意思決定をしてきたかれらは、入国したその瞬間から「庇護希望者」や「難民申請者」なのではなく、それぞれにもつ資源と機会を用いて異なる目的・計画のもと移動し、様々な判断を重ねながら、必要に応じて難民申請者と「なって」きたのである。調査協力者たちは決して単線的とはいえない移動のプロセスと時間を経て、難民申請を行うことを決意し、アメリカでの生活の基盤となる法的な地位を獲得または安定させようとしてきた。

3．難民の語りの構築

難民の語りの位置づけ

人道支援の現場と難民・強制移動研究において、難民状態にあるその人たちの主体性が尊重されているとはいいがたい状況がながらく続いていた。しかし、2000年以降そうした反省を踏まえて「難民の声」に耳を傾けることの重要性が認識されてきた。例えばUNHCRは2006年より「(難民の) 参加型評価」を導入し、特定のプロジェクトのためのリスク評価や実施と評価の一連のサイクルに難民の人々との対話を組み込むことを主流化しようとしてきた。また、難民支援に関わる国際機関、NGOのキャンペーンにおいても「難民の声 refugee voices」や「物語」を広く社会に届けようという試みは、いまや主流のアプローチといえる。難民の主体性を担保する方法として積極的に取り上げられる「難民の声」だが、そこには、難民の語り、難民の集合的な記憶、その表象のそれぞれにおいて不均衡な権力関係に基づく「難民の声のポリティクス」(Sigona 2014) が存在している。特に、異なる背景、属性、特徴のもと、当然ながら生じる難民の多様性を、メディア、人道支援、研究におけるディスコースは必ずしも反映していない。マルッキの1995年の研究では、とりわけ北側諸国の人道支援のアクターが、難民を「女こども *womenandchildren*」として扱うことで、かれらを脆弱なトラウマ化された犠牲者として表象し、かれらの存在を非政治化していることが批判された (Malkki 1995)。20年以上前のタンザニアでのフィールドワークに基づく研究ではあるが、この指摘は今でも様々な文脈において有効といえる。その一方で、難民の側が人道支援のディスコースを積極的かつ戦略的に取り入れているという実態もある。シゴナ (Sigona 2014) は人道支援団体、特にUNHCRが使用する「国際的保護」「人権」「第三国定住」ということばを難民たちが奪取し、難民の政治的主体性を提示させた例として2005年エジプト・カイロにおけるスーダン難民のUNHCRに対する抗議運動を取り上げている。(8)

本節で注目する「難民の声」は難民の人々による語りのことを指しているが、そもそも難民の語りとはなにか。まず、国境を越えて移動する個人にとって言語は資源の一つになりうる。ある特定の言語を使用する能力をもつことは、移動先の目的地を決定する要因になることもあるし、移動先におけるコミュニティへの参入、教育達成、労働市場への参入、コミュニティ内での特権的な地位の獲得などを通して、より良い生の実現に貢献する。移民の市民権獲得に言語能力の試験を課す国も少なくない。しかし、強制移動の結果として移動先の国家の庇護を希望する者にとってはどの言語を使えるかということに加え、「どのように語ることができるか」ということが、難民としての地位の獲得において重要な問題となってくる。難民にとって語るということそれ自体は、難民状態にある個人やコミュニティが記憶、証言、またはアイデンティティを回復する方法であり、変化する状況や苦境を緩和するための象徴的な日常的資源として用いられる (Eastmond 2007)。さらに、難民は語りを構築し、自らと関わらせ、共有することで、他者との関係の存続を回復している (Jackson 2002)。つまり、難民状態にある人々にとって語るということは、自らや集団のアイデンティティや物語の存続、他者との関わりを確保する方法の一つなのである。難民研究にとっても、このような難民の語りを、物語、語り手、聞き手の相互作用を反映したものであり、経験する主体としての難民がどのように迫害の経験や環境の変化と折り合いをつけているのかを教えてくれるものとして位置づけることができるだろう。

難民の語りを考えるうえで、かれらがどのような状況で語っているのかということを見落とすことはできない。難民認定申請とは難民としてのこれまでと現在について語ることを求める制度であり、難民は語ることを制度的に求められる存在である。難民申請者は、自らの難民としての主張の信憑性の評価のために、難民認定申請手続きに関わる複数の重要な関係者に対して自らや家族の人生について、コミュニティや集団の歴史、文化、特徴について、そして自らの迫害のおそれと移動の経験について、信憑性と難民らしさをもって語ることを求められる。特に難民を受け入れる西欧諸国においては、難民審査がそもそも「難民であること」よりも、「偽物の難民ではない」ことを試す場になっているという傾向にあり、難民の経験についての語りは重要な陳述として批判的な検討と審査にかけられる。性的指向やジェンダー・アイデンティティに基づく難民の主張の場合は特に、集団としての歴史や迫害の経験について自分以外の誰も語ってはくれないのである。

難民認定審査の場における難民の語りについては、このような「信憑性」に関連する語りについての研究がなされてきた[9]。難民にとって「信憑性」のある語りとは、難民の要件を満たすものとして自らの経験、歴史、アイデンティティや特定の団体への所属、当事者コミュニティへの帰属意識を提示するものでなければならない。そのように語ることができなければ、難民として認められること、つまり難民の地位を得て暮らしていくことが難しくなるのである。法的承認の文脈における難民と言語学の関係については、イーズ（Eades 2005）が難民申請者に適用される言語分析の発展とその問題を指摘している。法言語学は１９８０年代以降、刑事と民事の法的問題に応用されてきたが、２０００年代あたりから、移民法の分野、特に庇護希望者の国籍に関する主張の審査に用いられる「言語分析」の使用法に注目してきた（Eades 2005: 504）。庇護希望者は様々なかたちで庇護国に到着するが、特に出生証明書、査証、パスポートなどを持たずに入国した人々は、国籍を証明することができない。こうした人々に対して近年多くの国で向けられるのが、かれらが一体「本当の」難民か、それとも「経済難民」つまり「偽装難民」かという疑念の目である。そこでいくつかの政府例えば、オーストラリア、ベルギー、ドイツ、イギリス、オランダ、ニュージーランド、スイス、スウェーデンなどでは国籍の証明を持たない庇護希望者に「言語分析」と呼ばれる方法で、かれらの国籍についての主張に虚偽がないかを調べるのである。国によって方法に違いはあるが、国籍の主張の信憑性を判断するという前提は共通している。つまりこうした言語分析では、人の話し方にはその人の出自についての何らかの手がかりがあるという前提が共有されている（Eades 2005）。

特に、他の四つの迫害の理由（人種、宗教、国籍、政治的意見）に比べて、性的指向やジェンダー・アイデンティティに基づいた難民の主張の場合、より個人のライフストーリーに頼らざるをえないため、語りの問題を避けて通ることはできない。このことは性的マイノリティの難民に関するこれまでの研究の主要なテーマが、難民の語りがどのように評価されるのかということに集中している事実とも関連しているだろう。性的マイノリティの難民の場合、ジェンダー・アイデンティティまたは性的指向が「特定の社会的集団」のメンバーシップを構成する要素とされる。ただしこれは、迫害の理由としての要件であって、「実際に庇護希望者がその構成員か」という事実ではなく、「その構成員としてみなされるがゆえに迫害される、またはそのおそれがある」という点が判断される。つまり、難民本人が「レズビアンである」ことではなく、「レズビアンとみなされるがゆえに迫害を受けていた／受けるおそれがある」という事実に基づいて難民性は審査されるはずなのである。しかし多くの場合、申請者は性的マイノリティ「であること」と「そうであるがゆえに迫害のおそれがあること」を組み合わせてこの要件を満たそうとするし、申請者本人が性的マイノリティ「である」こと、つまり性的マイノリティ（多くの場合ゲイ、レズビアン、トランスジェンダー）としてのアイデンティティをもつことは、支援者にとっても意思決定者にとっても前提とされている。[10]

難民審査のインタビューや裁判の際に申請者には客観的で信憑性のある一貫した合理的な供述が求められ、法的な決定権をもつ者または専門家の言語によって知と真実が形成されていること、その結果、難民個人の主体性や複雑な背景が無視されてしまうことについては、これまでの性的マイノリティの難民についての研究が指摘してきた。しかし、こうした研究のほとんどが、法廷というある特定の状況で発話され、記録されたことばに注目するものであるということには留意しなければならない。法廷における語りは、人が様々な意思決定を行い、多様に積み重ねる移動の過程で生み出される語りのなかでも、設定された制度の規範や言説に従いやすい場面において繰り出された語りであるといってよいだろう。つまり、最も「難民らしさ」を求められる状況での語りである。こうした語りの分析の重要性を認めつつも、本研究では移動する主体が法廷や難民審査の場から離れた時に、移動に関する経験をどのように語るのか、またホスト社会で支配的な言説をどのように捉えているのかに焦点を当て、「難民は主体的に語ることが難しく、支配的な言説に従わざるをえない」と結論づけてきたこれまでの分析とは異なる視点で難民の語りを捉え直したい。

マリタ・イーストモンド（Marita Eastmond 2007）は難民の語りの分析のために心理学者エドワード・M・ブルナー（Edward M. Bruner）にならって、人の生には「生きられた生」「経験された生」「語られた生」という三つの様態があるとすることで、難民の経験、表現、現実についての関係の複雑を理解することを試みる。「生きられた生」とは、その人の人生に触れることのあった出来事の流れであり、「経験された生」とはその人がそれまでの経験や文化的なレパートリーを用いながら、起きた出来事をどのように受け止め、どのような感情をもち、どのような意味をもたせるかということを示す。そして「語られた生」とは特定の文脈と特定の聞き手に対してどのように経験が組み立てられ、ことばとして発せられるかということである。

さらにイーストモンドは、研究者または調査者による解釈を経た表現として生み出される「テクストとしての生」としても語りを区別することで、物語に対する調査者のフィルターや様々な段階でなされる編集作業の存在を指摘する。つまり、ある語りがテクストに至るまでには調査者や研究者という他者による解釈と編集の手が入り、最終的に記録される語りは、ある出来事や事実が直接的かつ「透明」に説明されたものではないことを意味している。ここで出来上がったテクストは、語り手の経験と何らかの関連をもってはいるが、語り手の実際の人生とは相対的に独立した筋書きをもつ。櫻井（2002）はこれを「ライフストーリーの物語的構成」と呼ぶ。また、それが語り手の経験に意味を付与し、様々な経験を秩序立てて構造化している（櫻井 2002: 31-32）。

語りは、語るに値するものとして選択された出来事の一部であり、語り手、聞き手、書き手の社会的相互行為から生み出されていく。難民申請手続きのなかで難民としての語りを構築するプロセスは、生きられた生と経験された生を適度に難民らしい語られた生へと変換していく作業である。また、語りの場に居合わせない読み手たちは、記録するに値すると判断され編集されたテクストとしての生を通してのみ、難民の語りを知ることができる。ただしブルナーの三つの生の様態の区別はあくまで便宜的なものであり、私たちは、これらの統合体として一つの生を生きている（櫻井 2002: 31）。

語りの構築

インタビュー調査を進めるうちに、難民の人々が、審査の場で公式に語られる物語にたった一度の実践でたどり着くわけではないということが明らかになった。かれらは難民認定申請という制度について知ったのち、申請の準備のためにそれぞれ弁護士や、支援NGO職員、心理カウンセラー等との面談を複数回行うなかで経験を言語化し、どのようなストーリーが重要もしくは「勝てる」ストーリーなのかを理解し、陳述書の作成や模擬面接などを通して審査における語りに備えていく過程を経ている。特に移動先社会の滞在歴が短い人々にとっては、こうした申請の支援に関わる人々が、セクシュアリティやアイデンティティにまつわる自らの物語や暴力の経験について語る初めての他者であることは珍しくない。滞在歴が長い場合でも、多くの人にとって暴力などの過去の経験に自ら向き合い言語化することは、難民申請についての支援や情報を探すという行動を起こしてから初めて行われることが多い。以下にいくつかの事例をみていきたい。

（1）語りの練習——アンディのケース

30代男性のアンディ（NY:21）は1998年に「Cビザ」と呼ばれる通過査証を用いてグレナダからアメリカへ入国する。難民申請を希望するもイミグレーション・イクオリティでは「ケースが複雑すぎる」と支援を断られ、法科大学院のリーガルクリニック[11]の支援を得て2011年に難民申請し、同年認定された。アンディは私（筆者／調査者）と知り合った2008年当時から2011年の調査時期までLGBTセンターに通っており、ミーティングでも積極的に自分の経験や意見を共有していたが、自身の申請についての弁護士との面談では経験を説明するのに戸惑い、時間を要したという。さらに担当弁護士は、口頭審査の日が指定された際に、まだアンディには審査でうまく話す準備ができていないと判断し、審査の延期を請求したという。

＊初めて自分のストーリーを弁護士に話したときどんな気持ちだった？
アンディ：ちゃんとした助けがなければどういうふうに準備するかわからないと思う。ＬＧＢＴセンターに通ってなかったら、弁護士にどういうふうに説明するかわからなかったんじゃないかな。とても怖いことだし。とてもプライベートなことを知らない人に打ち明けなくちゃいけない。弁護士が言っていたけど、かれらが知りたかったことにたどり着くまで3回かかったらしい。つまり、私が本当に（弁護士に）打ち明けるまでに3回のセッションが必要だった。［…］セラピーにも行かなければならなかったし、私はＨＩＶ陽性であることと、ゲイであること、二つのことと折り合いをつけようとしていたときだった。だからどのように自分の人生を語ればいいかわからなかった。［…］

＊弁護士と口頭審査の練習はした？
アンディ：うん。基本的な質問項目を。例えば「なぜアメリカに入国した最初の年に申請しなかったか」とか。

＊一年申請期限を超えた理由についてということだよね。
アンディ：そう。あとは、もしグレナダに戻ったらどうなりますか。子どもの頃なにがあったか覚えていますか。グレナダで育つという経験はどのようなものでしたか？　とか。［…］

＊何度くらい弁護士と練習したの？
アンディ：私のケースは複雑だったので1年以上かかった。弁護士には週に一度か二度会っていて、三度のときも。［…］口頭審査は（２０１１年）6月になりそうだったのだけど、弁護士が延期した。彼女は、私がまだ審査で話す準備ができていないと考えたみたい。だから審査は10月だった。

模擬面接のロールプレイを通した語りの練習は、口頭審査を経験した調査協力者のうち、アレクサ（BA-12）を除く全員が経験している。共通しているのは、ケースワーカーや弁護士に対する初めての語りが辛い経験であったという認識である。過去の出来事について詳細に語ることを求められるが、幼少期の孤独、近しい人からの暴力やレイプの被害、学校でのいじめなどを含めた経験を他人の前で口にすることは、決して容易ではない。しかし難民申請の準備を通して、語りを理解しやすく構成したり、繰り返し練習したりすることによって、生きられた生は語られる生へと変化していく。ここに難民の人々と語りとの関係も新たに構築されていくのである。

（2）語りの文章化――マリックとパメラのケース

ジャマイカ出身のマリック（NY-14）は2004年にジャマイカを離れ、日本で英語教師として2年間働いた後、帰国の際に通過したアメリカに2006年以降滞在している。2008年に一度出国するが同年アメリカに戻り、イミグレーション・イクオリティの支援のもと一年申請期限を超えないかたちで難民申請を行いわずか2か月で認定された。

＊初めて弁護士に会って話をしたとき、どのように感じましたか？
マリック：奇妙で、恥ずかしかった。これまでちゃんと…そう、私には色々と経験があって、色んなことがあったけど、でも誰にも話したことはなかったから。だからそうしたことを話さなくちゃいけないとなった時に、「どこから始めればいいの？」という感じでした［笑い］。たくさんのことがあって、よく覚えてないこともある。いつの出来事だったか思い出せないし、時系列に取り出せない。大変でした。話をするのは大変でした。特にいつ起きたとかなんとなく覚えていることが、思い出せなかったんです。

＊ストーリーを文章化することもありましたか？
マリック：はい、書きました。書かなくちゃいけなかったんです。これもまた大変で…［笑い］自分自身について書いたことなんてなかったんです。大変でしたよ。たしかストーリーを書くのに2か月くらいかかりました。

陳述書は、最終的には担当のケースワーカーや弁護士が申請者の語りをもとに作成することが多いが、その下書きを申請者本人が行う場合もある。陳述書の様式は自由だが、基本的には生い立ち、性的マイノリティであることに関連する幼少期からの出来事、自認し始めた時期、パートナーとの出会いや別れ、ジェンダー表現や身体のトランジションのプロセス、性的マイノリティのコミュニティとの関わり、受けてきた差別や暴力の詳細、同様のマイノリティに向けられた暴力の目撃経験、差別や暴力による身体的、精神的影響、移動の経歴などが時系列にまとめられたものである。マリックはこの文章化の作業に2か月を要したのである。

ジャマイカ出身のレズビアン女性パメラ（NY-15）はリーガルクリニックの弁護チームとの初めてのミーティングの際に、出身国での出来事について自分なりに詳細をまとめた文章を持ち込むほどに文章化のプロセスと向き合ってきたが、口頭で詳細を求められたことは大変だったと振り返る。

＊弁護チームとの面接のときのことを覚えていますか。
パメラ：（なにがあったかということについて）私は完璧に詳細を書いてきたと思っていました。…でも（弁護チームとのインタビューについて）振り返ってみると、本当に大変でしたよ。かれら（弁護チーム）に話しているときに、あまり一貫性がなかったり、書いてきたものほど詳細ではなかったりすると、かれらは（もってきたものには）書いてあるのに私が（口頭で）触れなかったことについて質問してくるのです。非常に細かい質

問です。なにが言いたいかというと、弁護士との面接そのものが、物語を語り始める難しさと同じくらいに難しいんです。でも、もう弁護士に任せたほうがいいんです。ケースに勝つために、(難民申請についての)物事をあるべき姿として、組み立てていくのはかれらなのですから。

こうした口頭や記述による語りの経験は、難民の語りが、難民本人による記憶の呼び起こしや言語化の作業のみでなされるものではなく、弁護人や支援者による、いわば勝つための編集作業によって構築されていくことを明確に示している。また、特にニューヨークのロシア語話者のケースの場合、弁護士との打ち合わせの際に通訳者を介することがあり、そうした場合、翻訳された言語による語りが、語りと語り手の間に距離を作り出し、語りが当事者の手から離れてしまうこともあるが、語りの繰り返しはその距離も埋めていく作業である。

特にニューヨークで難民申請を経験し、すでに認定された人々は難民としての語りを構築していく一連のプロセスを、アイデンティティや移動の意味を再確認する作業して振り返り、困難や辛さはあるが、最終的には必要なプロセスだったのだと肯定的に振り返ることが多い。しかし、認定を得るための語りにたどり着くには、そもそも性的マイノリティであることを理由に難民の地位が得られる可能性について知っている必要があり、移民の地位や申請手続きに関わる相談を行う段階で弁護士や支援者、時に団体の電話や窓口の受付スタッフといった関係者に即座にカミングアウトできることも前提となっている。

(3) 語りのやり直し——ジョシーのケース

十分な情報がないまま「勝つ」ための語りに振り回され、ゲイとしての難民の語りにたどり着くのに12年かかったのがジョシーのケースである。

筆者がインドネシア出身のゲイ男性ジョシー(NY-17)と知り合ったのは2008年にQSAGに参加し始めた頃

で、彼はＱＳＡＧに毎回参加するもあまり自分の話はせずに、常に静かに誰かの発言に耳を傾けていた。２０１１年の調査インタビューで難民認定の経験について聞くと、「本当のことだけを話したいと思う。嘘はつきたくない。嘘は嫌い。たくさんついてきたから、嘘は嫌いなんだ」と前置きしてから語り始めた。本人の希望でインタビューはニューヨーク市内の公園で行われた。

ジョシーは１９９９年にアメリカに移住したゲイの友人の案内によって、他人のパスポートと船員用の通過査証を「購入」し、入国する。入国から9か月後にルームメイトの女性のアドバイスに従って宗教を理由に難民申請を行う。このときジョシーは、自分はキリスト教徒で、ムスリムの国インドネシアにおいて迫害を受けている、という語りで難民申請を行うがこれは彼にとっては虚偽の主張であった。しかし、しばらくするとこの宗教的難民としての語りを「法廷で上手く話せない」ことに気づき、申請を保留にする。その後、在留資格取得を目的としておよそ１３００ドルを支払ってアメリカ国籍の女性と結婚する。ところが結婚後3年経っても在留資格のための審査に呼ばれないため、女性と離婚し、保留にしていた難民申請を再開することに決めた。

＊宗教を迫害の理由とした難民申請を再開させたということ？
ジョシー：後戻りはできなかった。このまま前に進まなくてはいけなかった。なんとか辻褄を合わせなくては。なぜなら…もし自分、宗教も嘘で、結婚も嘘です、そう言って難民申請を再開させても何も得られない。だから問題はどうこの物語にどう筋を通すか。この女の子（結婚した相手）が罪に問われれば良いなんて思ってない。お金もないし。彼女からお金は戻ってこなかった。本当に（自分は）馬鹿だったと思う。（約束を）記録にも何も残していなかった。最悪の場合、彼女は刑務所行き、私は強制送還。最終的には何もないでしょう？だからどうやって筋が通ったストーリーを作るかをずっと考えていた。

ジョシーは離婚後、同じくインドネシア出身のゲイの友人らから、ゲイであることを理由とした迫害に基づく難民申請について知ることになるが、これまで語ってきた宗教を理由とした難民のストーリーを手放す決心がつかないまま数年を過ごす。その間、審査は申請当初から変わらず宗教を理由として防御的庇護手続きに入っていた。しかし、移民裁判所での審査の日にある出来事が起こる。ジョシーは、同じ教会に通うゲイの友人に証人を依頼していたのだが、ジョシーいわくその友人が裁判所に「まさに普通のゲイのみたいな格好でやって来て」、「いつもの（ゲイとしての）彼らしく話し、振る舞って」しまった。さらに、ジョシーの本名ではなく、女性的なニックネームしか知らないとまで明かした。直前の打ち合わせの際には「キラキラした髪型、大きなメガネ、大きなプラダのカバンで来てしまった」友人にを目の前に、ジョシーは次のように責めたという。

そんな格好で来ないでとお願いしたよね。お願いだから、法廷に出るときには女の子みたいに、フェミニンにしないで。ストレート（異性愛者）のふりをして。今回の難民のケースでは自分もストレートということになっていて、結婚もしていたのだから。このまま（申請を）前に進めなくちゃいけないのだから。

このジョシーの語りには、難民審査に関わる場がいかに聴衆・観衆を意識したパフォーマンスを行う劇場的な空間であるかが示されている。結局、友人の法廷での振る舞いは「ゲイ的過ぎ」て、ジョシーの望んだものではなかった。間接的にアウティング(12)されたと感じたジョシーは、友人に自分のケースを「めちゃくちゃにされた」と思ったという。このことをきっかけに担当の弁護士からジョシー自身もゲイなのではないかと問われ、意に反してカミングアウトすることとなる。その結果、別の弁護士を紹介され、ゲイであることを理由とした迫害に基づいて再申請し、２０１０年に難民の地位を得た。

ジョシーは新しい弁護士とのやり取りのなかで難民の語りを、「ゲイの難民として」の生い立ちやインドネシアでの暴力被害の経験、移動や婚姻の経歴、ニューヨークでの生活を軸に再構築し、陳述書には時系列に整理して記述した。そして口頭審査のためにほぼ毎日想定質問を用いて語りを練習し、精神的な負担を感じながらも新しい難民の語りを習得していく。２０１１年に認定された難民の地位は、初めに設定した戦略的な難民の語りに語り手本人がついていけなくなった末に、改めて本人にとっての「真実」で語り直した結果、得られたものである。これは適切な情報や法的サービス、支援に長期間つながらなかったケースの一例である。このように、カミングアウトに困難を抱えていたり、非正規移民として限定的な社会関係のなかで日常を送っていたりする人々にとって難民の語りのプロセスはより複雑に構築されていく。また、似たような状況で、難民申請の機会そのものや、難民として適切で信憑性に足る語りにたどり着けないまま、出身国へ送還される難民もいると考えられる。

以上にみてきたように難民の語りの構築は難民申請者が共通して経験するプロセスではあるが、必ずしも語り手の意のままに容易に実践できるものではない。難民性を審査される語り手は、承認の権力が内包されている難民申請制度のなかで聴衆との不均衡な関係を前提としながら、真実と信憑性のメタ・ナラティヴを少しずつ構築していく。自らのアイデンティティや経験を徐々に言語化し、語りを繰り返し練習することを通して難民としての語りが構築、習得される。語りを習得するまでの経験や語りのもたらす精神的な負担が取り除かれない場合もあるが、多くの調査協力者が口頭審査に至るまでには「緊張したけど、自信があった」（マリック、NY-14）というほどに語りを自分のものとして習得している。これまでの先行研究では難民認定申請における語りは難民の主体性が失われる実践として評価され批判されてきた。しかし、難民の語りを自らの過去の経験、現在おかれた状況における戦略、関係者との相互行為のなかで徐々に構築し習得する経験そのものを振り返る調査協力者からは、主体性の喪失ではなく、むしろ自覚的に難民／難民申請者としての主体を形成し、演じてみせてきたようすが読み取れる。

4．権利とアイデンティティを「学び」、語る——ニューヨーク市の事例から

難民の語りを構築した人々は、語りと移動の経験をどう認識しているのだろうか。語りの構築は難民の人々にとってなにを意味するのか。本質的アイデンティティや置換モデル的なセクシュアリティの概念が難民認定審査で求められるのであれば、法的な文脈を離れたときにはそれをどのように捉えるのか。本節ではニューヨーク市のゲイとレズビアンの人々のケースに注目して、難民の語りにおけるセクシュアリティとアイデンティティの関係性から、こうした疑問について考察する。

調査協力者のうち、特にゲイ男性の語りからは、迫害を経験する理由となった「ホモセクシュアリティ」と、難民として証明する「ホモセクシュアリティ」にずれがあることを確認することができる。かれらは出身社会で「ホモ」や「おかま」といった蔑称で呼ばれ、いじめや脅迫、レイプや暴力の被害を経験、またはその標的となる恐怖を抱えていた。しかし、出身社会において同性愛者を意味することばを、自らを名指すために使うことはほとんどなく、暴力を経験したのはかれらが同性に対して性的指向をもつことが周囲に知られたからではない。調査協力者の男性たちは、幼少期の話し方、服装、振る舞いや、青年期に達しても異性の恋人がいない、結婚しないといったライフスタイルが、出身社会のローカルな男性性の規範に当てはまらなかったことが暴力の原因だった、と振り返っている。つまり、「ゲイ」としての自認や、同性を性愛の対象として選択した事実や行為に基づいて、周囲から「ホモ」や「おかま」と名指されたわけではないのである。

その一方で、かれらが実際に難民認定審査で示した出身国での経験に関する資料や証言は、同性パートナーとの親密な関係や、ゲイとしてのアイデンティティを保証するような事実、例えばパートナーからの手紙やゲイ・コミュニ

ティへの参加に関する証言などであった。また、かれらが支援者とのやりとりや難民審査の場面でまず問われたのは、幼少期の服装や玩具の好み、同性とのパートナーシップの有無などで、そこから性的マイノリティとしてのアイデンティティと振る舞いが読み取れるとされ、出身国において「ホモ」や「おかま」が実際にはなにを意味しているのかは問われてこなかった。「ホモ」や「おかま」とみなされることと、「ゲイ」であることは同一であるとされ、さらに同性愛的な関係の有無がアイデンティティとも同一視されるという意味において、ここでのホモセクシュアリティは置換モデル的な理解に基づいている。セクシュアリティとアイデンティティ・カテゴリーの結びつきは次節で難民認定申請に用いられた陳述書の記述を参照しながら議論するが、以下では、この要求に対してニューヨーク市の調査協力者が、権利のディスコースの習得を通して応えていくようすに注目する。

ニューヨーク市の調査協力者からは、難民申請準備期間を含むアメリカの経験のなかで、ゲイまたは、レズビアンであることは人権であるという新しい考え方を「学んだ」という発言が頻繁に聞かれた。かれらの多くは出身国では自分の性的指向を隠し、ゲイやレズビアンとしての名指しを引き受けてこなかった。そうしたなか、例えばジョージ（NY-20）は、アメリカに来て数年後に当時通っていた大学のカウンセラーとの会話で初めて、「ゲイでいることに何も悪いことはない」という「思いもしなかった考え方」に出会ったという。また、出身国コロンビアにおいて、脅迫の手紙や電話を受け取っていたオランド（NY-19）は、こうした脅迫の事実は、難民性を主張するのに十分な出来事ではないと思っていた。しかし、申請の過程で自分の過去の人生が「不健康」で、人権を奪われた状態であったことに気がついたという。ヤナ（NY-12）やダニエル（NY-18）も「レズビアンであること」、「自分を表現すること」、「ゲイとして普通に生きること」、「ありのままの自分であること」が人権であるということを、アメリカへの移動と難民申請の過程で学んだのだと語る。

ここでは、国境を越えた移動と難民申請によって難民のセクシュアリティに、アイデンティティと権利という新たな意味づけがなされている。難民申請者にとって、ここで「学んだ」権利の言説を自分の物語に取り込み、語る機会はすぐにやって来る。難民の地位を得るという明確な目的のもと、「経験された生」を解釈し直し、習得したセクシュアリティの概念を「特定の社会的集団の構成員」の特徴として、客観的に観察・証明可能な一貫性をもつアイデンティティというかたちで「語られた生」のなかに表現し、迫害の経験と恐怖と併せて提示する。出身国ではスティグマであり、また侮蔑の対象として名指されていたものは、人権として保護されるべきアイデンティティとなり、難民申請者は過去の経験を新しい理解枠組みのなかで再構成する。ジョージは調査協力者のなかでも申請を自分のアイデンティティにとって重要なものとして強く捉えている一人であるが、彼は一連のプロセスによって、これまでの「ゲイに見えてしまうのではないか」と自分で自分を監視するような習慣をやめ、ありのままの自分を「深いレベル」で受け入れる視点を形成できたと認識している。ジョージにとって「ゲイとして普通に生きる権利がある」と学んだことは、スティグマ化されていた自らのマイノリティ性を、人権という権利とその根拠としてのアイデンティティとして再評価するものであった。

またセクシュアリティの概念の再構築には、権利としてのセクシュアリティの概念とともに、ステレオタイプとしてのゲイの表象を難民申請者が受け入れていくという側面もある。オランドは庇護審査官とのやりとりについてこう語る。

> 決定的な瞬間がありました。彼（審査官）が、アメリカにいる今、どんな気分ですか？ と聞いたんです。それで（私は）「ファビュラス（fabulous）」って言いました。［笑い］ファビュラス！ こんなにもゲイらしいことばってほかにないでしょう。

「ファビュラス」は「素晴らしい」を意味する語だが、特に男性が使用するときには女性性のイメージが強調され、「ゲイらしさ」がつきまとう語であり、またゲイ男性がよく使用することばとしてもみなされている。このように特定の語彙を振り返ることは、彼自身がアメリカ英語文化におけるゲイのステレオタイプ的な表象を認識し、取り入れ、演じてみせていたことを示している。

先行研究では支配的なセクシュアリティの概念が審査に用いられる結果として、難民の声が無視されるという状況が指摘されてきたが、その指摘が当てはまる事例も存在する。調査協力者の多くは調査インタビュー時には申請の準備中か審査中、またはすでに認定を得ているので、不認定という結果を経験していない。しかし、インドネシア出身のロイ（NY-16）は例外であり、語りを否定された経験がある。

ロイはその経験を、出身社会において「ゲイ」であることの意味についての自分の物語が無力化された経験として認識する。彼自身は出身国では直接的な迫害の経験はないが、幼い頃暮らしていた町で、周囲から女性的で「けばけばしい」と評されていた男性の家が放火され、その男性も焼き殺される事件を目撃している。事件についてロイの家族は、「あの人は悪い男。コミュニティから罪を洗浄する必要があった」とロイに教えていた。きっと同じことがいつか自分にも起こるという恐怖を抱えて生活していたが、仕事でアメリカに入国したことをきっかけに、インドネシアには戻らないことを決めた。ロイの説明によれば、難民審査のインタビュー当日、担当の庇護審査官はインターネット検索で得た「インドネシアのゲイ・ライフ」情報を持参し、ジャカルタのゲイバーやバリ島のゲイ向けリゾート地の存在を示し、インドネシアには「ゲイ・ライフ」があって、ロイの迫害のおそれの客観的事実を裏づけることができないと主張した。それに対してことばを失ったロイの代わりに、彼のケースを担当するパラリーガル（法律業務補助者）が、出身コミュニティや親族関係、宗教的な背景に基づく同性愛者に対する迫害を説明するが、結果は不認定であった。ロイにとっての「経験された生」は、家族や地域コミュニティに病気や不名誉を持ち込むジェンダー逸脱に対する「罪の洗浄」への恐怖であった。しかし難民審査において「インドネシアのゲイ・ライフ」というロイの経験とはかけ離れたものに難民としてのセクシュアリティを還元されてしまった。ロイの難民の語りは、承認の権限をもった者の前で信憑性を認められず、その反論さえも代理人のことばで語られるしかなかった。
また、語りを否定されたわけではないが、ステレオタイプ的に理解しやすいゲイのイメージとは相容れない家族構成のルーベン（ベネズエラ出身、NY-9）も、審査においてゲイである証明が求められたと認識している。

＊庇護審査官とのインタビューはどのように感じましたか。
ルーベン：ああ、それは大変でした。ひどいものでしたよ。ほとんどの場合インタビューは30分ほどだと聞いていたのですけど、私の場合は2時間でした。たくさんの質問に疲れてしまいました。弁護士も言っていましたが、おそらく私が本当にゲイまたはホモセクシュアルであることを証明することが難しかったんだと思います。なぜなら私には今28歳になる、インタビューのときは25歳だった息子と、14歳だった娘がいたんです。興味深いことに、誰でもステレオタイプというものをもっている。ここ（アメリカ）でだってそう。アメリカの人もステレオタイプをもっている。もし自分のことを「ゲイだ」と言えば、とてもクィアでなくてはいけないでしょう。クィア的なものをもってないといけない。そういう人に対して私は、確かにある人たちは他の人よりも女性的だ、と言いますよ。でも、それはあなたから見て十分にフェミニンでない男性が、ゲイではないということではないですよ。だから、私にとってすごく奇妙なのは、自分の国ベネズエラでは、周囲は私を十分に男性的じゃないということでからかってきたんですよ。「お前はおかしい、女の子みたいだ」と。でも今ここアメリカででは、私は（ゲイとして）十分に女性らしくなくて、ゲイであることを証明しなくちゃいけない。でもどうやって証明できるというのでしょう。私はゲイですが、いつだって家族が欲しいと思ってきました、と言えますよ。そうしなくてはならなかったから、ではないです。自分の子どもが欲しかったんです。私にとってゲイであることと父親であることには、何の矛盾もありません。私にしてみれば、これが普通です。子どもが欲しくない人もいるでしょう、でも私は欲しかった。そう言いたいです。

ルーベンは難民申請ではゲイであるがゆえの迫害のおそれを主張していたが、かつて女性と結婚していたこと、2人の子どもをもつ父親であること、フェミニンではないことなどによって「クィア的なもの」が不十分とみなされ、本当にゲイなのかどうかという点に審査の質問が集中したと認識している。ルーベンの移動と難民申請のプロセスは、出身国では異性愛者として十分な男性らしさの欠如と、アメリカではゲイとして十分なクィアらしさの欠如という、男性ホモセクシュアリティをめぐる異なるまなざしのあいだの移動でもある。

さらに、審査官が質問の焦点をカミングアウトにばかり当てることで、自らが難民として語る準備をしてきた暴力の経験を十分に語れなかったという調査協力者もいる。例えばジャマイカ出身のパメラ（NY-15）は審査官の質問を次のように振り返る。

＊難民審査では（出身国での出来事について）詳細を尋ねるような質問でしたか。
パメラ：そうでもなかったです。私は彼（審査官は）…あ、いえ、私からなにがあったかまず話したんです。でもそのことについて彼は全く質問してきませんでした。それよりも、私のカミングアウトの話、どのように気がついたのか、いつ自分がそうであると気がついたのかということについて質問されました。私の最初のガールフレンドについてとか、そのとき（ガールフレンドと）なにがあったとか、どのように自分がゲイ（同性愛者）であるとわかったかとか、ということについてのたくさんの質問がありました。

＊審査官に暴力の被害の経験についてはあまり聞かれなかったのですか。
パメラ：彼が知りたいことだけ聞いてきて、そのこと（カミングアウト）について聞いてきました。あんなインタビューをしたことはなかったですよ。審査官はまずは好きなように話をさせてくれた、とみんな（他の難

民申請者）はたぶん言うと思いますよ。でも彼はまるで検察官みたいに質問してきました。法律家はそんなものなのかもしれないけど。ただ（カミングアウトに関する）質問に次ぐ質問という感じでした。

このように、先行研究で指摘されてきた支配的なセクシュアリティの概念の採用や、難民の語りを審査するという制度における語り手と聞き手の不均衡な関係性については、法的な文脈を離れた調査協力者たちの語りからも見出すことができる。調査協力者たちは、意思決定者にとって理解しやすいアイデンティティや経験の語りが「難民申請者」である自分に要求されていること、その要求が自身の経験や感覚とは一致しないことに気がついている。

権利としてのアイデンティティという新たな概念を取り入れてきた調査協力者たちもまた、本質主義的で人格と直接結びつくようなセクシュアリティを必ずしも常に内面化しているわけではない。例えばダニエル（パラグアイ出身、NY-18）やヤナ（ウクライナ出身、NY-12）は次のように述べる。

ダニエル：あなたはペドロ、あなたはホセ、あなたはマリオ。でも、あなたはゲイという人ではない。それはその人の性的指向。あなたはあなたの名が表すその人だ。

ヤナ：難民の準備をしているとき、それ（レズビアンであることを証明すること）はすごく重要だった。審査官が、私が本当に誰なのかを判断するから。その時は、私にとってセクシュアリティは重要だった。私がレズビアンだと証明しなければいけないときだったから。（…）でもそれ（「女の子が好き」という事実）は重要なことじゃない。女の子が好きということは、私の人格を作る本当にほんの一部だと思う。

このように権利やアイデンティティとしてのゲイ、レズビアンの概念を学び習得してでも、難民たちはその新しい概念をそれぞれに受け止め、状況に応じて主体的に行為する。自らのセクシュアリティに新しい意味を付与すると同時に、そうしたアイデンティティや性的指向の概念が、法的ステートメントとしての難民の語りの構築に動員される言説であるという側面にも自覚的なのである。

以上のニューヨーク市のケースからは、アイデンティティとしての本質的なセクシュアリティのカテゴリーを習得し、権利の概念に結びつけるようすがみられた。こうしたセクシュアリティに関する概念を使いこなすことは、性的マイノリティの人々を承認し、保護するという難民認定制度の包摂の役割を機能させやすくするといえるだろう。その代償として、難民の人々の主体性や声が奪われてしまうという問題が指摘されてきたが、法的な文脈を離れ、難民申請のプロセスを振り返る人々の語りからは、難民申請者としての語りが、あくまで要求された語りであることに自覚的で、セクシュアリティの概念とも流動的な関係をもち、維持していることがわかる。難民申請やアイデンティティ・カテゴリーを主体的に解釈するかれらは、支配的なセクシュアリティの概念と承認の権力関係を前に従属的な立場にとどまっているわけではなく、声を奪われるだけの存在ではないといえるだろう。

5．非正規移民から難民申請者へ――サンフランシスコ・ベイエリアの事例から

メキシコ出身者の移動と庇護へのアクセス

ここからは、入国の際から「違法性」がつきまとい、排除の対象となりうるメキシコ出身者の経験と語りに注目することで、人の移動を経済移民と難民との区分で捉えることの限界と、二つのカテゴリーのはざまに生きる難民の語りの構築を見出していく。

メキシコ出身移民はアメリカの最も大きな移民集団の一つを構成するが、かれらが難民としての法的な地位（庇護対象者）を得ることは容易ではない。その理由をボエム（Boehm 2011）はアメリカとメキシコという国境を接した二

国間の移民政策の歴史によって作られたカテゴリーにあるとみる。１８４０年代終わりから始まるメキシコからの労働力の移動は、１９６０年代までアメリカに体系的に受け入れられてきた。しかし労働移民への政策は、80年代から規制の方向へと向かう。メキシコ系移民が現在では１９９６年の不法移民改正及び移民責任法や、テロ対策を掲げた安全保障政策において、度重なる規制や強制送還の対象となっていることは3章で示したとおりである。かれらには不法移民、労働移民、強制送還者、そして近年では薬物戦争難民、というような両国の歴史的・政策的文脈のなかで構築されたイメージとカテゴリーがつきまとう。そのため、メキシコ国内において蔓延する暴力の危険にさらされ、国家による保護を受けられずに難民状態にある人が少なくないにもかかわらず、アメリカで庇護を与えられる機会は非常に限定されている（Boehm 2011）。実際には２０１１年度に難民認定を受けた2万４９８８人（能動的庇護手続き1万３４８４人、防御的庇護手続き1万１５０４人）のうち、メキシコ出身者で認定されたのはわずか２９４人（能動的庇護手続き１９０人、防御的庇護手続き１０４人）と１・２％である（DHS 2012）。同年度の難民申請者数については正確な数字が公表されていないが上半期（２０１１年10月から２０１２年3月）の各庇護事務所の能動的庇護手続きの申請数（USCIS Asylum Division）をもとに計算すると、申請受理1万９６６１件のうち、メキシコ国籍者による申請が２６２６件と全体の13・４％を占めており、これは中国国籍者による申請の７０１１件（35・７％）に次ぐ。つまり、メキシコ出身者は申請者の多くを占めるが、難民の地位の認定を得る機会は非常に限られているのである。

しかし、難民申請の理由が性的マイノリティに対する迫害に対するおそれである場合、状況は異なってくる。ＢＡＹＣの支援の記録と庇護プログラムのディレクターの説明によれば、２０１１年度にアメリカで認定された２９４ケースの認定のうちおよそ80ケースは、ＢＡＹＣが支援したゲイ、レズビアン、トランスジェンダーのいずれかの難民申請に対して出された認定である。つまりメキシコ出身者にとって非常に限られた選択肢である難民認定数のうちおよそ30％以上を一つの団体の支援を受けた性的マイノリティの人々が占めていたのである。このことは、メキシコ出身者にとって難民の地位を得ることは非常に困難ではあるが、それが性的マイノリティの難民となればその数は決して少ないとはいえず、クィアなセクシュアリティがホスト社会での移民管理の文脈において、法的な地位を左右する重要な意味をもちうることを示している。

ベイエリアのメキシコ出身の調査協力者は、なぜアメリカに来たのかという問いに対して様々に答えるが、共通するのはかれらにとってメキシコにおいてクィアであることは決して安全ではなかったがアメリカに来る前から難民申請の存在を知っていたわけではなく、難民として庇護を求めて国境を越えたという認識を強くもっていないことである。かれらはクィアであることによる暴力の恐怖や危険、生きづらさを抱えながらもメキシコで生活し、やがて仕事や教育など様々な側面におけるより良い機会を求めて移動してきた。また、幼少の頃に親に連れられてアメリカにやって来たケースもある。「移民」移動型としてのかれらの移動のパターンについて改めて整理すると、ベイエリアの18人のメキシコ出身者には他国出身者と比較した際の違いとして、次の四つの共通した特徴がある。

調査インタビューを実施したメキシカン・レストラン。ベイエリアでのメキシコ出身の調査協力者とのインタビューは、調査協力者の行きつけや、友人が経営するカフェやレストランで実施することが多く、かれらのエスニック・コミュニティやエスニック・ビジネスとの日常的なつながりを実感した。（2013年1月筆者撮影）

まず一つに、調査協力者はみな申請の時点では在留資格を持たない非正規滞在者である。二つ目はアメリカ在住年数の長さで、最初の入国から申請までの期間が最も短いケースで4年、最長では23年で、平均すると11年である。三つ目はアメリカとメキシコの間を行き来するトランスナショナルなモビリティを維持していることであり、18人のうち14人がアメリカへの初めての入国以来、少なくとも一度は、多ければ10回以上はメキシコに戻ったことがある。ただし、ここでいうモビリティは自由かつ安全に享受できるものではない。

クィアゆえの迫害の経験や恐れをもつかれらにとって出身地や出身社会は決して安心して暮らせる場所でなく、家族の緊急事態や身分証の更新などでメキシコに戻ることがあっても、可能な限り短い滞在で、例えば国境に近いホテルや、訪問先の家族の家から出歩かず、隠れるように過ごすという。そして四つ目に、移住の過程に活用できるネットワークやコミュニティへのアクセスをアメリカへの移住前からある程度もっていることである。アメリカにはメキシコからの家族や親戚がすでに居住している場合が多く、渡米したばかりの頃はほぼ全員そうしたメンバーと同居している。ただし、ネットワークが利用できても、後にゲイ、レズビアン、トランスジェンダーであることを理由に間借りしていた家を追い出されたり、居心地の悪さから自ら離れたりするケースも多い。

カントゥはロサンゼルスを中心としたメキシコ出身ゲイ男性の研究から、かれらがホモフォビックなエスニック・コミュニティの代替として自分たちで社会的ネットワークを構築していると分析するが（Cantú 2009）、ベイエリアでも同様のネットワーク／コミュニティが存在していることが確認できた。調査時に大学に通っていた3人を除いた全員（15人）が、交友関係のほとんどは性的マイノリティのメキシコ出身者で構成されているという。ＢＡＹＣへのアクセスもこうしたコミュニティを媒介としており、ラティーノの人々が中心に集うオークランド市内のゲイバーで出会ったメキシコ人から情報を得たり、すでに難民認定を受けた友人の紹介をきっかけにＢＡＹＣを訪問し申請に至ることが多い。対照的に、ベイエリアでの調査協力者のうちアラブ首長国連邦、アルジェリア、パレスチナ、サウジアラビアの出身者には、親類や家族がすでにアメリカにいるというようなつながりはなく、出国前から難民申請について調べ、支援団体や弁護士事務所の情報をインターネットで集めるなどの準備を整え、入国後数日から数週間以内に支援団体を訪れて支援やサービスにアクセスしている。

アメリカ在住期間が長く、すでに移民としての社会関係資本をある程度持ち、実際に国境を何度も越えるモビリティを維持しているメキシコ出身者は、故郷を逃れたまま帰ることができないというような一般的に共有されている難民のイメージとは大きく異なる。移民か難民かという二分法を、あえて使うとすれば移動のきっかけやパターンは前者として分類されやすいだろう。メキシコ出身者はアメリカの特定の地域との間に強固な移住の経路とネットワークを築いており、そうした移動を経たうえでさらに、「難民になる」ことが可能となっている。

庇護 - 移住ネクサスのなかの「難民になる」語り

人は経済、社会、政治的な出来事に対して、個人の限られた選択肢と資源を駆使して移動を行っている(Richmond 1994)。あらゆる種類の移動において、能動的な個人が主体性を発揮していることを考慮すれば、難民の移動は強制的でありながら自発的であるといえるし、出身国、庇護国、第三国の間のモビリティや、ネットワークを維持し活用するトランスナショナルな存在として難民を認識することができる。(Van Hear 2006)。もっといえば、人の移動を相互排他的な移民／難民カテゴリーとしてではなく、庇護 - 移住ネクサス（序章参照）のなかの連続体として捉えるほうが現実に即している。それでも、ある国家の領域に入ってきた個人または集団に対して移民／難民の区別がなされるのは、難民という地位が法的なまたは行政的な制度のなかで機能するもので、実際には支援の対象を名指し線引するための官僚的で政治的なラベルであり、保護と資源が分配される特権的な地位だからである[13](Zetter 1991)。入国管理が執拗に区別しようとする「移民」から、「難民になる」、つまり、ある種の特権を得ることは、庇護 - 移住ネクサスと呼ばれる移動を実践する人々にとっては地位を正規化する方法の一つである[14]。

性的マイノリティの移住者は、90年代以降の難民条約解釈や司法判断の発展に伴い、クィアなセクシュアリティやジェンダーによって「難民」としての可能性をたぐり寄せることが可能となってきた。では、トランスナショナルな移民から、保護の対象である難民となるために、かれらはどのような難民の語りを構築するのであろうか。

ベイエリアのメキシコ出身者は、ニューヨーク市の調査では頻繁に語られた性的マイノリティの人権を学んだ、という語りを展開しない。その一方で、出身社会において非規範的とみなされたジェンダー表現が性的指向を示すカテゴリーとして表現されるという点においては、ニューヨーク市のケースと類似している。前節とやや重複するが、実際の難民審査のための陳述書も参照しながら、まずはこの点についてみていきたい。

調査協力者は調査インタビューの語りでは、ローカルな男性らしさまたは女性らしさから逸脱したために「ホモセクシュアル」であると周囲にみなされ、暴力や差別が自分の身に起きたと説明する。つまり「経験された生」のなかでは、逸脱したジェンダー表現にホモセクシュアリティという意味を周囲から付与されていたことがわかる。それに対して、陳述書の「語られた生」と「テクストとしての生」のなかでは、この他者に意味づけられたホモセクシュアリティが、当事者のアイデンティティや性的指向と同一のものとして書き直される。難民の語りのなかで、幼少期のジェンダー表現がホモセクシュアリティとして認識され、それがさらに青年期以降の同性に対する性的指向や性的行為と一致することで、「生まれながらにゲイである」というセクシュアリティの一貫性と不変性が強調される。ここに、ジェンダー表現、性的指向、アイデンティティが集約され、同一視される置換モデルが採用されている。例としてレズビアン女性のケースを参照したい。

40代のレズビアン女性サンドラ（BA-18）はかつて歩いて国境を越えたのち、アメリカで15年間暮らしている。彼女は出身国での経験を「メキシコでは、常に隠れていました。本当に本物の女性であるように振る舞いました」と振り返りながら、レズビアンとして自認するようになったのはアメリカに来てからだが、自分が周囲の人々となにか違うと気がついたのは幼少の頃だったと話す。

5歳の時にクラスメイトにパトリシアという子がいて、いわゆるトム・ボーイでした。[…] 彼女は私のヒーローでした。私もジーンズとか（ボーイッシュな）靴とか身につけるのが好きでした。兄たちがするような格好をするのが好きでした。[…] だから周りからはマリマチョ[15]（marimacho）と呼ばれました。

同年代のレズビアン女性マチルダ（BA-6）も、ショートヘアを好んだこと、スカートではなくパンツを履いていたこと、男児向けの玩具や野球ゲームなどで遊んでいたことから「マリマチョ」や「トルティエラ(16)（tortillera）」などと呼ばれ、学校でのいじめや家族からの過度な体罰、暴力を受けていたと語る。しかし陳述書のなかではこうした経験はともに「私は40代［原文は実際の年齢］のレズビアンです。自分の性的指向のために、侮辱を受け、殴られ、レイプされました」と、アイデンティティと性的指向によって受けた暴力として整理され記されている。男性ホモセクシュアリティについても同様で、フェミニンな話し方や振る舞い、女性の友人が多いことなどから侮蔑的にゲイを意味する「ホト（joto）」と呼ばれ、クラスメイトや近隣住民からの性暴力被害にあったという経験が、陳述書のなかでは、ゲイ「である」ことと性的指向が迫害の原因として説明される。

また、特に幼少期から継続して家族や親戚、近隣住民、同級生らからいじめ、暴力、特に性暴力の被害に遭ってきたという点は多くの調査協力者に共通するのだが、陳述書を作成するケースワーカーは、性暴力加害者がかれらを何と名指したかなどを確認し、それが単に幼少であったかれらに向けられた小児性愛者による性暴力ではなく、かれらがゲイ、レズビアン、トランスジェンダー「であった」から被害にあったという論理を整理する。しかし、ここでの性暴力被害の原因としてのホモセクシュアリティも、かれらのジェンダーが他者から逸脱とみなされていたという意味でのホモセクシュアリティであって、必ずしも当人のアイデンティティとしてのセクシュアリティを指し示すものではない。置換モデル的なセクシュアリティは、アイデンティティとしてのホモセクシュアリティと、他者に判断されるホモセクシュアリティの関係については問わないのである。さらに、経験のなかでは重要であったジェンダー逸脱という要素も含まれない。陳述書のなかでは、難民申請者の幼少期の「ジェンダー逸脱としてのホモセクシュアリティ」と、「同性間の性的関係としてのホモセクシュアリティ」が、同一のもの、それもアイデンティティを形成するものとして記述される。陳述書の作成には、固有名詞や日付などで、個人特有の具体的な経験であったことが強調される一方で、異なる申請者の陳述書のなかに、レイプや暴力を要約する際には「私はゲイであるためにレイプされ、殴られました」という似通った文章が共通して使われており、逸脱とみなされるジェンダーが性的指向に戦略的に還元されたうえで難民ナラティヴは形成されているといえる。

カチャルの置換モデルはシスジェンダーのホモセクシュアリティについて論じられていたが、トランスジェンダーの人々の事例からも、ゆらぎや変化のあるジェンダー／セクシュアリティが生来的で固定的なアイデンティティ・カテゴリーとして語り直されるようすがわかる。難民として認定されている20代のトランスジェンダーの女性マリア（BA-15）は、インタビュー調査において「現在のあなたのセクシュアリティやジェンダーについてはどう自認していますか」という質問には、「トランスセクシュアルです」と回答したが、アメリカに来た最初の数年間はゲイ男性として自認、自称していたことや、女性の身体を手に入れた方がクラブでの仕事が見つけやすいという友人のアドバイスに従って、性別変更に関する手術を受けたことなど語った。

（サンホゼに来てから）変わりました。私の人生、私の顔、私の髪、私の身体、私の服。［…］（クラブでの仕事を薦めてきた友人に）ここ（仕事場）には、すべてを変えて女の子として来なさい、って（言われた）。その当時私の人生は、どちらかというとゲイ・ボーイでした。ちょっと女の子っぽい感じで、でもそこまで女性的でもなく。髪型と顔が少しだけ（女性らしかった）、でもそれほどではなかった。でも彼女（友人）は、100％女性に変えなさいと言いました。

一方で「彼」[17]の陳述書の難民ナラティヴでは「私がトランスジェンダーであったため、父親は身体的に私を虐待し、家から頻繁に追い出しました」というように、マリアがトランスジェンダーというアイデンティティを幼少の頃から引き受けていたものとして難民の語りが形成されている。陳述書のなかで身体のトランスについては、「（アメリカに来てから）理想だった女性の身体に近づくため、脱毛を始めました」というように描かれている。

このような語りのずれが意味することは、調査インタビューで語られたストーリーが「真実」であって、陳述書のなかの難民の語りが真実ではないとか、彼女たちが事実や認識をねじ曲げて語っているということではない。重要なのは、法的承認の権力と語りを媒介する役割を担う申請者によって、語りは経験、認識、聴き手（支援者や庇護審査官）との相互作用のなかで流動的に形成されるということである。彼女たちの経験がセクシュアリティに関する支配的なパラダイムに当てはまらないこともあるが、調査協力者は難民申請において求められる「理解可能なセクシュアリティ」を語ることに抵抗や困難を感じず、彼女たちを支援する人々も難民の地位の獲得を目指し、語りのなかのセクシュアリティを承認されうるものに調整することを手助けする。そしてそれは、過去を振り返るまなざしや、過去についての認識というものが、語り手の現在の立ち位置や文脈とは無関係に、不変的な事実を取り出したものではないことも示唆している。

先行研究やニューヨーク市の事例でも指摘するように、こうしたずれが存在するということは、より複雑なセクシュアリティと迫害の経験が、法的な場での難民の語りから切り落とされる、もしくは理解不可能で信憑性のないものとして判断される可能性も示している。例えば、マリアが調査者としての私に語ったような、目的行為的なトランスの実践や生来的とはいえないジェンダー・アイデンティティの変化が、そのまま陳述書に記述されていたら、それは彼女の不変的であるべき「特定の社会的集団の構成員」たる性質や、難民の主張の信憑性に疑いを投げかけるものになり、難民の地位の認定／不認定に影響したのではないだろうか。

非異性愛規範的なセクシュアリティやジェンダーをアイデンティティとして提示するような難民の語りの構築は、ニューヨーク市のインタビュー協力者たちと共通しているようにも見えるが、この語りは陳述書のなかで記される難民の語りには多く見られても、調査インタビュー中にはあまり強調されない。ニューヨーク市の事例の特徴であった「ゲイ、レズビアンとしての権利」については、ベイエリアでは聞かれなかった。また、難民申請手続き経験者や、支援の実務に携わる人々への聞き取りからの発見の一つとして、少なくともサンフランシスコ庇護事務所では先行研究が批判してきたような、またニューヨーク市の難民の人々が用いていたような、同性パートナーとの写真や手紙といった「証拠」の要請はさほど厳格になされていないことがわかった。こうした同性愛的なアイデンティティを示す行動やパートナーとの関係に代わってメキシコ出身の申請者の多くが証明しなければならなったのは、申請時現在におけるトラウマまたはＰＴＳＤの症状であった。

一年申請期限の克服

先述したように、１９９６年の不法移民改正及び移民責任法によって、難民認定申請には入国から1年以内に申請書を提出しなければならないという期限、通称「一年申請期限」が定められている。この時間的な制限が移民コミュニティや主流のゲイ・レズビアン・コミュニティから周縁化され、社会から孤立しがちなゲイとレズビアンの移民にとっては大きな障害の一つとなっているとされる（Randazzo 2005）。しかし、今回調査したメキシコ出身者の場合については、むしろ移住先にあるエスニック・コミュニティやエスニック・クィア・コミュニティの存在と、出身国とのトランスナショナルなつながりの維持のおかげで、難民申請は当事者にとって差し迫った唯一の戦略という位置づけはなかった。その結果として申請を考慮する段階で、すでに申請期限が超過していたと考えることができる。

一年申請期限は、定められた二つの例外「申請者の難民性に大いに影響する状況の変化」または「申請が遅れたことに関する特別な事情」が個別のケースに当てはまると認められれば、申請の却下は適用されない。ＢＡＹＣのディレクターによると、ＢＡＹＣ全体の難民ケースのおよそ70％、メキシコ出身者のケースではそのほとんどが一年申請期限を越えている。しかしＢＡＹＣの法的支援スタッフは、これは認定結果を左右するほど重要な問題ではないと認識しており、後者の「申請が遅れたことに関する特別な事情」での期限適用の免除を試みる。10代前半にメキシコから母親とアメリカに非正規にやって来て、ＢＡＹＣのスタッフとしても活動するアレクサは自身も難民申請経験者であり、一年申請期限について次のように語る。

＊一年申請期限を乗り越えるのは難しいのですか？

アレクサ：私自身もそうでしたけど、一年期限に間に合わなければその理由を説明しなければいけません。ほとんどのクライアント（難民申請希望者）はなぜ1年以内に申請しなかったのかというと「知らなかったから」と答えます。残念なことに、これではダメなんです。法律について知らなかったという理由は、あなたを法律で守ってくれないんですよ。「知らなかった」は不十分です。いくつかの理由がなければなりませんが、多くの場合当てはまるのが、アメリカで人を信じられなくなるような事件に遭遇したとか、過去の経験から行動を起こせなくなるようなトラウマを抱えているとか。そうした理由です。または入院するほどの病気をもっているとか。クライアントの多くは異なるライフスタイルを生きていて薬物に依存するような人もいます。例えば、しばらく前に色んな問題を抱えたクライアントがいましたが、彼がＨＩＶ陽性でうつ状態にあったことがわかりました。これはアメリカにきた理由をなぜ（すぐに）説明できなかったのか（なぜ難民申請をしなかったのか）、という良い理由になりますね。こんなふうに説明することができれば、一年申請期限の壁は乗り越えられます。［…］私たち（ＢＡＹＣ）がここで証明するのは、無知であったことではないのです。かれらは本当はなにか行動したかったけれども、精神的、感情的なトラウマや身体的な問題のせいでできなかったということです。

具体的にＢＡＹＣでは、難民申請希望者がすでに入国後1年を超えてアメリカに滞在していることが判明した場合、不眠、物忘れ、悪夢、不安、孤独感、恐怖、自死念慮、飲酒や喫煙習慣の有無などについて質問し、これらの兆候がみられれば専門家による診断を受けるよう促す。その結果、ＰＴＳＤの診断を受けた申請者は、入国後1年以内に申請しなかった理由は「難民申請を知らなかった」からではなく、精神的な問題を抱えていたために申請できなかったという「特別な事情」を専門家の診断書を添えて口頭審査において自ら説明することになる。トラウマの原因となる過去の暴力の経験は陳述書に詳細に記される。

実践的な戦略のもとで、「苦しむ身体」は非正規移民の重要な法的資源としてみなされ利用することができるが、それは庇護希望者に対して難民の地位を濫用するという疑いがあるがゆえの専門知による客観化という試みであり、結果として庇護希望者を非主体化することが懸念される（Fassin and d'Halluin 2005: 598）。難民のＰＴＳＤ診断についていえば、専門家によって申請者の身体が語る物語とかれらの経験された生が関連づけられ、真実が証明されることになる。ＰＴＳＤやトラウマといった用語や概念で過去の経験の語りを構築することは、受け入れ社会において支配的なセクシュアリティの概念やステレオタイプを取り入れるのと類似した役割を果たしているといえるかもしれない。しかし重要なのは、ベイエリアのメキシコ人難民申請者にとってこれが、難民性の審査に参照される前に、まずは難民申請を行うための一年申請期限免除を獲得するために必要とされる点である。移民／難民カテゴリーのはざまを生き、すでに期限を超えているメキシコ出身者にとって、ＰＴＳＤの診断は移民から難民のカテゴリーへと足場を移すための梯子として用いられうる。

ただし、この戦略的な「傷ついた身体」の承認獲得は当事者にとって容易な経験ではない。多くの調査協力者は、申請過程のなかでも、暴力やレイプの記憶を精細に語り直すＰＴＳＤ診断のための精神鑑定が特に辛いものであったと振り返る。２０１１年からＢＡＹＣの依頼で週に2件のカウンセリングと診断を行う専門臨床心理士によれば、ＢＡＹＣのほとんどのケースにＰＴＳＤの症状が見られる。特に性的マイノリティの難民申請者らのなかで、彼女の知る限り性暴力の被害に遭っていないケースは一例もなく、深刻なトラウマを抱えていることが多いという。

その一方で語りを構築していく一連のプロセスは、トラウマの克服になる場合もあり、難民申請の過程で語りを支援者と共有することによって、孤独や不安から解放されたと振り返る調査協力者もいる。過去の出来事をより大きなライフヒストリーの枠組みで語ることで、癒しの効果があることはイーストモンドも指摘している。しかし、再び語るということには「地獄に戻る」効果とリスクもある（Eastmond 2007: 259）。例えばフリオ（BA-23）は２００２年にメキシコからアメリカに非正規に渡り、２０１２年に難民申請を行った。ＢＡＹＣの支援のことは同じく難民として認定された友人に教えてもらうが、当初は団体を訪れる決心がなかなかつかず、ＢＡＹＣを訪れてからも幼少の頃から10年以上続いた複数の親類や隣人からの性暴力の経験については言語化に時間がかかった。ＢＡＹＣでの面談では深刻なＰＴＳＤの症状が出たという。

＊ＢＡＹＣを知ってからすぐに申請することを決めたのですか？

フリオ：（これまでに起きたことを）思い出したくないので（難民申請については）私自身とても混乱していました。（カウンセラーに対して）経験を長々と話そうと思えば、多くの記憶を忘れていくし、でも記憶はまた何度も戻ってくる。電車のような感じで、一度走り出したら止めるのは難しいのです。…彼（友人）にはＢＡＹＣに行くべきだと言われました。じゃあ行く、と言ったのですが、行きたくなかった。これまでの経験のすべてに向き合いたくなかったんです。ただ逃げ出したかった。彼に「保護を求める機会があるしＢＡＹＣは助けたいと思ってくれる」と言われ、それを聞いて「じゃあ試してみる」と。よく覚えてないけれどそれから（実際にＢＡＹＣに行くまで）６か月か、３か月か、１か月か覚えてないけどそれくらいの時間がかかりました。

＊初めてＢＡＹＣのスタッフと話したときはどうでしたか？

フリオ：大変でした。このカウンセラーに初めて話したとき、泣くことすらできなかったことを覚えています。ぜんぶ自分のなかに抱えていて、それを外に出すことが難しかったのです。［…］初めてＢＡＹＣに行ったとき、まずは大丈夫でした。ところが初めての面談を始めてすぐ、なにかが起きて、私は崩れ落ちてしまったんです。からだが震えていたのを覚えています。呼吸をするのが上手くいかなくて。私は…それは辛いものでした。これはよくない、やめなければいけないと自分に言い聞かせました。話すのをやめると呼吸とリラックスができました。［…］　毎回（ＢＡＹＣで）話をするたびに翌日は落ち込んでいるか、数週間は朝起きて鬱な気分になっていました。本当に大変で今でもやり遂げたことが信じられないです。［…］（面談では）もうすっかり忘れていたと思っていたことを思い出すんです。だから「あ、今これを思い出した」となるので、時間のかかるプロセスでした。［…］ここに陳述書がありますよ［持参したファイルから書類を取り出す］。自分では読みませんけど。読めないいんです。読みたくないんです。

フリオは審査の直後に、帰宅のために乗っていた電車を途中で降り、レストランで食事をとっている最中にようやく審査に行ったことを実感し始めた。当時を振り返ると庇護審査官の前では練習したとおりに話すことができたが、「もし信じてもらえなかったら（メキシコに）戻らなくちゃいけない。戻りたくない」という思いで頭がいっぱいだったという。語り始めてからの困難を強調したのはメキシコ出身の40代レズビアン女性サンドラ（BA-18）も同様である。サンドラは1997年にアメリカに移動し2011年に難民申請を行うが、彼女の場合も幼少の頃から続いた家族からの暴力、ベビーシッターや隣人からの性暴力について語ることが精神的に辛く、ときには食事もままならなかったという。

＊ＢＡＹＣのスタッフと最初に面談したときはどうでしたか？

サンドラ：私にはとても大変でした。実はまだその時の気持ちを抱えたままです。小さい時になにが起きたのか、覚えていなかったんです。そしてそれを思い出すことで多くの問題が起きました。本当に多くの問題です。本当に大変でした。精神科医、セラピスト、支援グループに行かなければなりませんでした。［…］（面談のときは）いつも泣いていました。眠れなかった。食べることもできなかった。医者に行きましたよ。でも保険がないので診てもらえず、医者に診てもらうまで１か月待ちました。本当に大変で、嫌な時間でした。もう一度できるかどうかわかりません。［…］精神鑑定の面談が一番大変だったと思います。［誰かに話すのは］それが

2回目で、＊＊（BAYCスタッフの名前）と話してから3、4か月後だったと思います。すべてを思い出して彼女と話すのは本当に大変でした。話ができるようになるのに、5回の面談を費やしました。彼女は非常にいい人でしたしとても助けてくれました。支えてくれました。私は、ほんの少し話して、また少し、また少し、というふうに進めました。［…］今でもなにかしらの助けが必要と感じます。私はまだこの気持ち［自分の胸の真ん中を突くジェスチャー］とともにあるので。小さいときは、なにが起きたのかわからず、誰にも話しませんでした。自分のせいだと感じていました。なにが起きても、黙っているしかありませんでした。

また、長年誰にも話してこなかった幼い頃に受けた暴力について改めて思い出すことは、これまで維持してきた生活にも影響を与える。

＊最初にBAYCのスタッフに過去の話をした時どのように感じましたか。
サンドラ：どのように自分の出来事を、問題を、メキシコにいた時なにがあったのかを説明したら良いのか（わからなかった）。20年も前のことで、3年前まで口に出したことがなかったのです。だから、18年間抱えていたものを、精神的な困難との闘いを、どう説明したら良いのか。「これって本当にあったこと？　それともなかった？」。何度も泣きました。普段の生活をめちゃくちゃにしてしまわないように、あまり考えないようにしていました。もがいていましたよ。でも…記憶を呼び起こすというのは思っていたよりもずっと苦痛を伴いましたね。たくさんの苦痛。ただひどかったです。

傷ついた身体の発見と動員によって、一年申請期限の適用は免除され、庇護へのアクセスに近づくことができる。しかしここで構築された難民申請のための語りは、申請の手続きが終了したからといって、役割を終えて消滅するわけではない。新たな経験された生として、また語られた生として、その語り手である主体の移動のプロセスの一側面を形成するのである。

難民の地位が意味するもの

ニューヨーク市の調査協力者はセクシュアリティを権利として捉えることで、移動の経験から法的な場での難民としての語りに連続性を見出していたが、ベイエリアのメキシコ出身者にはセクシュアリティや移動、難民申請の過程について共通して用いられる概念や理解があるのだろうか。インタビューを通してみえてきた一つの回答は、かれらにとって難民認定申請はあくまで移民の地位を正規化するために活用可能な手段の一つであり、自身のアイデンティティやセクシュアリティについての認識と必ずしも連続して語られるようなものではないということである。ニューヨーク市の調査協力者には、アメリカへの移住を「出身国に自分の人生を置いてきた」、移動することで人生が「断片化された」と捉える人々もおり、アイデンティティの肯定とともに地位を認定されることは人生の再スタートと位置づけられやすい。一方、ベイエリアのメキシコ出身者たちにとっては難民として認定されることは、「違法性」とのつながりが切れ、安心して日常を送る手段と人生のさらなる選択肢が増えるという意味において、重要性をもつ。アレクサ（BA-12）は自分にとっての難民認定の意味を次のように表現する。

＊認定を受けてから、あなた自身になにか変化はありましたか。
アレクサ：私にとっては、非正規の側面が押し上げられたという感じがあります。つまり、もっと活動的になったし他の人たちを助けようと思っています。それにさらに教育を受けることを選びました。私がそうだったように不安に感じている友だちや人々のために声をあげています。非正規の移民やLGBTの人々のために闘いたいです。セクシュアリティについてはこれまでも問題なかったんですが、非正規だということを常に恥

じていました。ゲイの人たちは私のそのことを知ると「そんなの大丈夫だよ」というのですが、非正規であるということにこそ、私は大きなスティグマを感じていました。恐れていました。でも今は、かれら（ゲイの人々）とともに行動することができます。

また、１９９０年にアメリカへ移住し、２０１１年に難民認定申請したレズビアンの30代女性カミラ（BA-13）は次のよう表現する。

（難民申請は）機会のドアが開くという感じです。この国ではどこに行っても身分証を見せるよう言われますから。銀行に行くときも、社会保障の事務所に行くときも。だから、難民の地位は人生を公的なものへと押し上げてくれるようなものです。身分証を持っていないというのは、毎朝重大な病気を抱えて起きるようなものですから。身分証を持っていない、その事実をいつもどうにかしなくてはいけなくて、バート（ＢＡＲＴ：ベイエリアの公共交通機関）に乗るときも、バスに乗るときも、いつもそのことが頭から離れません。

トランスジェンダー女性のマリア（BA-15）はＢＡＹＣの支援につながる以前に、薬物とアルコールに依存し、警察に逮捕された経験もある。リハビリテーションのプログラムに通うことで依存を克服した彼女は自分にもう大丈夫と言い聞かせ、非正規であることは問題ない、人生を変えることができたし幸せだ、と思うようにしていたという。ところがグループのメンバーから、ＢＡＹＣに行くべきだと勧められる。２か月悩んだ末にＢＡＹＣに訪れた彼女は、２０１２年に認定を得る。調査インタビューでは認定によってもたらされた変化については「扉がさらに開いた」と語った。

＊難民認定を受けてなにか変化はありましたか。

マリア：人生がもっと変わりましたよ。扉がさらに開いたんです。仕事もそうだし、運転もできる。より幸せで、よりリラックスしています。もう警察が近づいてきても緊張しません。例えば警察がこちらに来るとするでしょう、私は「ハーイ、どうしました？」と声をかけるんですよ。これはとてもとても重要で素晴らしい変化です。次の6月には永住権をとります。さらにもう少しハッピーになってしまうでしょうね［笑い］。もう母に会わずに12年経ちます。私が永住権をとれば母がアメリカに来られるかもしれない。母と父に入国のための書類を準備してあげられると思います。母は78歳、父は79歳。父にも、母にも、私にも、より多くの機会が開けます。今私が関心をもっているのはメディケイド(18)への加入です。就労許可はすでに持っています。

難民認定がなにを意味するのかというかれらの語りからも、ベイエリアのクィアなメキシコ出身者たちの移動が、移動の自発性／強制性による移民と難民の区別では理解できないことがわかる。かれらには、庇護を求めて国境を越えたという認識は薄く、難民申請はあくまで法的地位の正規化の方法の一つである。調査インタビュー時に審査の結果が出ていない申請者も、難民申請によって得られた最も重要なものとして就労許可をあげる。申請の時点ですでに、非正規滞在者としての限定的な範囲ではあるが、住居や就労先がある程度確保されていることもあり、かれらにとって難民申請のもつ意味合いは生存のための緊急の選択というよりは、就労許可や運転免許の獲得のほうにあることは極めて現実的である。

また、マリアのように、移民として安定した地位を得ることはメキシコに残している家族の呼び寄せを考える足がかりになりうる。ゲイ男性フリオ（BA-23）は、先述したように過去の経験の語りには大変な苦労をしたが、申請によってひとまず就労許可を得たことで長期的に将来を考え始めることができるようになった。同じくアメリカで生活しているDACA申請中の妹やアメリカ市民と最近結婚した2人の兄と、かれらのなかで最初に市民権を得た者が両親の正規化手続きを行おうということを常に話し合っているという。

このように、ベイエリアに移住してきたメキシコ出身者の社会関係資本、トランスナショナルなモビリティ、複数の移動の動機、迫害の経験の重なり合いからは、性的マイノリティのメキシコ出身者の移動がまさに「庇護－移住ネクサス」のなかにあるといえる。難民の地位の獲得は違法性と結びつけられるメキシコ出身者にとっては成功の見込みが低い選択肢であるが、ゲイ／レズビアン／トランスジェンダーの人々には「難民になる」可能性が開かれることがある。かれらが難民になるための語りの構築には、ジェンダー表現とセクシュアリティをめぐる過去の経験と、現在の身体に見出される資源が動員されていることがわかった。難民申請者は過去のローカルで個人的な経験を、アイデンティティ・カテゴリーを用いたセクシュアリティの経験として語り直し、さらに暴力の経験のトラウマに苦しむ「傷ついた身体」を専門家にＰＴＳＤとして証明してもらうことで、自らを「不法移民」ではなく、理解可能な性的マイノリティのアイデンティティをもった、被害者として提示し直すことができる。

庇護－移住ネクサスの主体的なレベルを理解すれば、難民としての保護を必要としながらも、安定した法的地位とより良い生を求め、トランスナショナルなモビリティを維持することには何の矛盾もないことがわかる。カントゥによれば、移動そのものを暴力や抑圧に対するある種の抵抗として理解することができる（Cantú 2009: 166)。かれらのように出身国での生活を安心して続けることができない、または帰国することが安全でないのであれば、どのような経路と動機で移動が実践されたかにかかわらず、こうした移住者の「抵抗」は保護と支援の対象としてみなされるべきだろう。

ベイエリアにおけるメキシコ出身者は、移動のプロセスを「ＬＧＢＴの難民と庇護希望者」言説が対象とする保護ではなく、国境の厳格化による排除と隣合わせのものとして経験し、認識してきた。かれらの語りは、「移民」が「難民になる」ことは主体的かつ構築的な過程であることを示している。これは国際的保護の対象を選別し庇護の責任とノンルフルマン原則を回避するために執拗に問われる難民と移民の分類が、そもそも現実にそぐわないこと、そして「難民とは誰か」という難民研究の古典的かつ議論の続く問いに対しても、移動という抵抗を実践する者という一つの例を提示しうる。

さらにいえば、この事例は、難民や庇護希望者と呼ばれる人々をめぐる現象のなかに必ずしもパターンとして取り出し可能な「難民」に特有の経験の束が存在するわけではないことを示唆している。難民という地位とラベルを承認、付与、却下することを可能とする言説と制度のなかで、移動する人々自身もそうした地位とラベルを選択肢として検討し、要求する。難民・強制移動研究には、市民、移民、難民を区別、包摂、排除する仕組みを紐解き、それが国境管理だけではなく、人種、エスニシティ、ナショナリティ、階級、ジェンダー、セクシュアリティをめぐる権力のパターンや規範の形成と結びついているという視点での研究が引き続き求められる。

注

（1）ニューヨーク市を構成する5区のうち、難民申請時にマンハッタン区とブロンクス区に居住している場合は、ニュージャージー州ニューアーク市の庇護事務所の管轄になる。ただし調査協力者のほとんどがニューヨーク庇護事務所のもとで申請した、またはその準備を行っていた。

（2）DACAは若年の非正規滞在者を退去強制の対象から外すため、2012年6月15日の時点で31歳以下であり16歳の誕生日以前にアメリカに到着していた非正規滞在者に2年間の就労許可とその更新を認めるという大統領覚書である。2012年6月15日にオバマ大統領が発令した。DACAプログラムは一般的に包摂なものとして評価されるが、飯尾（2017）はこの暫定的な権利付与のプログラムを、90年代および2000年代以降の強制送還レジームに位置づけることによって、排除のメカニズムを指摘する。

（3）U Nonimmigrant Status（U-Visa）：特定の犯罪被害者になった非正規滞在者に与えられる短期的な滞在と就労の許可（最大4年間）。

（4）Temporary Protected Status（TPS）：非正規滞在者が、災害や紛争のために、安全が保障されていない特定の国（エルサルバドル、ハイチ、ホンジュラス、ニカラグア、ソマリア、スーダン、南スーダン、シリア）への送還対象となることを防ぐために与えられる滞在許可。

（5）H.R.519（113th）は具体的には、１９５２年移民国籍法の条文における「配偶者」という表記のすべてに「永続的パートナー」を加え、長期的な関係にコミットする同性カップルの家族呼び寄せを可能にするという案で、２０１３年にアメリカ衆議院に提出された。同年6月26日に、結婚防衛法（ＤＯＭＡ）の違憲という最高裁判決を踏まえて、オバマ政権は婚姻関係にある同性カップルを移民国籍法における夫婦と同等の扱いを始めたが、あくまで婚姻関係に限定されており、シビル・ユニオンなどのパートナーシップもその対象とならない。

（6）リーガル・クリニックとは、ロースクールの学生が実践経験を積むために教員の指導のもと、法的サービスを無償で提供するプログラムである。移民とジェンダー、セクシュアリティに関わるケースを専門とするプログラムもある。

（7）最初の入国が非正規でなくとも、最後の入国が非正規であった場合、難民認定申請書（様式I-589）の入国履歴には「ＥＷＩ（審査なしの入国 Entery Without Inspection）」と記録される。

（8）筆者自身の２０１６年から２０１７年のＵＮＨＣＲエジプト・カイロ事務所での勤務経験からいえば、難民の人々が人道支援ディスコースを用いた支援や迅速な手続きをＵＮＨＣＲに求める抗議行動は日常的に行われており、そうした行動によって支援者と支援対象者のあいだの対話の場が生まれることもあった。

（9）例えば Couti（2003）、Good（2007）、Morris, L.（2010）を参照。

（10）支援団体職員、弁護士に対する調査インタビューでこの点を尋ねると、性的マイノリティ「である」ことが難民の要件でないと認識はされているが、申請者本人が性的マイノリティでないケースはほとんどないという。また、ＵＳＣＩＳの２０１１年発行の『レズビアン、ゲイ、バイセクシュアル、トランスジェンダー、インターセックス（ＬＧＢＴＩ）の難民と庇護の主張の判断のためのガイダンス』においても、申請者自身のアイデンティティに関する質問に重点がおかれている。

（11）法科大学大学院生が経験を積むために、教員の指導のもと実際のクライントに法的サービスを提供するプログラムのこと。教育目的であるため、通常は無料でサービスが提供される。

（12）アウティングとは本人の了承なく、その人の性的指向やジェンダー・アイデンティティなどを第三者に暴露する行為を指す。

（13）Zetterは２００７年に１９７０年代、80年代初期の難民問題をもとに分析した自身の難民ラベルの議論（Zetter 1991）を再検討し、この官僚的アイデンティティの概念は、トランスナショナルな社会変革、グローバリゼーション、複雑化する移民の動き、大規模な難民の移動に特徴づけられる現代の難民問題においても有効であるとする。官僚的ラベルは大衆言説や政治的言説のなかで再生産され、より断片化、政治化されている。庇護申請者／一時的保護などの「難民」に到達する前段階の新しいラベルも登場し、難民ラベルが剝奪されることもある。そのなかで難民ラベルを要求することはもはや権利ではなく、貴重ともいえる地位の獲得を意味している（Zetter 2007）。

(14) また、例えばエジプトに難民として避難したスーダンからの難民がヨーロッパを目指し移動するケースなど、「難民」として移動した後に、さらに社会経済的によりよい機会を追求して移動するという場合、この限定的な意味でのカテゴリーのもとでは難民から「移民になる」こともある（Mingot and da Cruz 2013）。

(15) 男性的な女性に対する蔑称であるが、現在ではクィアな当事者があえて自分のセクシュアリティを指したり、男性的なファッションを好む女性のエンパワメントとして使う場合もある。

(16) マリマチョと同様に女性同性愛者を意味するスラング。ただし、トルティエラには曲がっている、ストレートでないという意味が含まれており、英語のクィアと似たように異性愛規範を問う視点を示す言葉として使われることもある。

(17) ＢＡＹＣの作成したマリアの申請書類では、マリアに対して男性人称代名詞が用いられている。

(18) アメリカの公的医療保険制度の一つ。民間の医療保険に加入できない低所得者のために連邦政府が設けた制度で、運営は州が担う。

第5章

難民の語りのクィアな可能性

難民申請認定制度は法的な地位の認定という包摂の側面と、入国管理としての排除、支配的なセクシュアリティの概念による特定の人々の周縁化といった側面を同時に抱えている。本章ではこのジレンマを乗り越えるために、難民申請制度におけるコロニアルな語りの要求、出身国と庇護国アメリカの関係性、庇護国アメリカ内部の境界線の存在を通して、難民の人々の語りがもつクィアな可能性を探る。

1.「寛容なアメリカ」対「ホモフォビックな出身国」

被害者性とコロニアルなまなざしの要求

ジェンダーと性的指向に基づく難民の主張は、難民自身のジェンダーとセクシュアリティを意思決定者、つまり認定審査を行う側にとって理解可能なかたちで説明することを求められ、本質主義的なアイデンティティとして提示せざるをえない。さらに問題なのは、こうした理解可能な概念が、出身地域・国と庇護国との地政学的な関係性を反映した語り、特に難民自身の被害者性、脆弱性、出身国の後進性とともに成り立つということである。

難民と被害者性の結びつきについては、難民保護に関する議論をジェンダーの視点で分析するフェミニスト研究が批判的に検討してきた。女性の難民が経験するジェンダー化された迫害は、公的領域と私的領域が執拗に区別されることで、難民の要件を満たすような迫害として認識されづらい。その例がまさに女性器切除、ドメスティック・バイオレンス、強制的な妊娠や中絶、レイプといったジェンダー化された、もしくはジェンダーに基づいた暴力である。家庭や親密な関係性という私的と認識される領域で起こる暴力、家族や個人という非国家主体とみなされる者による暴力は、難民条約上の「迫害」にはあたらないと考えられてきた。やがて私的領域の政治性についての認識が進んできたことや、難民状態となる人々の多様化を背景に、1990年代には保護の枠組みのなかにこうした暴力を迫害として認識する視点が組み込まれ始める。

しかしジェンダー＝女性という限定的な課題設定のもと、難民女性のジェンダー化され人種化された被害者性が強調されることになり、難民男性との相違や、先進諸国の女性と「他者」としての難民女性という対比が構築される。難民の女性たちはそうした構図のなかで、非国家主体による非政治的とみなされがちな暴力を、難民の要件を満たすような迫害として位置づけ直す必要があり、その要求に応えてきた。性的マイノリティの難民の経験も同様の語りの権力構造を抱えている。かれらの暴力や迫害の経験や恐怖は私的領域における、非国家主体によるものとみなされがちであり、被害者性の表象が前面に押し出されやすい。さらに政治、宗教、国籍などそのメンバーシップをなんらかのかたちで客観的に証明しやすい難民とは異なり、性的マイノリティ「である」ことの信憑性は難民自身の語りによるところが多く、ゲイ、レズビアン、バイセクシュアル、トランスジェンダーとしてのアイデンティティと被害者性のつながりを自らの語りのなかに織り込むことが重要となってくる。

また、難民申請者はコロニアルなまなざしで出身国を語ることを求められる。難民認定申請の場においても、特に「第三世界」出身の難民の地位認定のための語りは、受け入れ国の「先進性、文明化、良識」(Luibhéid 2002: 114) を強調したうえで、被害者としての自身のイメージと残虐な出身国・社会からの救済を懇願するというかたちをとる。これまでにも、クィアな人々の移住は「抑圧から自由への移動のナラティヴまたは解放を希求したヒロイックな旅路」(Luibhéid 2005: xxv) と解釈されてきた。このナラティヴではまさにアメリカが機会と自由の地、つまり差別からの自由と経済的機会を表象する場として描かれる (Katyal 2010)。性に「抑圧的」で「遅れた」出身国では、セクシュアル・アイデンティティの段階的発展を経験するのは困難あるいは不可能であるはずで、国境を越えた先の自由の地でこそ、難民のそうしたアイデンティティはカミングアウトまでの段階を迎えることができ、完全に本物のゲイまたはレズビアンになることが叶うとされる。調査協力者の陳述書の多くに、アメリカに渡った後のカミングアウトや、コミュニティとのつながりを持ち始めたというストーリーが含まれており、カミングアウトの発展段階モデル(1)の最終ステージをアメリカで迎えたことを強調している。ゲイとレズビアンは寛容な先進国アメリカでこそ、アイデンティティの自由が享受できるのでなければならない。また、ケン・プラマー（Ken Plummer 1995）によれば、カミングアウト・ストーリーとは本来コミュニティとのダイナミックな関係のなかで生まれるものであって、カミングアウトを受け入れてくれるコミュニティの存在が必要であり、一方でコミュニティもカミングアウトを通して構築される。難民にカミングアウト・ストーリーを期待するとき、そこには、移動先に「ＬＧＢＴコミュニティ」があるという認識も同時に存在する。

カントゥ（Cantú 2005）は性的指向を迫害の理由としたメキシコ人男性の難民申請の支援と研究を通して、やはり性に関するアイデンティティが不変のものとして提示されること、人種差別的で帝国主義的なアメリカの進歩性に対する第三世界の後進性という筋書きが多用されることを指摘している。その筋書きでは、メキシコでの迫害は、人種やジェンダー、階級、グローバリゼーションの影響、コロニアルで不均衡なアメリカとの関係性とは無関係に、メキシコの「抑圧的文化」に根づくものとされる。さらに、「愛国主義的な論理のもとで機能する本質主義的なセクシュアリティの構築は、グローバリゼーションが曖昧にし始めていた国境というものを改めて引き直す」役割も担っている（Cantú 2005: 68-69）。国境の明確化とはまさに3章にみた国境の厳格化による排除のあり方そのものである。

デイヴィッド・マーリィ（David Murray 2014, 2020）は難民申請者の語りにみられるコロニアルな関係性や規範的な同性愛者のナラティヴは、庇護の装置の制度におけるホモナショナリズムの新たな配置の一端であると論じる。しかし、そうした主体的なレベルかつ制度に要求されたナラティヴの構築とパフォーマンスを、ホモナショナリズムの性のポリティクスと結びつけようという議論において、その代償として生じる他者の排除が考察の射程に入っているとはいいがたい。ここで改めて難民の語りの複層性を理解することは、特定の場で語られたナラティヴをホモナショナリズム的な二項対立（寛容なアメリカ対ホモフォビックな他者）ではないところに位置づける議論の足がかりとなるだろう。

まずは、難民の語りを構築し習得していく難民自身は、寛容で先進的な受け入れ社会と、ホモフォビックで後進的な出身国という対比をどうみているのかに着目したい。難民認定申請という制度のもつコロニアルな側面は法的研究、クィア移住研究の分析において指摘されてきたが、難民自身がそれをどのように捉えているのかという問いが設定されることは多くない。そうしたなか、１９９７年に「変化する庇護の理由――女性器手術と性的指向」と題されたニューヨーク大学法科大学院で開催されたシンポジウムの記録には、難民申請経験者による批判的な分析を見つけることができる。

このシンポジウムにパネリストの一人として招かれたサイード・ラフマン（Saeed Rahman）は、パキスタン出身の難民で、ゲイ男性と自認し、ＮＧＯランバ・リーガル(2)で働く人物である。１９９１年にパキスタンから留学生として渡米した来歴をもち、１９９７年４月に性的指向を理由として難民の地位を得た。シンポジウム第２部のパネリストとして登壇したラフマンは難民申請に関する言語とコロニアリズムの関係について次のように発言している。少し長いが引用する。

難民認定の過程で学んだ最も重要なこと、そして法律家たちに認識してもらいたいことは、難民申請に関する言語は帝国主義に根ざしているということです。庇護希望者と彼または彼女の出身国との関係性が構築される方法とその言説は、私にとっては、時にとても大きな問題となるものでした。自分の出身国を説明するために植民地支配側のことばが繰り出されるということについて、植民地化の対象である者が不快に感じずにいるのは非常に難しいことです。法律家が不寛容、警察の蛮行、イスラム原理主義、などの用語を使うたびに、第三世界、遅れた人々、後進性、狂信性といったイメージが喚起されます。こうしたイメージはたしかに難民の地位を得るのにはとても便利です。けれども、難しい議論でもあるのです。この国（アメリカ）で有色人種であり移民である私たちのなかには、アメリカの自由と権利の言説を完全に受け入れられない者もいます。私たちは自分たちの歴史がどのようにアメリカによって形作られてきたについてもわかっています。例えば私の場合は、アメリカに支援・維持されてきたパキスタンの軍事独裁政権のもとで育ちました。このレジームのもとで、女性蔑視で階級差別的なフドゥード法のような法律が明文化され適用されました。もしアメリカとパキスタンの関係、（パキスタンの）ホモフォビックな慣習がどこから来ているのか、その社会文化的なルーツなどについて私が入国管理職員に入門レベルの講義をしてあげたとしても、それは私にとってなにか良いようにならなかったでしょう。

法律家は、こうした矛盾を認識できる空間をクライアントとともに作る必要があります。世界の異なる場所においてホモフォビックな慣習は確かに存在するけれども、ＩＮＳ（移民帰化局）を前にしたときのその語りの方法が非常に問題のある枠組みのなかで生じているということは、明確に認識されなければなりません。

ここで意味するのは、世界中やパキスタンで起きているホモフォビックな慣習を批判できないということではありません。この国（アメリカ）と世界中で起きている人権侵害についての対話があるべきだという意味です。対話はまだ必要とされています。先進国が発展途上国に向かって「ほらみろ、現地人は植民地化される必要がある」と指差すことがないような枠組みで、ホモフォビックな慣習への批判はなされるべきです。なにが普遍的な人権とみなされるのかを決定づける議論のテーブルに、私たちはみな同等に交渉する権力をもってついているわけではなく、そのことは認識されなければなりません。いかなる暴力も特定の歴史的、政治的、文化的な文脈のなかで考えることが重要です。（*Columbia Human Rights Law Review* 1997-1998: 516-518、（）内は著者による補足）

このようにラフマンは自身の難民認定申請・審査の経験から、出身国の後進性を人種差別的で帝国主義的な方法で描くことの要求を振り返り、そうした後進性のイメージの構築に難民自身が葛藤しながらも加担せざるを得ないという庇護の制度の問題点を指摘する。出身国の植民地化の歴史を踏まえれば、必ずしもアメリカの自由や権利というものを手放しで賞賛することができない。しかし難民認定という承認のシステムの権力関係のなかで難民がそのような支配・被支配の関係を批判的に指摘する語りを行うことは困難である。さらにそうした語りが意思決定者にとって「理解不可能」となれば審査に影響し、申請者にとって不利な状況になる可能性もある。このシンポジウムの記録によれば、ラフマンの発言を受けてコロンビア大学法科大学院教授ゴールドバーグ（Suzanne Goldberg）が続けて発言するが、アメリカにも当時まだソドミー法が存在しているという例を出して、ゲイやレズビアンについての国際人権基準についてはアメリカにも適用されていない部分があるという点、法律と現実にはギャップがあるという点の二つにまとめるにとどまり、それ以上のやり取りや議論は展開されなかったようである。

ラフマンが難民として認定されたのはこのシンポジウムの開催と同年の１９９７年の出来事であり、１９９４年のブラジル人ゲイ男性の難民であるトボソ－アルフォンソの裁判が先例と認められてから、３年後のことである。当時のアメリカ社会においては、現在のように「ＬＧＢＴの人権」という概念が普遍的人権の問題として認識されていたわけではなく、性的マイノリティ、特に同性愛者に関する権利や制度は、軍隊、就労、婚姻、医療、メディアなどの異なる文脈、領域において排除と包摂が入り混じっていた時期でもあった(3)。しかしこうした時代状況の違いにもかかわらず、難民保護、特に先進諸国における難民申請の言語のなかの帝国主義、コロニアリズムへの指摘は今でも有効である。３章でみたように、２０１０年代以降の外交政策としての「ＬＧＢＴ難民と庇護希望者」の保護という言説には、ホモフォビックな他者に対する名指しとその対照にある「寛容で自由な国アメリカ」の先進性や例外主義のメッセージが用いられてきた。さらにクィア研究においてプアのホモナショナリズム批判が大きな反響をもって迎えられたことを考慮すると、難民申請におけるこうした指摘を、特にジェンダーとセクシュアリティの政治が関わる領域においては避けて通ることができないといえるだろう。

帰れない理由としての後進性

「LGBT難民と庇護希望者」言説が実際に主な保護の対象としていたのは第三国定住難民ではあるが、1990年代のラフマンの経験と同様に今でも性的マイノリティの難民申請では出身国と庇護国の対比がみられる。庇護を求める難民にとって、迫害の恐れのある「遅れた」出身国はもはや自分の帰れる場所であってはならない。難民が出身国には帰ることができないがゆえに安全なアメリカに滞在する必要があるのだと主張する際に、アメリカの寛容さと出身国のホモフォビアは対比される。例えばベイエリアのメキシコ出身の調査協力者の陳述書からもそうした対比を読み取ることができる。陳述書は申請者個人の異なる状況が記述される非常に個別なものであるにもかかわらず、次の引用のような文章が陳述書の締めくくりのパターンとして用いられている。

メキシコに戻ることを恐れています。メキシコでは、ゲイはゲイであるだけで侮辱され、殴られ、レイプされ、殺されることもあります。メキシコはとてもホモフォビックでマチスタ（machista）な国です。メキシコでゲイは受け入れられません。アメリカとは異なり、ゲイのための保護はメキシコにはありません。（ゲイ男性の陳述書より）

メキシコに戻ることを恐れています。レズビアンに対するたくさんの差別や暴力が存在します。レズビアンはレズビアンであるだけで侮辱され、殴られ、レイプされ、そして殺されることもあります。同じようなことが自分にも起こることを恐れています。警察はアメリカのようにレズビアンとゲイを守ってくれません。それどころか性的指向を理由にレズビアンとゲイを逮捕します。（レズビアン女性の陳述書より）

もしメキシコに戻ったら、迫害、さらには殺害されるというリスクを負うことになると思います。[…] メキシシコの一般の人々の（トランスジェンダーに対する）理解の欠如によって、私の身体的、精神的健康は著しく害されるでしょう。［…］もし私がメキシコに戻ったとしたら、私がアメリカでトランスジェンダーとしてもつことのできているものと同じような機会や生き延びる術は得られないでしょう。（トランスジェンダー女性の陳述書より）

細かい表現の違いはあるものの、ＢＡＹＣが支援する個別ケースの陳述書のなかにこうした表現を繰り返し見つけることができる。かれらがアメリカの庇護の対象になるには、出身国メキシコでのゲイ、レズビアン、トランスジェンダーに対する扱いが、アメリカと同等ではなく、迫害を受けるという十分なおそれが備わっていなければならない。このおそれこそが、難民申請者のメキシコへ帰らない／帰れない理由でなければ、難民条約上の難民の要件に当てはまらないのであって、ここにアメリカと出身国の二項対立図式の提示が求められている。

アメリカの寛容さと出身国の不寛容さを難民申請に関わる言説のなかで対比させることは、人が安全でより良い生を目指して戦略的、計画的に判断、行動すること、そしてそれを支援する支援団体や弁護士の存在を思えば当然理解できる。これは陳述書の内容が虚偽か否かという問題ではない。難民の地位を獲得することを目指して、難民の語りを制度からの期待や要求に沿って構築するという判断については、ラフマンも「たしかに難民の地位を得るのにはとても便利」だと述べる。ただし、ラフマンの場合は難民認定を得た後に、コロニアルな言説の要求について、大学で開催されたシンポジウムという場で批判的に振り返ることができたが、誰もがこのように改めて言語化する機会や能力をもつわけではない。けれども、本研究の調査インタビューという語りの場では、難民の語りが庇護審査官という意思決定者である聞き手や陳述書という形式とは距離がおかれ、複層的な経験や他者との交渉の場で構築されてきた認識を垣間見ることができるはずである。出身国と庇護国アメリカを審査の場で要求されたようなコロニアルな対比ではない形で読み解くために、その関係性についての認識の断片を見出していきたい。

2. 帰属意識の複層性

調査協力者が出身国とアメリカをどう比較しているのかが読みとれる場面のひとつが、「帰属」や「ホーム」に関して言及がなされるときである。難民として認定されたのち少なくとも1年間アメリカに滞在すればグリーンカードと呼ばれる永住権を申請することができ、永住権取得から4年後には市民権の取得申請が可能となる。このことは調査協力者の間でも広く理解されており、難民認定後の生活に関する話題になると自身の帰属について語られることが多い。そうした傾向を見出してからは、インタビューでは難民認定後もニューヨーク市またはベイエリアに住み続けるか、市民権獲得後に出身国に一時的にでも戻る計画があるかという質問を積極的に行い、また「ホーム」ということばが出たときには説明を求めた。

調査協力者は出身国やエスニック・コミュニティまたはアメリカという国やニューヨークという街に対して明確な帰属感を示す場合もあれば、より複雑なものとして表現する場合もある。２００７年に入国し２００９年に難民として認定されたコロンビア出身のゲイ男性オランド（NY-19）は２０１１年に実施したインタビュー調査で次のように語った。

＊難民認定を受けてどう思った？

オランド：アメリカ人になったと思った。ここに属すると感じさせてくれた。ここで受け入れられたと感じさせてくれた。このあいだ（コロンビアの）地元からのお客さんが訪ねて来たのだけど、私の国（コロンビア）よりもこっちのほうが自分の国のように感じる、と伝えたよ。もうあっち（コロンビア）には属していない。

＊ コロンビアのことはどのように考えている？

オランド：距離を感じる。［…］（コロンビアには）変化がない。いつも同じようなことを聞く。悲しいニュース、同じニュース、同じような汚職事件、同じような死。気味が悪い。全然変わらなくて、それは悲しいことだ。［…］もう私はあそこ（コロンビア）には属さない。属しているとは全然思っていない。

難民として認定されすでに永住権を取得したオランドは、認定後には自身が「アメリカ人になったと思った」、「自分の国のように感じる」と強い帰属意識を表現する。それに対して出身国コロンビアを変化がなく気味の悪さすら感じる場所として捉え、出身国とアメリカに明確な境界線をひく。オランドと似たように、ジャマイカ出身のマリック（NY-14）もアメリカを「ホーム」として捉える。

＊あなたのいう「ホーム」とは、アメリカのことですか？
マリック：ここに落ち着いたし、すでに（アメリカを）ホームにしたと思う。市民権はまだとってないけど、落ち着いたんです。自分でここをホームにした。ここが私の生活する場所。誰かに「どこから来ましたか」と聞かれたら、「アメリカの永住者です」と答えるね。ははは［笑い］。「なるほど、でも、もともとはどこ出身ですか」とさらに聞かれたら、「うん、だから、アメリカの永住者です」ってね。［笑い］

出身を尋ねられてもジャマイカには言及しない、というマリックの語りは彼のもつ出身国との距離感を示しているが、オランドとは異なり「永住者」であることも語りのなかに維持し、あくまで生活の実態がある場所としてホームを設定している。永住権、やがては市民権を得てアメリカに今後も住み続けることを見据えたうえで彼は主体的にアメリカを「ホーム」とするのである。

しかし、自分を受け入れてくれた場、生活の場として新しい「ホーム」を得ることは必ずしも出身国を「ホームでない」ものとして切り離すことと同じではない。移民研究、ディアスポラ研究においては、人やコミュニティにとってホームやホームランドと呼ばれる場や空間は複数存在し、それぞれのホームと複層的な関係を形成し維持しうることが議論されてきた。難民研究においても、例えばスウェーデンのイラン人難民の帰還に対する認識を通して、かれらにとってのホームがスウェーデンのなかのディアスポラ文化やイラン文化のなかに再構築されるようすが明らかにされている（Graham and Khosravi 1997）。

一方で、難民認定の獲得に焦点をおいた法的な承認の文脈に立ち戻ると、出身国で保護を求めることができない、またはそれを望まないという難民条約上の難民の定義の要件は無視できない。一般的にこの要件は、出身国に帰ることができない、帰ることを望まない状況と解釈される。難民認定申請の言説のなかで、信憑性のある「本物」の難民が逃げ出してきたはずの出身国をホームとして愛着をもって語ることは想定されていない。また、迫害や暴力を逃れて国境を越えた難民にとっての「恒久的解決」がいまだに第一庇護国での統合、第三国定住、自発的帰還の三つに限定され、人が一つの場所・国に帰属し定住することが当然とされる定住主義に根づいていることを考えても、一人の難民が複数のホームという場所や概念をもち、その空間を行き来すること自体が「本物」の難民らしさとは相容れない。しかし調査インタビューという法的承認の場から離れたところでは、出身国と移動先アメリカに対する思いはより現実的な感覚や感情とともに語られる。

ジャマイカ出身のパメラ（NY-15）はニューヨーク市での調査で出会った協力者のなかでは珍しく、申請以前に出身国とアメリカを頻繁に行き来していた。10歳の頃からアメリカ在住の母親と姉たちを訪ねており、30代で難民認定申請を行うまでには合計12回ほどジャマイカからアメリカに入国していた。２０１２年にジャマイカで複数人からのレイプとその後の脅迫の被害にあったことをきっかけにジャマイカには戻らない決意をしてアメリカに渡る。ニューヨーク市内の法科大学院の支援のもと２０１２年から申請を開始して、２０１３年秋に申請を行い、その4か月後に難民認定を受けた。出身国ジャマイカは彼女を日常的な差別や身の危険にさらす場所であり、パメラはそこから「逃げてきた」と振り返るが、同時に彼女が30代を迎えるまで人生において社会的・経済的基盤を形成してきた場所でもある。

（難民認定の結果を知らされたときの気持ちについて話す）

パメラ：ほっとしました。ジャマイカは大変ですから。より大変、といえますね。普通の人、異性愛者の人にとっても大変です。それでももしゲイならたくさんの差別があって、もっと大変です。でも…私は生き延びていたんですよね。やらなくちゃいけないことをすべてこなして生活していました。学校にも行った。学位も取った。そして働いていました。嫌なこともたくさんあって、それでもなんとか前向きにやろうとしていたんです。でもそれがすべてなくなってしまいました。ここ（アメリカ）では、学校に行けない、仕事が見つからない。仕事に必要な許可がなかったのですから。（ジャマイカでの）私の身に起きたことに加え、自分の人生が保留状態になってしまったような感じです。（アメリカに来てからの）丸１年間、私の人生は保留状態でした。すべて（ジャマイカに）置いてこなければいけなかったんです。仕事を残し、家族を残し、友人を残してこなければいけなかった。ジャマイカに住む、それは良くないことですよ。でも（当時は）それしか知らなかった。そこが私の育った場所です。（アメリカに来てからの）状況が私に思い出させるんです。あそこが私のホームだったんだって。嫌な側面もたくさんあったけど、なんとか最善を尽くそうとしてきました。ここに来たら環境は違います。それには感謝していますよ。だって差別にあわなくてすむのですから。でも同時に、学校に行くとか仕事をするとか、できたはずのことができない。ただただできなくて、それが私を憂鬱な気分にさせます。

（別の話題の際に再びジャマイカの話題になる）

＊ジャマイカのことをまだホームだと考えていますか？

パメラ：（ジャマイカが）ホーム？　いいえ［笑い］。もし姉妹や父親が向こうにいなかったら、ジャマイカのことなんか考えもしないです。まあ、日差しがたくさんあるということだけはジャマイカの良いところではあるんですけど。

＊今から4年後には市民権を申請しますか？

パメラ：はい、もちろんです。ここが今はホーム。ここが今はホームなんです。

＊ニューヨークですか、それともアメリカがという意味ですか？

パメラ：うーん、今のところはニューヨークかな［笑い］。でも今アメリカは確実にホームですよ。

インタビューの前半では、パメラはアメリカでの生活をほぼゼロからスタートしなければならなかったという苦労やこれまでの人生が「保留状態」になってしまったことを考えると、暴力や差別と隣り合わせではありながらも、教育や仕事の機会があったジャマイカこそが自分にとってのホームであったと思い起こす。しかし再びホームの話題になったときには、ジャマイカをホームとして考えることを否定し、今後市民権を申請してアメリカに滞在し続けるという将来を見据えて、アメリカをホームとして位置づけようとする。同じ調査インタビューのなかでパメラが出身社会と受け入れ社会の間で揺れ動くホームを語ったように、就労や教育機会へのアクセス、家族、滞在資格、安全など自分の人生や生活にとって重要なものがどこに存在するか、いつ存在するか／していたかによって、ホームという場は変化しうるものであることがわかる。

また、アメリカで長く生活してきたベイエリアのメキシコ出身の調査協力者たちは、帰属やホームという定住主義と親和性のある言説とは異なった表現でアメリカとメキシコのそれぞれが自分にとってどのような位置づけにあるかを語る。例えば、ホセ（BA-19）は「私はメキシコ人です。そういうふうに生まれ、育ちました。…自分の人種、ルーツを誇りに思いますが、私に多くを与えてくれ、成長させてくれたこの国（アメリカ）にもとても感謝しています。どちらかのラベルを貼るつもりはなくて、ある場所で生まれ、他の場所で育った、という感じです」と語る。アメリカで市民権を得ることについてはホームとしての帰属よりも、なにかあったときに警察が動く＝保護されるという事実を重要視しながらも、あくまで自分が「メキシコ人」であるという人種やエスニシティの感覚についても強調する。かれらが自分にとってのアメリカとメキシコを振り返って語る際には、そのはざまでの生活、移民、特に非正規移民としての経験が反映される。

異なる背景をもつ調査協力者の出身国とアメリカに対するまなざしは様々ではあるが、ニューヨーク市で難民申請を行ったロシア出身者たちの間では、出身国のホモフォビアについて明確な嫌悪感を示し、それと対比してアメリカに希望や感謝の思いを抱くというパターンが共通してみられた。調査協力者の6人のロシア出身者（5人のゲイ男性と1人のレズビアン女性）は、ロシアのホモフォビアに対する嫌悪感をインビュー中に顕にした。6人の調査当時の年齢は20代で、入国から調査インタビューまでの期間は長くても1年8か月であり、どれも滞在歴の短いケースである。家庭や学校で受けた暴力や差別の経験が最近のものとして記憶されていることや、ロシアをホモフォビックな国家として取り上げるメディアの言説や表象に馴染みがあることなども、かれらの語りの背景にあるだろう。かれらのうちの一人であるゲイ男性グレッド（NY-5）はモスクワ出身で２００８年夏にニューヨーク市にやって来たのち、２００９年1月に難民申請を行い同年11月に難民として認定された。２００９年からＱＳＡＧに参加していたグレッドは、ロシアがいかにホモフォビックな場所でゲイとして生きるのに苦労していたということをミーティングで頻繁に発言していた。調査インタビューの際にも、ロシア人コミュニティをホモフォビアの温床として語り、そのロシアとの比較でアメリカへの帰属意識を強く表現する。

＊難民認定申請を行ってなにか変化はあった？

グレッド：申請中の変化ということ？　住所も変えたし、友だちもたくさんできた。自分の人生を変えたいと思うようになって、今はここ（アメリカ）で勉強したいし、レストランではなくてもっと良いところで働きたいと思っている。でも難しいかな。ブルックリンからマンハッタンに引っ越したいな。マンハッタンが好き。ブルックリンの人たちは私のことを見て「なに？」［驚く表情］という顔をするんだよね。今日はカジュアルな服装だけど、パーティに行くときなんかはピンクのパンツを履いたりするから、それが好きじゃないみたい。うちの近所はイタリア人の地区で悪くないけど、南ブルックリは嫌い。ほんとに嫌い。あの人たちはアメリカに来たのに考え方を変えようとしない。おーい、皆さん、ここはロシアじゃないですよ。ホモフォビックな人がたくさんいるんだけど、それはロシア人がどこに行ってもロシア人だから。（南ブルックリンは）ブルックリン・オブ・シベリア(4)だね。

＊難民認定申請を受けたあとには、なにか変化はあった？

グレッド：自由を感じたし、この国（アメリカ）を誇りに思っている。自分自身がアメリカの一部だというふうに感じている。まだ市民ではないけれど、もうその準備、一部になる準備はできている。この国が本当に好きだし、（ニューヨークの）街が大好き。自分のことをロシア人だと考えていない。国籍はロシアだけど、ロシアの市民だというふうには感じていない。

ブルックリン区はニューヨーク市を構成する五つの行政区のうちの一つで、区の南端に位置するブライトン・ビーチやシープスヘッド・ベイと呼ばれる地域はロシアやウクライナにルーツのある人々が多く居住しており、ロシア系のコミュニティ・センターやレストラン、商店も多く並ぶ。グレッド自身もこの地域近隣に住み、ロシア人の友人から紹介されたロシア人オーナーの経営するレストランのウエイターとして働いており、エスニック・コミュニティの資源を活用しながら生活している。これまで性的マイノリティの移民・難民は出身社会やエスニック・コミュニティからは距離をおくため、そうしたコミュニティがもつ資源やネットワークにアクセスできないということが指摘されてきた(5)。しかし、グレッドやベイエリアのメキシコ出身の難民の人々からは、エスニック・コミュニティに存在するホモフォビア的な態度にさらされつつも巧みにやり過ごし、コミュニティとその資源に選択的にアクセスしながら生活しているようすがわかる。また、ベイエリアやニューヨークといった都市においては、エスニシティとクィアさが共存するコミュニティが存在しており「エスニック・コミュニティ＝ホモフォビックなコミュニティ」という図式は単純には成り立たない。それでもグレッドにとって南ブルックリンのロシア人コミュニティは出身国ロシアのホモフォビアがそのまま持ち込まれている場であり、嫌悪の対象となっている。グレッドにとってはニューヨーク市のなかでも、マンハッタンこそが自由を感じることのできるアメリカを象徴している。

しかし、自分がすでに「アメリカの一部」であるかのように感じているグレッドも、アメリカにおいて「アメリカ人」として扱われるわけではない。ロシア人であること、外国人であることを理由とした次のような差別を経験している。

＊アメリカで差別された経験はある？

グレッド：ある。実はつい昨日のこと。バーに座ってバーテンダーと話していて、かれこれ６か月くらいの知り合いなんだけど、彼が私についてどこ出身か聞いてきたから、ロシア人だって言った。そしたら、「あー、ロシア人のことならわかるよ。若いロシア人はみんな売春しているでしょう」って。「なに？　あなた私のこと何も知らないくせに」と言い返した。若くてロシア出身であればなにか悪いことをしているとみんな考える。友だちにアメリカ人のボーイフレンドがいたことがあるんだけど、かれらが別れたとき、そのボーイフレンドのほうがあるパーティで私のところまで来て、「電話に出なければ明日移民局に通報すると友だちに伝えておけ。あんたもあんたの友だちもみんなロシアに送還されるぞ」と言ってきたんだよ。信じられる？　似たようなことを、同じレストランで働いていた男性が同僚の（ロシア人の）女性に言ったこともある。私たちはチップをすべて回収してからみんなで分け合うことになっているんだけど、その男性は（ロシア人の）女性にチップを渡したくなくて、「移民局に電話してやる」って言ったんだよ。彼女は永住権を持ってるってのに、なにができるっていうんだろう［笑い］。

ゲイであることについてはニューヨークで「自由」を感じていると述べたグレッドだが、ロシア人であること、外国人であることを理由とした差別から自由になっているわけではない。「移民局に通報する」という脅迫を含んだ差別発言はＱＳＡＧのグループでも話題になることがある。特にアメリカ国籍者と非正規滞在者（または短期的な滞在資格のみ有する者）という組み合わせの同性カップルの間で喧嘩や別れ話が生じた場合などにしばしば聞かれる文句として、その対策などが話し合われてきた。セクシュアリティについての「自由」と「寛容」は、必ずしも移民・難民に対する平等な扱いや尊厳を保障しない。

調査協力者がホームという感覚を出身国とアメリカのなかにみるとき、二つを対立させることがあるが、かれらのこれまでの経験とこれからの生活の見通しについての現実を踏まえると、どちらかをホームとし、どちらかをホームでないものと明確に設定できるものではない。出身国を後進的でホモフォビックなものとして描くことを求められる性的マイノリティの難民申請者にとっても、ホームとは流動的で複数存在しうるものなのである。また、アメリカと出身国をそれぞれ画一的に捉えて対立させるのではなく、性的マイノリティの移民・難民の日常の場の経験の語りを紐解くと「庇護国アメリカ」のなかの、セクシュアリティの「自由」を安全に享受できる人々（＝市民）とそうでない人々（＝移民／非正規滞在者）の間に引かれた境界線の存在が顕在化する。

3. 庇護国アメリカとＬＧＢＴコミュニティの包摂の幻想

法的支援を提供する人々にとって、難民認定申請のゴールは難民として認定という結果が出ることであり、そこで「ケース」は終了する。調査でみてきたニューヨーク市とベイエリアでも、第三国定住を通して受け入れられた難民に比べれば、難民申請を通して認定された難民に対して結果が出た後も包括的な支援を提供している支援団体は限られている。しかし、難民申請者にとってみれば、「難民申請者」ではない時間のほうがかれらの生活の多くを占めているのであって、移動という過程が継続するなかで、ジェンダー、セクシュアリティ、人種、エスニシティ、階級などの交差によって構築される場に身をおき続けている。

インターセクショナリティという概念によって、こうした問題は可視化される。インターセクショナリティは、ブラック・フェミニズムの運動、実践、研究から生まれた人種とジェンダーの交差性（Crenshaw 1989, 1991）を出発点に、人種、階級、ジェンダー、セクシュアリティ、民族、国家、アビリティ、年齢などによって生じるそれぞれの抑圧が、一元的で相互排他的なものとしてではなく、相互に関連しあって、複雑な社会的不平等を作用させていることを可視化する視角を提供してきた（Collins［1990］2000, 2015）。

調査協力者のなかでもニューヨーク市で難民申請を行ったナイジェリア出身のゲイ男性デイヴィッド（NY-3）は、アメリカという受け入れ先から否応なく突きつけられた人種の問題についてインタビュー中にたびたび触れた。ナイジェリアで公衆衛生の促進の一環としてＨＩＶ／エイズ予防の活動に関わってきたデイヴィッドは、都市部での性的マイノリティの人々の権利のための活動や反同性愛法反対運動に参加してきた経歴をもつ。２０１２年にニューヨークに来た当初の理由はＨＩＶ／エイズ関連の国際会議への参加であったが、同時に難民申請も計画していたため、そのまま帰国せずに難民申請を行った。認定の結果が出たのは申請からわずか3か月後といういわゆる「強いクレーム」のケースだった。調査インタビューではアメリカのLGBTコミュニティのなかの人種の問題と差別の経験について次のように語った。

＊アメリカのLGBTコミュニティやLGBTに関する文化のことはアメリカに来る以前からよく知っていましたか？
デイヴィッド：いいえ、こちらに来てから驚きました。ニューヨークだからということもあるかもしれないけど、（ナイジェリアとは）違いますね。すごく違うのでいまだに慣れようとしているところです。

＊どのように違いますか？
デイヴィッド：すべてにおいてですけど、特に人々が自分たちをどのように見ているかについてです。こちら（ニューヨークのLGBTコミュニティ）のほうが大変だと思うんです。私はナイジェリアでは自分がゲイだという事実と向き合わなくてはいけなかった。でもここでは、自分がゲイで黒人だという事実と向き合わなくてはいけません。（性的マイノリティの黒人）コミュニティのなかにセルフスティグマが高まっていると思います。なんと言ったら良いのでしょう…このコミュニティの人々は自信がなく、強くもないです。自分を傷つけるか、自分を蔑んでいる。私はこれにはただ混乱していますよ。「アメリカ、ここでは誰もが受け入れられる」と考えていたので。
［…］
＊アメリカでゲイであることは安全だと思いますか？
デイヴィッド：ゲイであることは、（アメリカでは）より安全とはいえるけど、安全ではないです。アメリカに来た最初の月にブロンクスの街でハラスメントにあいましたし、それにはとても恐怖を感じました。ナイジェ

リアでももちろんゲイであることで、誰かしら近寄ってきてなにか言ってくるでしょう。でもやり返せるんですよ。やり返してタクシーを拾って逃げればいい。でもここではそういう人が銃やナイフを持っているかもしれない。ナイジェリアでは武器なんて持ち歩かないです。銃？　ありえない。銃を買う余裕のある人なんているのかな［笑い］。ナイジェリア北部の方には銃を手に入れることができるテロリストなどがいますよ。でも普通のナイジェリア人は銃を持って歩こうなんて考えないです。そんなの理解できない。不可能です。でもここではわからない。ケンカをふっかけてくる誰かがなにを持っているかわからないから、もっと怖い。［…］だからアメリカはより安全かもしれないけど、最も安全な場所ではないし、ホモフォビアだってまだ存在します。

私は、きみなら完璧にアフリカン・アメリカンで通るよ、と言われたことがあります。うまいこと馴染んでいる、と言われました。だから多分、私は他の人からみたら、アフリカ人には見えないんだと思います。自分からそう言わない限りは。でも問題は、黒人であることです。これはまた別の問題で、私はゲイであることによる魔女狩りから逃れようとしてきましたけど、今は黒人であることにも対処しなくてはいけない。（ナイジェリアでは）自分が黒人だなんて気がつかないですよ、みんな黒人ですから。ここ（アメリカ）とは全然違う。考えもしないです。でもここではそのことを、無理にでも考えさせられる。

あるレストラン入りたいとするでしょう。ほかにも黒人の客が中にいるかどうか、まず確認しなくちゃいけないですよ［笑い］。そういうことは実際に理髪店でありました。今付き合っている人が住んでいるので、ニュージャージー州に週末行くことがあるんです。買い物に出かけているとき「あ、ここに理髪店がある」とその店を見つけました。小さな郊外の街でのことです。よかった、髪を切ってもらえる。そう思って店内に入りました。女性の、白人の女性の理容師がいました。「ハロー」と言ったら無視されました。その時は、たぶん私の声が大きくなくて聞こえなかったのかなと思いました。でも他の客が支払いをする際に、店員は私が側に立っていたカウンターまでやって来たんです。それで私は「ハイ、グッドモーニング」と言いました。店員は作業しながら私を見て「グッドモーニング」と言いましたが、その客への対応が終わると、奥のシートのほうに戻ってしまったんです。だから私は、オーケー、オーケー［諦めるような口調］と。そこは白人が多くを占める郊外の小さな街です。黒人がやって来るのに慣れていないのでしょう。私はただ「オーケー」とつぶやいて店を出ました。でも（店内では）周りに他の人もいたんですよ。かれらは私に気がついていました。私はしばらくそこに立っていたのですから。もし誰かが店に来たら「いらっしゃいませ」と声を掛けるべきでしょう。でも、そうではなかった。私から声をかけたのに無視されてしまったので店を出ました。そこでは髪を切りませんでした。ボーイフレンドにこの話をすると「二度と行かなくていいよ」と言われました。今は街（ニューヨーク市内）のヒスパニック系の理容師に切ってもらっています。［…］ナイジェリアでは、おそらくアフリカのどこであっても、マイノリティといえば白人のコケイジャンやアジア人です。でもかれらが（アメリカの黒人と）同じように（ナイジェリアにおいて）差別されているとは思わない。いや、差別されてはいるでしょう。でもネガティヴな意味じゃなくて、外国人として注目を集めてしまうという意味で、です。

ナイジェリアでも性的マイノリティのコミュニティで積極的に活動してきたデイヴィッドは、ニューヨークの「LGBTコミュニティ」のなかでの黒人の当事者たちの自己肯定感の低さに驚き、そして自身がアメリカでは「黒人」とみなされることに気づく。さらに、ゲイであることでナイジェリアにおいてもハラスメントや脅迫を何度も経験しているが、その経験と比較しても、銃を所持することが容易なアメリカが安全でないことを指摘し、危険で遅れた出身国と、先進的で寛容なアメリカという二項対立を構築するような語りは展開しない。3章でみたようにナイジェリアはロシア同様に、LGBTの保護言説のなかでも特にホモフォビックな国として他者化され名指される機会が多い。しかし、デイヴィッドはそうしたホモフォビアの被害者として「寛容な国アメリカ」に法的に受け入れられたものの、黒人という人種カテゴリーを新たに付与され、引き受けなければならず、ナイジェリアでは被ることのなかった人種差別を受けている。(6)

また、「ゲイ・フレンドリー」とされるコミュニティの内部で人種によって引かれる境界線が、マレーシア出身のゲイ男性ルウ（BA-10）の語りにも現れる。ルウは１９９７年にベイエリアに学生として渡り、２００１年に難民申請を行い２００３年に認定された。性的指向を理由として難民の地位が認定されること自体がまだ珍しく、移民でクィアという存在もさほど可視化されていなかった当時、彼はアメリカの「ＬＧＢＴコミュニティ」を自身が想定していたのとは「全く異なるコミュニティ」として経験する。ベイエリアに来て間もない頃、キリスト教徒であるルウはゲイ・フレンドリーとして有名な教会に「ここにこそ自分がいるべき場所」があると期待しながら足を踏み入れるのだが、教会のメンバーが白人ばかりであることにショックを受ける。アジア人であること、見た目が異なること、英語にアクセントがあることによって「まるでジャングルから来たかのよう」に扱われたという。ゲイであるという共通点だけを足がかりにこのコミュニティに馴染むのには苦労し、時間もかかったと振り返る。

難民問題が議論される文脈では、しばしば庇護国または受け入れ国先として例えば「アメリカ」という一つの社会が存在するかのように語られるが、当然ながら「アメリカ」のなかには様々な社会やコミュニティが存在し、人種、エスニシティ、ジェンダー、セクシュアリティ、階級などに応じて異なる顔を見せる。これまで、性的マイノリティでありかつ移民・難民である人々は移動先の社会においてホモフォビックな移民コミュニティからは孤立し、寛容で先進的なアメリカのＬＧＢＴコミュニティの恩恵を受けるかのようにいわれてきた。性的マイノリティの難民にとって、ニューヨークやサンフランシスコのＬＧＢＴフレンドリーさは、暴力や迫害の対象となってきた過去の経験に照らし合わせて、理想的な社会として捉えられることが多い。「ここではあるがままの自分（*who I am*）でいられる」という発言は調査協力者からもしばしば共通して聞かれるフレーズの一つである。しかし実際のところ、難民たちはそうした空間でこそ生じる交差的で複層的な排除や他者化を経験しているのである。

ガイアナ出身ゲイ男性のジョージ（NY-20）はこうした「ＬＧＢＴコミュニティ」内の不均衡さを指摘する。ジョージは、ニューヨーク市での調査におけるインタビュー協力者のなかでも、最も批判的に自分のおかれた状況を語る人物であった。自分でも語りを聞き直してみたいというので、本人の調査インタビューの録音データを提供したこともある。

調査当時のニューヨーク市のＬＧＢＴセンターには若者、老年、移民、障害、貧困、セックスワーク、アルコール依存症の問題などに取り組む複数のグループが集っており、様々なマイノリティ集団に開かれた場と評されることが多かった。しかし、ジョージはその内側の人種、エスニシティ、階級による分断を観察し、それは例えばセンターで行われる資金集めを目的とした華やかなパーティやイベントには「白人でユダヤ系の」参加者が集まる一方で、助けを求めてセンターにやって来るのは「ブラウンとブラックの人々と新しく来た移民」という状況に見出されると教えてくれる。またセンターの運営に関わる人々のあいだにおいても、白人の人々は小奇麗な事務所スペースでデスクワークを中心とした仕事を担っているが、黒人をはじめとする有色人種の人々は清掃やビルの修繕といったいわゆる肉体労働に従事しているとジョージは観察する。こうした観察は私がセンターに出入りするなかで目にしてきたものと一致する。年に二、三度「ガーデンパーティ」と称する資金・寄付金集めのイベントが開催されていたが、参加費は高額で（参加費には複数の選択肢があるが最も安くて85ドル程度）、少なくとも私はＱＳＡＧメンバーの間でこうしたイベントへの参加が話題になっているのを聞いたことがない。ジョージはさらにニューヨーク市主催のプライド月間のイベントで目にした、白人の参加者が黒人のレズビアン女性２人を避けるようにしていたという光景を次のように語った。

（ニューヨーク市主催のＬＧＢＴの）お祝いのイベントに行った時、そこにはいろんなＬＧＢＴ関係の人たちがいて、かれらのそれぞれのアイデンティティなどを讃えていた。でもそのイベントの最中に、白人の参加者の誰も、ある席に着こうとしないのに気がついたんだよね。そこには２人の黒人のレズビアンが座ってた。本当にこんな出来事があったんだよ。結局私がそこに座ったのだけれど。（この出来事は）私にとっては、ワオ［驚きの表現］、という感じだった。ワオ、ワオ、ワオ。私たちはみな平等のための闘いを互いに讃えていたはずなのに。

性的マイノリティの権利や平等といった共通の目標を掲げてもその内部で交差する人種やジェンダーの問題が消えてなくなるわけではない。ジョージは自分のエスニシティをウェスト・インディアンと定義しつつ、自分は「祖父は半分黒人、祖母はアイリッシュ系、父親はインディアンで、異なる人種をたくさん抱えている」と説明する。自分も含めた非白人をしばしば「ブラウン」と名指す彼にとって、寛容で平等な「ＬＧＢＴコミュニティ」は幻想でしかない。たとえ難民認定を受けてもそれは変わらず、むしろ難民申請のプロセスを経験したことによってこうした人種差別と向き合うことになったという。

難民の地位は私を変えたと思う。ここ（アメリカ）の不平等に、より敏感になった。そういうふうになったのは、うつになったせいで感情的に何もできない状況が続いたから。無職だったし、それに（親密な人との）関係性も悪かった。弁護士とも問題がたくさんあったし。そういうすべてのストレスが、本当に私を変えてしまった。［…］人種差別にもっと敏感になったよ。［…］以前から（人種差別に）気がついていなかったわけではないけど、これまでは日々そのことを実感して、そのせいで不安や憂鬱になるようなことはなかった。

また、ジョージは担当弁護士から、同性の国際結婚に伴う権利を求める連邦政府に対する訴訟の原告の一組として連なるために、当時のパートナーと結婚するように薦められたことに憤慨していた。コミュニティ内の人種差別と「象徴的なものにすぎない」同性婚はジョージにとっては地続きに語ることができる問題である。

＊ニューヨーク州が同性婚を認めたけど、どう思う？

ジョージ：自分に大した影響はないよ。かつて結婚していて、そこから逃げたいと思ってたのだから［笑い］。正直なところ、それ（同性婚）に色々と意味があるというのはわかる。でも、ＤＯＭＡがそのままの状態で州での結婚ができたとしても、それはただ象徴的なものにすぎない。だから？　という感じ。州の結婚については、莫大な資産があって、相続の財産やお金をパートナーに残したいと考える裕福な人々のためのものだと多くの人は批判しているけど、それに同感。違う国々から、最近この国にやって来たお金のないブラウンの人々がたくさんいるのに、そんな同性婚には意味がない。

ＬＧＢＴコミュニティ内の人種差別や階級の格差は、非市民とアメリカ国籍者を「結婚の平等」でも隔てている。このジョージとの調査インタビュー後の２０１３年6月に、最高裁はＤＯＭＡの一部に違憲判決を出し、当時事実上アメリカの全州での同性婚の権利が認められると解釈された[7]。この判決は主流のゲイ、レズビアンのコミュニティからは大いに歓迎され、メディアでも大きく取り上げられた。

ただし、同性婚が可能になることについては、婚姻関係によって規定される家族規範が同性間関係にも持ち込まれること、婚姻制度を誰が利用でき、誰が恩恵を受けるのかという問題を踏まえると、クィアな人々の生きづらさや差別の解消に必ずしも貢献するわけではない。同性婚によって達成されると信じられている「平等」に反対するファロウ（Farrow 2010）は、白人中産階級のゲイとレズビアンたちが自らを公民権運動で闘った「二級市民」になぞらえることに憤りを感じ、かれらの主導する同性婚は、特に黒人コミュニティにとっては何の問題も解決しないどころか人種差別的であると主張する。非異性愛者の黒人たちが直面する、黒人コミュニティ内のホモフォビア、トランスフォビア、ミソジニー、社会的孤立や周縁化の問題の不可視化に加え、多様な黒人コミュニティの抱える、貧困、住居や医療のアクセス、警察による暴行、刑務所への閉じ込めといった生死に関わる問題が深刻に議論されないままになる。

こうした批判はジョージの語りと共振する。

同性婚をめぐる制度的な問題だけでなく、市民／非市民の境界線と周縁化はＱＳＡＧのなかにも静かに生まれ、広がっていた。２００８年のグループ開始当時、ＱＳＡＧのミーティングで参加者のメンバーシップについて話し合われたことがあり、そのときには移民ではない人が参加することについて、様々な立場を学べるという肯定的な意見を述べる者も少数いたが、「アメリカ国籍を持つアメリカ人」にはほかに行く場所がたくさんあるのだからＱＳＡＧに来るべきではない、という結論に至った。しかし、２０１１年に私が再び調査に赴いた際には、あるヨーロッパの先進国出身の移民とそのボーイフレンドであるアメリカ人の白人ゲイ男性がともに参加していた。ミーティングで積極的に発言するこのアメリカ人男性の存在感は大きく、たびたびネイティヴ英語話者でない参加者の発言を要約し直したり、英語で書いた文章を「ネイティヴ・チェックしてあげる」ということを述べたりしていた。そうした彼のまるでアメリカ人として移民に手を差しのべるかのような振る舞いや態度をよく思っていない参加者がいることは、私にもミーティング前後に交わされる参加者たちとの会話から推測できた。ジョージも調査インタビュー中にこのことに触れ、「移民にアメリカを教えようとする」この人物が参加するようになってから、グループのダイナミクスや雰囲気が変化したと感じたので、ＱＳＡＧへの参加をやめたのだと語った。デイヴィッドやジョージのように特にアメリカでは有色人種としてカテゴライズされる難民は、人種や階級による差別、格差、物理的な隔たりなどを明確に認識している。また、２０１４年の調査の際には２００８年のＱＳＡＧ発足時から隔週で開催されていた主に中南米出身のスペイン語話者向けのピア・サポートの集まりがＬＧＢＴセンターの資金不足のため終了していた。それまでは、のラテンアメリカ出身のゲイ男性やトランスジェンダー女性はスペイン語と英語の両方のグループに参加し、参加者のなかでも多数を占めていたが、２０１４年以降ＱＳＡＧのメンバー構成はロシアとジャマイカの出身者が中心となっていた。結果として英語話者ではないラテンアメリカ出身の人々は、グループから離れていくこととなった。

こうしたアメリカでの人種カテゴリーの突きつけ、複層的な差別の体験、ＬＧＢＴコミュニティ内の不均衡な関係性に加えて、非市民であり、法的地位がないという問題も性的マイノリティの難民のＬＧＢＴコミュニティでの立場に影響を与える。移民／難民カテゴリーを揺るがす存在であるベイエリアのメキシコ出身者は特にその影響を強く認識しているといえる。例えばアレクサは、エスニック・コミュニティとゲイ・コミュニティの内部それぞれで生じる隔たりの日常的な経験を次のように指摘する。

＊ベイエリアのＬＧＢＴコミュニティは移民や難民の問題に関心をもっていると感じますか？
アレクサ：そうですね、その質問に直接答える前にこう質問させてください。ラティーノ・コミュニティでゲイであることと、ゲイ・コミュニティでラティーナであることと、どちらがより差別されると思いますか？ゲイ・コミュニティのなかにも異なる文化、というか違いのようなものがあります。そこにさらに法的な地位が加わると大きな違いが生じます。とてもとても大きな違いです。例えばゲイとしての経験を共有しているからこそ、友人と親しくなることがありますよね。でもその友人は、あなたがなぜ運転免許を持っていなくて、友人がクラブで酔っ払ってしまった時にあなたがなぜ車で迎えに来てくれないのかを理解できないのです。私は（ラティーノ・コミュニティのなかでは）自分のセクシュアリティについて隠していますが、セクシュアリティを共有するグループでは、法的地位を隠しています。多くの異なる壁が層になって存在しているといつも感じています。

４章で整理した移動の特徴からわかるように、ベイエリアのメキシコ出身者は「不法移民」カテゴリーと結びつけられがちである。非正規移民が運転免許を取得できないという制限は、運転免許の不所持自体が警察による移民の非正規性を見分ける原理として機能することを意味する[8]（Johnson 2004）。こうした「不法移民」カテゴリーや「違法性」との結びつきに基づく見分け、監視、取り締まりの強化は、移民の人々の不安をつのらせ、外出を控える、注意深い行動を取るといったように日常の振る舞いを規定する（高谷 2018; De Genova 2002）。車の運転を避けるという行動など、合法／不法の認識枠組みに基づいていてメキシコ出身の人々が身につけてきた日常の慣習行動は、アレクサが法的地位について隠すようにＬＧＢＴコミュニティのなかでも実践される。非市民、特に「不法移民」カテゴリーを引き受ける人々には、ＬＧＢＴコミュニティの「寛容さ」のなかの境界線が見えているのである。

レズビアン、ゲイ、バイセクシュアル、トランスジェンダー、またはＬＧＢＴというカテゴリー化によって引かれる境界線が特定の人々を排除し続けるという問題は、クィア研究によって指摘されてきた。このカテゴリー化と境界線の問題は性的マイノリティの難民においても同様に生じる。これまでの研究では、難民認定を得られない「不認定になる難民」が難民保護の枠組みから切り捨てられる対象となり、この境界線が引かれる場としての支配的な言説や概念が採用される法的文脈が注目され、議論されてきた。しかし3章で論じたように、「ＬＧＢＴ難民と庇護希望者」カテゴリーが生む境界線は法的地位の承認／非承認によってのみ機能するのではなく、メディアや人権外交の言説の変化、難民政策、国境の厳格化を通して保護の対象と排除の対象を隔てていく。性的マイノリティの難民は、社会主義国キューバの犠牲者として、ホモセクシュアル・マリエルズという望まれない難民として、ホモフォビアの被害者として、普遍的人権の持ち主として、非正規移民として、何度もその境界を往来させられ、また、カテゴリーに当てはまらない現実を生きることで自ら往来している。このように保護と排除の間の境界線を引き直し続ける制度や言説の変化のほかに、コロニアルな語りを要求されがちな出身国と庇護国アメリカについて、性的マイノリティの難民たちがどのように認識しているかに注目すると、ホモフォビックな出身国と寛容なアメリカまたはＬＧＢＴコミュニティという対立の構図では捉えることのできない、人種やエスニシティ、階級、国籍、法的地位も相互に関連した交差を生きる日常がみえてくる。

かれらのこうした語りを一つ一つ読み解く作業を積み重ねていくことで、庇護国と出身国、難民と移民といった画一的なカテゴリーの二項対立をずらし、排除と包摂の境界の複層性の理解に近づくことができる。非市民であるかれらは、法的地位や市民権の獲得、人種と階級についての経験を通して、移動先社会アメリカとLGBTコミュニティに帰属しているという感覚と、あくまで周縁化されたマイノリティであるという感覚を同時に抱きながら、その距離を模索し、交渉している。このように境界線を行き来し続ける性的マイノリティの難民たちは、セクシュアリティの政治のもとで生じる他者化と排除というものに対して抵抗するクィアな存在になりうるといえるのではないだろうか。

注

（1）Plummer（1995）によれば、カミングアウト・ストーリーは1970年代あたりから、ゲイとレズビアンにとっての支配的なナラティヴとなってきた。カミングアウト・ストーリーは、自分の居場所とアイデンティティの意味構築に関わるものであり、自己についての一貫性をもつ統合的な意味を見出してくれる。1979年に心理学者Cassはゲイとレズビアンのアイデンティティは、混乱、比較、寛容、受け入れ、自負、形成という一連の段階を、幼年期からの線形的な発展として経験することで形成されていくとし、段階モデルとして示した（Cass 1979）。このモデルはいまだ難民審査の場でも意思決定者の理解に影響を与えているとされ、個人の性的なアイデンティティは固定的で、成長に伴い「発見」され、自己受容を経て、やがて「カミングアウト」の段階を迎えるものとして捉えられる（Berg and Millbank 2009: 206）。

（2）性的マイノリティの権利に関する法律、教育、政策の分野で1973年から活動を続けているアメリカの非営利団体。

（3）例えば1996年に再選されたクリントン大統領は同年に婚姻を男女間のものとして改めて定義する結婚防衛法（DOMA）に署名しつつも、翌年1997年11月8日の「ヒューマン・ライツ・キャンペーン」の授賞ディナーパーティにてゲイとレズビアンの職場・就労における差別に反対することを表明するなどしている（American Presidency Project 1997）。

（4）「シベリア・イン・ブルックリン」（ブルックリンのなかのシベリア）の言い間違いと思われる。

（5）例えばRandazzo（2005）。

（6）さらにデイヴィッドはナイジェリアを離れたことによって、これまでナイジェリアで築いてきた性的マイノリティの支援ネットワークや自助の機能をもったコミュニティにおける自分の役割がアメリカでは十分に果たせていないことにジレンマも感じている。デイヴィッドにとってニューヨークの「LGBTコミュニティ」ではさほど重要ではなく、ローカルな性的マイノリティのコミュニティに対して移動後も引き続き帰属や責任を感じている。

（７）*Obergefell v. Hodges 576 U.S.*（2015）での最高裁判決によって、州による同性婚の禁止と同性婚を認めないことが違憲とされる。

（８）運転免許証等の発行基準に関する連邦法（REAL ID法）（３章１１８ページ参照）は連邦政府機関に対し、法的地位と社会保障番号を証明する文書に基づいてのみ、運転免許証またはＩＤカードを発行することを義務づけた。非正規移民がすでに取得した運転免許証の取り消しや（ACLU 2010）、ＤＡＣＡプログラムの下で就労する移民の若者に対する運転免許証発行を拒否するアリゾナ州行政命令の発令（Arizona Executive Order 2012-06）など、実際に移民の人々の運転免許へのアクセスが制限されてきた。２０２１年9月現在、16の州が、州レベルの身分証としての機能をもつ運転免許を発行している（National Conference of State Legislatures 2021）。

終章

性的マイノリティの難民の包摂と排除

1.「LGBT難民」の包摂と移民・庇護希望者の排除

1951年難民の地位に関する条約において想定されていたのが、欧州の男性異性愛者の西側諸国への移動であったこともあり、強制移動という現象のなかにジェンダーやセクシュアリティの問題はしばらくみられてこなかった。しかし、フェミニズムやクィアの運動と研究による貢献と、多様な強制移動のかたちが可視化されてきたことによって、今では重要な問題の一つとして広く認識されている。歴史的に国境管理におけるセクシュアリティは市民と非市民の境界線を幾度も引き直してきたが、現在では難民政策のなかにLGBTと称される性的マイノリティの人々の保護という問題が構築されている。

このなかには保護の対象として包摂される人々と、取りこぼされる人々がいるが、難民研究においてその焦点は主に法的な承認の有無、つまり難民の地位を認定されるか、不認定となるか、という点におかれてきた。難民の地位の獲得のために、難民申請者は意思決定者との不均衡な権力関係のもと、理解可能なセクシュアリティ／ジェンダーの概念やカテゴリーを取り入れて、信憑性のある難民性を主張する。難民申請者は、「難民」のイメージに想定されないような経験や、欧米中心的なセクシュアリティの概念では捉えきれない現実を生きているが、そうした事実を理解可能な難民の語りとして調整することがある。その一方で難民の語りとして言語化することができない人々は承認からは遠ざかってしまう。それは難民としての地位と権利にアクセスできないというだけでなく、迫害にさらされる可能性のある出身国へ帰国を強いられることも意味する。また、たとえ難民の地位が得られたとしても、支配的な難民の語りの構築を要求されること自体が、かれら自身の主体性を奪い、難民認定申請制度が内包する意思決定者との不均衡な権力関係を維持し、強化することにつながっていく。

難民・強制移動研究とクィア移住研究からは、性的マイノリティの難民認定に関するこうした一連の問題が提起されてきた。本書はその功績を高く評価する一方で、これまでの研究の焦点が法的な地位の認定をめぐる文脈と、ゲイ、レズビアン、トランスジェンダーのアイデンティティ・カテゴリーの問題にとどまりがちで、庇護・難民政策の政治的かつ歴史的な特性を見逃していることを課題として見出した。また、難民・強制移動研究とクィア移住研究領域に距離があることで、難民の条約上の定義を柔軟に解釈し保護を広げる必要があるという主張と、難民のセクシュアリティや主体性を無効化するような承認の権力関係に支えられている難民認定制度そのものを問い直す必要があるという主張との間に、ジレンマが生じていたといえる。本書では、入国管理と難民政策に関する制度、政策、歴史、政治の言説、そして難民自身の語りと認識に注目しつつ、「難民のための研究」を目指す難民研究と、権力の所在と作用、支配的カテゴリーとセクシュアリティの規範を問い直すクィア移住研究を交差させるアプローチをとり、次の知見を得た。

アメリカの移民・難民政策の歴史のなかの非規範的なセクシュアリティ、特に同性愛者とそのようにみなされる移民・難民の位置づけの変遷からは、セクシュアリティの規範が国家にとって望ましくない非市民を見つけ、区別し、排除するツールとして用いられてきたことがわかる。それはアメリカの難民政策のターニングポイントとなった1980年のマリエル・ボートリフトにおいても同様で、スティグマ化された男性同性愛者のキューバ難民は、アメリカにとってもキューバにとっても望まれない集団としてみなされ、表象された。しかし、歴史上、入国管理における排除のツールであったセクシュアリティは、2010年以降のアメリカの人権外交のなかで包摂のための役割を新たに与えられ、国際機関の性的マイノリティの難民保護への関心の高まりとあわせて、「LGBT難民と庇護希望者」という新しい保護の対象を構築していく。この新しい包摂のカテゴリーの構築は、アメリカの進歩性の強調とそれに対するホモフォビックな国々を他者として名指すホモナショナルな言説のなかで進行する。また、LGBT難民と庇護希望者の保護は、結局のところ国内問題として扱われる庇護と難民認定の領域ではなく、国際法上のノンルフルマン原則による義務や国際社会の規範の影響を受けず、誰をどのくらい受け入れるかを管理できる第三国定住の領域で主に展開されている。

ＬＧＢＴ難民と庇護希望者の保護を推進するホモナショナリズムのなかで他者化されるのは、ナイジェリア、ウガンダ、ロシアといった性的マイノリティの人々の権利を制限する政策や法律の存在が顕著な「ホモフォビックな国」である。しかし、この明確な他者化とは別に、１９８０年から２０１４年までの性的マイノリティの難民に関する新聞報道の変化からは、メキシコ出身者が保護を必要とする庇護希望者として取り上げられなくなり、厳格化する入国管理政策のなかで「違法性」と結びつけられることで、入国拒否、簡易送還、強制収容の対象となり、庇護へのアクセスを制限されてきたことがわかる。こうした言説と国境での排除の構造に目を向けると、ホモナショナリズムの提示する二項対立と「他者」を相対化する必要性がみえてくる。

こうした構造的な性的マイノリティの難民の包摂と排除は個人の経験とどのように結びつけられるのか。包摂に関わる言説や概念が難民の語りにはどのように現れてくるのか、また、非正規移民として排除の対象にもなりうる人々には難民申請がどのように経験されているのか。法的な文脈にとどまっていた従来の議論をその外側へと展開させ、支配的な概念や承認の権力のなかで難民認定申請を経験する難民の主体性に光を当てるため、本書では難民自身の語りから手がかりを得ることを試みた。難民の語りとは、語り手、聴き手、書き手の相互行為から生み出され、習得されるものである。本書の法的文脈の外側の視点からの難民の語りの分析では、地域と経験によって異なる語りのパターンから、能動的な語り手としての難民と、難民カテゴリーと移民カテゴリーの間を生きる人々の存在、そしてかれらを取り巻く複層的かつ交差的な差別と排除の存在を明らかにしたつもりである。

アメリカの事例からの知見

また、本書がアメリカの事例研究という方法をとったことによって、次の点が明らかになった。

難民研究においては、受け入れの規模、認定や移動に関わるアクターの違いから、第三国定住受け入れと、国内難民認定制度を通した難民の受け入れは異なる文脈での議論として扱われることがあるが、アメリカの事例を取り上げることで、これらのあいだに接合点を見出した。一つには、キューバからの「ホモセクシュアル・マリエルズ」として受け入れられた難民がアメリカにおける性的マイノリティの難民審査の展開に大きな影響を与えた歴史である。冷戦レジームの下、受け入れざるを得ないが望まれない存在であった難民の不安定な地位が、その望まれないマイノリティ性に依拠した重要な先例を生んでいた。

また、オバマ政権下の「ＬＧＢＴ難民と庇護希望者」保護の推進は一見、第三国定住と庇護によるＬＧＢＴ難民の受け入れを並列に語るが、その焦点はあくまで国境を脅かさない第三国定住難民に絞られている。ラテンアメリカ諸国出身の移民に対する国境管理の厳格化は緩まることなく、性的マイノリティの難民の庇護へのアクセスを妨げている。ここでは、管理が困難で倫理的制限を受ける庇護手続きの一部を、安全保障対策に位置づけるという、ギブニーの示した庇護のポリティクスが踏襲されていることも確認できた。

ニューヨーク市とサンフランシスコ・ベイエリアでの調査は、支援団体の特徴の違い、調査協力者の移民・難民としての経歴や背景の違いが大きく、本調査の知見を一般化するためには、さらなる調査と検討が必要である。これはアメリカというフィールドを選んだことによって生じた限界であると同時に、一つの国家のなかで難民認定申請の過程が画一的に経験されるものではなく、またそのように理解できるものでもないことを明らかにすることとなった。難民認定申請については、アメリカの、イギリスの、カナダの、オーストラリアの、といったように一つの国のなかで統一されたプロセスを経る制度であることを前提とした議論がメディアや学術研究でも大部分を占める。しかし、実際の難民申請の過程には、よりローカルなレベルで、どのような人々が申請するのか、どのような環境で審査が行われるのか、そしてどのような支援団体が介入しているのか、ということが大きな影響を与えている。

2. クィアな実践としての移動と語り

難民の保護という点からは、難民条約の柔軟で現実に即した解釈に基づいて、多様なセクシュアリティやジェンダーを生きる人々に難民の地位を認定することの重要性には疑いがない。さらに、移民と難民の移動は区別できないという現実を踏まえて、特定の移民の入国を制限するような国境管理政策や非正規性に妨げられることなく、庇護へのアクセスを広く保障することが必要である。クィア移住研究が懸念してきたように、難民の法的地位の獲得、「LGBT難民と庇護希望者」の保護を支えるホモナショナリズムや、本質的アイデンティティの言説、コロニアルな語りの要求には、アメリカ社会や「LGBTコミュニティ」内における様々な抑圧を矮小化もしくは不可視化させてしまうおそれがある。

たしかに言説的な矮小化は起こりうるかもしれないが、難民にとってみれば、かれらを抑圧する複数の層が、小さくなるわけではない。性的マイノリティであるだけではなく、法的な承認を求めなければならない難民であるかれらの生には、セクシュアリティ、ジェンダー、言語、国籍、人種、階級によって生じる格差や差別や不平等が交差しあっており、一つ一つを切り離して、容易に取り除くことのできるものではない。かれらが自らの経験を語ることばは、異性愛規範に基づいた社会が生み出す排除、抑圧、差別、LGBTコミュニティという幻想のなかにある、差別や格差、暴力を批判的に捉える可能性をもっている。だからこそ、難民認定申請の手続きを含めたより広い移動のプロセスに難民の経験について理解するための焦点を定める必要がある。

このように排除と包摂の境界線を行き来しながら模索を続ける難民の人々を、クィアな存在とみなすことができるのではないだろうか。かれらの経験と認識に基づく語りを可視化し、積み重ねていくことで、難民の受け入れと難民の地位の認定制度のもつホモナショナルな側面や、国境の厳格化によって維持される他者化を批判的に捉え、他者化と排除に対する抵抗が可能になるといえる。ここに、難民状態にある人々の権利へのアクセスを確かなものにしようとする難民研究の立場を維持しながら、難民認定や受け入れの制度の内外に存在する包摂と排除についての議論が同時に成り立ちうる。

3．今後の研究課題

「LGBTIQ＋難民と庇護希望者の保護」の現在とこれから

本書が分析対象とした時期以降から2021年現在までの間に、アメリカでは政権が二度交代し、性的マイノリティの権利や難民・庇護希望者をめぐる状況も変化を続けてきた。2017年以降のトランプ政権は、発足直後から「アメリカを再び強くする移民改革」として国境管理を目的とした大統領令をもはや乱発といえる頻度で発令した。ムスリム国家出身者の入国禁止、一時的保護（TPS）の撤廃、メキシコ国境の警備のさらなる強化、中南米からの庇護希望者の入国拒否、子どもの収容、DACA撤廃案など、こうした国境管理と移民制限の取り組みは、むしろ国境の「危機」を招く結果となり、この間、庇護の空間は明らかに縮小されていった（Capps, Meissner, Soto, et al. 2019）。伝統的に最も寛容とされてきたアメリカの第三国定住プログラムでは、受け入れ数の縮小と、受け入れの決まっていた難民の定住手続きの保留や一時停止などが実施された。これまでは、9・11同時多発テロ事件直後に受け入れ数が激減した2002年と2003年を除けば第三国定住難民（refugee）の数を庇護対象者（asylee）の数が超えたことはなかったが、グラフ3にみるように2018年と2019年には逆転現象が起き、歴史的にも大規模な縮小であることを示している。

性的マイノリティの権利や保護について、トランプ政権はLGBT、特にトランスジェンダーの人々の権利を制限する政策を次々に打ち出し、「LGBTの難民と庇護希望者」の保護の推進についても外交政策として唱えられることがなくなり、アメリカはもはやLGBTの権利の「チャンピオン」の座から表向きには降りたのかのようにみえた。

その後、２０２１年1月20日に大統領に就任したジョー・バイデンと女性初の副大統領カマラ・ハリスは、すぐにトランプ政権下で庇護へのアクセスを制限してきた制度、「ＬＧＢＴＱＩ＋」の権利保障や支援を制限してきた指示、規制、方針などの調査と撤回の動きを関係省に通達する。同年2月4日には、大統領覚書「世界中のレズビアン、ゲイ、トランスジェンダー、クィア、インターセックスの人々の人権の促進について」を発表し、２０１１年オバマ政権下の大統領覚書「レズビアン、ゲイ、バイセクシュアル、トランスジェンダーの人々の人権保護促進のための国際的な新戦略」を再確認、補足、更新する。「脆弱なＬＧＢＴＱＩ＋難民と庇護申請者の保護」についても改めて類似の方針が示された。

こうした動きをみればバイデン－ハリス政権が、アメリカを再びＬＧＢＴＱＩ＋の人々の人権擁護のチャンピオンとして位置づけようとしていることは確かである。その一方で、２０２１年6月20日の世界難民の日を記念したプレスリリースでは、国内の庇護希望者については一言も触れずに、アメリカが定義する狭義の「難民」の保護に対外援助と外交を通してコミットすることを宣言しており、相変わらず第三国定住難民と庇護希望者については明確な区別を維持する姿勢であることがわかる。

この現在の新たな「ＬＧＢＴＱＩ＋難民と庇護希望者」の保護の促進による難民問題と外交政策におけるセクシュアリティの再規定と、第三国定住と庇護のポリティクスの維持または変化についての考察は稿を改めることとしたい。また、第三国定住の枠組みを通して移動を経験する人々についての理解を深めることで、難民・強制移動とセクシュアリティの関わりのより立体的な解明を試みる必要もあるだろう。

「支援者」としての課題

ジェンダーや性的指向を理由とした難民の保護は、国際機関の取り組みにおいても特に２０１０年以降大きな変化を遂げたが、その「成果」はその機関が一定の権限をもつ領域において顕著に現れる。序章で述べたとおり、私はエジプトとトルコのＵＮＨＣＲ事務所勤務を通してＳＧＢＶの予防、対応、リスク緩和と「ＬＧＢＴＩ難民と庇護希望

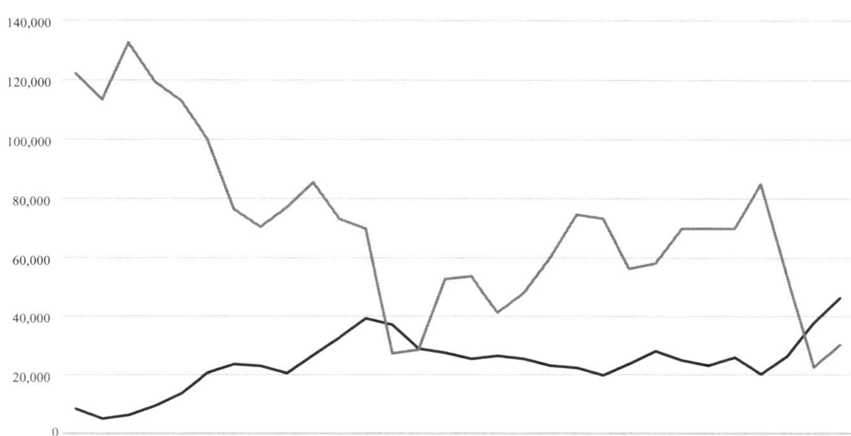

グラフ3　アメリカの第三国定住受け入れ数と庇護認定数の変遷

Refugee Processing Center, *Refugee Admissions Report*（May 2021）とDHS Office of Immigration Statistics, *Refugees and Asylees 2019 Data Tables*より筆者作成。庇護の認定数は能動的庇護手続きと防御的庇護手続きによる認定の合計である。2003年度は第三国定住受け入れ数2万8403人、庇護認定数2万8743人でほぼ同数であった。

者」の保護に「支援者」として携わった。

特に、エジプトでは、政府が難民をあくまでゲストとみなし、難民の支援とは一定の距離を保っており、そうした状況では、ＵＮＨＣＲは難民の登録、地位の審査、第三国定住候補の審査と選考から、何年も滞在することになるエジプトにおける安全、住居、医療、教育、就労、生計へのアクセスを支援する事業をＮＰＯと連携して包括的に運営する立場にあった。性的マイノリティの難民が「特定」された場合、ＵＮＨＣＲが個人情報の管理に用いる「ProGres（プログレス）」と呼ばれるソフトフェアに、機密性を確保しつつも、「特定のニーズのある者」であることを記録する。これは必要な対応、支援を見落とさないために、支援者の用語で特定の難民にしるしを付ける作業であり、ここには支援団体職員と難民の間に存在する圧倒的な権力関係が作用している。

「ＬＧＢＴＩ」の難民が脆弱性と結びつけられることによる様々な問題を抱えつつも、国連機関やＮＧＯをはじめとする人道支援のアクターにとって性的マイノリティの難民の保護は優先課題として定着してきたはずだった。しかし、２０２０年初めからの新型コロナウイルスの広がりと感染症対策のなかで、性的マイノリティの人々は支援やサービスへのアクセスの制限、以前から不安定かつ搾取のリスクを抱えていた生計手段の喪失、家庭内暴力のリスク増加といった問題に直面した。また、異性愛家族の世帯単位での支援金給付や、安全のためあえて不可視性を保ってきたクィアなコミュニティと支援団体との関係性の希薄さなど、これまでの性的マイノリティの難民支援事業の設計のなかにあった歪みが顕になった。さらには、緊急とみなされる状況で求められる迅速性や効率性は、支援者と被支援者の不均衡な関係性を加速させ、そもそも数の上で少数とみなされがちな「LGBT難民」の支援を後回しにすることを正当化する。国際的な重要課題とされつつも、実際に付けられる優先順位が常に高いとは必ずしもいえないのである。

2020年からはUNHCRは「LGBTI」から「LGBTIQ+」へと包括性を意識した用語に改め、2021年に『知っておくべきガイダンス——強制移動におけるLGBTIQ+の人々と働く』を発行した。同じテーマの『知っておくべきガイダンス』が2011年に初めて発行された際は、全編19ページだったものが、2021年版は48ページにわたって、用語やニーズ、指導原則、業務上の保護のリスク、領域横断的な行動指針などが示されており、10年間でどれほどこの課題がUNHCRにとって重要性を増したのかがわかる。2021年6月には、「強制移動におけるLGBTIQ+の人々の保護と解決のためのグローバル円卓会議」と題されたオンラインでの円卓会議がUNHCRと国連人権高等弁務官事務所とで共催された。およそ1か月の間、500人を超える社会的国連・国際機関、民間団体、研究者、難民当事者らが、第三国定住や、持続可能な経済的統合、安全な医療健康サービスへの包摂、デジタル化された保護の空間、倫理的なデータ収集などを含む13のテーマについて具体的な勧告を提出するために議論を交わした。

このように「LGBTIQ+」の難民の人々の状況を理解し、問題を考慮することは今後も人道支援アクターにとって支援活動・事業を実施するうえで極めて重要な位置を占めて続けていくだろう。果たしてここに「LGBTIQ+」と呼ばれるようになった人々の視点や声をどれだけ領域横断的に反映させることができるのだろうか。支援者／被支援者の不均衡な関係における性的マイノリティの難民の経験の理解と議論についても今後の課題としたい。

あとがき

難民とセクシュアリティをテーマとした本書がアメリカを事例とする理由については序章で述べたとおりだが、アメリカのみの問題ではないということについても、最後に書き添えておきたい。性的マイノリティの難民の人々は日本にもいて、難民認定申請も行われている。

日本は1975年からのインドシナ難民の到着をきっかけに、難民条約・議定書にそれぞれ1981年、1982年に加入した。1982年より、当時の出入国管理令に難民認定関連手続に関する条項が追加された出入国管理及び難民認定法のもと法務省入国管理庁（2019年3月末までは入国管理局）が難民認定審査を担当している。インドシナ難民の受け入れが落ち着いて以降、難民の認定率は極めて低く、難民申請者の収容も行われており、支援団体、弁護士、研究者、メディア、そして難民当事者らは継続して問題を指摘してきた。

性的マイノリティであることを理由とした難民申請が日本においていつからなされているのかは明らかではないが、メディアや支援者による記録によると、2000年にイラン出身のゲイ男性「シェイダさん」（仮名）が男性同性愛者であることと関連して難民の地位の認定を申請していたことがわかる。シェイダさんは1991年に日本にやって来た後、東京で生活していたが、2000年に超過滞在で収容され、難民申請を行う。同年に入国管理局は不認定の決定を下している。その後、東京地裁（2004年）、東京高裁（2005年）で争おうとするがともに棄却された。難民不認定の理由は東京地裁判決（東京地判平成16年2月25日（平成12年（行ウ）178、退去強制令書発付処分取消請求事件））における法務大臣、東京入国管理局主任審査官の主張から読み取れる。要約すると、イランでは同性愛者は迫害にあうおそれがない、同性愛者であることを隠して生活してきたため帰国後に同性愛者のための政治的な活動に関わる可能性が低い、難民認定申請は「不法滞在」による退去強制手続きに抗おうとする唐突なものであり「真に同性愛者である」かどうかは「疑わし」く、「不自然」であるという主張である。また、「同性愛者に走り（ママ）」といった同性愛に対する差別的な見解に加えて、難民申請者自身のセクシュアリティの本物らしさや、カミングアウトの有無を問うという、本書でも問題として論じた点がここにもみてとれる。シェイダさんは最高裁へ上告中に、当時のUNHCR日本事務所のマンデート難民としてスウェーデンへ出国した。その後スウェーデンの大学で学び、看護師となり、今はアフガニスタン難民の通訳もしているという（朝日新聞GLOBE＋2019）。マンデート難民とは各国政府の難民認定ではなく、UNHCRの任務に照らし合わせて認定される難民の地位であり、現在UNHCR日本事務所はマンデート難民の認定はしていない。

シェイダさんの不認定から18年後の2018年、同性愛を理由としたレズビアン女性の難民申請者に難民の地位が認定された。同性愛を理由とした迫害のおそれのある難民の主張が認定された日本で初めてのケースである。法務省が毎年公表する難民認定に関わる資料「難民として認定した事例等について」（法務省 2019）によれば、このケースの認定に至った理由として、実際に逮捕、収監といった迫害とみなされる経験をしていること、出身国において実際に同性愛行為によって投獄された事例があること、同性への関心や迫害の経験が、自然で合理的であり信憑性があるという点があげられている。ここにも2000年のシェイダさんの事例同様に、難民申請者に本物で自然な、さらに変更不可能な特性としての性的指向を求める態度が法務省入国管理局（現在は出入国在留管理庁）による難民認定審査に維持されていることがわかる。こうして認定が出たことは歓迎すべきではあるが、同性愛ついての理解や、セクシュアリティ／ジェンダーの自認、表現、振る舞いがもつ政治性の解釈などについては、極めて限定的であることも指摘できる。

日本でようやく動き始めたようにみえる性的マイノリティの難民認定に対しては、今後もより多くの人々の庇護へのアクセスが保障されることを願う一方で、シェイダさんの２０００年から認定事例の２０１８年の間にも、性的マイノリティであるがゆえの迫害を理由に難民認定申請をした人々が存在し、申請の手続きの前後にもかれらの経験と生が続いていることを認識する必要がある。本書で試みたセクシュアリティの政治を庇護の政治のなかにもみる難民・強制移動研究のアプローチを、日本の事例と文脈に照らし合わせてみることには意義があるといえるだろう。また、日本での性的マイノリティの権利をめぐる議論や制度は変化を続けているが、「非市民」の人々をクィアなコミュニティのメンバーとして議論するような動きがあるとはいいがたく、日本におけるクィア移住研究の役割はここにも見出せるだろう。

本書は一橋大学大学院社会学研究科に提出し２０１９年に学位を授与された博士論文を加筆修正したものである。本書には既発表論文の一部または全体が土台となっている章が次のとおり含まれている。大幅に加筆修正を行っているがその度合は章によって異なる。

２、３、４章「難民保護におけるホモセクシュアリティ概念の採用――ゲイとレズビアン難民によるナラティヴ構築の事例から」『ジェンダー&セクシュアリティ』９号、国際基督教大学ジェンダー研究センター：63－89（２０１４年）

４章「セクシュアリティとトラウマの動員――米国サンフランシスコ・ベイエリアにおけるメキシコ出身クィア庇護希望者のナラティヴ構築」『年報社会学論集』27号、関東社会学会：49－60（２０１４年）

４、５章「クィアとしての難民とことば」『ことばと社会：多言語社会研究』２００４年16号、「ことばと社会」編集委員会：１１０－１３９（２０１４年）

ニューヨーク市のLGBTセンターに足を運ぶようになった2008年から博士論文を書き、今回一冊の本にまとめるまでに、13年が経過している。その間、私自身が難民支援の現場においてSGBVのサヴァイヴァーや「LGBTI難民」の保護に携わったことは、アメリカの「LGBT難民と庇護希望者」をめぐる問題を、強制移動とジェンダー／セクシュアリティが交差する複数の視点で捉える試みにつながり、性的マイノリティの保護をグローバルな難民問題とその政治のなかにどう位置づけられるのかを検討するきっかけとなった。時間はかかってしまったがこうした経験なく本研究をまとめることもまた困難であっただろうと思う。調査から出版までの間における状況の変化について十分な修正ができなかったのは、私の力不足である。

この研究がかたちになるまでの間、多くの方々にお力添えをいただいた。この場を借りて感謝の気持ちを述べたい。お一人ずつお名前をあげることがかなわないが、それぞれに異なる移動の経験を話してくださった皆さんがいなければ、この研究は成り立たなかった。インタビューを快く引き受けてくださったこと、大事な時間を割いて多くのことを教えてくださったことに、心から感謝申し上げたい。とりわけ、ニューヨークのQSAGの皆さんとは調査以外の多くの時間をともに過ごし私の留学生活の心の支えでもあった。George Fesserさん、Michael Smithさん、Alice Hallさん、後藤新さん、Rubén Garibaldoさんをはじめとする支援団体の皆さんには、アメリカにおける難民申請の手続きや支援の実務について教えてもらっただけでなく、難民の方々との出会いや調査中の生活を幅広く支えていただいた。

異なる場所を行き来しつつも私が研究を続けることができたのは、一橋大学大学院社会学研究科国際社会学プログラムを拠点としていたからである。伊藤るり先生にはジェンダー／セクシュアリティの視点をもって人の移動を理解しようとすることがいかに重要であるかということはもちろん、自分の感覚や熱意を大事にしながらも研究の対象や問題関心を様々な角度と距離から見据え、広い文脈のなかで捉えることを教えていただいた。本書の刊行に際してもご助言の労をとっていただき、感謝の念に堪えない。小井土彰宏先生には移民・移住研究の蓄積を批判的に読み解きながらフィールドで得られた知見とどのようにつないでいくのかを教えていただいた。伊藤先生と小井土先生には研究指導だけでなく、研究環境の確保、国内外の研究者の方々との交流、研究報告の機会など本当に多くのご支援を長いあいだいただいてきた。また、博士論文には森千香子先生にもご指導をいただき、強制移動研究としての課題についての重要な視点を示していただいた。小林多寿子先生からは調査の方法論についての貴重なコメントをいただいた。

研究の過程ではアメリカとイギリスの修士課程で学び、Esther Eisenstein先生、William Helmreich先生、Cathryn Costello先生、Matthew Gibney先生にご指導いただく機会に恵まれた。

一橋大学大学院でともに学んだ皆さんとは、自由に意見を交わす日々を過ごし助言と励ましを幾度となくいただいた。とりわけ、呉泰成さん、藤浪海さん、飯尾真貴子さん、上野貴彦さん、そして共同研究室助手の吉年誠さんには大変お世話になった。

小池克憲さん、加藤雄大さん、堀越貴恵さんをはじめとする難民研究勉強会の皆さんとは、大学という場所や専門分野にとらわれずに集まり、難民・強制移動研究と実務の現場をつなげることの難しさと面白さを共有することができた。日本における難民支援についてゼロから教えてくださり、その後も調査事業や、研究会への参加を叶えてくださった難民支援協会、難民研究フォーラムの皆さまにも大変感謝している。

そもそも、社会調査と国際社会学の面白さに出会うことができたのは、法政大学社会学部で出会った田嶋淳子先生のおかげで、それは大変な幸運だったと思う。研究についてのご指導だけでなく、落ち着かない私の行き先が次へ次へとつながるように、留学の機会や博士課程への進学などについて継続して道を示していただいた。

本研究の実施と本書の執筆、出版に至るまで、次の学術・研究助成機関からの支援を受けた。日本学術振興会特別研究員（DC1）として2011年度から2013年度まで特別研究員奨励費の支援を受けた。一橋大学を通した日本学術振興会「組織的な若手研究者等海外派遣プログラム」事業（2012年）によってカリフォルニア大学バークレー校エスニック・スタディーズ研究科へ派遣され、Catherine Ceniza Choy先生に受け入れていただいた。オックスフォード大学難民研究センターへの留学は日本学生支援機構「海外留学支援制度（長期派遣）」（2014年）の支援によって実現した。また本書は、日本学術振興会2021年度科学研究費補助金（研究成果公開促進費：課題番号21HP5154）の助成を受け、明石書店の安田伸さんと辛島悠さんの多大なるご支援のおかげで出版が実現した。

最後に、温かく気長に支援を続けてくれた工藤智恵美、工藤眞弘、間瀬明子、出版までのプロセスを辛抱強くサポートしてくれた佐久間隆と、私の毎日の原動力である工藤探に感謝したい。

皆さまのご協力、ご助言、ご支援、励まし、ありがとうございました。

工藤　晴子

Detention (audio recording," *Arizona Public Media*, 9 March 2015, (https://radio.azpm.org/s/28997-media-allowed-inside-detention-center-to-interview-transgender-woman/).

Faiola, Anthony, 2010a, "Dissident Iranians taking refuge in Turkey; Some Seek Acceptance in a More Tolerant Country; Others Vow to Continue the Fight against Ahmadineed's Government," *Washington Post*, 15 February 2010.

Faiola, Anthony, 2010b, "Together, apart; Gays are Increasingly Fleeing Iran, with Just Each Other for Support," *Washington Post*, 2 April 2010.

Faramarzi, Scheherezade, 2010, "Iranian Homosexuals Carve Out a Refuge in Turkey," *Associated Press*, 25 April 2010.

Gedda, George, 1980, "Aid Offered to Gay Cuban Refugees," *Associate Press*, 7 July 1980.

Hopfensperger, Jean, 2007, "The Appeals Ruling Said a Ugandan Woman's Request for Asylum Because of Her Sexual Orientation is Valid," *Star Tribune*, 27 March 2007.

Johnston, David, 1994, "Ruling Backs Homosexuals on Asylum," *New York Times*, 17 June 1994.

Linthicum, Kate, 2014, "Immigration Officials Raise the Bar on Asylum Interview Process," *Los Angeles Times*, 17 April 2014, (http://www.latimes.com/local/lanow/la-me-ln-asylum-credible-fear-20140417-story.html).

MacFarquhar, Neil, 2007, "Gay Muslims Find Freedom, of a Sort, in the U.S.," *New York Times*, 7 November 2007.

Montgomery, Paul. L., 1981, "Year Later, 1,800 Cubans Wait in U.S. Jails," *New York Times*, 27 April 1981.

O'Brien, Matt, 2011, "Gay Ugandan refugee finds home in Bay Area," *Contra Costa Times*, 30 August 2011.

Pear, Robert, 1991, "Health Dept. Loses in AIDS Rule Dispute." *New York Times*, 28 May 1991, (https://www.nytimes.com/1991/05/28/us/health-dept-loses-in-aids-rule-dispute.html).

Preston, Julia, 2011, "Judge Gives Immigrant in Same-Sex Marriage a Reprieve from Deportation," *New York Times*, 11 May 2011, (https://www.nytimes.com/2011/05/07/us/politics/07marriage.html).

Raghavan, Sudarsan, 2010, "Gays in Africa Face Growing Persecution, Activists Say," *Washington Post*, 12 December 2010.

Sewell, Dan, 1980, *Associated Press*, 5 September 1980.

Sutherland, Paige, 2014, "Ugandan Gay-Rights Activist Asks for US Asylum," *Associated Press*, 6 May 2014.

United Press International, 1981, "Federally-Funded Halfway Houses for Cuban Homosexuals," 10 April 1981.

Sedensky, Matt, 2017, "Federal Surveys Trim LGBT Questions, Alarming Advocates," *AP News*, 21 March 2017, (https://apnews.com/8443749ce29947f3b57f5e86e6c038e9).

Pangea Legal Services. v. U.S. Department of Homeland Security, Case No. 20-cv-07721-SI (N.D. Cal. Nov. 19, 2020)
Razkane v. Holder, 562 F.3d 1283 (10th Cir. 2009)
Sale v. Haitian Centers Council, Inc., 509 U.S. 155 (1993)
Sara Harb Quiroz, Appellant, v. Marcus T. Neelly, District Director, INS, 291 F.2d 906 (5th Cir. 1961)
Windsor v. United States, 833 F. Supp. 2d 394 (S.D.N.Y. 2012); Affirmed, 699 F.3d 169 (2d Cir. 2012)

裁判例——アメリカ以外

A, B and C v. Staatssecretaris van Veiligheid en Justitie, C-148/13 to C-150/13 [2014]
Canada (Attorney General) v Ward [1993] 2 SCR 689 - Canadian Supreme Court
HJ (Iran) and HT (Cameroon) v Secretary of State for the Home Department [2010] UKSC 31 - UK Supreme Court
Islam v Secretary of State for the Home Department; R v Immigration Appeal Tribunal, Ex parte Shah [1999] UKHL 20 - UK House of Lords

新聞記事

URLが記載されていないものはすべてLexisNexisを用いて取得。

Associated Press, 1980a, “Post Says 20,000 Homosexuals May Be Among Cuban Refugees,” 7 July 1980.
Associated Press, 1980b, “Gay Cuban Resettlement Suspended,” 24 July 1980.
Associated Press, 1980c, No title, 26 July 1980.
Associated Press, 2004, “Gay Man Seeks Asylum, Fears Persecution If Deported to Mexico,” 26 October 2004.
Associated Press, 2005, “Appeals Court Says Gay Mexican Man is Eligible for Asylum,” 13 August 2005.
Associated Press, 2007, “Gay Mexican Whose Initial Bid for Asylum Was Rejected Can Now Stay, Judge Decides,” 21 January 2007.
Brown, Warren, 1980, “Cuban Boatlift Drew Thousands of Homosexuals; Thousands of Refugees from Cuba are Homosexual,” *Washington Post*, 7 July 1980.
Gellman, Barton, 2000, “AIDS Is Declared Threat to Security,” *Washington Post*, 30 April 2000.
DeWitt, Karen, 1980, “Homosexual Cubans Get Settlement Aid,” *New York Times*, August 17.
Echavarri, Fernanda, 2015a, “Transgender Guatemalan Woman Granted Asylum,” *Arizona Public Media*, 17 May 2015, (https://radio.azpm.org/s/30962-transgender-guatemalan-woman-gets-asylum-waits-for-work-permit/).
Echavarri, Fernanda, 2015b, “Interview with Transgender Woman in Immigrant

UNHCR, 1991, *Guidelines on the Protection of Refugee Women*, UN Doc. ES/SCP/67.

UNHCR, 2008, *UNHCR Guidance Note on Refugee Claims Relating to Sexual Orientation and Gender Identity*, 21 November 2008.

UNHCR, 2011a, *Ministerial Intergovernmental Event on Refugees and Stateless Persons - Pledges 2011.*

UNHCR, 2011b, *Need to Know Guidance on Working with Lesbian, Gay, Bisexual, Transgender & Intersex Persons in Forced Displacement.*

UNHCR, 2012a, *Guidelines on International Protection No. 9: Claims to Refugee Status based on Sexual Orientation and/or Gender Identity within the context of Article 1A(2) of the 1951 Convention and/or its 1967 Protocol relating to the Status of Refugees.*

UNHCR, 2012b, *"Ensuring Protection to LGBTI Persons of Concern": Keynote Address by Volker Turk, Director of International Protection, UNHCR Headquarters*, 20 September 2012.

UNHCR, 2015, *Guidelines on International Protection No. 11: Prima Facie Recognition of Refugee Status*, 24 June 2015.

UNHCR, 2021, *Global Trends in Forced Displacement*, 28 June 2021.

UNHCR EXCOM, 1990, *Refugee Women and International Protection No. 64 (XLI).*

UNHCR EXCOM,1993, *Refugee Protection and Sexual Violence No. 73 (XLIV).*

United Nations Human Rights Council, 2011, *A/HRC/RES/17/19 Human rights, sexual orientation and gender identity*, United Nations General Assembly, adopted 17 June 2011.

裁判例――アメリカ

S.Amdt.39 to S.1 - 103rd Congress (1993-1994) - Amendment Text. (1993, February 18). https://www.congress.gov/amendment/103rd-congress/senate-amendment/39/text

Bowers v. Hardwick, 478 U.S. 186, (1986)

Centre For Refugee and Gender Studies (CGRS), 2014a, Case No.10707, *Search Asylum Case Outcomes*, University of California Hastings, (http://cgrs.uchastings.edu/case/case-10707).

Centre For Refugee And Gender Studies (CGRS), 2014b Case No.10810, *Search Asylum Case Outcomes*, University of California Hasting, (http://cgrs.uchastings.edu/case/case-10810).

Hernandez-Montiel v. INS, 225 F.3d 1084 (9th Cir. 2000)

Lawrence v. Texas, 539 U.S. 558 (2003)

Matter of Acosta, 19 I&N Dec. 211 (BIA 1985)

Matter of Kasinga, 21 I&N Dec. 357 (BIA 1996)

Matter of Marcelo Tenorio, A72-093-558, (9th Cir. 1993)

Matter of Paul Wilson Dorman, 25 I&N Dec. 485 (A.G. 2011)

Matter of Toboso-Alfonso, 20 I&N Dec. 819 (BIA 1990)

Morales v. Gonzales, 478 F.3d 972 (9th Cir. 2007)

Neri-Garcia v. Holder, 696 F.3d 1003 (10th Cir. 2012)

US Citizenship and Immigration Services (USCIS), 2011, *Guidance for Adjudicating Lesbian, Gay, Bisexual, Transgender and Intersex (LGBTI) Refugee and Asylum Claims: Training Module,* Refugee, Asylum, and International Operations Directorate (RAIO), 28 December 2011, (https://www.uscis.gov/sites/default/files/document/guides/RAIO-Training-March-2012.pdf).

US Department of Health and Human Services, 2020, *Office of Refugee History,* (https://www.acf.hhs.gov/orr/about/history).

US Department of Homeland Security (DHS), 2012, *2011 Yearbook of Immigration Statistics Annual Report,* Office of Immigration Statistics, September 2012.

US Department of Homeland Security (DHS), 2014a, *Annual Report: Refugees and Asylees: 2013,* Office of Immigration Statistics, August 2014.

US Department of Homeland Security (DHS), 2014b, *Annual Report: Immigration Enforcement Actions: 2013,* Office of Immigration Statistics, September 2014.

US Department of Homeland Security (DHS), 2016, *Yearbook of Immigration Statistics Annual Report.*

US Department of Justice, 1982, "Opinions of the Office of Legal Counsel of the United States Department of Justice: Consisting of Selected Memorandum Opinions Advising the President of the United States the Attorney General and Other Executive Offices of the Federal Government in relation to Their Official Duties," *Office of Legal Counsel,* 3, (https://www.justice.gov/sites/default/files/olc/legacy/2013/07/26/op-olc-supp.pdf).

US Department of Justice, 2015, *Analysis, and Technology Immigration Courts Asylum Statistics FY 2010-2014,* Executive Office for Immigration Review Office of Planning. March 2015, (http://www.justice.gov/sites/default/files/eoir/pages/attachments/2015/03/16/fy2010-fy2014-asylum-statistics-by-nationality.pdf).

US Department of Justice, 2020, *Guidance Regarding New Regulations Governing Procedures for Asylum and Withholding of Removal and Credible Fear and Reasonable Fear Reviews.* 11 December 2020, (https://www.federalregister.gov/documents/2020/12/11/2020-26875/procedures-for-asylum-and-withholding-of-removal-credible-fear-and-reasonable-fear-review).

United States Border Patrol US Department of Homeland Security (DHS), 2018, "Southwest Border Deaths by Fiscal Year," (https://www.cbp.gov/sites/default/files/assets/documents/2017-Dec/BP%20Southwest%20Border%20Sector%20Deaths%20FY1998%20-%20FY2017.pdf).

US Department of States (USDS), 2015, *Funding Opportunities (FY).*

国際機関資料・刊行物

Inter-Agency Standing Committee (IASC), 2015, *Guidelines for Integrating Gender-Based Violence Interventions in Humanitarian Action.*

proclamation-lesbian-gay-bisexual-and-transgender-pride-mon).

White House, 2011b, “Presidential Memorandum - International Initiatives to Advance the Human Rights of Lesbian, Gay, Bisexual, and Transgender Persons,” Washington DC, Office of the Press Secretary, 6 December 2011, (https://www.whitehouse.gov/the-press-office/2011/12/06/presidential-memorandum-international-initiatives-advance-human-rights-l).

White House, 2014a, “Statement by the President on the Anti-Homosexuality Bill in Uganda,” Washington DC, Office of the Press Secretary, 16 February 2014, (https://www.whitehouse.gov/the-press-office/2014/02/16/statement-president-anti-homosexuality-bill-uganda).

White House, 2014b, “Remarks Made by Vice President Biden to the Human Rights Campaign Los Angeles Dinner,” Los Angeles, Office of the Vice President, 23 March 2014, (https://www.whitehouse.gov/the-press-office/2014/03/23/remarks-vice-president-and-dr-biden-human-rights-campaign-los-angeles-di).

White House, 2018, “Statement from the President,” Washington DC, Office of the Press Secretary, 1 June 2019, (https://gt.usembassy.gov/statement-by-the-president-donald-trump-to-celebrate-lgbt-pride-month/).

アメリカ政府刊行物・行政資料

Bureau of Population, Refugees, and Migration (PRM), 2002, *Proposed Refugee Admissions for FY 2003 - Report to the Congress*, US Department of State Archive, (http://2001-2009.state.gov/g/prm/refadm/rls/rpts/2002/13892.htm).

Bureau of Population, Refugees, and Migration (PRM), 2011, *Fact Sheet: Expedited Protection and Resettlement of Refugees*, US Department of State, 24 October 2011.

Bureau of Population, Refugees, and Migration (PRM), 2014, *FY 2013 Refugee Admissions Statistics*, US Department of State, 4 July 2014.

Bureau of Population, Refugees, and Migration (PRM), 2015, *Proposed Refugee Admissions: Report to the Congress*, US Department of State, Department Of Homeland Security, and Department Of Health And Human Services.

Federal Register, 2020, “Procedures for Asylum and Withholding of Removal; Credible Fear and Reasonable Fear Review,” *Proposed Rules* 85(115), 15 June 2020, (https://www.govinfo.gov/content/pkg/FR-2020-06-15/pdf/2020-12575.pdf).

Library of Congress, 2011, “Portuguese Immigrants in the United States,” (https://www.loc.gov/rr/hispanic/portam/chron6.html).

US Citizenship and Immigration Services (USCIS), 1995, *Considerations for Asylum Officers Adjudicating Asylum Claims from Women (“INS Gender Guidelines”)*, 26 May 1995, (https://www.refworld.org/docid/3ae6b31e7.html).

声明・プレスリリース

URLが記載されていないものはすべてLexisNexisを用いて取得。

Clinton, Hillary R., 2010, "Remarks at An Event Celebrating Lesbian, Gay, Bisexual and Transgender (LGBT) Month," *U.S. Department of State*, 22 June 2010, (https://2009-2017.state.gov/secretary/20092013clinton/rm/2010/06/143517.htm).

Clinton, Hillary R., 2011, "Remarks in Recognition of International Human Rights Day," *U.S. Department of State*, 6 December 2011, (https://2009-2017.state.gov/secretary/20092013clinton/rm/2011/12/178368.htm).

Clinton, William J., 1997, "Remarks at the Human Rights Campaign Dinner," Administration of William J. Clinton, 8 November 1997, 1758-1761.

Gillbrand, Kirsten. E., 2010. "Gillibrand, Baldwin To Sec. Clinton: Save LGBT Refugees," *States News Service*, 4 February 2010.

Government Accountability Office (GAO), 2013, R*eport to Congressional Requesters Immigration Detention: Additional Actions Could Strengthen DHS Efforts to Address Sexual Abuse*, GAO 1438, (https://www.gao.gov/assets/gao-14-38.pdf).

Office of Congressman James Sensenbrenner, 2005, "Press Release and Statement: House Passes REAL ID," Washington DC, 5 May 2005.

Office of the Press Secretary, 2014, "Statement by the President on the Anti-Homosexuality Bill in Uganda," 6 Feb 2014, (https://obamawhitehouse.archives.gov/the-press-office/2014/02/16/statement-president-anti-homosexuality-bill-uganda).

Office of the Spokesperson, 2011, "The Department of State's Accomplishments Promoting the Human Rights of Lesbian, Gay, Bisexual and Transgender People," Washington DC, US Department of State, 6 December 2011, (https://2009-2017.state.gov/r/pa/prs/ps/2011/12/178341.htm).

Office of Wisconsin Rep. Tammy Baldwin, 2007, "Baldwin Notes Plight of LGBT Iraqi Refugees - Asks Rice To Investigation," *State News Service*, 18 June 2007.

Pollack, Margaret, 2010, "Democracy, Human Rights, Refugees: U.S Delegation Statement to UNHCR's Executive Committee: International Protection," Geneva, US Department of State, 6 October 2010, (https://2009-2017.state.gov/j/prm/releases/remarks/2010/181100.htm).

Richard, Anne, 2012, "Strengthening Protection for LGBT Refugees," *States News Service*, 17 May 2012.

Schwartz, Eric, 2010, "Protecting LGBT Asylum Seekers and Refugees," Washington DC, US Department of State, June 11.

White House, 2011a, "Presidential Proclamation - Lesbian, Gay, Bisexual, and Transgender Pride Month," Washington DC, Office of the Press Secretary, 31 May 2011, (http://www.whitehouse.gov/the-press-office/2011/05/31/presidential-

63-89.
工藤晴子, 2014b,「クィアとしての難民とことば」『ことばと社会：多言語社会研究』16: 110-139.
工藤晴子, 2014c,「セクシュアリティとトラウマの動員――米国サンフランシスコ・ベイエリアにおけるメキシコ出身クィア庇護希望者のナラティヴ構築」『年報社会学論集』27: 49-60.
久保忠行・阿部浩己, 2020,「論――難民研究の意義と展望」『難民研究フォーラム』10: 2-16.
小井土彰宏 (研究代表) (2008)『転換期アメリカ合衆国移民政策の社会学的分析』研究課題番号16402026, 基盤研究 (B) (2) (海外) 研究成果報告書.
小池克憲, 2020,「○○難民という慣用表現について」note, 2020年3月20日, (https://note.com/katsukoike/n/n2ac6fc2599e1).
最高裁判所, 2004,「平成16年2月25日判決言渡 平成12年 (行ウ) 第178号 退去強制令書発付処分取消請求事件判決」, (https://www.courts.go.jp/app/files/hanrei_jp/576/005576_hanrei.pdf).
櫻井厚, 2002,『インタビューの社会学』せりか書房.
清水晶子, 2013,「『ちゃんと正しい方向に向かってる』――クィア／ポリティクスの現在」三浦玲一・早坂静編『ジェンダーと「自由」――理論、リベラリズム、クィア』彩流社, 313-331.
高澤洋志, 2015,「セキュリタイゼーションと政治的時間の諸相――保護する責任(R2P)概念の変遷を一事例として」『年報政治学　代表と統合の政治変容 2015-II』木鐸社, 257-278.
高谷幸, 2018,「『外国人労働者』から『不法滞在者』へ―― 1980年代以降の日本における非正規滞在者をめぐるカテゴリーの変遷とその帰結」『社会学評論』68(4): 531-548.
土山實男, 2014,『安全保障の国際政治学―― 焦りと傲り　第二版』有斐閣.
土佐弘之, 2003,『安全保障という逆説』青土社.
中山弘子, 2017,「米国における難民認定制度の運用について――能動的庇護手続きに着目して」『エトランデュテ 在日本法律家協会会報』1: 65-88.
中山弘子, 2020,「米国の難民認定手続きにおけるDV被害者の位置づけ――トランプ政権下での展開に注目して」『難民研究ジャーナル』9: 72-84.
野口裕二, 2009,『ナラティヴ・アプローチ』勁草書房.
法務省入国管理庁, 2019,「難民として認定した事例等について」2019年3月27日, (https://www.moj.go.jp/isa/content/930004130.pdf).
山岡健次郎, 2019,『難民との友情――難民保護という機関を問い直す』明石書店.
ロジエール, ステファン (小山晶子訳), 2014,「現在おきているのは構造的な『対移民戦争』である」森千香子・エレン・ルバイ編『国境政策のパラドクス』勁草書房, 21-48.

Türk, Volker, 2013, "Ensuring Protection to LGBTI Persons of Concern," *International Journal of Refugee Law* 25(1): 120-129.

Van Hear, Nicholas, 2006, "Refugee in Diaspora: From Durable Solution to Transnational Relations," *Refuge* 23(1): 9-14.

Van Hear, Nicholas, 2009, "Managing Mobility for Human Development: The Growing Salience of Mixed Migration," *Human Development Research Paper* 2009(20), United Nations Development Programme.

Walzer, Michael, 1983, *Sphere of Justice: A Defence of Pluralism and Equality*, Oxford: Blackwell.

Weiner, Myron, 1995, *The Global Migration Crisis: Challenge to States and to Human Rights*, New York: Harper Collins.

Zetter, Roger, 1991, "Labelling Refugees: Forming and Transforming a Bureaucratic Identity," *Journal of Refugee Studies* 4(1): 39-62.

日本語論文・書籍・資料

青山薫, 2016,「愛こそすべて——同性婚／同性パートナーシップ制度と「善き市民」の拡大」『ジェンダー史学』12: 19-36.

朝日新聞GLOBE＋, 2019,「公園を埋め、そして消えたイラン人　あの波は日本に何をもたらしたか」2019年6月10日, (https://globe.asahi.com/article/12434499).

飯尾真紀子, 2017,「非正規移民1150万人の排除と包摂——強制送還レジームとDACAプログラム」小井土彰宏編『移民受け入れの国際社会学』名古屋大学出版会, 48-69.

五十嵐徳子, 2015,「ロシアの同性愛をめぐる状況とジェンダー」『現代思想——特集LGBT』43-16: 185-191.

池田丈佑, 2014,「庇護と保護の理念——その内容と変遷」墓田桂・杉木明子・池田丈佑・小澤藍編著『難民・強制移動研究のフロンティア』現代人文社, 23-40.

浦野起央 (2003)『安全保障の新秩序——国家安全保障最高、テロ・環境・人間の安全保障』南窓社.

大津留 (北川) 智恵子, 2016,『アメリカが生む／受け入れる難民』関西大学出版部.

上英明, 2019,『外構と移民——冷戦下の米・キューバ関係』名古屋大学出版会.

加藤朗, 2007,「テロリズムの越境拡散と安全保障の公共政策」『公共政策研究』7: 42-58.

川坂和義, 2013,「アメリカ化されるLGBTの人権——「ゲイの権利は人権である」演説と〈進歩〉というナラティヴ」『ジェンダー＆セクシュアリティ』8: 5-28.

貴堂嘉之, 2012,『アメリカ合衆国と中国移民——歴史の中の「移民国家」アメリカ』名古屋大学出版会.

貴堂嘉之, 2018,『移民国家アメリカの歴史』岩波書店.

工藤晴子, 2014a,「難民保護におけるホモセクシュアリティ概念の採用——ゲイとレズビアン難民によるナラティヴ構築の事例から」『ジェンダー＆セクシュアリティ』9:

Richmond, Anthony H., 1994, *Global Apartheid: Refugees, Racism and the New World Order*, Oxford: Oxford University Press.

Rollins, Joe, 2009, "Embargoed Sexuality: Rape and the Gender of Citizenship in American Immigration Law," *Politics and Gender* 5: 519-544.

Rohrich, James K., 2015, "Human Rights Diplomacy Amidst "World War LGBT": Re-examining Western Promotion of LGBT Rights in Light of the "Traditional Values" Discourse," Anthony Chase ed., *Transatlantic Perspectives on Diplomacy and Diversity*, New York: Humanity in Action Press, 69-96.

Rumbach, Jennifer 2013, "Towards Inclusive Resettlement for LGBTI Refugees," *Forced Migration Review* 42: 40-43.

Seay, Misha, 2011, "Better Late than Never: A Critique of the United States' Asylum Filing Deadline from International and Comparative Law Perspectives," *Hastings International and Comparative Law Review* 34(2): 407-433.

Shakhsari, Sima 2014, "The Queer Time of Death: Temporality, Geopolitics, and Refugee Rights," *Sexualities* 17(8): 998-1015.

Shmueli, Mark J. and Tina R. Goel, 2013, "The Post-DOMA Immigration Law Landscape," *The Federal Lawyer*, (http://www.markshmuelilaw.com/wp-content/uploads/2013/12/DOMA-Fed-Bar-2013.pdf).

Sigona, Nando, 2014, "The Politics of Refugee Voices: Representations, Narratives, and Memories," Elena Fiddian-Qasmiyeh, Gil Loescher, Katy Long, and Nando Sigona eds., *The Oxford Handbook of Refugee and Forced Migration Studies*, Oxford: Oxford University Press, 369-382.

Siskin, Alison, 2012, *Immigration-Related Detention: Current Legislative Issues*, 1-17, 12 January 2012, Congressional Research Service, 7-5700, (https://irp.fas.org/crs/RL32369.pdf).

Skop, Emily H., 2001, "Race and Place in the Adaptation of Mariel Exiles," *International Migration Review* 35(2): 449-471.

Spijkerboer, Thomas, 2000, *Gender and Refugee Status*, London: Rutledge.

Spijkerboer, Thomas ed., 2013a, *Fleeing Homophobia: Sexual orientation, gender identity and asylum*, Abington and New York: Rutledge.

Spijkerboer, Thomas, 2013b, "Sexual Identity, Normativity, and Asylum," Thomas Spijkerboer ed., *Fleeing Homophobia: Sexual Orientation, Gender Identity and Asylum*, Abington and New York: Rutledge, 217-238.

Stacey, Judith and Barrier Thorne, 1985, "The Missing Feminist Revolution in Sociology," *Social Problems* 32(4): 301-16.

Swanwick, Daniel L., 2006, "Foreign Policy and Humanitarianism in U.S. Asylum Adjudication: Revisiting the Debate in the Wake of the War on Terror," *Georgetown Immigration Law Journal* 21: 129-149.

Law Center for Immigrants' Rights, 2010, *The One-Year Asylum Deadline and the BIA: No Protection, No Process: An Analysis of Board of Immigration Appeals Decisions 2005-2008*, (https://immigrantjustice.org/research-items/report-one-year-asylum-deadline-and-bia-no-protection-no-process).

Neilson, Victoria and Aaron Morris, 2005, "The Gay Bar: The Effect of The One-Year Filing Deadline on Lesbian, Gay, Bisexual, Transgender, and HIV-Positive Foreign Nationals Seeking Asylum or Withholding of Removal," *New York City Law Review* 8: 233-282.

Ngai, Mae M., 2004, *Impossible Subjects: Illegal Aliens and the Making of Modern America*, Princeton: Princeton University Press.

Patton, Cindy, 1990, *Inventing AIDS*, New York: Routledge.

Peña, Susana, 2005, "Visibility and Silence" Eithne Luibhéid and Lionel Cantú eds., *Queer Migrations: Sexuality, U.S. Citizenship and Border Crossings*, Minneapolis: University of Minnesota Press.

Peña, Susana, 2007, "'Obvious Gays' and the State Gaze: Cuban Gay Visibility and U.S. Immigration Policy during the 1980 Mariel Boat Lift," *Journal of the History of Sexualities* 16(3): 482-514.

Plummer, Ken, 1995, *Telling Sexual Stories: Power, Change and Social Worlds*, London: Routledge.

Plummer, Ken, 2001, *Documents of Life 2: An Invitation to a Critical Humanism*, London: Sage Publication.

Portes, Alejandro and Clark JM., 1987, "Mariel refugees: six years after" *Migration World* 15(5): 14-18.

Portes, Alejandro and Leif Jensen, 1989, "The Enclave and the Entrants: Patterns of Ethnic Enterprise in Miami Before and After Mariel," *American Sociological Review* 54(6) :929-949.

Portes, Alejandro and Alex Stepick, 1993, *City on the Edge: The Transformation of Miami*, Berkeley: University of California Press.

Puar, Jasbir K., 2007, *Terrorist Assemblages: Homonationalism in Queer Times*, Durham, NC: Duke University Press.

Puar, Jasbir K., 2013, "Homonationalism as Assemblage: Viral Travels, Affective Sexualities," *Jindal Global Law Review* 4(2): 23-43.

Randazzo, Timothy J., 2005, "Social and Legal Barriers: Sexual Orientation and Asylum in the United States," Eithne Luibhéid and Lionel Cantú eds., *Queer Migrations: Sexuality, U.S. Citizenship and Border Crossings*, Minneapolis: University of Minnesota Press, 30-60.

Ramji-Nogales, Jaya, Philip G. Schrag and Andrew I. Schoenholtz, 2009, *Refugee Roulette: Disparities in Asylum Adjudication and Proposals for Reform*, New York and London: New York University Press.

Ratner, Michael, 1998, "How We Closed the Guantanamo HIV Camp: The Intersection of Politics and Litigation," *Harvard Human Rights Journal* 11: 187-220.

Richardson, Diane, 2000, *Rethinking Sexuality*, London: Sage.

McGhee, D.P., 2000, "Accessing Homosexuality: Truth, Evidence & the Legal Practices for Determining Refugee Status," *Body & Society* 6(1): 29-52.

Meissner, Doris, 1988, "Reflections on the Refugee Act of 1980," David Martin, ed., *The New Asylum Seekers: Refugee Law in the 1980s*. London: Martinus Nijhoff Publishers, 57-66.

Millbank, Jenni, 2009, "From Discretion to Disbelief: Recent Trends in Refugee Determinations of the Basis of Sexual Orientation in Australia and the United Kingdom," *The International Journal of Human Rights* 13(2-3): 391-414.

Miller, Alice, 2005, "Gay enough? Some tensions in seeking the grant of asylum and protecting global sexual diversity," 137-177 in Epps, B., Valens, K., and Johnson-Gonzales, B., eds., *Passing Lines: Sexuality and Immigration*, Cambridge, MA, Harvard University Press.

Mingot, Ester, S. and da Cruz, Jose, 2013, The Asylum-Migration Nexus: Can Motivations Shape the Concept of Coercion? The Sudanese Transit Case, *Journal of Third World Studies* 30(2): 175.

Morgan, Debora A., 2006, "Not Gay Enough for the Government: Racial and Sexual Stereotypes in Sexual Orientation Asylum Cases," *Law & Sexuality* 15: 135-161.

Morris, Lydia, 2010, *Asylum, Welfare and the Cosmopolitan Ideal: A Sociology of Rights*, Abingdon: Routledge.

Mullins, Greg A., 2003, "Seeking Asylum: Literary Reflections on Sexuality, Ethnicity and Human Rights," *MELUS* 28(1): 145-171.

Murray, David A B., 2011, "Becoming Queer Here: Integration and Adaptation Experiences of Sexual Minority Refugees in Toronto," *Refuge* 28(2): 127-35.

Murray, David A B., 2015, R*eal Queer? Sexual Orientation and Gender Identity Refugees in the Canadian Refugee Apparatus*, Rowman and Littlefield.

Murray, David A B., 2020, "Liberation Nation? Queer Refugees, Homonationalism and the Canadian Necropolitical State," *Revista Interdisciplinar da Mobilidade Humana* 28(59): 69-78.

Musalo, Karen and Marcelle Rice, 2008, "The Implementation of the One-Year Bar to Asylum," *Hastings International and Comparative Law Review* 31(2): 71-102.

National Conference of State Legislatures, 2021, "States Offering Driver's Licenses to Immigrants," 8 September 2021, (https://www.ncsl.org/research/immigration/states-offering-driver-s-licenses-to-immigrants.aspx).

National Immigrant Justice Center (NIJC), 2011, *Civil Rights Complaint for LGBT Immigration Detainees*, 13 April 2011, (http://www.scribd.com/doc/52956435/Civil-rights-complaint-for-LGBT-immigration-detainees).

National Immigrant Justice Center (NIJC) and Physicians for Human Rights (PHR), 2012, *Invisible in Isolation: The use of segregation and solitary confinement in immigration detention*, 20 September 2011, (https://immigrantjustice.org/research-items/report-invisible-isolation-use-segregation-and-solitary-confinement-immigration).

National Immigrant Justice Center (NIJC), Human Rights First (HRF) and Penn State

Leap, William L., and Heiko Motschenbacher, 2012, "Launching a New Phase in Language and Sexuality Studies," *Journal of Language and Sexuality* 1(1): 1-14.

Livia, Anna and Kira Hall eds., 1997, *Queerly Phrased: Language, Gender, and Sexuality.* Oxford and New York: Oxford University Press.

Loescher, Gil and John A. Scanlan, 1986, *Calculated Kindness: Refugees and America's Half-Open Door 1945 to the Present,* Free Press.

Luibhéid, Eithne, 1998, "'Looking like a Lesbian': The Organization of Sexual Monitoring at the United States-Mexican Border," *Journal of the History of Sexuality,* 8(3): 477-506.

Luibhéid, Eithne, 2002, *Entry Denied: Controlling Sexuality and the Border,* Minneapolis: University of Minnesota Press.

Luibhéid, Eithne, 2005, "Introduction: Queering Migration and Citizenship," Eithne Luibhéid and Lionel Cantú Jr., eds., *Queer Migrations, Sexuality, U.S. Citizenship, and Border Crossings,* Minneapolis: University of Minnesota Press.

Luibhéid, Eithne, 2008, "Queer/migration: An Unruly Body of Scholarship," *GLQ: A Journal of Lesbian and Gay Studies,* 14(2/3): 169-190.

Luibhéid, Eithne, 2020, "Migrant and Refugee Lesbians: Lives that resist the telling," *Journal of Lesbian Studies,* 24(2):57-76.

Luibhéid, Eithne and Lionel Cantú Jr., eds., 2005, *Queer Migrations, Sexuality, U.S. Citizenship, and Border Crossings,* Minneapolis: University of Minnesota Press.

Luibhéid, Eithne and Karma R. Chávez eds., 2020, *Queer and Trans Migrations: Dynamics of Illegalization, Detention, and Deportation,* Chicago and Springfield: University of Illinois Press.

Malkki, Liisa, 1995, "Refugees and Exile: From "Refugee Studies" to the National Order of Things," *Annual Review of Anthropology* 24(1): 495-523.

Manalansan IV, Martin F., 1995, "In the Shadows of Stonewall: Examining Gay Transnational Politics and the Diasporic Dilemma," *GLQ: A Journal of Gay and Lesbian Studies,* 2(4): 425-438.

Manalansan IV, Martin F., 2003, *Global Divas: Filipino Gay Men in the Diaspora,* Durham: Duke University Press.

Martin, Susan, 2010, "Gender and the Evolving Refugee Regime," *Refugee Survey Quarterly,* 29(2): 104-121.

Martinez, Ramiro, Jr., Amie L. Nielsen, and Matthew T. Lee, 2003, "Reconsidering the Marielito Legacy: Race/Ethnicity, Nativity and Homicide Motives," *Social Science Quarterly* 84(June): 397-411.

Mautner, Gerlinde, 2008, "Analyzing Newspapers, Magazines and Other Print Media," 30-35 in Wodak, R. and Krzyżanowski, M, eds., *Qualitative Discourse Analysis For The Social Sciences,* Basingstoke: Palgrave Macmillan, 30-35.

McCormick, Elizabeth Mary, 1993, "HIV-Infected Haitian Refugees: An Argument Against Exclusion." *Georgetown Immigration Law Journal* 7(149): 149-71.

Cambridge: Cambridge University Press.

Human Rights First, 2014, *How to Protect Refugees and Prevent Abuse at the Border: Blueprint for U.S Government Policy,* June 2014, (https://www.humanrightsfirst.org/sites/default/files/Asylum-on-the-Border-final.pdf).

Human Rights First, 2016, *Lifeline on Lockdown Increased U.S. Detention of Asylum Seeker,* July 2016, (http://www.humanrightsfirst.org/sites/default/files/Lifeline-on-Lockdown_0.pdf).

Human Right Watch, 2010, "Asylum Overview Chart," (https://www.humanrightsfirst.org/file/asylum-overview-chartjpg).

Human Rights Watch, 2020, *Comment on Proposed Changes to Procedures for Asylum and Withholding of Removal; Credible Fear And Reasonable Fear,* 15 July 2020, (https://www.hrw.org/news/2020/07/15/comment-proposed-changes-procedures-asylum-and-withholding-removal-credible-fear#_ftnref3).

Hufker, Brian and Gray Cavender, 1990, "From Freedom Flotilla to America's Burden: The Social Construction of the Mariel Immigrants," *The Sociological Quarterly* 31(2): 321-335.

Immigration Equality, 2014, *Immigration Equality Asylum Manual,* (https://immigrationequality.org/asylum/asylum-manual/).

Interpreter Release, 1994, "Reno Designates Gay Case as Precedent," Attorney General Order No. 1895-94 (June 19, 1994), 71(25): 859-861.

Jackson, Michael, 2002, *The Politics of Storytelling: Violence, Transgression, and Intersubjectivity,* Chicago: University of Chicago Press.

Joachim, Jutta, 2003, "Framing Issues and Seizing Opportunities: The UN, NGOs, and Women's Rights," *International Studies Quarterly* 47(2): 247-274.

Katyal, Sonia, 2002, "Exporting Identity," *Yale Journal of Law and Feminism* 14: 97-176.

Katyal, Sonia, 2006, "Sexuality and Sovereignty: The Global Limits and Possibilities of a Lawrence," *William and Mary Bill of Rights Law Journal* 14: 1429-1478.

Katyal, Sonia, 2010, "The Dissident Citizen," *UCLA Law Review* 57: 1415-1476.

Keck, Margaret, and Sikkink Kathryn, 1998, "Transnational Advocacy Networks in the Movement Society," David S. Meyer and Sidney Tarrow eds., *The Social Movement Society,* 217-238.

Kerwin, Donald M., 2011, "The Faltering US Refugee Protection System: Legal and Policy Responses to Refugees, Asylum Seekers, and Others in Need of Protection," Washington, D.C.: Migration Policy Institute.

Landau, Joseph, 2004, "'Soft Immutability' and 'Imputed Gay Identity': Recent Developments in Transgender and Sexual-Orientation-Based Asylum Law," *Fordham Urban Law Journal,* 32(2): 101-126.

Larzelere, Alex, 1988, *The 1980 Cuban Boatlift,* Washington, D.C.: National Defence University Press.

Fiddian-Qasmiyeh, Elena, 2006, "Relocating: The Asylum Experience in Cairo," *Interventions: International Journal of Postcolonial Studies* 8(2): 295-318.

Fiddian-Qasmiyeh, Elena, 2014a, "Gender and Forced Migration," Elena Fiddian-Qasmiyeh, Gil Loescher, Katy Long, and Nando Sigona eds., *The Oxford Handbook of Refugee and Forced Migration Studies,* Oxford: Oxford University Press, 395-408.

Fiddian-Qasmiyeh, Elena, 2014b, *The Ideal Refugees: Gender, Islam and the Sahrawi Politics of Survival,* Syracuse, NY: Syracuse University Press.

Foucault, Michel, 1972, *The Archaeology of Knowledge and the Discourse on Language,* Translated by Smith, Sheridan A M., New York: Pantheon Books.

Freedman, Jane, 2007, *Gendering the International Asylum and Refugee Debate,* London: Palgrave Macmillan.

Good, Anthony, 2007, *Anthropology and Expertise in the Asylum Courts,* Abingdon: Routledge.

Gopinath, Gayatry, 2005, *Impossible Desires: Queer Diasporas and South Asian Public Cultures,* Durham, NC: Duke University Press.

Gibney, Matthew. J., 2004, *The Ethics and Politics of Asylum: Liberal Democracy and the Response to Refugees,* Cambridge: Cambridge University Press.

Graham, Mark and Shahram Khosravi, 1997, "Home Is Where You Make It: Repatriation and Diaspora Culture among Iranians in Sweden," *Journal of Refugee Studies* 10(2): 115-33.

Gruberg, Sharita. and Rachel West, 2015, *Humanitarian Diplomacy: The U.S. Asylum System's Role in Protecting Global LGBT Rights,* Center for American Progress, (https://cdn.americanprogress.org/wp-content/uploads/2015/06/LGBTAsylum-final.pdf).

Gzesh, Susan, 2006, "Central Americans and Asylum Policy in the Reagan Era," *Migration Information Source,* Migration Policy Institute, 22 June 2006, (https://www.migrationpolicy.org/article/central-americans-and-asylum-policy-reagan-era).

Hamlin, Rebecca, 2012, *Let Me Be a Refugee: Administrative Justice and the Politics of Asylum in the United States, Canada, and Australia,* Oxford: Oxford University Press, Oxford.

Hanna, Fadi, 2005, "Punishing Masculinity in Gay Asylum Claims," *Yale Law Journal* 114: 913-919.

Hart, Jason, 2008, "Dislocated Masculinity: Adolescence and the Palestinian Nation-in-exile," *Journal of Refugee Studies* 21(1): 65-81.

Haritaworn, Jin, Tamsila Tauqir, and Esra Erdem, 2008, "Gay Imperialism: Gender and Sexuality Discourse in the War on Terror," Adi Kuntsman and Esperanza Miyake eds., *Out of Place: Interrogating Silences in Queerness/raciality,* New York: Raw Nerve Books, 71-95.

Harrell-Bond, Barbara, 1986, *Imposing Aid: Emergency Assistance to Refugees,* Oxford: Oxford University Press.

Hathaway, James C., 1991, *The Law of Refugee Status,* Toronto and Vancouver: Butterworths.

Hathaway, James and Michelle Foster, 2004, *The Law of Refugee Status* (2nd Edition),

Perry and B. Maurer eds., *Globalization and Governmentalities*, Minneapolis: University of Minnesota Press, 171-202.

Crawley, Heaven, 2000, "Gender, Persecution and the Concept of Politics in the Asylum Determination Process," *Forced Migration Review* 9: 17-20.

Crenshaw, Kimberle, 1989, "Demarginalizing the Intersection of Race and Sex: A Black Feminist Critique of Antidiscrimination Doctrine, Feminist Theory and Antiracist Politics," *University of Chicago Legal Forum* 140: 139-167.

Crenshaw, Kimberlé, 1991, "Mapping the Margins: Intersectionality, Identity Politics, and Violence Against Women of Color," *Stanford Law Review* 43(6): 1241-1299.

Crisp, Jeff, 2008, "Beyond the Nexus: UNHCR's Evolving Perspective on Refugee Protection and International Migration," UNHCR *New Issues In Refugee Research*, Research Paper No. 155.

Duggan, Lisa, 2003, *The Twilight of Equality: Neoliberalism, Cultural Politics, and the Attack on Democracy*, Boston: Beacon Press.

Davis, Tracy J., 1999, "Opening the Doors of Immigration: Sexual Orientation and Asylum in the United States," *The Human Rights Brief* 6(3): 19.

DeVolld, Angela, 2014, "Refugee Roulette: Wagering on Morality, Sexuality, and Normalcy in U.S. Asylum Law," *Nebraska Law Review* 92(3): 627-654.

Dummett, Ann, 1992, "The Transnational Migration of People Seen from Within a Natural Law Tradition," Brian Barry and Robert Goodwin eds., *Free Movement: Ethical Issues in the Transnational Migration of People and Money*, University Park: Pennsylvania State University Press.

Dummett, Michael, 2001, *On Immigration and Refugees*, London: Routledge.

Eades, Diana, 2005, "Applied Linguistics and Language Analysis in Asylum Seekers Cases," *Applied Linguistics* 26(4): 503-526.

Eastmond, Marita, 2007, "Stories as Lived Experience: Narratives in Forced Migration Research," *Journal of Refugee Studies* 20(2): 248-264.

Enloe, Cynthia, 1991, ""Womenandchildren": Propaganda Tools of Patriarchy," Greg Bates ed., *Mobilising Democracy: Changing the US Role in the Middle East*, Monroe, ME: Common Courage Press.

Engstrom, David W., 1997, *Presidential Decision Making Adrift: The Carter Administration and the Mariel Boatlift*, Lanham, MD: Rowman & Littlefield.

Epstein, Steven, 1998, *Impure Science: AIDS, Activism and the Politics of Knowledge*, Berkeley: University of California Press.

Farrow, Kenyon, 2010, "Is Gay Marriage Anti Black???," Ryan Conrad ed., *Against Equality: Queer Critiques of Gay Marriage*, Oakland, CA: AK Press, 21-31. (Originally published on March 5, 2004).

Fassin, Didier and Estelle d'Halluin, 2005, "The Truth from the Body: Medical Certificate as Ultimate Evidence for Asylum Seekers," *American Anthropologist* 107: 597- 608.

Canaday, Margot, 2009, *The Straight State: Sexuality and Citizenship in Twentieth-Century America*, Princeton: Princeton University Press.

Cantú, Lionel Jr., 2005, "Well-founded Fear: Political Asylum and the Boundaries of Sexual Identity in the U.S.-Mexico Borderlands," Eithne Luibhéid and Lionel Cantú eds., *Queer Migrations: Sexuality, U.S. Citizenship and Border Crossings*, Minneapolis: University of Minnesota Press, 61-74.

Cantú, Lionel Jr., 2009, *The Sexuality of Migration: Border Crossings and Mexican Immigrant Men*, New York: New York University Press.

Capó Jr., Julio, 2010, "Queering Mariel: Mediating Cold War Foreign Policy and U.S. Citizenship among Cuba's Homosexual Exile Community, 1978-1994," *Journal of American Ethnic History* 29(4): 78-106.

Capps, Randy, Doris Meissner, Ariel G. Ruiz Soto, Jessica Bolter and Sarah Pier, 2019, *From Control to Crisis: Changing Trends and Policies Reshaping U.S.-Mexico Border Enforcement*, Migration Policy Institute.

Carens, Joseph, 1992, "Refugees and the Limits of Obligation," *Public Affairs Quarterly* 6(1): 31-44.

Cass, Vivienne. C., 1979, "Homosexual Identity Formation: A Theoretical Model," *Journal of Homosexuality* 4: 219-235.

Castles, Stephen, 2003, "Towards a Sociology of Forced Migration and Transformation," *Sociology* 37(1): 13-34.

Castles, Stephen & Miller, Mark J, 2003, *The Age of Migration: International Population Movement in the Modern Word*, 3rd ed, Basingstoke: Palgrave-Macmillan.

Chávezes, Karma, 2013, *Queer Migration Politics*, Chicago and Springfield: University of Illinois Press.

Chimni, B.S., 2019, "Global Compact on Refugees: One Step Forward, Two Steps Back," *International Journal of Refugee Law* 30(4): 630-634.

Collins, Patricia Hill, [1990] 2000, *Black Feminist Thought: Knowledge, Consciousness, and the Politics of Empowerment*, 2nd ed., NY: Routledge.

Collins, Patricia Hill, 2015, "Intersectionality's Definitional Dilemmas," *Annual Review of Sociology* 41: 1-20.

Connel, R.W., 1987, *Gender and Power: Society, The Person, and Social Politics*, London: Polity Press. (森重雄他訳, 1993,『ジェンダーと権力――セクシュアリティの政治学』三交社.)

Conrad, Ryan, ed., 2014, *Against Equality: Queer Revolution, Not Mere Inclusion*, Oakland, CA: AK Press.

Conroy, Melanie, 2009, "Real Bias: How REAL ID's Credibility and Corroboration Requirements Impair Sexual Minority Asylum Applicants," *Berkeley Journal of Gender and Justice* 24(1): 1-47.

Coutin, Susan B., 2003, "Borderlands, Illegality and the Spaces of Non-existence," R.

参考文献一覧

インターネット上の資料の最終アクセスはすべて2022年1月29日。

英語論文・書籍

Aguirre, Benigno, Rogelio Saenz, and Brian Sinclair James, 1997, "Marielitos Ten Years Later: The Scarface Legacy," *Social Science Quarterly* 78(2): 487-507.

American Civil Liberties Union (ACLU), 2010, "PennDOT Appealed Lower Court's Ruling Allowing Six Philadelphia Residents to Retain Licenses," 13 October 2010, (https://www.aclu.org/press-releases/aclu-pa-defends-immigrants-right-drive).

American Immigration Council, 2020, "Asylum in the United States," 11 June 2020, (https://www.americanimmigrationcouncil.org/research/asylum-united-states).

Anker, Deborah, 2014, "Legal Change from the Bottom Up: the Development of Gender Asylum Jurisprudence in the United States," Arbel, Efrat, Catherine Dauvergne, and Jenni Millbank. eds., *Gender in Refugee Law: From the Margins to the Center,* New York: Routledge, 46-72.

Bell, David, and John Binnie, 2000, *The Sexual Citizen: Queer Politics and Beyond,* Cambridge: Polity.

Betts, Alexander, 2014, "International Relations and Forced Migration," Elena Fiddian-Qasmiyeh, Gil Loescher, Katy Long, and Nando Sigona eds., *The Oxford Handbook of Refugee and Forced Migration Studies.* Oxford: Oxford University Press, 60-73.

Berg, Laurie and Jenni Millbank, 2009, "Constructing the Personal Narratives of Lesbian, Gay and Bisexual Asylum Claimants," *Journal of Refugee Studies* 22(2): 195-223.

Birdsong, Leonard, 2008, "'Give Me Your Gays, Your Lesbians, and Your Victims of Gender Violence, Yearning to Breathe Free of Sexual Persecution...': The New Grounds for Grants of Asylum," *Nova Law Review* 32: 357-390.

Boehm, Deborah A., 2011, "US-Mexico Mixed Migration in an Age of Deportation: An Inquiry into the Transnational Circulation of Violence," *Refugee Survey Quarterly* 30(1): 1-21.

Bracke, Sarah, 2012, "From "Saving Women" to "Saving Gays": Rescue Narratives and Their Dis/Continuities," *European Journal of Women's Studies* 19(2): 237-252.

Brown, Anastasia and Todd Scriber, 2014, "Unfulfilled Promises, Future Possibilities: The Refugee Resettlement System in the United States," *Journal of Migration and Human* 2(2): 101-120.

Cabot, Anna, 2014, "Problems Faced by Mexican Asylum Seekers in the United States," *Journal on Migration and Human Security* 2(4): 361-377.

Cameron, Deborah and Don Kulick, 2003, *Language and Sexuality,* Cambridge: Cambridge University Press. (中村桃子・熊谷滋子・佐藤響子・クレア マリイ訳, 2009,『ことばとセクシュアリティ』三元社.)